LA DIVINA COMEDIA

Y

LA VIDA NUEVA

Primera edición de la Colección "Sepan cuantos...", 1962.

La introducción y comentario, y las características de esta edición
son propiedad de
Editorial Porrúa, S. A.

Derechos reservados © 1989 , por
Editorial Porrúa, S. A.
Av. República Argentina No. 15
México, D. F.

ISBN 968-432-119-8

IMPRESO EN MÉXICO
PRINTED IN MEXICO

DANTE ALIGHIERI

DANTE ALIG[HIERI]

LA DIVINA COM[EDIA]

Y

LA VIDA NUEVA

INTRODUCCION Y COMENTARIO

DE

FRANCISCO MONTES DE OCA

DECIMOSEXTA EDICION

EDITORIAL PORRUA, S. A.
AV. REPUBLICA ARGENTINA,
MEXICO, 1989

INTRODUCCIÓN

DANTE Y SU EPOCA

En Florencia, la ciudad del Lirio Rojo, nació Dante en la primavera de 1265. El único e impreciso dato que poseemos acerca de la fecha de su nacimiento nos lo proporciona el propio vate en el canto XXII del *Paraíso,* cuando nos muestra orgullosamente su horóscopo al invocar la constelación de los Gemelos, que, por ser la residencia de Mercurio, confiere la ciencia y el talento, y a la que —Dante poseyó siempre una secreta afición a la astrología— atribuye él su genio de escritor. "¡Oh gloriosos astros! ¡Oh luz henchida de gran virtud, a la que reconozco deber todo mi ingenio, cualquiera que éste sea! Con vosotros nacía y se escondía con vosotros el que es padre de toda vida mortal, cuando sentí por vez primera el aire toscano." Como quiera que el sol entra en Géminis un poco después del quince de mayo para salir a mediados de junio, en ese lapso de tiempo ha de situarse su nacimiento. Y la tradición concuerda en afirmar que tuvo lugar éste en la segunda quincena del mes de mayo de 1265, en una humilde mansión de la plaza de San Martín obispo, contigua a la Abadía.

Su familia, perteneciente a la modesta burguesía florentina, se enorgullecía de tener ascendencia gentil romana. En el canto XV del *Paraíso* nos da alguna información acerca de un antepasado suyo, Cacciaguida —*filius olim Adami*—, del que no sabemos sino lo que el poeta pone en su propia boca, tras hacerle entonar una entusiasta loa a las hermosas prácticas y costumbres de la Florencia antigua: que se había cruzado siglo y medio antes, que fue armado caballero por el emperador Conrado III y que pereció en combate luchando contra los sarracenos. Pocos datos, pero los suficientes para que su interpretación naufrague en un mar de dificultades. Porque la expedición contra los musulmanes en que Cacciaguida halló muerte honrosa debería ser la Segunda Cruzada (1147-1149), la predicada por aquel hombre de palabra de miel y de fuego que fue San Bernardo de Claraval y organizada por el emperador Conrado III y el capeto Luis VII de Francia, puestos de común acuerdo. Pero ¿cómo, en esta hipótesis, habría podido ser conocido por el emperador Conrado, que jamás descendió a Italia? Tal vez debamos suponer que Dante confunde a Conrado III con su homónimo Conrado II, que reinó de 1024 a 1039 y emprendió, con la ayuda de los florentinos que él armara caballeros, una campaña contra los sarracenos de Calabria. Así opinaba ya Piero de Dante, el hijo del poeta y su primer comentador. Pero no deja de resultar sumamente sospechosa de parte de su padre una tal confusión, por la que se hace participar en aventuras del siglo XI a un hombre que, con toda seguridad, no vivió hasta cien años más tarde.

El patronímico de Dante penetró en la familia por la boda de Cacciaguida con una lombarda; uno de sus numerosos hijos, llamado Alighiero, transmitió a su descendencia su nombre de pila. Casado con la hija de un tal Bellincione Berti, Alighiero tuvo dos hijos, Bello y Bellincione; de este último salió el segundo Alighiero que por su matrimonio con Bella, hija de Durante di Scolaio degli Abbati, debía ser el padre de Dante.

El futuro poeta no recibió las aguas bautismales hasta el 25 de marzo de 1266, diez meses después de su venida al mundo. Tal demora en el bautismo, que hoy no dejaría de sorprendernos, debióse a la costumbre entonces vigente, de esperar a bautizar en el Sábado de Gloria a los niños nacidos durante el año. Por su abuelo materno le fue impuesto el nombre de Durante, que se abrevió después en el de Dante.

Hace el poeta frecuentes referencias a la antigüedad y nobleza de su familia; no hay por qué ponerlas en tela de juicio. Lo que sí nos consta es que era profundamente güelfa como lo eran, por lo general, toda la pequeña nobleza florentina y la población artesana, en oposición a la nobleza feudal, gibelina, que se valía de la protección del Imperio para dominar la municipalidad. Mas aunque Dante proclama, por boca de Farinata degli Uberti,[1] que sus mayores fueron decididos adversarios del partido gibelino, por lo que en dos ocasiones hubieron de tomar el camino del destierro, sus nombres no figuran en las crónicas de aquellas luchas ni nos consta que ninguno de ellos sufriese menoscabo en sus pertenencias.

Ignoramos todo lo referente a los primeros años de Dante, pero podemos formarnos una somera idea del ambiente en que discurrió su niñez repasando las condiciones sociales y políticas que prevalecían en la Florencia de aquellos días, repaso que, por otra parte, nos resultará útil en extremo para una mejor inteligencia de su obra literaria. A este efecto tenemos un valioso auxiliar, además de en las Crónicas contemporáneas, en la extensa y documentadísima obra de Davidsohn.[2]

A mediados del siglo XIII no debía contar la villa de Florencia con más de ochenta mil habitantes, que no alcanzaban a desbordar el segundo cinturón de murallas comenzado a edificar en 1173. Por el Sur limitaba con el Arno, cruzado entonces por un solo puente, y por el norte con el emplazamiento de la actual Santa María Novella. Los monumentos eran pocos y de escasas dimensiones. Aunque las altas torres cuadradas, mansiones de poderosos clanes feudales, habían sido achatadas por la legislación popular de 1250, seguían dominando el dédalo de estrechas callejuelas, que sólo de vez en cuando morían en pequeñas plazoletas. Aquella Florencia que, más rica y poderosa cada día bajo el patronato de la Santa Sede, pronto se iba a poblar de edificios comunales, había vuelto definitivamente a poder de los güelfos.[3]

---

[1] *Inf.* X, 46.

[2] R. Davidsohn: *Geschichte von Florenz*, Berlín, 1896-1927, 4 vols.

[3] Puede decirse que los dos partidos de güelfos y gibelinos entran en la Historia en 1216, como consecuencia de la pugna entre dos grandes familias de Florencia: la de Buondelmonte y la de Arrighi, partidaria aquella del can-

En adelante vivirá bajo el régimen de un partido único oficial, que, aunque sufra cismas y divisiones en su seno, no modificará en lo más mínimo las grandes directrices de su política exterior. Por agudas y profundas que se tornen a partir de 1295 las rivalidades entre los dirigentes güelfos, no tardarán éstos en volver a la concordia cuando con Enrique VII o con un Luis de Baviera renazca la amenaza imperial. La represión ejercida contra los gibelinos después de 1266 demostró haber sido terriblemente eficaz; represión tanto más drástica cuanto que fue ejecutada por individuos que habían conocido la proscripción dos veces en menos de doce años.

Llegando a su mitad el siglo XIII, vese la Toscana convertida en uno de los principales teatros de operaciones en el conflicto entre el Pontificado y el Imperio. El emperador Federico II, por muy Hohenstaufen que fuese, resultaba la perfecta encarnación de un príncipe italiano; reinando sobre Sicilia y buena parte del Sur de la Península y contando además con no pocos apoyos en la baja Lombardía, trataba por todos los medios de aprisionar en unas tenazas el territorio pontificio. Solo que para asfixiar a Roma y sus dependencias necesitaba ser el dueño de Toscana. A punto estuvo de conseguirlo en 1248; fue entonces cuando los güelfos florentinos salieron por vez primera al exilio para volver a su ciudad dos años más tarde, muerto ya el emperador. En 1260, Manfredo, hijo ilegítimo de Federico y heredero de todas sus ambiciones, restableció a los gibelinos en Florencia como resultado del triunfo de sus partidarios en Montaperti. Por segunda vez parten los güelfos al destierro para no regresar hasta 1266, cuando Carlos de Anjou, llamado en ayuda de la Santa Sede, aplasta en Benevento a las huestes de Manfredo; él mismo perece en el campo de batalla.

Los güelfos florentinos habían sido vapuleados con demasiada dureza para que pudieran sentirse inclinados a clemencia; por otra parte tampoco sus adversarios se habían mostrado blandos que digamos tras la jornada de Montaperti. ¿No habían pensado en algún momento en arrasar la ciudad? Tal tormenta de proscripciones y de confiscaciones se abate sobre el clan imperial, que queda prácticamente aniquilado en la ciudad del Arno.

No eran sólo razones de carácter estratégico las que habían con-

didato imperial gibelino (Federico II) y ésta del güelfo (Otón de Brunswick). Parece que su origen data, en Alemania, del siglo XII. Al extinguirse la dinastía de Franconia por la muerte de Enrique V (1125), el duque de Baviera *Welf* (o Güelfo) con los suyos, se puso de parte de Lotario de Suplinburgo, mientras que de la parte contraria aspiraba al trono Conrado de Suabia (Hohenstaufen), señor del castillo de *Waibling*, en latín *Guaibelinga*, de donde los italianos formaron el derivado *gibelino*. Los gibelinos vinieron a significar los del partido imperialista, que querían en lo temporal al papa sometido al emperador y ambicionaban para éste una monarquía universal, mientras los güelfos, menos imperialistas o menos absolutistas, aspiraban à una concordia del emperador con el papa, según el concordato de Worms, y concedían más libertad a las ciudades italianas. Trasplantadas a Italia estas dos banderías, representaban los gibelinos el partido imperialista y germánico; los güelfos, el partido popular y papal. Toda Italia estaba dividida; había ciudades gibelinas y ciudades güelfas, y en cada ciudad surgían familias güelfas contra familias gibelinas, haciéndose continua guerra durante los siglos XIII y XIV.

vertido a las villas toscanas —a Florencia antes que cualquier otra— en objetivo de importancia durante la última etapa del conflicto que enfrentaba al Imperio con el Pontificado; sucedía que ambos campos tenían igual necesidad de los productos que la Toscana, en creciente desarrollo económico, suministraba con más largueza que las restantes regiones italianas. Pisa, cuya prosperidad, debida en buena parte al tráfico con el Oriente, tocaba a su apogeo; Siena, donde se organizan poderosos grupos de crédito, Pistoya, Arezzo, Luca son ciudades que van extendiendo, firmes y seguras, sus actividades comerciales o manufactureras. Florencia marcha a la cabeza de esa evolución y su economía crece y se diversifica cada vez más. La amplitud de sus trueques hace afluir a la ciudad todo género de mercaderías, que no tardan en ser objeto de lucrativas reventas. La alta calidad de la artesanía local, que negociantes emprendedores, hábiles y prontos a expatriarse dan a conocer fuera de Italia, sobre todo en la Provenza y la Champaña, atrae un número creciente de compradores; los mercaderes florentinos destacan ya en casi todos los mercados. La emisión del florín de oro, la moneda de mejor ley y la más aceptada en Occidente durante el siglo XIII, secunda eficazmente la expansión comercial. Más aún que la orfebrería artística, prosperísima entonces, la acuñación de la moneda comienza a rendir a Florencia dividendos impresionantes.

Los treinta y seis años transcurridos entre el nacimiento de Dante y su destierro sin retorno vieron crecer considerablemente la hacienda pública y la privada. Fue entonces cuando se abrió la era de los grandes monumentos: en 1278 se emprende la reconstrucción de Santa María Novella, en 1295 comienza a elevarse la iglesia de Santa Cruz; los primeros trabajos de Santa María de Fiore tienen lugar al año siguiente; la edificación del cuerpo principal del Palazzo Vecchio se lleva a cabo en 1298. El segundo recinto urbano, el de 1173, resulta insuficiente para contener la pujante villa y en 1284 se pone manos a la obra para un tercero destinado a morder en la ribera izquierda del Arno. Florencia se agiganta, se expande por doquier y no titubea en acometer plurales empresas, cada una de las cuales bastara a dar lustre a otras ciudades de pareja población. Es por entonces cuando Dante, en un pasaje célebre en el que la indignación no carece de crueldad, reprocha a su ciudad el que se esté convirtiendo en más monumental que la misma Roma.[4] Actitud rara en el poeta, porque en lugar de describirnos una Florencia en plena ascensión, la *Divina Comedia* sugiere la imagen de una villa en franca decadencia que se está viniendo a tierra con sus falsas grandezas. Nada hay en ella que no sea, de un modo u otro, deplorable. Su prosperidad no puede ser negada, y no lo es, pero se la denuncia en nombre de la moral. Poco sensible al prestigio mercantil, confunde Dante, tanto por instinto como por sistema, riqueza y corrupción, pobreza y virtud. Y no es solamente nostalgia de la pobreza evangélica o admiración por la extrema sencillez de los ciudadanos ejemplares de la antigua Roma; el atavismo nobiliario, la fracasada experiencia en los asuntos públicos, el ideal cris-

---

[4] *Par.* XV, 109, s.

tiano, la intransigencia moral se conjugan en él para excitar su menosprecio contra la *auri sacra fames.* Desde el primer canto del *Infierno* surge la avaricia, en su lato sentido de ambición, como el más nocivo de los vicios. Si es honesto conservar los bienes heredados, lo es harto menos el tratar de acrecentarlos. Cualquiera que incremente su fortuna, resulta por lo mismo sospechoso a los ojos del poeta. Quizá eso explique el que Dante haya, no desconocido, sino deplorado la expansión económica de Florencia. Lejos de saludar en ella la promesa de un halagüeño porvenir, no ha visto allí más que un manantial de discordias, una causa de corrupción moral. Empero no seamos propensos a burlarnos de su pesimismo o de sus prejuicios; él había presentido claramente que tan acelerado desarrollo no podía menos de concitar guerras, banderías y convulsiones sociales. Que el enriquecimiento, en suma, se pagaría con desórdenes.

La historiografía se ha engañado más de una vez sobre el significado real de las expediciones militares y de las divisiones internas de Florencia anteriores a 1250. Ha creído durante mucho tiempo que las campañas dirigidas contra las supervivencias feudales instaladas a orillas del Arno, no tuvieron otro objetivo que conjurar la amenaza que pendía sobre la libertad comunal, que la sumisión de Monte Cascioli en 1119, de Fiésole en 1125, de Empoli en 1182, la obligación impuesta a los nobles subyugados de construirse una mansión dentro del recinto urbano y residir allí, la liga formada en 1197 con otras villas y aldeas de Toscana no eran sino indicios de una política preventiva contra eventuales opresores. Se había figurado que la ciudad no aspiraba más que a sobrevivir, que obraba así en legítima defensa, en salvaguardia de lo conquistado, cuando lo que pretendía, terca y obstinadamente, era sojuzgar las comarcas vecinas. Parecida equivocación sobre sus disensiones: la rivalidad surgida en 1215 entre el clan de los Amidei y el de los Buondelmonte se había reducido a una sucesión de venganzas o a un asunto de honor ultrajado. Los viejos cronistas erraban menos cuando hacían remontar a esta querella la escisión de Florencia en dos campos irreconciliables, de los que uno se declaró güelfo y el otro gibelino. Basta entrever lo que este antagonismo político oculta —el conflicto social entre las familias de dinero y las de espada, entre la *gente nuova* y la *gente antica,* entre la burguesía esencialmente urbana y la aristocracia apegada a sus feudos rurales— para sospechar que la crisis de 1215 no fue un simple duelo de amores propios ofendidos, sino el comienzo de una lucha implacable entre las fortunas inmuebles en irreparable decadencia y las fortunas muebles en vigoroso ascenso.

Eso es lo que los acontecimientos de 1250 demuestran claramente. Con el primer retorno de los güelfos, desterrados hacía dos años, la masa de los artesanos, que apenas había intervenido antes en el fuego de partidos, se coloca por entero al lado de los nuevos triunfadores. En lo sucesivo, entre una inerte aristocracia y una burguesía activa, que los hacía trabajar y prosperar con ella, la elección no ofrece duda. Bajo el estandarte gibelino no quedarán más que los nobles, su clientela y algunas viejas familias plebeyas, fieles a una dependencia tradicional. Nada consolidó tanto la supremacía de los güelfos como este vuelco masivo del pueblo hacia sus propios intereses. Viraje que encuentra su contrapartida después de 1250 en el esbozo de una constitución de espíritu democrático y'en el establecimiento de magistraturas populares.

Esta semirrevolución, que ha pasado a la historia con el nombre de *primo popolo,* favorecía, en fin de cuentas, a la clase de los negociantes y a los dueños de talleres, pero los principios enunciados por sus animadores no fueron olvidados ni por la clase popular ni por algunos temperamentos generosos o audaces, prestos a traducir en obras aquellos postulados. Ninguna duda cabe, por ejemplo, de que si la agrupación de los fabricantes, comerciantes y artesanos en doce "artes", perfectamente organizadas y con un magistrado al frente de cada una, tiende a unificar las energías plebeyas contra la amenaza aristocrática, la distribución jerárquica y numéricas de las mismas —siete mayores, con predominio burgués y cinco menores, con predominio artesanal— nos permite adivinar que los hombres de negocios no estaban dispuestos a dejarse desbordar por el pueblo. Pero acontecía que las clases dirigentes necesitaban los servicios de ese pueblo para mantener humillada a la nobleza, para guerrear contra las poblaciones rivales de obediencia gibelina o para hacer saltar los obstáculos que aún impedían las comunicaciones de Florencia con el mar o con las regiones circunvecinas. Gracias a ese pueblo que garantizaba el poder y suministraba el grueso de las fuerzas armadas no tuvieron más remedio Pisa y Arezzo que entrar en razón después de diversas campañas escalonadas entre 1256 y 1291. En revancha el *popolino* ejercía una continua presión sobre sus mismos dirigentes; de esa presión salieron las reformas de 1282, que acentuaron el aspecto democrático de las instituciones establecidas después de 1250.

La comunidad de intereses no explica, por sí sola, la estrecha alianza concluida entre la burguesía y el pueblo. Tal alianza se veía facilitada y, en ciertos casos, respaldada por una común aversión de tipo casi pasional, contra la nobleza gibelina, tiránica o no. Se puede asegurar que, a este respecto, el pueblo se mostró siempre más intolerante y rencoroso que la burguesía. Cada vez que se esboce un intento de conciliación entre güelfos moderados y gibelinos arrepentidos, el pueblo protestará y refunfuñará como si temiese que la reconciliación de los poderosos sólo pudiera efectuarse a su costa. A fin de manejarle e intimidarle a la vez no habrá más remedio que echar mano para esas tentativas de mediadores de alto rango, bien conocidos por sus simpatías hacia la causa güelfa: un Gregorio X y un Carlos de Anjou en 1273, el Cardenal Latino, un prelado eminente, en 1280. Hasta los gibelinos a quienes se permitió volver a su patria en 1280 y recobrar todos o parte de sus bienes al precio de una especie de abjuración política, permanecieron durante largo tiempo sospechosos al *popolino,* siempre dispuesto a amotinarse contra ellos. De esta presión ultra-güelfa, constantemente mantenida por el pueblo y por aquellos grandes que se beneficiaban de esta actitud popular, iba a ser Dante algún día una de las principales víctimas.

* *

No obstante la modesta condición social de su familia pudo Dan-·
te atender a sus estudios y llevar vida de gentilhombre. Unióse en amistad con espíritus selectos como Guido Cavalcanti, y su padre, antes de
fallecer en 1283, le preparó matrimonio con una joven de la ilustre
prosapia de los Donati. Pretender con algunos que pasó parte de su
adolescencia como novicio franciscano en el convento de Santa Cruz
es pugnar con numerosas pruebas que nos permiten observarle inclinado a un género de vida muy diferente. No se excluye, por supuesto,
el que pudiera haber frecuentado las escuelas inferiores de aquel centro e incluso haber estudiado allí filosofía, pero la retórica, que abarcaba tanto el arte de hablar en público como el de escribir cartas en latín
(ars dictaminis)[5] y cuyo aprendizaje era muy solicitado, no sólo por
jueces y notarios sino también por quienes aspiraban a ser ciudadanos
influyentes, parece haberla aprendido de Brunetto Latini, el primero
en orientar a los florentinos "para que rigiesen la república con métodos políticos".[6] Ni faltan indicios de que visitó Bolonia durante su
juventud. Si estuvo allí por razones de estudio es probable que, más
que las escuelas de Derecho, frecuentara las de retórica muy afamadas
también en aquel tiempo. La impresión de este estudio formal y el amor
por los clásicos latinos le durará toda la vida.

Mas vayamos por partes, refiriéndonos primero a los estudios poéticos. Porque Dante, por genial que se quiera, no es un poeta aislado,
sin genealogía; él mismo confiesa que había practicado, muy joven
todavía, el arte de rimar[7] y pudo entrar bien pronto en relación con
los más conocidos trovadores de la ciudad, preocupándose por sus problemas de estilo, respondiendo a sus proposiciones y difundiendo la
poesía amorosa según la práctica tan en boga entonces. El estudio de
la poesía siciliana y toscana del siglo XIII resulta en cierto modo in-
dispensable para la comprensión del arte de Alighieri. Porque es el
caso que los poetas toscanos, émulos hasta poco ha de las escuelas
siciliana y provenzal en el cultivo de la virtuosidad métrica y de una
oscuridad consciente (trobar clus), comienzan a manifestar por aquellos días actitudes originales, sobre todo por lo que respecta a la conducta para con su dama. Van adoptando un tono cada vez más natural
y se consagran a glorificar los efectos ennoblecedores de la belleza
femenina y del amor, que serán poco después el tema esencial del stil
novo. El boloñés Guido Guinizelli († 1276), fiel en un principio a la
estética de los provenzales, fue, como dirá Dante, "el padre de todos
los poetas de amor", el auténtico iniciador del "estilo nuevo", cuyos
principios codificará en una célebre canzone, verdadero manifiesto en

---

[5] El ars dictaminis o dictandi surge en el siglo XI de las necesidades de la
práctica administrativa y su meta primordial es crear modelos para la redacción de cartas y documentos. Poco a poco va subordinando la retórica toda
a la ciencia del estilo epistolar, lo que supone a la vez una adaptación a las
necesidades de la época y un alejamiento consciente de la enseñanza retórica
tradicional. Se busca un nombre que ponga de manifiesto la novedad del arte:
dictare —"dictar", en su origen— adopta el sentido más elevado de "escribir,
redactar" y, sobre todo, el de "escribir obras poéticas". Dante llama a los trovadores dictatores illustres (De V. E. II, VI, 5).

[6] G. Villani: Crónica, VIII, 10.

[7] V. N. III, 15.

el que se establece como un dogma el carácter inseparable del amor y de la nobleza de alma; la dama, poseedora de una belleza convencional, es un ángel bajado del cielo, ennoblecedor de cuanto se le aproxima o simplemente contempla. Con Guinizelli nace una poesía concentrada en metáforas de singular intensidad. La violencia de la pasión que le anima aparece contenida por un espíritu vigilante y reflexivo, capaz de pasar de las imágenes más vivas a un tono grave y sentencioso. En un momento dado de su existencia Guinizelli se repliega sobre sí mismo, sobre el sentimiento amoroso, predominante en su poesía y en la de su tiempo y, reanudando motivos aislados de la poesía provenzal e italiana y de la literatura doctrinal sobre el amor corriente en la Edad Media, extraerá de los mismos aquella concepción del amor que pareció nueva —y que, en efecto, lo fue—, no tanto por los elementos de que está constituida como por el aspecto en que se presenta, con la impronta de la personalidad de quien la elaboró y la de la cultura comunal italiana de donde brotó. El amor es la manifestación de la gentileza de alma, que se revela a quien la posee y aun a los demás por virtud de una mujer bella, que es medio y guía para la perfección espiritual del amante. Tal es la concepción que expuso Guinizelli en la aludida canción *Al cor gentil ripara sempre Amore,* no como árida y seca doctrina sino con la conmoción de quien revela una preciosa verdad y la contempla bajo aspectos siempre nuevos, desplegándola en una serie de símiles tomados casi todos de objetos luminosos y en versos que poseen a la vez gravedad gnómica y brillo imaginativo. Así, por una afinación del ideal amoroso, sobrehumanizado, por un refinamiento de la forma, más que por una verdadera creación, se va configurando el *dolce stil novo,* del cual Dante, tras haberlo elevado a raro perfeccionamiento, nos da el nombre y la definición: "Yo soy uno que escribo cuando el amor me inspira y de ese modo voy expresando lo que él dicta dentro de mí." [8] Escribir bajo el dictado del amor, es decir, expresar sus sentimientos sinceramente y con naturalidad. [9]

La novedad de esta poesía debía suscitar sorpresas y discusiones en los círculos de versificadores de aquel tiempo, uno de los cuales, Bonagiunta de Luca, reprochó a Guinizelli en un soneto el haber cambiado "el modo de los placenteros dichos del amor", y el haber querido "lograr canción a fuerza de escritura", o sea, el haber ensayado hacer poesía con doctrina filosófica; pero en las animadas imágenes de Guinizelli y en su propia teoría del amor palpitaba tal fuerza de emoción que forzosamente tenía que sugestionar a los espíritus juveniles y apasionados, desdeñosos de cuanto les parecía vulgar y anhelantes de un mundo ideal más elevado.

Tales fueron Guido Cavalcanti y Alighieri y sus amigos menores

[8] *Purg.* XXIV, 52-54:

> —*I' mi son un, che quando
> Amor mi spira, noto, e a quel modo
> ch' e' ditta dentro vo significando.*

[9] Esta definición del *stil novo* ofrece una curiosa semejanza con una sentencia del místico parisino Ricardo de San Víctor (mencionado en el *Par.* X. 131): *Solus proinde de ea digne loquitur qui secundum quod cor dictat verba componit. Ea* se refiere aquí a la gracia divina.

Lapo Gianni y Gianni Alfani, que reconocieron al poeta boloñés como maestro y se sintieron vinculados, en gracia de un credo poético, por una aristocracia de la cultura y del sentimiento. Los poetas de este grupo no escriben sino movidos por una sincera inspiración y realizan la armonía de la forma y del fondo. Aunque resulten originales participan todos de rasgos comunes: la concepción de un amor puramente ideal, que con frecuencia no es otro que la caridad cristiana; la mujer amada encarna todas las virtudes: su presencia y su sonrisa inspiran pensamientos humildes, su mirada refleja la serenidad y la paz del alma; la dulzura de la inspiración se vierte en una forma armoniosa. El *stil novo* fue un movimiento de ideas, y de gustos en el que se mezclaron elementos religiosos, filosóficos, científicos y poéticos, movimiento animado por un entusiasmo juvenil fascinador. De aquellos madrugadores entusiasmos, así como de los ataques y polémicas que despertaron, se acordará Dante en sus años de madurez y en el citado canto del *Purgatorio* imaginará encontrarse con el luqués Bonaguiunta, adversario un día del admirado maestro, y le confiará, ya reconciliado con los noveles poetas, el secreto tan simple y tan arduo de su poesía, a la que el viejo rimador, conmovido como si hubiera recibido la más sorprendente revelación, designa con las palabras *dolce stil novo,* consagradas ya para siempre en la historia literaria.

Dentro de ese movimiento iniciado por Guinizelli nació Dante a la poesía. Un soneto escrito en 1283 —el que encabeza los recogidos en la *Vida Nueva*— [10] le granjeó la amistad de Guido Cavalcanti "su primer amigo", de quien obtuvo consuelos y consejos, a quien se dirige en otro soneto famoso inspirado por aquella amistad ideal: *Guido, i vorrei che tu e Lapo ed io,* y al que dedicó su obra juvenil, la *Vita Nuova.* Cavalcanti (1260?-1301), alma inquieta, altiva y orgullosa, pensador atormentado, poeta suave y exigente al mismo tiempo, hizo suya la concepción del amor enunciada por Guinizelli; también para él es el amor una manifestación de la nobleza del espíritu y la mujer amada la que descubre el alma noble a sí misma y pone en acto su íntima virtud. Escribió dramáticas y conmovedoras baladas dentro de esta nueva corriente poética y nos ha dejado de la misma un programa más científico y abstracto que el del boloñés.

Cino de Pistoya (1270?-1336), que señala ya la transición de esta tendencia a Petrarca, fue el más fecundo poeta del *stil novo,* aunque no el más original. Ya un amigo del poeta, el rimador Onesto Bolognese le echaba burlonamente en cara las "mil espuertas llenas de ingenio", el abuso de aquellos *spiriti* y *spiritelli,* que eran uno de los lugares comunes de la poesía stilnovista. Mantuvo estrechas relaciones con Dante, a quien dirigió una canción por la muerte de Beatriz y propuso cuestiones de casuística amorosa, y a quien trató de consolar respondiendo con una sentida exhortación a un dolorido soneto suyo sobre la maldad de los tiempos. A estas muestras de amistad correspondió el autor de la *Comedia* concediéndole la palma de los poetas italianos de amor, mientras se reserva para sí el título de poeta de la rectitud.[11]

---

[10] Es el que empieza: *A ciascun' alma presa e gentil core, V. N. III.*
[11] *De V. E.* II, II, 9.

Altísimo elogio, junto al cual recordaremos el de Petrarca, que en su reseña de los poetas en lengua vulgar coloca a Cino inmediatamente después de Alighieri.

Hemos mencionado a tres de los más significados poetas del *stil novo*. Nadie, empero, dentro de esa tendencia escaló cumbres tan altas como Dante. Para él como para todos los poetas de esta escuela, la poesía es pura alegoría; Beatriz se convierte en algo más que la mujer amada: en la guía espiritual que le ha de conducir por el camino de la bienaventuranza, aun después de haber abandonado este mundo.[12]

[12] Nada mejor se nos ocurre para ilustrar lo que llevamos dicho que cerrar esta digresión sobre el *stil novo*, transcribiendo tres sonetos coetáneos, en los que se desarrolla, con pareja técnica y similares sentimientos, el tema de la mujer angelical, tal como hace Gian R. Sarolli en su obra *El italiano, lengua romance*, Buenos Aires, 1962.

DE GUIDO CAVALCANTI

Chi é questa che ven, ch'ogn'om la mira,
e fa tremar di claritate l'âre,
e mena seco Amor, sì che parlare
null'omo pote, ma ciascun sospira?

Deh! che rassembla quando gli occhi gira!
dical Amor, ch'i' no 'l savrìa contare:
cotanto d'umiltà donna mi pare,
che ciascun'altra inver di lei chiam'ira.

Non si porìa contar la sua piagenza,
ch'a lei s'inchina ogni gentil vertute,
e la beltate per sua dea la mostra.

Non fu sì alta già la mente nostra,
e non si pose in noi tanta salute
che propriamente n'aviam conoscenza.

¿Quién es ésta que llega, que todo hombre la mira y hace estremecer de claridad el aire, y trae consigo Amor, de modo que ningún hombre puede hablar, pero todos suspiran?

¡Dios, qué parece cuando los ojos gira! Que lo diga Amor, porque yo no sabría contarlo: tan humilde señora me parece que a toda otra, en comparación, llamaría desdeñosa.

No se podría contar su hermosura, porque ante ella se inclina toda gentil virtud, y la Belleza como su deidad la muestra.

Nunca fue tan alta nuestra mente, y nunca hubo en nosotros tanta virtud, de la que adecuadamente no teníamos conocimiento.

DE CINO DE PISTOYA

Una gentil piacevol giovanella
adorna ven d'angelica vertute,
in compagnia di sì dolce salute
che qual la sente poi d'amor favella.

Ella m'apparve a li occhi tanto bella,
che per entr'un pensero al cor venute
son parolette che, dal ver vedute,
án la vertú d'esta gioi novella.

La quale á presa sì la mente nostra
e ricoverta di sì dolce amore,
ch'ella non po'pensar, se non di lei:

Vedi com'é soave il su'valore,
ch'a li occhi nostri apertamente mostra
come tu dei aver gran gio' da lei.

Una gentil, placentera jovencita, adornada viene de angelical virtud, acompañada de tan dulce beatitud que quien la conoce luego discurre de amor.

Se me apareció tan bella a los ojos, que a través de un pensamiento al corazón han llegado algunas palabritas que, comprendidas por el corazón, le expresan la virtud de esta nueva alegría.

La cual se apoderó tanto de nuestra mente y la circundó de tan dulce amor, que ésta no puede pensar sino en ella:

Ve cómo es suave su valor, que a nuestros ojos abiertamente muestra cómo debes tener tú gran dicha de ella.

DE DANTE ALIGHIERI

Tanto gentile e tanto onesta pare
la donna mia quand'ella altrui saluta
ch'ogne lingua deven tremando muta,
e li occhi non l'ardiscon di guardare.

Ella si va, sentendosi laudare,
benignamente d'umiltà vestuta;
e par che sia una cosa venuta
dal cielo in terra a miracol mostrare.

Mostrasi sì piacente a chi la mira
che dá per li occhi una dolcezza al core,
che'ntender non la puo chi no la prova;

e par che de la sua labbia si mova
uno spirito soave pien d'amore,
che va dicendo a l'anima: Sospira!

Tan gentil, tan honesta, en su pasar, es mi dama cuando ella a alguien saluda, que toda lengua tiembla y queda muda y los ojos no la osan contemplar.

Ella se aleja, oyéndose alabar, benignamente de humildad vestida, y parece que sea cosa venida un milagro del cielo acá a mostrar.

Muestra un agrado tal a quien la mira que al pecho, por los ojos, da un dulzor que no puede entender quien no lo prueba.

Parece de sus labios que se mueva un espíritu suave, todo amor, que el alma va diciéndole: suspira.

Los textos y traducciones de estos sonetos se hallan en la *Antología de la literatura italiana, desde los orígenes hasta nuestros días*, de G. Marone, Bue-

Primera edición de la Colección "Sepan cuantos...", 1962.

La introducción y comentario, y las características de esta edición
son propiedad de
Editorial Porrúa, S. A.

Derechos reservados © **1989**, por
Editorial Porrúa, S. A.
Av. República Argentina No. 15
México, D. F.

ISBN 968-432-119-8

DANTE ALIGHIERI

LA DIVINA COMEDIA

Y

LA VIDA NUEVA

INTRODUCCION Y COMENTARIO

DE

FRANCISCO MONTES DE OCA

DECIMOSEXTA EDICION

EDITORIAL PORRUA, S. A.

AV. REPUBLICA ARGENTINA, 15

MEXICO, 1989

DANTE ALIGHIERI

* * *

Pero no solo se consagró Dante al conocimiento de la técnica poética; su afición al estudio era tan vasta como acuciosa. Artes y ciencias, filosofía, teología, derecho..., nada escapó a su insaciable afán de saber. Pues ignoraba el griego, no pudo bucear directamente en los tesoros espirituales del mundo heleno, pero leyó con pasión los clásicos latinos más en boga en aquel entonces: al Cicerón del *De finibus bonorum et malorum,* al Horacio satírico, a Lucano, que brinda en su *Farsalia* la primera epopeya sin elemento maravilloso, al desterrado Ovidio, uno de los autores paganos más frecuentados en el Medievo, a Estacio, en cuyos labios pondrá las más elogiosas palabras a propósito de la *Eneida*... Pero sobre todos se aficionó a Virgilio, cuyo pasaje de la *Egloga IV* era por casi todos considerado como profético. El mantuano se convertirá en "su guía, su señor y su maestro" desde el mismo comienzo del inmortal poema cuando se ofrece al florentino extraviado en la espesa selva. Virgilio será su acompañante y consejero en todo momento, quien le guiará en los trances de peligro y le sostendrá contra cualquier asechanza.

Poco después de 1290 sintió Dante un profundo impulso hacia la filosofía. Dejémosle hablar a él: "Como suele acontecer al hombre que va buscando plata que, sin pretenderlo, topa algunas veces con oro..., así yo, que buscaba mi consolación, encontré, además de remedio a mis lágrimas, palabras de hombres, de ciencias y de libros, con cuya consideración juzgaba en verdad que la filosofía, que era la dama de estos autores, de estas ciencias y de estos libros, era una cosa muy grande. Y me la imaginaba como una bella dama, y no podía imaginármela más que haciendo misericordia, por lo cual tan espontáneamente la contemplaba mi sentido de la verdad, que a duras penas podía apartarlo de ella. Y con esta imaginación comencé a andar hacia allá donde ella aparecía en toda su verdad, es decir, en las escuelas de los religiosos y en las disputas de los consagrados a la filosofía; de tal manera, que en el breve espacio de unos treinta meses comencé a experimentar su dulzura tan intensamente que su amor ahuyentaba y destruía en mí cualquier otro pensamiento." [13] Hacia estos horizontes le empujó precisamente la lectura de Cicerón y de Boecio como confiesa en ese mismo pasaje: "Estaba sumergido en una tristeza tan grande que no encontraba consuelo alguno. Pero, pasado algún tiempo, mi mente, deseosa de sanar, resolvió, ya que ni yo mismo ni los demás me podían consolar, utilizar el remedio que cierto desconsolado había empleado para hallar consuelo; y púseme a leer el libro, desconocido para muchos, de Boecio, con el que se había consolado éste, estando cautivo y en desgracia. Y oyendo, además, que Tulio había escrito otro libro, en el que a propósito de la amistad había dicho cosas para consolar al extraordinario Lelio, con ocasión de la muerte de su amigo Escipión, empecé también a leer esa obra. Y aunque al principio me

nos Aires, 1952. La excelente versión del soneto de Dante es la que ofrece Dámaso Alonso en su libro, *Poesía española: ensayo de métodos y límites estilísticos,* Gredos, Madrid, 1950.

[13] *Conv.* II, XII.

costaba penetrar en su sentido, logré al fin adentrarme todo lo que me permitían el arte de la gramática que yo conocía y un poco de mi propio ingenio, por medio del cual veía ya muchas cosas casi soñando."

Estas dos obras, pues, aguijonearon su sed de conocimiento y le impulsaron hacia otros libros y hacia otros maestros. Precisamente en una magnífica coyuntura, porque estaba en plena ebullición el amplio movimiento especulativo que se desencadenara como consecuencia de la difusión de las obras físicas y metafísicas de Aristóteles y de la necesidad de concordar el pensamiento del "maestro de la razón humana" con las verdades reveladas. La fundación de tantas universidades o estudios por obra, sobre todo, de las recientes órdenes religiosas, favorecía lo especulación filosófica, que llegaba a tentar incluso a laicos como Dante.

Como hemos indicado anteriormente nada nos impide suponer que asintiera, adolescente terciario, al convento de menores de Santa Cruz. Su espíritu está impregnado de la hermosa claridad que irradiaba en aquel siglo el fenómeno franciscano. Si su genial amigo el pintor Giotto ha representado la vida del de Asís con un verismo impar, reproduciendo al Santo como hombre de su tiempo, cercano a todos, asequible a los propios ensueños y dolores, no obstante su alteza espiritual, Dante ha sabido captar como pocos la esencia del mensaje franciscano. No podemos asegurar que el altivo desterrado tuviera en toda circunstancia índole seráfica, pero seráfico era el joven poeta de la *Vida Nueva* y franciscano volvía, tras largo yerro y dolor, el poeta del *Paraíso*. Díganlo si no su concepción del triunfo regio de Cristo y su suprema visión de la divinidad, hasta la que como le explicó San Buenaventura, no se puede ascender guarnido con la teología especulativa, sino con la mística. Si la estructura doctrinal de la *Comedia,* pese a lo que afirme Gilson,[14] es en su esencia tomista, franciscanos son los cantos paradisíacos del amor. Con la frecuentación asidua, en los años de su primera mocedad, del convento minorita de Santa Croce se imprimieron en su espíritu los cautivadores ideales franciscanos que, a través de la especulación bonaventuriana, le conducirían de la realidad sensible a la intelectiva, a la suprasensible, por grados de purificación, de iluminación, de unión, hasta *l'Amor che muove il sole e le altre stelle.* Que Dante consideraba a San Francisco el santo más próximo al divino modelo se prueba por el hecho de que en su *Paraíso* [15] le coloca sobre los doctores y más alto que los demás fundadores de órdenes religiosas, sólo inferior a Juan Bautista, el precursor definido por Jesús como "el más grande entre los nacidos de mujer".[16]

Y es más que probable que no sólo en la adolescencia; cuando corriendo los años, "camine hacia la filosofía en las escuelas de los religiosos, donde se ofrece en toda su verdad",[17] volverá a dirigir sus pasos a Santa Croce para escuchar a maestros tan insignes como Ubertino de Casale y el extremista Pedro, Juan Olivi (1248-1298), que, exagerando la tendencia mística, se oponía a los estudios profanos y llegó

---

[14] Etienne Gilson, *Dante et la philosophie*, París, 1939.
[15] *Par.* XI.
[16] Mateo, XI, 11.
[17] *Conv.* II, XII.

a capitanear el bando de los espirituales dentro de la orden.[18] También entre los agustinos de Santo Spirito había figuras relevantes en el campo filosófico, pero en ningún lugar de Florencia había tantas ni tan eminentes como en el convento dominicano de Santa María Novella, donde ya se había establecido un *Studium Solemne* y no tardaría en fundarse un *Studium Generale*. Ahí tuvo oportunidad de asimilar las enseñanzas filosóficas-teológicas de la orden en que profesara Santo Tomás de Aquino, el genial adaptador de la filosofía de Aristóteles; toda su obra se nos muestra empapada en las doctrinas del Doctor Angélico.

Mas no sólo aprendió de los maestros que enseñaban en aquellos centros ni de los autores que allí se exponían. Por diversos pasajes de la *Comedia* cruza fugaz la sombra del exaltado poeta franciscano Jacopone de Todi, de tan azarosa y apasionada vida, y al final del canto XII del *Paraíso* se refiere a una serie de doctos personajes, que son sólo algunos de los numerosos cuyas obras le eran familiares: Hugo de San Víctor, el afamado autor místico del siglo anterior, los teólogos Pedro Comestor y Pedro Hispano, canciller que fuera de la universidad parisina el primero y sabio conocedor de la escolástica y de la medicina el segundo;[19] San Juan Crisóstomo, San Anselmo de Cantorbery, Elio Donato, el maestro de San Jerónimo, cuyo *Ars grammatica* imperó por siglos en todas las escuelas; Rábano Mauro, monje y arzobispo de Maguncia en la primera mitad del siglo IX, y hasta el monje cisterciense calabrés Joaquín de Célico († 1202), "de espíritu profético dotado", cuyas heréticas doctrinas disfrutaran de incontenible éxito en los círculos exaltados de los espirituales.

Algunas singulares amistades contemplaron y estimularon aquella su infatigable búsqueda de la verdad: el teólogo fray Remigio de Girolami, discípulo de Santo Tomás, el músico Casella de Pistoya, que "dio son" a poemas de la *Vida Nueva*,[20] Giotto, genio del color y de la forma, a quien verosímilmente conoció en Padua cuando contaba veinte años; para con su innovadora pintura supo mostrarse Dante sagaz crítico y juez de clara visión.[21] Al hablar de los cultivadores del *stil novo* aludimos a otro admirado y entrañable amigo suyo, Guido Cavalcanti, el sutil poeta que más de una vez rindió parias al amaneramiento, como cuando empleaba tres idiomas —latín, toscano y provenzal— en un mismo poema. Noble, casado con una hija de Farinata degli Uberti, era Guido uno de los personajes de más viso en la ciudad.

---

[18] A la muerte de Olivi, que había sido la personalidad más relevante por su talento teológico entre las espirituales, desencadenó la Orden una fuerte campaña en su contra, acusándole ante el concilio de Vienne (1311), no sólo de ideas extremistas sobre la pobreza, sino de positivos errores en cuestiones de fe. Defendióle allí, entre otros, el de Casale, al que se debe en buena parte que no fuera declarado hereje.

[19] Murió siendo papa, con el nombre de Juan XXI.

[20] *Purg.* II, 915.

[21] En el canto XI del *Purg.* 91-96, hace exclamar al orgulloso miniaturista Oderisi, prez de Gubbio, fallecido en 1299: "¡Oh gloria vana la de la humana grandeza! ¡Cuán poco dura tu verdor sobre la cumbre si no se sigue una época de decadencia! Se creyó Cimabue imperar en el campo de la pintura y ahora es Giotto el que tiene la fama, de modo que la de aquel se ha eclipsado."

Aureolábale fama de sabio poeta y agudo dialéctico. Su amistad, ya lo hicimos notar, debió ser inapreciable para Dante, puesto que, además de introducirle en los círculos poéticos florentinos, le impulsó hacia un rápido y fulgurante progreso en el dominio de las complicadas maneras de la lírica de entonces. Quizá fuese también éste su gran amigo quien le inició en el conocimiento del aristotelismo; algo había, sin embargo, que impedía una aproximación completa: las marcadas tendencias epicúreas de Guido, que le aconsejaban desentenderse de la cosa pública. Dante, aunque Cavalcanti se lo reprochara, negóse a seguirle por ese camino y cuando en 1300 llegó a ser prior de Florencia no vaciló, a fin de restablecer el orden interno, en inscribir el nombre de su amigo y protector en la lista de los proscritos.

La tradición nos ha transmitido la imagen de un Cavalcanti ateo. Se pasaba el tiempo, leemos en el *Decamerón* (VI, 9), tratando de encontrar la prueba de que no existe Dios. Por supuesto que de tan cacareado ateísmo no hay el más mínimo rastro en la obra lírica de Guido; la reputación de que se hace eco Boccaccio y cuya responsabilidad achaca a la "gente volgare" puede provenir de que, además de ser sospechoso de tendencias gibelinas si bien de linaje güelfo, no oculta en sus poemas cierta simpatía por las doctrinas de Averroes. La versión ultra-racionalista del pensamiento de Aristóteles ofrecida por el averroísmo se encuentra en los antípodas de la común entonces en las escuelas dominicanas que va a frecuentar Dante. Después de conocer el tosco aristotelismo de un Guido Cavalcanti quedará deslumbrado por la majestuosa síntesis conciliadora del Aquinatense, por el concordismo del peripatetismo con la verdad cristiana, y los juzgará "más verídicos". Mas la iniciación que recibiera de su amigo le dejará un recuerdo lo suficientemente grato como para no escandalizarse, con los demás tomistas, por las tesis que sustentan los seguidores de Averroes y, cuando llegue el caso, dejará al gran filósofo árabe en el Limbo, no lejos de su maestro, y subirá al Paraíso a su discípulo parisiense Siger de Brabante, censurado y proscrito por la autoridad eclesiástica.[22]

Común amigo de Dante y de Guido fue otro erudito florentino, notario de profesión, jurista, diplomático, brillante orador en las ceremonias oficiales, que manejaba con similar pericia las lenguas de *oil* y de *oc*, y que había penetrado los secretos de los grandes clásicos: nos referimos a su anciano maestro, aquel que "había visto mucho y retenido mucho" y que ejerció para con él una tutela generosa, Brunetto Latini († 1293). Había este personaje desempeñado un relevante papel en el partido güelfo antes de que Dante viniese al mundo. Exilado a consecuencia de la victoria gibelina de Montaperti, vivió más de un lustro en Francia sin que el destierro le pesara demasiado, atareado en la preparación de su enciclopédica obra escrita en francés, el *Livre du Trésor*, que más tarde resumiría en un poema alegórico italiano, el *Tesoretto*. La derrota y muerte de Manfredo en 1266 invirtieron el sentido de las proscripciones políticas y pudo regresar a la ciudad del Arno; allí entretejiendo temas espigados en el tratado ciceroniano sobre esa misma materia, compuso un *Favolello* sobre los deberes de la amistad,

---

[22] *Inf.* IV, 144 y *Par.* X, 136.

escribió solemnes discursos por encargo de los miembros de la comuna y tradujo al habla de su ciudad natal algunos de Cicerón todavía escasamente difundidos. Estas obras testimonian a la vez la facilidad en el manejo del toscano y la variedad de cultura de aquel florentino que, parafraseando a Ovidio, gustaba repetir que "todas las tierras son patria para el desterrado como el mar lo es de los peces." Brunetto, cuya sombra infortunada llena casi por entero el canto XV del *Infierno,* era el llamado a dilatar en grado sumo el horizonte cultural de su aventajado discípulo, orientando y jerarquizando sus estudios y poniendo a su disposición su ciencia y su bien nutrida biblioteca. Consumado conocedor de la *Etica* de Aristóteles, como lo atestigua toda una parte del *Trésor,* pudo revelar a su alumno los grandes lineamientos de la moral peripatética, una moral que Dante considerará definitiva, eterna. Amante de la elocuencia tanto latina como vulgar, estaba capacitado para familiarizar a su pupilo con los preceptos de la retórica ciceroniana y aun con su aplicación al lenguaje toscano. En fin, es el propio Alighieri el que nos permite suponer que fue a este venerado maestro a quien debió el impulso hacia la "filosofía", englobando en ese término toda la ciencia profana. Muchos son, pues, sus merecimientos. Por eso, aunque por razones no del todo esclarecidas al presente, se vio obligado Dante a situarle en el Infierno, no puede menos de darle conmovedoramente las gracias por haberle enseñado "cómo se eterniza el hombre". Expresión que no pretende designar la práctica de los deberes religiosos y morales, la manera de ganar el cielo, ya que a Brunetto condenado más le hubiera valido en este caso seguir el consejo ajeno que darlo él, sino que alude evidentemente a la gloria literaria.

* * *

Transcendental impacto causaron en su alma de poeta la gracia y la belleza de una doncella florentina, que él designa con el nombre de Beatriz. Los dos primeros encuentros con la joven tuvieron lugar a nueve años de distancia uno de otro. Dante los recuerda emocionado al comienzo de la *Vida Nueva:* "Nueve veces ya desde mi nacimiento había vuelto el cielo de la luz casi a un mismo punto, cuando surgió por vez primera ante mis ojos la gloriosa señora de mis pensamientos, la cual fue llamada Beatriz por muchos que no sabían cómo se llamaba... Se me apareció casi al principio de su noveno año y yo la vi casi al final de mi noveno año. Apareció vestida de nobilísimo color, humilde y honesto, purpúreo, ceñida y adornada del modo que a su juvenil edad convenía. En aquel punto el espíritu de la vida que habita en la cámara más secreta del corazón comenzó a temblar con tal fuerza, que repercutía tremendamente en los últimos pulsos y temblando profirió estas palabras: *Ecce deus fortior me, qui veniens dominabitur mihi...* El Amor se apoderó de mi alma y tan pronto ésta se desposó con él empezó a tomar sobre mí tanto dominio y tanto señorío, por la virtud que mi imaginación le prestaba, que me agradaba hacer su voluntad en todo. Me ordenaba muchas veces que tratase de ver a aquel ángel tan joven, por lo cual la anduve buscando con frecuencia en mi niñez y me parecía de tan noble y distinguido porte que podían aplicarse a ella las palabras del poeta Homero: "No parecía hija de mortal sino de un dios." [23] Y ocurría que aunque su imagen, que continuamente estaba conmigo, por audacia de Amor me señoreaba, era de tan nobilísima virtud, que nunca toleró que Amor me gobernase sin el fiel consejo de la razón en todo aquello en que fuera conveniente escuchar aquel consejo... Cuando se cumplían los nueve años, día a día, de la aparición de la gentilísima antes narrada, se me apareció vestida de color blanquísimo, en medio de dos gentiles damas que eran de mayor edad, y pasando por una calle volvió los ojos hacia donde yo me encontraba lleno de temor, y por aquella su inefable cortesía, hoy recompensada ya en la eternidad, me saludó con recato de modo que parecióme ver allí la máxima bienaventuranza. La hora en que me llegó su dulcísimo saludo era la de nona de aquel día, y como aquella fue la primera vez que sus palabras se dirigían a mis oídos, me sentí de tal modo inundado de dulzura, que, como embriagado, me aparté de la gente y corrí a la soledad de mi aposento donde me puse a pensar en aquella dama tan cortés."

¿Quién era esa Beatriz, que tan sublimadora transformación iba a operar en la existencia de Dante y cuyo nombre brilla para siempre con un esplendor luminosísimo por muy pocos otros nombres humanos alcanzado? Porque la luz que irradia esa mujer no nos lleva a conocerla claramente: un misterio no fácil de penetrar la envuelve y no son pocos los que se obstinan en no ver en ella más que un símbolo. Pero Beatrice ha existido en realidad: llamábase Bice, diminutivo de Beatriz, y era hija de Folco Portinari, padre de once vástagos, que vivía no lejos de la casa de los Alighieri. Cuando la vio Dante por segunda vez, quizá estaba ya casada con Simón dei Bardi. Murió, sin haber tenido hijos, el 8 de junio de 1290, cinco meses después que su padre, el acaudalado ciudadano florentino que tomara parte activa en el régimen de la ciudad. Es todo lo que pretendemos saber históricamente de la mujer singular inmortalizada por Dante; lo demás que de ella nos cuenta bien pudo no haber sucedido más que en el corazón del poeta.[24]

Aún no había cumplido Alighieri los veinte años y ya su corazón de enamorado le había dictado versos de una insólita calidad. Años más tarde los reunirá, enmarcados en un comentario en prosa, no carente de cierto artificio escolástico, en una colección intitulada *Vita Nuova* —la primavera de una vida renovada por el amor—. En este

---

[23] *Ilíada*, III, 158.
[24] Los más eminentes dantistas y los más reputados conocedores de la historia florentina admiten de modo unánime que la Beatriz de Dante fue hija del banquero Portinari; sin embargo los comentarios más antiguos nada saben de esto. La primera identificación ocurre cincuenta años después de la muerte del poeta, más de ochenta después de la hipotética de Beatriz, y es desconocida para sus contemporáneos y para los comentadores que escribieron entre 1324 y 1337. Ni Grazioulo de' Bambaglioli logra averiguar nada acerca del padre de Beatriz en 1324, ni Jacobo della Lana dice una palabra acerca de ella en 1328. El autor del *Ottimo commento* (hacia 1334) asegura que preguntó muchas veces a Dante quién era Beatriz, sin lograr ninguna aclaración; tampoco sabe nadie el anónimo autor de las glosas (1337). El primero que la identifica es Boccaccio en su comentario de 1374, pero, aparte de que su información resulta más que sospecha (debe el dato a "una persona digna de crédito"), ya sabemos con cuánta cautela debemos acoger las noticias que él transmite.

relato poetizado, alegórico, de su amor por Beatriz, en vano buscamos una perfecta exactitud histórica; Dante sólo pretende idealizar a la mujer amada al par que la pasión que ella le inspira. A la descripción del primer encuentro siguen los efectos ennoblecedores de ese amor, los subterfugios imaginados para ocultarlo, la purificación de esa pasión que se convierte en un verdadero culto por una dama, fiel reflejo en la tierra de todas las perfecciones celestiales, las visiones premonitorias, la muerte de la dama, las infidelidades pasajeras a su memoria, el retorno definitivo a su culto. Todo ello descrito en una atmósfera irreal de sueño cuasi místico.[25] Ni siquiera se definen los rasgos del rostro de Beatriz, porque el poeta no ha querido retener más que la belleza de un alma, reflejada en una sonrisa, en una mirada, en un caminar a la vez noble y modesto, como ha quedado plasmada en sonetos portentosos, como el que comienza *Tanto gentile e tanto honesta pare,* reproducido con toda intención en la nota 12 con vistas a lo que estamos diciendo ahora, y que no estaría por demás volver a leer.[26]

Esta idealización de la mujer amada, que anima un pensamiento tan elevado y que se traduce en tan delicados poemas, llenos de gracia y de armonía, todavía hoy nos produce un encanto indefinible. La extrema espiritualización del sentimiento no nos impide gustar su nobleza: vemos y amamos a esa Beatrice que el poeta nos describe tan insuficientemente; pero la atmósfera de visión y de misterio, el tono solemne del poeta, esa concepción abstracta del amor, la influencia de ciertos números fatídicamente repetidos —tres, nueve, diez—, todo eso nos traslada a plena Edad Media. Nos seduce el viejo encanto, pero nos damos cuenta de su rebuscado artificio.

La *Vida Nueva,* ese conjunto de poesías que Dante seleccionó de su producción anterior y que enlazó mediante el hilo de una narración en prosa, esa historia de su vida íntima revivida en relación directa con Beatriz, la mujer amada y exaltada, perdida y llorada, pero "feliz en el cielo con los ángeles" y "viva en la tierra con su alma", se cierra con una visión, probablemente una epifanía de Beatriz en todo su esplendor de alma bienaventurada: "Se me apareció una maravi-

[25] Beatrice es sobre la tierra un ángel de pureza y de virtud; basta acercarse a ella para sentirse inundado de dulzura y de bondad: todo lo que mira lo ennoblece; ni el orgullo ni la cólera resisten su presencia; su solo saludo hace temblar a los hombres y los convierte en seres cuerdos; de sus ojos emanan "espíritus de amor" que inflaman el corazón de quienes la contemplan.

[26] "Treinta y cinco años hace que este soneto de Dante es un compañero de mi vida. Un ángel bueno para refrescarme en la hora que nos empujaría a la maldad. Si alguna vez he mirado a lo mejor, a él se lo atribuyo. Si no se ha secado en mi alma la ingenuidad, si algo me queda del cariño, a él creería que se lo debo.

Y siento que no estoy solo. Somos miles y miles los hombres que hemos pasado por este soneto y que hemos recibido por él un empujón hacia la altura. Eterna Beatrice, eterna meta ideal, amada de tantos desde la profundidad de las edades. Y el espíritu suave y lleno de amor que de ella emana, siglo tras siglo, va diciendo al alma del hombre: *Suspira.*

No hay gozo mayor que el de sentirnos peregrinantes anónimos, perdidos entre la multitud, hacia permanentes santuarios de belleza; besar humildemente las piedras desgastadas, las piedras seguras en donde estriba nuestra fe.

El muchacho, casi un niño —aspirante a matemático— que por las avenidas

llosa visión, en la cual vi cosas que me indujeron a no hablar más de aquella bendita mujer hasta que pudiese tratar de ella más dignamente. Y en conseguirlo me estuerzo cuanto puedo, como ella bien sabe. Así, pues, si le place a Aquél por quien toda cosa vive que mi vida dure algunos años, espero decir de ella lo que jamás se ha dicho de nadie. Y quiera luego Aquél que es señor de toda cortesía que mi alma pueda irse a ver la gloria de su señora, de la bienaventurada Beatriz, la cual gloriosamente contempla la faz de Aquél *qui est per omnia saecula benedictus.*"

El monumento que el poeta promete a su amada será, nada menos que la *Divina Comedia*, cuyo tema esencial aquí se anticipa.

A su meditación se entrega Dante apenas vuelve la última página de la *Vita Nuova,* que resulta así el prólogo mundano a su obra más excelsa. Ese libro singular y maravilloso —el primero del florentino en el orden cronológico— que es la *Vida Nueva* debió concluirse en 1292. Para algunos, tal como hoy la disfrutamos, es una especie de segunda edición abreviada. A la luz de lo que se dice en su epílogo y considerada como una prelusión a la *Comedia,* débese suponer, a menos que demos cabida a la idea de que el autor tenía ya *in mente,* en época tan temprana, el plan general de su poema definitivo, que el poeta la rehizo posteriormente.

La *Vida Nueva* no recoge todas las poesías juveniles de Dante, ni siquiera todas las inspiradas por Beatrice. Tampoco tienen sitio en el *Convivio,* donde únicamente figuran tres de las catorce canciones morales que se había propuesto comentar. Las restantes rimas, escritas antes o después de estas dos colecciones parciales y sistemáticas, y no incluidas en ellas, han llegado hasta nosotros desperdigadas y confundidas con las de otros rimadores.[27] A partir de la primera compi-

---

del Retiro sacó de su bolsillo *Le cento migliori liriche della lingua italiana,* y por primera vez se puso en contacto con el soneto inmortal, leía con alguna dificultad el italiano y no tenía la menor idea de análisis estilísticos. Seguramente que no pudo discriminar mucho entre sus intuiciones parciales al pasar por cada uno de los versos. Intuyó una imagen simplísima. En el alma está aún: no ha cambiado. El hombre, casi un viejo, cansado y desilusionado, tiene aún en las entrañas del alma esta cámara intacta, de candor, de ilusión eterna. La misma que se abrió aquel día en el alma del niño.

Es inefable; imagen inefable cuya sensación, cuya sombra, cuyo accidente, expresaría así por imágenes exteriores: Es un ámbito —el alma sabe que es un ámbito milagroso—, es una luz blanca. Allí crece todo lo que en el mundo es delgado y blanco, tallos, tallos altos, apenas flexibles en luz blanca. Y todo es una forma femenina. Suspira el corazón. Esta imagen está traspasada de aire, y el corazón suspira.

Después el hombre leyó este soneto dentro de la *Vita Nova,* a la cual pertenece; leyó la bellísima explicación en prosa, por el mismo Dante, que allí le rodea; leyó los comentarios al soneto; se detuvo o entretuvo en el análisis de versos, y analizó los catorce de esta obrita; leyó sobre los problemas del *dolce stil novo,* el concepto de la mujer que de esta supuesta escuela procede, etcétera. La imagen primera —milagrosa, blanca, ascendente, encendida— es la que sigue abierta al fondo de una galería de su alma."

No nos hemos resistido a transcribir esta bella página de la obra citada de Dámaso Alonso, quien aduce este soneto hablando de intuición totalizadora de la poesía de Dante, ligada para él a la imagen sensible de una gran blancura.

[27] Las que han llegado, porque nos consta de la pérdida de algunas, como

lación impresa de las rimas antiguas [28] el número de las "extravagantes" atribuidas a nuestro vate fue aumentando progresivamente hasta que pudo disponerse de la edición crítica, realizada bajo los cuidados de Michele Barbi para el texto de la *Società Dantesca Italiana*.[29] Discernidas ahora las genuinas de aquellas otras de dudosa atribución o de las manifiestamente apócrifas,[30] las *Rimas*, consideradas en su conjunto y en su variedad, así como en sus convergencias o disonancias de tono y de modo poéticos, constituyen un decisivo documento de las tentativas artísticas mediante las cuales logró cuajar Dante su definida personalidad de poeta. Además, las rimas "extravagantes" de su juventud nos ayudan a la reconstrucción de su vida interior, en cuanto que suministran datos que sirven de complemento o de corrección a los aportados en la *Vida Nueva*. Entre las rimas ocasionales, son interesantes las que cruzó con otros trovadores de su época, en particular con Cavalcanti, para descubrir qué parte tenía la poesía en la Florencia del siglo XIII y en qué ideales de vida y de arte se inspiraban los adictos al *stil novo*. También las que reflejan la discusión con Forese Donati, anterior a 1296: acaso nacidas por broma en un momento de buen humor degeneraron pronto en un cambio de reproches y de vulgares insultos. No hay por qué interpretarlos como índice de un período borrascoso de su vida, sino como un juego literario de tono realista.

Ciertas rimas amorosas de su madurez y algunas afirmaciones aisladas nos persuaden de que no hay por qué considerar alegóricas, como viene siendo usual, algunas anteriores al exilio;[31] aun entregado al estudio y a la política, Dante continuó considerando un bello ornamento el rimar temas de amor. No que no cultivase paralelamente la poesía alegórica: en elogio de la filosofía compuso una especie de poema, imaginándola primero como una consoladora en el dolor por la muerte de Beatrice y después, por la dificultad que presenta su estudio a medida que el deseo crece, como una mujer dura y desdeñosa. Ni se detuvo aquí, sino que, no obstante su prejuicio de que la poesía en lengua vulgar debía limitarse a los asuntos amorosos,[32] añadió, buscando dilatar el campo de su arte, canciones que ensalzasen las virtudes morales que son como el rostro hermoso de la filosofía. Particular relieve cobra, por los problemas que ha suscitado, un grupo de rimas denominadas "petrose" porque giran en torno a una mujer dura como la piedra; por lo que a la fecha de su composición atañe, unos las creen escritas hacia 1296, otros las sitúan entre 1306-1307, y para

el famoso sirventés en loor de las sesenta nobles damas florentinas, del que se hace clara mención en la *Vida Nueva* (VI, 2), y la canción "Quitadme de la mente, Amor, el peso", citada en el tratado *De la Vulgar Elocuencia* (II, 11, 5).

[28] Milán, 1518; Venecia, 1518; Florencia, 1527.

[29] *Opere di Dante*, Florencia, 1921. Una excelente edición de las *Rimas* es también la publicada por G. F. Contini, Turín, 1948. Este mismo dantista preside una comisión de estudios encargada de preparar una nueva edición de las obras completas, que esperamos supere a todas las precedentes.

[30] Las de más segura atribución apenas llegan a un centenar.

[31] Tales *Amor che movi, Io sento si d'Amor, Io mi son pargoletta, Chi guardera gia mai*, etc.

[32] Prejuicio sentado en la *Vida Nueva*, XXV, 6.

algunos no son anteriores al 1310; por el argumento, quién advierte en ellas una pasión real y borrascosa, quién una mera alegoría, quién un nuevo experimento artístico.[33]

En su producción lírica muévese Dante dentro de la tradición poética de temas amorosos y, sin abandonar las fórmulas consuetudinarias, aporta a su poesía una más fresca inspiración y un arte más consciente y espontáneo. En honor a su dama recoge, coordina y comenta el pequeño cancionero de su juventud; perdida Beatriz como que la reemplaza el amor, principio de toda alta inspiración, de todo recto obrar, de todo saber, que le incita a admirar cada cosa bella con tanto más agrado cuanto es más placentera, sea una criatura real adornada de virtud o de encanto, sea el estudio de lo que perfecciona la mente y ennoblece el espíritu, sea, en fin, ésta o aquella virtud o doctrina. El concepto que aquellas gentes se habían formado de la poesía era, por lo común, el de *fictio rethorica,* excelencia formal, perfección artística, que se lograba más plenamente en la forma de *canzone,* con una escrupulosa selección de los vocablos y con sapiente técnica; la inspiración del Amor podía ser no tanto sentimiento cuanto maestría, dominio. Diríase que Dante tuvo empeño en triunfar donde Guitton de Arezzo [34] había fracasado: en el *trobar escur,* en la poesía puramente doctrinal, poetizando con aquel arte regular de que habían dado tan excelsas muestras los autores latinos y los más ilustres trovadores de Provenza. Si no salió igualmente airoso en todos sus experimentos, ninguno de los rimadores contemporáneos puede competir con él en novedad, variedad y frescura. Y así como las suaves imaginaciones de su juventud le dictaron sonetos perfectos y la inspiración lírica, sabiamente aliada con la figuración dramática, le dieron una canción como *Donna pietosa,* así encontramos en su madurez poemas líricos que en nada desmerecen de la fama del máximo poeta florentino.[35]

*   *   *

[33]   El estudio que revelan de las poesías de Arnaldo Daniel, el renombrado trovador perigordino tan amante de los versos complicados y difíciles, el vanagloriarse el autor de haber intentado novedades que a nadie se le habían ocurrido y el contenido mismo y la forma de dichas canciones impelen a abrazar la tercera opinión; el arte como algo extrínseco, sobrepuesto como mero adorno a la idea era un prejuicio de la época y Dante no se vio libre de él. En cuanto a la fecha es preferible situar estas rimas de la mujer de piedra antes del exilio.

[34]   Guitton de Arezzo (c. 1230-1294), también llamado fray Guittone, ha legado uno de los más copiosos cancioneros del siglo XIII y resulta la figura más relevante de aquel grupo de poetas toscanos que los manuales de literatura suelen señalar, con excesiva comodidad, como representantes del paso de la escuela "siciliana" al *stil novo*. Sus poemas, amorosos en su juventud, después religiosos, morales y políticos, conservan una cierta rudeza realista, pedantería latinizante, frecuente obscuridad. Hacia 1265 experimentó una suerte de conversión religiosa que le llevó a la, entonces popularísima en Florencia, orden de los "fratri godenti".

[35]   Baste recordar *Così nel mio parlar,* donde la pasión amorosa encuentra nuevos y vigorosos acentos, y *Tre donne intorno al cor,* en la que los más nobles sentimientos que pueden agitar el corazón humano han hallado una expresión felicísima, de inusitada elevación.

Dante había perdido a la autora de sus días siendo aún muy niño. Su padre, que había vuelto a contraer nupcias, murió antes de 1283,[36] dejándole comprometido en matrimonio con Gemma de Manetto Donati.[37] Nunca alude el poeta a este matrimonio, ni tiene una palabra, de elogio o de desdén, para su esposa; tal vez la violencia de su temperamento le proporcionó ratos de amargura, y no es muy improbable que la tuviera en el pensamiento al hacer exclamar a Jacobo Rusticucci que "su fiera mujer le causó más daños que ninguna otra cosa".[38] Tuvo de ella varios hijos; conocemos a Jacobo, a Pedro, a Antonia [39] y acaso fuera también hijo suyo un *Johannes filius Dantis Alagherii de Florentia*, que comparece como testigo en Luca el 21 de octubre de 1308. Aparte estos somerísimos datos, desconocemos por completo la vida familiar de Dante, que, por supuesto, pesó en él mucho menos que la intelectual o la política. Porque no es posible imaginársele totalmente absorbido por los estudios o consagrado a sus ensayos artísticos. Le atraía la vida pública, pues no era un espíritu capaz de abstraerse en un mundo puramente intelectual ni de desinteresarse de las múltiples relaciones que la ciencia y el arte tienen con la vida.

En Florencia prosigue incontenible la transformación social, al par que decisivos acontecimientos políticos y militares modifican la faz de la triunfante república. Los más fuertes eslabones de la cadena gibelina van saltando uno tras otro. En 1284 sucumbe la flota de Pisa ante la escuadra genovesa y el conde Ugolino,[40] nombrado podestá al día siguiente de la rota, no pudo evitar la invasión de los florentinos sino a cambio de cederles sin lucha un rosario de fortalezas. A los veinticuatro años, sirviendo en la caballería comunal, interviene Dante en la memorable jornada de Campaldino,[41] en la que los enemigos de Florencia sufrieron el desastre más completo. En esa batalla los Uberti, Lamberti y Abbati, con los demás exciudadanos de la república partidarios de los gibelinos, pelearon a favor de los de Arezzo, mientras que aquellos aretinos, que habían sido expulsados de sus hogares por sus simpatías hacia la causa güelfa, se colocaron al lado de los de Florencia. Todavía toma parte el poeta en la expedición que arrebata a los pisanos el castillo de Caprona.[42] Por fin, en junio de 1293, la paz de Fucecchio. La Señoría obtiene para su comercio franquicia de tránsito a través de territorio pisano y se arroga el derecho de veto

[36] En un documento legal consta la venta que realizara Dante de una pequeña propiedad heredada de su padre. Tenía entonces dieciocho años, los requeridos por los estatutos de la ciudad para declarar mayor de edad a un huérfano.

[37] Este Manetto era primo del célebre Corso Donati, pero de una rama que irá separándose poco a poco de la familia, tomando nuevo apellido.

[38] *Inf.* XVI, 45.

[39] Identifícase probablemente con una Sor Beatrice, monja en el monasterio de San Esteban de los Olivos, en Ravena.

[40] A este desventurado personaje se refiere nuestro autor en los cantos XXXII y XXXIII del *Infierno*.

[41] Leonardo Aretino alude a una carta de Dante en la que describía el orden del combate y a sí mismo tomando parte en él.

[42] *Inf.* XXI, 92.

en el nombramiento de podestá de la ciudad rival: éste tenía que ser aceptado por la liga güelfa, cuya alma era Florencia.

Respaldado por la plebe y ayudado en sus propósitos por un noble, tránsfuga al campo de la democracia, Giano della Bella, el "popolo grasso" —la burguesía— hizo aprobar a partir de 1293 una serie de leyes abierta y exclusivamente dirigidas contra la nobleza. La severidad agresiva de estas leyes fue suavizada dos años más tarde, pero sin modificar los principios en que se sustentaban. No se restituirán los derechos cívicos más que a los miembros de la nobleza resignados a inscribirse en un "arte", es decir, a abdicar, al menos jurídicamente, su cualidad social de origen.[43]

Qué juicio merecieran a Dante estos ordenamientos es cosa que ignoramos. Lo que sí sabemos es que fue por esas fechas cuando se decidió a participar activamente en las luchas políticas, comenzando por buscar recomendaciones para alistarse en alguna de las corporaciones existentes. Como el hecho de formar parte de un gremio no comportaba la obligación de ejercer el oficio de los agremiados, Dante escogió, por razones que desconocemos, el "arte" de los médicos y farmacéuticos.[44] Así pudo pertenecer al consejo especial del pueblo para el semestre que va del 1º de noviembre de 1295 al 30 de abril de 1296,[45] y ser llamado el 14 de diciembre de 1295 a formar parte de otro que tenía que ver con la elección de los priores; fue miembro del consejo de los Ciento, de mayo a septiembre de 1296, y de una comisión administrativa en 1297, sin que su cometido político en todos estos casos tuviera todavía mucha relevancia.

Ni la partida del promotor de los *Ordenamientos de justicia,* Giano della Bella, desterrado en 1295 por venganzas personales, ni las enmiendas a su combativa legislación atenuaron el ardor de las clases rivales en Florencia. Vino a ahondar la división el ascenso de Bonifacio VIII a la silla pontificia en 1296. Al socaire de su política teocrática, los güelfos extremistas, acaudillados por el "grande" Corso Donati, que supo arrastrar a su facción a la mayoría de los "popolani" y a familias de la antigua nobleza, se hicieron más "ultras", mientras que los moderados, entre los que se había deslizado buen número de cripto-gibelinos, cerraban sus filas en torno a la poderosa casa de los Cerchi. Se importó de la vecina ciudad de Pistoya los términos de "blancos" y "negros" con que se designaban allí las facciones locales; en Florencia los blancos fueron los moderados y los negros los ultras,

---

[43] Esta extraña legislación, reunida bajo el rubro de *Ordinamenti di giustizia,* convertía a los nobles en ciudadanos de segunda, quitándoles, en concreto, el derecho de participar, aunque fuese como simples electores, en los asuntos públicos.

[44] Parece ser que los boticarios corrían con el comercio de los libros; alistándose entre ellos podría Dante —entonces muy enfrascado en los estudios— adquirir los libros a menor precio y tomar o consultar los que no pudiese adquirir.

[45] No es admisible, por simples razones de incompatibilidad, que perteneciera al consejo del podestá o de la comuna durante el segundo semestre de 1295 y que, por lo tanto hubiese tomado parte en las medidas del seis de julio de aquel año en favor de los grandes.

sustituyendo prácticamente a las antiguas banderías políticas de gibelinos y güelfos.[46]

Dante se contaba entre los blancos. En mayo de 1299 es enviado como embajador a San Gimignano. Se trataba de convencer a aquella municipalidad para que enviase síndicos a una reunión de las comunas güelfas de Toscana. La misión parece carecer de relieve pero en aquel momento importaba mucho a la Señoría tener incondicionalmente a su lado a las comunas güelfas de toda la región: es que peligraba la común independencia, esta vez no a causa de las tradicionales pretensiones del Imperio,[47] sino por obra de Bonifacio, que, aprovechándose de las discordias florentinas, quería sujetar al dominio de la Iglesia toda la Toscana. Dislocando esta liga, por muy güelfa que fuese, habría destruido el pontífice el principal factor de la supremacía militar de Florencia y se convertiría de hecho en árbitro de la ciudad.[48]

La primera embajada de Dante tenía, pues, por objeto obstaculizar las pretensiones temporales de Roma. Y no debió desempeñar mal su cometido, puesto que, una vez cumplido el encargo de aquellos que osaban enfrentarse a las miras pontificias, sin dejarse intimidar por amenazas de excomunión, fue elegido él para el bimestre sucesivo (15 de junio-15 de agosto).

Mas Bonifacio no se limitaba a presionar desde el exterior sobre Florencia. A principios de 1300, a raíz de que el jefe de la casa de los Cerchi rehusara dirigirse a Roma para reconciliarse allí con Corso, tres florentinos que se encontraban en la Ciudad Eterna conspiraron contra el gobierno de los blancos. Denunciados a la Señoría, se les impuso severísimas multas. En vano intercedió el pontífice deseando salvar a sus protegidos. Hubo de enviar al doctísimo cardenal de la orden franciscana, Mateo de Acquasparta, con la misión de pacificar a blancos y a negros y evitar que la ciudad, reaccionando contra el papa, se arrojase en brazos de los gibelinos. Lo que consiguió fue excitar más los odios y rivalidades y, mientras el legado pontificio abandonaba la ciudad en entredicho, la Señoría, a consecuencia de una nueva reyerta que había ensangrentado la solemne procesión de la fiesta de San Juan, determinó confinar a los principales cabecillas de una y otra parte: siete jefes del partido negro y otros siete del blanco; entre los últimos figuraba Guido Cavalcanti.[49] Este acto de

[46] Los *blancos* representaban la rica burguesía de los mercaderes (*il popolo grasso*), y, sin ser nobles, había entre ellos muchos que simpatizaban con los gibelinos, partidarios del emperador. En cambio, los *negros* "piu antichi di sangue, ma non si ricchi", como dice Dino Compagni, se gloriaban de descender de los antiguos magnates, se apoyaban en la plebe y en los pequeños artesanos (*il popolo minuto*), y serán en todo momento fieles seguidores de la política papal.

[47] Vacante por aquellas calendas puesto que aún no había sido reconocido ni coronado Alberto de Austria.

[48] Este papa procedía como si tuviese autoridad y jurisdicción sobre Florencia; sus aspiraciones al dominio directo de la ciudad del Arno las manifestó categóricamente en carta al duque de Sajonia el 13 de mayo de 1300.

[49] Un biógrafo del siglo xv, Leonardo Bruni, estampó la afirmación de que fue el propio Dante el principal inspirador de la sentencia colectiva de destierro pronunciada por el colegio de los priores. No poco se ha especulado

energía calculadora y prudente viose pronto desnaturalizado al llamar del exilio a los blancos [50] mientras dejaban en él a los del bando opuesto. Era demasiado para Bonifacio VIII, que buscó conseguir con otros métodos lo que no podía obtener por negociaciones.

Consciente de que el pueblo florentino era devotísimo de Francia, se le ocurrió que nadie más apto para calmarle que un príncipe de aquella nación y así determinó enviar a Carlos de Valois, hermano de Felipe el Hermoso, como pacificador. Antes de que "il Valese", como le apellidan las crónicas italianas, se pusiera en marcha hacia Florencia la comuna de esta ciudad envió una embajada a Bonifacio para contrarrestar las malas artes de los negros, que incitaban al papa al empleo de la violencia. Uno de los tres embajadores era Dante. Tuvo así oportunidad de tratar al gran pontífice y conocer su corte más prolongadamente de lo que él se imaginara, puesto que Bonifacio, devolviendo a los otros dos acompañantes para que persuadiesen a sus compatriotas de que él no deseaba sino la paz de la ciudad, retuvo consigo a Dante, como de quien más tenía que temer.

Mientras tanto Carlos de Valois entraba en Florencia el primero de noviembre de 1301 y, tan inepto en la paz como en la guerra, en lugar de apaciguar los ánimos, púsose decididamente de parte de los negros. Su jefe, Corso Donati, regresa del exilio y cruza orgulloso la puerta de la ciudad entre el clamoreo exultante de los suyos. Se apodera de la Señoría y da rienda suelta a las venganzas. Parece que la mansión de Dante fue una de las primeras en ser derrumbadas. El ya no volvió más a Florencia; el nuevo gobierno de los negros, aplicando un decreto de circunstancias con efecto retroactivo, le condenó, con otros muchos magistrados de 1296-1301, a pagar una multa de cinco mil florines, a dos años de confinamiento, y a exclusión perpetua de los empleos públicos, bajo las acusaciones de fraude, venalidad y oposición al pontífice y a Carlos de Valois. Esta sentencia debió sorprenderle en Siena a fines de enero de 1302; al no presentarse a pagar y a justificarse, dentro del plazo señalado, siguióla el diez de marzo otra mucho más draconiana que interesaba a otros quince ciudadanos: si alguno de ellos caía en poder de la Señoría, sería quemado vivo *(igne comburatur sic quod moriatur)*. De aquí arranca en parte la tremenda aversión de nuestro vate contra el papa Bonifacio, a quien juzgaba responsable de las iniquidades cometidas en su ciudad natal, en lo cual erraba no poco.[51]

* * *

sobre el heroísmo de carácter de que dio prueba al proscribir a su "primo amico", miembro de la misma facción que él.

[50] Guido Cavalcanti, por cierto, fallecía a poco de regresar, de resultas de unas fiebres contraídas en el lugar de su confinamiento.

[51] No es sólo Dante el que ha tratado a Bonifacio VIII con notoria injusticia. Pocos papas han sido tan ferozmente calumniados. El odio de los Colonnas, de los espirituales y de los franceses se desfogó contra él en infamantes y vergonzosas acusaciones, particularmente en el último año del papa Gaetani. Y ni su muerte pudo calmar el rencor de los enemigos, que hubieran querido desenterrar el cadáver y anatematizar su memoria para siempre. En el escandaloso proceso que Felipe el Hermoso entabló contra él en 1310, no hubo crimen que no se le imputara. La historiografía oficial de Francia dio crédito

Expulsado de su cara Florencia, deshonrado, condenado a la hoguera, decepcionado de todo y de todos, Dante tarda en reponerse y recobrar la serenidad, si es que la recuperó del todo alguna vez. Por de pronto, como buen exilado político intriga y conspira, poniendo sus esperanzas en las coaliciones tramadas desde el exterior contra los negros. Uniéndose a los gibelinos que les habían precedido en el destierro, los exilados de 1302 se lanzan a la búsqueda de apoyos militares y transcurren dos años en diligencias, conciliábulos y escaramuzas. Dante participa en un principio en casi todas las conferencias: le encontramos el ocho de junio de 1302 asistiendo a la reunión de los "fuoruisciti" en San Godenzo en Mugello, dando garantías a los Ubaldini por los daños que hubiesen podido recibir en la guerra con Florencia, y en 1303 en Forli, donde el señor de la ciudad, Scarpetta degli Ordelaffi, tomando en cuenta las recomendaciones de los exilados, organiza una expedición que no pudo resultar más infructuosa.[52] La última ocasión en que lo vemos colaborar con los demás desterrados fue cuando las tentativas de reconciliación a través del cardenal de Prato. Las cosas sucedieron como sigue.

Muerto Bonifacio VIII, su sucesor, Benedicto XI, despachó a Florencia al cardenal Nicolás Albertini de Prato, para apaciguar los ánimos y procurar la paz entre los dos partidos. Comenzó la misión con buenos augurios; después de sondear el estado de ánimo de los negros, envió a los exilados del partido blanco una misiva en la que les aseguraba el retorno a la ciudad reconocidos sus legítimos derechos de ciudadanos, a cambio de que desistieran de toda amenaza armada. La oferta encontró favorable acogida por parte de Dante y de sus compañeros. Contestaron con una carta redactada por aquél, en la que resaltan la gratitud y las óptimas disposiciones de los refugiados. Pero la buena voluntad del cardenal se estrelló contra la intransigencia de los negros, que le acusaron de ser enemigo de la paz y de la justicia, por lo que renunció a seguir en la ciudad a mediados de 1304, dejándola en entredicho.

A poco rompió Dante, cansado de soportar tantas intrigas, mezquindades y juegos de contrapuestos intereses, con aquella "compañía malvada y necia" que compartía con él el exilio, y empezó, fieramente independiente, a comprobar "cuán amargo sabe el pan ajeno y qué duro es tener que subir y bajar las escaleras de los demás". Años después se lamentará de haber andado "peregrino por casi todas las partes a que se extiende esta lengua, mendigando casi, mostrando con-

a los rumores de la corte y, consiguientemente trató de defender al monarca y a sus juristas, echando toda la culpa del conflicto con su rey a Bonifacio. Hasta la historiografía italiana y aun la misma pontificia se dejó contaminar de la animosidad contra este papa, sin duda, por la imposibilidad de verificar críticamente las acusaciones que llovían por todas partes. El mismo Juan XXII le acusó de fatuidad, quizá por la única razón de haberse opuesto al rey francés. Los modernos historiadores han empezado a hacer justicia a Bonifacio VIII, dándole la razón en el conflicto con Felipe y desechando por absurdas y mal fundadas las imputaciones que se fraguaron en París.

[52] Dicen que Dante la había desaconsejado y que, como suele acontecer en tales casos, fue tildado de tibio y sospechoso. Quizá provenga de aquí el resentimiento que mostrará más adelante hacia sus mismos compañeros de destierro, *Paraíso* XVII, 615.

tra su voluntad la herida de la fortuna que suele injustamente ser achacada al herido por ella. En realidad ha sido como un barco sin vela y sin gobernalle, arrastrado a diferentes puertos y costas y playas por el viento seco que levanta la dolorosa pobreza".[53]

Día a día, lentamente, fueron transcurriendo los primeros años del destierro sin que disminuyeran para Dante las esperanzas de retorno. Habiendo roto ya por completo con sus compañeros de desgracia, siguió frecuentando cortes principescas, acogiéndose a la liberalidad de aquellos señores que gustaban rodearse de hombres de ingenio o que, por lo menos, mostraban amables disposiciones hacia los perseguidos políticos. Hubo de convivir forzosamente con una gran mezcolanza de gentes, desde personas con experiencia política y depurada formación intelectual hasta bufones y ventajistas. Nada más presumible si de ello no tuviéramos expreso testimonio en sus obras,[54] que Dante, dada su índole y la alta opinión que tenía de su propio valer, se sintiera a disgusto en tales ambientes. Semejante tenor de vida avivó en él el recuerdo y la nostalgia de la patria perdida y de lo que en ella había dejado de más caro; y el pensamiento de que, por una disposición tomada en la Señoría en 1303, también sus hijos se verían obligados a seguir la suerte del padre apenas cumpliesen catorce años, tenía que punzarle agudamente. La dureza de aquella prueba doblegó un tanto su altivo natural y, humilde, buscaba con obras buenas y buen comportamiento alcanzar la gracia de volver a su ciudad por espontánea resolución de quienes la regían. En este propósito empeñado, escribió innúmeras veces, no solo a gobernantes en particular sino a todo el pueblo florentino; entre otras, una extensa carta que comienza con la querella del profeta: *Popule meus, quid feci tibi?* También dirigió a sus conciudadanos, para que le revocaran su sentencia, una hermosa canción proclamando su amor por la justicia y sentenciando que "la más hermosa victoria en una guerra es el perdón". Si su pueblo no le perdonaba era porque no sabía quién era él, ya que lo único que le constreñía a soportar tan injusto destierro era su desmesurado amor a Florencia.[55]. Claro que había sido fácil hacerle pasar por enemigo de la ciudad. Su oposición a la política de la Iglesia, la condena, que es siempre presunción de culpa, el haberse unido los gibelinos expulsados a los desterrados blancos en sus primeros conatos de recuperar la patria perdida, el haber buscado asilo y ayuda en las ciudades de la Toscana y de la Romaña enemigas de los güelfos, hicieron que la opinión del vulgo le identificase, a él y a sus compañeros, con los gibelinos. Ahora, en cambio, manteniéndose alejado de los enemigos de Florencia, permaneciendo en lugares que no daban margen a sospecha de contubernio, y recordando en sus epístolas lo que había realizado por la ciudad y por el partido güelfo —combatiendo en Campaldino y tutelando la autonomía de la comuna contra cualquier injerencia extranjera—, perseguía justificarse de la imputación de opositor a la línea política tradicional de la Florencia güelfa.

---

[53]   *Conv.* I, III, 5.
[54]   *Par.* XVII, 58-60; *Conv.* I, VI, 3, y, en cierto modo, en la famosa invectiva contra los príncipes de su tiempo en *De V. E.* I, XII, 5.
[55]   *Rimas*, CIV, 105; *De V. E.*, I, IV, 3.

La primera corte en que buscó refugio fue la gibelina de los Escalígero de Verona.[56] No debió permanecer en ella mucho tiempo,[57] ya que desde la primavera de 1304 parece haber encontrado nuevo asilo en Bolonia, centro de reunión de los "fuorusciti" por ser una importante ciudad cercana a Florencia, desde la que se podía seguir en todo momento lo que pasaba en el campo de los negros.

Nada más puesto en razón que imaginar a Dante aprovechándose de las enseñanzas universitarias boloñesas, por más que resulte arduo precisar hasta qué punto le influyeron en materias como el derecho romano, la astronomía o la filosofía. Antes de frecuentar el *Studium* boloñés ya había acumulado el florentino una regular suma de conocimientos en las referidas disciplinas. Lo que sí parece fuera de duda es que profundizó en el estudio de los clásicos latinos, a juzgar por la lectura del *Convivio* y el *De Vulgari Eloquentia*,[58] obras compuestas entre los años 1304-1307, con el evidente doble propósito de realzar su fama opacada por el exilio y de encontrar en el estudio y la escritura de cosas útiles y artísticas un lenitivo a sus dolores.

El *Convivio* —Convite—, concebido en quince tratados, de los cuales el primero tenía que ser la introducción y los restantes el comentario a otras tantas canciones "que tratarían de amor y de virtud", quedó inconcluso al final del cuarto tratado. El conjunto habría formado un compendio de todo lo que Dante juzgaba más precioso en materia de filosofía moral y natural. Los libros II, III y IV, corresponden a los poemas *Voi che 'ntendendo il terzo ciel movete, Amor che nella mente mi ragiona* y *Le dolci rime d'amor ch' io solia.* Por ellos podemos colegir que su autor no hubiera rechazado ninguna digresión para llegar a sus fines, pues que con frecuencia se agarra a un solo verso, a una sola imagen para entretenerse en una extensa exposición científica que aclare el sentido de la *canzone*.[59] Son tantas las nociones que se interfieren de un cabo a otro de la obra que no resulta empresa fácil determinar el tema principal de cada libro, excepción hecha del primero, consistente en una defensa de la lengua vulgar contra sus detractores.

[56] *Par.* XVII, 70 s.

[57] Dante se muestra severo con tres de los cinco Scalígero mencionados en su obra. Testimonia su gratitud a Bartolomé, que le acogió liberalmente en 1303 y a Can Grande, señor de Verona a partir de 1311, de quien fue huésped años después de desaparecido Enrique VII.

[58] La cátedra de poesía latina de la facultad de artes de Bolonia tenía precisamente como programa fundamental a comienzos del siglo XIV la exposición, en buena parte alegórica y moral, de Estacio, Virgilio, Ovidio y Lucano, o más exactamente, de la *Tebaida*, de la *Eneida*, de las *Metamorfosis* y de la *Farsalia*, únicas obras tomadas en consideración en el *Convite*. El programa literario de Bolonia difiere, como se ve, del de otras universidades, que, por ejemplo, deparan mejor tratamiento a Horacio y no suelen incluir a Estacio. Añádase a esto que el curso de retórica transcurría en la exposición del *De inventione* de Marco Tulio y del pseudociceroniano *Rhetorica ad Herennium*, y que los consejos retóricos diseminados en el *Convivio* provienen casi todos de este último tratado.

[59] Así es como la invocación de *Voi che 'ntendendo*, dirigida a los ángeles del cielo de Venus, suministra un pretexto para cuatro capítulos de astronomía general y como dos versos de *Amor che nella mente*, dan lugar a una larga disertación apegada al geocentrismo aristotélico.

El *Convivio* nació, como hemos dicho, de la necesidad que sintió Dante de rehabilitar su fama a los ojos de aquellos con quienes iba a ponerse en relación y de revelarse tal como realmente era: un enamorado de la sabiduría, un hombre de vida íntegra, que sufría "injustamente pena de destierro y de pobreza". La doctrina que va a brindar la sacará de sus canciones de la edad madura; estos poemitas serán los "manjares" del convite y el "pan" el comentario en prosa vulgar que los aclara. Ensalza el habla romance "pan de cebada" y explica que el comentario no puede ser hecho en latín, "pan de trigo", porque las canciones están escritas en italiano y porque además quiere que todos disfruten de la sabiduría que el *Convite* atesora, intento fallido en el caso de utilizar el idioma latino, conocido solamente por las personas cultas.

Con una profesión de fe en la futura victoria de la lengua vulgar italiana y en el valor intrínseco de la obra pone fin Dante a la introducción, que es el primer tratado. En el segundo pugna por definir y celebrar a la "dama Filosofía" y concede un lugar privilegiado a las consideraciones de orden teológico y más todavía a la astrología. Por encima del cielo de la Filosofía moral se cierne el cielo de la Teología, pero en el ámbito de la ciencia finita la Filosofía, como obra perfecta de la razón, es la "bellísima y honestísima hija del Emperador del universo". El tercero, que versa en principio sobre la teoría del amor, se extiende en amplias disertaciones sobre la jerarquía de la creación, la naturaleza de la materia, la percepción visual, la filosofía griega y, una vez más, sobre la astronomía. Iníciase el cuarto con la canción *Le dolci rime d'amor ch'io solia,* y traduce un contenido de filosofía práctica. Como idea fundamental encontramos la de "gentileza" o "nobleza", considerada como perfección substancial del ser humano, tomado en su propia individualidad y con todo lo que en él existe virtualmente, pero hay extensas alusiones a la antigua Roma, a la ética de los griegos, a las distintas edades de la vida, e indicaciones etimológicas más curiosas que fidedignas. Aquí quedó truncado el *Convite,* sin que conozcamos a ciencia cierta los auténticos motivos que obligaron a Dante a dejar interrumpida una obra cuyo plan completo había trazado en diversos lugares de la misma.[60]

Hay otro librito, éste escrito en latín, en el que desde otro punto de vista aunque con evidente analogía de conceptos se aborda el mismo problema de la lengua y del arte en lengua vulgar. Nos referimos al *De Vulgari Eloquentia*, planeado en los albores del destierro, prenunciado en las primeras páginas del *Convivio* [61] y redactado casi paralelamente a éste. El propósito de este tratado, fruto de una sólida cultura escolástica y estilística, es definir y promover el cultivo de un *volgare ilustre* que permita tratar otros temas que los de la poesía amorosa o familiar, y conferirle una estabilidad semejante a la del latín convirtiéndole en el idioma literario común a las diversas regiones de Italia. El fin didáctico en que se inspira lo sitúa en la línea de la

[60] I, 12; II, 1; IV, 21, etc.
[61] "De la evolución a que está sometida toda lengua hablaremos más cumplidamente en otra ocasión, en un libro que tengo proyectado escribir, Dios mediante, sobre la lengua vulgar." *Conv.* I, 5.

retórica tradicional ("elocuencia", "arte del decir"), e iba, en la intención de Dante, dirigido exclusivamente a los poetas provistos de cultura y de ingenio, para que procediesen en sus composiciones no *casualiter,* con absoluto abandono a la inspiración, sino que la dominasen *regulariter,* con maestría en el arte. Alighieri concibió esta obrita como síntesis y suma de las diferentes experiencias de lengua y de estilo, en prosa y en verso, por las que había atravesado su arte. Representa, pues, el primer ensayo de filología sobre la lengua italiana y resulta un logrado intento de rehabilitación de la lengua vulgar desde el punto de vista teórico.

En los primeros seis años de destierro, al verse obligado el poeta a peregrinar por diversos territorios,[62] oyó hablar bien diferentes dialectos: el romano, el sienés, el emiliano, el véneto, el ligur, otras variedades del toscano... Esta experiencia le resultó provechosa y cuando en el libro primero de este tratado describa y critique —cuidando de evitar la preponderancia de uno sobre los demás— las peculiaridades de los varios dialectos peninsulares, sabemos que lo hace conociendo el tema por experiencia propia.[63] La obrita, tal cual nosotros la conocemos, no nos permite fijar con exactitud su fisonomía particular ni determinar lo que le faltaba para su acabamiento, aunque sepamos, por explícitas referencias, que se iba a extender a un cuarto libro.[64]

El seis de octubre de 1306 encontramos a Dante en Lunigiani, huésped del marqués Moroello Malaspina, que le había confiado una delicada encomienda: concertar la paz con el obispo de Luni. A continuación de este suceso es cuando el cronista florentino G. Villani sitúa el inverosímil viaje del vate a París, que tantos biógrafos y comentaristas han dado por supuesto.[65] La verdad parece ser que, después de una permanencia no superior a un año en Lunigiani fijó este

---

[62] Roma, Siena, San Gaudencio en Mugelo, Forli, Verona, Luni...

[63] Precisamente un argumento a favor de su estancia en Bolonia por estos años, y que incluso nos lleva a suponer que allí escribió su *De Vulgari Eloquentia,* suele sacarse del cabal conocimiento que demuestra del habla boloñesa, que le lleva a la sutileza de distinguir entre el dialecto hablado en pleno centro de la ciudad y el que emplean quienes viven a media legua del mismo.

[64] Así en el libro II, 4: "Explicaremos el magisterio de aquel arte que se ha venido ejerciendo por pura casualidad, dejando por ahora la forma de las baladas y de los sonetos, que nos proponemos explicar en el cuarto libro, cuando hablemos de la lengua vulgar media." Tal era el proyecto del autor pero la obra quedó interrumpida, a poco de haber comenzado el capítulo 14 del libro segundo. La razón, para la mayoría, hay que buscarla en el hecho de que de día en día le iba absorbiendo más su poema cumbre *La Divina Comedia,* de la que por entonces llevaba escritos los siete primeros cantos del *Infierno.*

[65] Esa leyenda —por tal la tenemos nosotros, por más que admitan el viaje eruditos como P. Rajna y E. R. Curtius, y R. Davidsohn diga que ha sido "innecesariamente controvertido"— descansa inicialmente en una carta de un tal "frate Ilario", monje de un convento de Lunigiani, conservada en una copia de mano de Boccaccio. La carta menciona sin más "regiones ultramontanas", lo que para un residente en Lunigiani no tiene por qué designar forzosamente a Francia. Es más, un crítico reciente se inclina a creer, apoyado en buenas razones, que la carta no es más que un simple ejercicio retórico del autor del *Decamerón.* El que, después de eso Boccaccio y su concuidano Villani hayan dicho o redicho en sus biografías del poeta que aquél encaminó sus pasos a París en busca de sus tesoros de ciencia, no tiene mayor valor documental.

infatigable caminante su residencia en Casentino, al norte del valle del Arno. De allí remitió a Moroello, junto con la "canzone" *Amor, da che convien pur ch'io mi doglia,* una epístola en la que deposita una confidencia amorosa: "Tan pronto como puse los pies confiado e incauto, en la tierra bañada por el Arno, se me apareció de improviso una mujer como luz que desciende del cielo, conforme por completo a mis deseos en costumbres y en figura... Con el fuego inesperado de aquella hermosura se apoderó de mi un amor terrible y absoluto... Y dio muerte al laudable propósito por el que venía renunciando a las mujeres y a sus cantos. Hoy reina en mí el amor sin resistencia de virtud alguna." ¿Fue esta explosión del florentino un simple pretexto para la composición poética que acompaña a la carta o sintió realmente en sí un despertar de la pasión amorosa? Poco importa; bien efímero fue si es que existió. Más interés tiene el hecho de que en la misma epístola latina en que declara tan repentina metamorfosis se cuele un párrafo como este: "He relegado las frecuentes meditaciones con las que me esforzaba en penetrar las realidades del cielo y de la tierra." Porque eso significa, ni más ni menos, que ya tenía en el telar la *Divina Comedia.*

El horizonte, en efecto, estaba lejos de aclararse y el pensamiento de Dante en tan persistente adversidad por fuerza tenía que ir desplazándose de los ideales amorosos de juventud y de los afanes culturales a problemas más concretos de la realidad política. Del mundo estaban ausentes la justicia y la paz; no faltaban leyes, mas nadie tenía poder o interés en hacerlas cumplir; la ambición, la envidia y la violencia reinaban por doquier. Reflexionando sobre la causa de tantos males, creyó encontrarla en la falta de un dominador supremo que redujese a unidad los dispares quereres, y, que, poseyéndolo todo, pudiese poner un dique a las ambiciones de los demás. La providencia divina había encomendado tal misión al Imperio romano, pero los emperadores de su tiempo, enredados en los problemas de Alemania, descuidaban su primordial deber, que era venir a Italia, "jardín del Imperio", y después de pacificar la convulsa península, gobernar al mundo desde Roma. Añádanse a esto las trabas puestas por la Iglesia, mezclada en los negocios de este mundo y reclamando para sí el dominio, no sólo de las cosas espirituales, sino también de los asuntos temporales. A este giro de su mente debió acompañar en el florentino el deseo y el propósito de acometer una obra muy diversa de las que llevaba entre manos, una obra que pintara los daños de una tan general confusión y dispusiera los ánimos para encontrar las justas soluciones. Explícase así que dejara inacabados el *Convivio* y el *De Vulgari Eloquentia* y se decidiera a reanudar un proyecto que venía acariciando de tiempo atrás, desde que prometiera cantar a Beatriz bienaventurada, como a nadie se había cantado en este mundo. Nada más sencillo que insertar los nuevos propósitos en el antiguo diseño: combinar la exaltación de la mujer amada, que velaba desde el cielo, con la representación de un mundo descarriado de tantos modos. Ni tratados como el *Convivio,* ni exhortaciones epistolares a reyes o emperadores, a príncipes o a ciudades, eran capaces de apartar a Italia del mal. ¿Qué autoridad tenía él, desterrado de su patria, perseguido por el destino adverso, para poderse prometer que sería escuchado? La autoridad no podía venirle más que de su genio de poeta. Era menester una gran revelación en la que se destacase con vivos colores la impresionante inmensidad del mal; cuyas enseñanzas derivasen no de unos pocos hechos particulares anodinos, sino de la historia de la humanidad entera en su borrascoso desenvolvimiento; y en la que se anunciase de un modo solemne el designio divino de intervenir para restaurar la ley eterna y enderezar al hombre por el camino recto. Estaba, pues, concebida la obra que ha hecho inmortal a Dante; a ella dedicará cuantos años le queden de vida.

* * *

El penoso peregrinaje del poeta por cortes y castillos italianos fue iluminado por un hecho que reavivó las amortiguadas esperanzas del desterrado haciéndole forjarse las más risueñas ilusiones: Enrique VII de Luxemburgo, sucesor en 1308 de Alberto de Austria, se había decidido a franquear los Alpes para restablecer en la península aquella autoridad imperial de la que muchos italianos habían perdido ya hasta la noción.

Fue un hermoso paréntesis que abarcó de 1310 a 1313; tres años vividos por Dante en continua zozobra por la empresa de este emperador. Enrique venía precedido de fama de hombre justo y pío, deseoso del bien público. Como el pontífice había favorecido su elección dos años antes, estaba de su parte e invitaba a las poblaciones de Italia a que le dispensasen un cordial recibimiento. Todos los desterrados, como es lógico, se pusieron de su lado. ¿Cómo no había de concebir Dante alegres esperanzas e inclinarse hacia quien, sin querer oír hablar de güelfos ni de gibelinos, se ocupaba únicamente de pacificar las discordias y hacer justicia a todos?

Era precisamente lo que él había ansiado tantos años. Apenas pisó Enrique suelo italiano se apresura a rendirle homenaje,[66] sin que le haga titubear la reluctancia de Florencia a reconocer la autoridad imperial. Primero la verdad y el bien común. Aunque germano, el emperador era el elegido de la providencia para gobernar, una vez coronado en Roma, la península y el imperio. Y como sus conciudadanos, temiendo que Enrique les privara de las libertades con tantas fatigas conquistadas, se obstinasen en resistir y levantasen en su contra a casi toda Italia, concitaron las iras de Dante, que arremetió contra ellos —"los malvados florentinos que viven dentro de la ciudad"—, en una vibrante carta, saturada de imprecaciones y amenazas. Aún más: se dirige al propio emperador conminándole con ardor profético a que, dejando a un lado otras desperdigadas oposiciones, corriera a sofocar la hidra de la rebeldía a orillas del Arno. Florencia respondió a estas

---

[66] Consta en carta al emperador: "El que estas líneas escribe, en nombre suyo y de los demás, te contempló benigno y te escuchó clemente, como conviene a la majestad imperial, cuando mis manos tocaron tus pies y mis labios pagaron su tributo." Probablemente cuando la coronación de Enrique en Milán el seis de enero de 1311.

excitativas del poeta exceptuándole de la amnistía decretada en septiembre de 1311 por Baldo de Aguglione.

Y ¿Enrique VII? éste, lejos de lanzarse sobre la ciudad clave, y desbaratar en su propia madriguera el poderío del partido negro, continuó rezagándose en Lombardía para atacar y someter pequeños focos rebeldes a su investidura, como Cremona, Bérgamo, Brescia, Lodi y otros. Por fin, en septiembre de 1312, puso sitio a Florencia [67] pero hubo de levantar el campo después de mes y medio de asedio y retirarse a San Casiano.

A la terca oposición de los florentinos súmanse a poco la abierta de rey Carlos de Anjou y la mal disimulada de Clemente V. Es entonces cuando Dante se decide a escribir en defensa del malparado derecho imperial su tratado filosófico-político *Monarchia,* propugnando la necesidad del Imperio para el bienestar del mundo, su atribución providencial al pueblo de Roma, y la independencia del poder imperial de la suprema autoridad religiosa. Cada una de estas tres proposiciones fundamentales ocupa un libro entero y es demostrada por Dante en una forma estrictamente dialéctica, con argumentos derivados del conocimiento de las leyes divina, natural y positiva y con gran acopio de datos históricos o juzgados por tales por el autor de la obra.[68] El enfoque del exgüelfo resulta original; en la áspera y secular contienda acerca de las relaciones entre la Iglesia y el Imperio, se coloca más allá de los curialistas, los cuales se apoyaban exclusivamente en la Teología moral, y de los legistas, que se fundaban en las normas positivas del derecho romano y separaban la moral de la fe, y se enfrenta a los 'tratadistas franceses contemporáneos que negaban la legitimidad del Imperio. El pensamiento que informa el *Monarchia,* reducido a sus líneas esenciales y liberado de la árida maraña de silogismos en que se intrinca y debilita, es el mismo que constituye el principio dinámico de la *Divina Comedia,* que para estas fechas ya estaba bastante adelantada.[69]

[67] En esta empresa, Dante, que con tanto calor la había aconsejado, no toma las armas contra su ciudad, ni su nombre aparece entre los florentinos condenados por haber estado en el campo del emperador. Sus cartas de esta época están fechadas en Casentino, donde se había acogido a la hospitalidad del conde de Battifolle.

[68] En la carta escrita por Dante en Forli, en el mes de septiembre de 1310, poco antes de que Enrique cruzara los Alpes, acostúmbrase a ver un antecedente de la *Monarchia,* si bien ciertas ideas fundamentales en el tratado, como la teoría de los dos poderes, no aperecen allí sino ligeramente esbozadas.

Las fuentes a que el tratadista acude con mayor frecuencia son, en el terreno filosófico y teológico, Aristóteles, Cicerón, San Agustín, Boecio, Pedro Lombardo, San Alberto Magno y Santo Tomás. En el histórico y literario espiga continuamente en Tito Livio, Virgilio, Lucano y Orosio. Por último, invoca de una manera constante la Sagrada Escritura en toda interpretación moral. Como puede apreciarse por la enumeración hecha, el panorama del conocimiento dantesco es todavía puramente medieval.

[69] Había terminado el *Infierno* y tenía muy avanzado el *Purgatorio.* Pero aún no había acometido la redacción del *Paraíso* —escrito en su totalidad después de la muerte de Enrique VII—, que una alusión del capítulo primero del *Monarchia* supone ya terminado. En efecto, en varios manuscritos se lee: "Como ya dije en el *Paraíso (sicut in paradiso comedie iam dixi),* pero este inciso es una interpolación manifiesta, reconocida como tal desde la edición "princeps" de 1559.

El ocho de agosto de 1313 se puso en marcha el emperador contra el rey Carlos de Anjou, declarado traidor al Imperio, pero falleció de repente el día 24 del mismo mes en Buonconvento. Así se derrumbaron las últimas esperanzas de Dante y de sus compañeros de destierro. Mas no su ánimo, porque al año siguiente dirige una solemne y apremiante carta a los seis cardenales italianos que, en compañía de otros 18, se hallaban reunidos a la sazón en conclave, a raíz de la muerte de Clemente V.[70] Es una apasionada apelación para que socorran a Roma, gloriosa en un tiempo por los dos soles que la iluminaban —el papa y el emperador— y ahora privada de uno y de otro. Los cardenales deben elegir a un pontífice de su nación, que ponga fin al escándalo aviñonense y restituya a Italia y a Roma la gloria que les han arrebatado.

En marzo de 1315 Florencia, pretendiendo apaciguar la sorda agitación de los espíritus o disminuir el número de sus enemigos del exterior, promulgó un nuevo decreto de amnistía. La alegría que causara a Dante esta noticia se desvaneció al enterarse de las onerosas condiciones. Exigían las autoridades florentinas que los desterrados, a más de pagar una multa se sometieran al humillante acto de la "ofrenda", por el cual el amnistiado tenía que pisar el umbral de la cárcel y presentarse después en el templo para hacer la ofrenda a San Juan. Alighieri rechazó desdeñoso tan severas condiciones cortando así toda posibilidad de regreso.[71] ¿Cómo iba a mendigar la indulgencia de sus calumniadores quien se había pasado toda la vida exigiendo justicia?

Dónde y cómo pasó el poeta los ocho últimos años de su existencia no es cosa muy segura. Si la coalición gibelina se desmoronó rápidamente tras la muerte de Enrique VII, no aconteció lo mismo con las amistades que forjara durante aquellos tres años de acción mancomunada. Dante había encontrado dos lustros antes un refugio temporal entre los Sealigero de Verona; los acontecimientos provocados por la llegada del emperador a la península le pusieron en contacto con un joven príncipe de esa dinastía, Can Grande de la Escala, cuyo huésped será después del fracaso de la expedición imperial. Verona, ciudadela gibelina, no solamente constituía un puerto seguro para un hombre tan comprometido a los ojos de los güelfos, sino que era además uno de los centros culturales más activos y originales de Italia. En torno a Benzo de Alejandría, canciller de Can Grande, congregábase un cenáculo, más interesado en las bellas letras que en la filosofía escolástica. La biblioteca catedralicia atesoraba una notable colección de textos latinos, entre ellos "inéditos" de Catulo, de Plinio el Joven, de Tíbulo y cartas de Cicerón. No podríamos precisar qué partido sacase Dante de estos recursos culturales, pero es presumible que le propor-

---

[70] El finado pontífice había trasladado la sede papal de Roma a Aviñón, poniendo en peligro el apoyo del Pontificado a la causa imperial. Este es el motivo que impulsa a Dante a enviar, como simple "fiel cristiano", esta misiva a los cardenales.

[71] Consérvase una carta del poeta a un florentino —tal vez un cuñado religioso, Feruccio de Manetto Donati— que le había comunicado la noticia de la amnistía. Es una carta muy interesante para asomarnos al carácter altivo y digno de Dante y refleja con fidelidad los sentimientos que le agitaban en aquel momento crucial de su existencia.

cionarían eficaz lenitivo tras el amargo fracaso de 1313. En el canto XVI del *Paraíso* testimonia su gratitud a Can Grande en un cumplidísimo elogio de aquel príncipe; con todo, en una fecha indeterminada entre 1316 y 1319, cambió Verona por Ravena, a instancias del señor de esta última ciudad, Guido Novello de Polenta, descendiente de la famosa Francesca de Rímini, poeta él mismo y espléndido protector de sabios y de artistas. Fueron estos postreros años los más apacibles de un destierro; llegó a alcanzar una relativa seguridad de vida y pudo tener consigo a sus hijos y, tal vez, a su mujer.

Su creciente reputación de poeta y de "sabio" le procuró, tanto en Ravena como en Verona, una acogida como no la hubiera podido soñar en los comienzos de su proscripción. La *Comedia,* que estaba comenzando a divulgarse en copias volanderas, le granjeaba la consideración y el respeto de cuantos le conocían; el pueblo sencillo le señalaba admirado: "He ahí al que va al Infierno, vuelve de él cuando quiere y trae nuevas de allá abajo", como quiere la anécdota que el propio poeta oyese exclamar a dos viejecitas mientras se santiguaban.

Siga discutiéndose en buena hora si mantuvo algún tiempo cátedra de retórica en Ravena. En Verona participó, en presencia del obispo y de las autoridades de la ciudad, en una disputa de filosofía natural. Aquella disertación fue puesta más tarde por escrito bajo el título de *Quaestio de aqua et terra* o bajo el más específico aún de *De forma et situ duorum elementorum, aquae videlicet et terrae.*[72] Causa ocasional de esta obrita fue una larga controversia presenciada por Dante a su paso por Mantua. La cuestión a dilucidar era "si el agua, en la esfera que le es propia o sea en su natural circunferencia, está en alguna parte más alta que la tierra que emerge de las aguas, llamada comúnmente la cuarta habitable". Reproduce los cinco argumentos principales aducidos por sus adversarios para afirmar la posición superior de la esfera del agua con respecto a la de la tierra, para irlos refutando con rigor dialéctico, dejando que por encima de los principios aristotélicos hable la voz de su espíritu conmovido ante el orden providencial que preside el universo. Las ideas de que se hace mantenedor son las que reflejan las doctrinas de su tiempo. Lo que más vale y lo que justifica la obra y el penoso esfuerzo de investigación y de demostración que supone, es la exigencia de verdad que movió a Dante a escribirla.

Estando en Ravena recibió dos églogos de un "gramático" de Bolonia, Juan de Virgilio,[73] que merecieron una contestación amable de nuestro vate. Habían llegado a conocimiento del profesor boloñés los

---

[72] Fue impresa por vez primera en Venecia en 1508 por el religioso agustino Giovanni Mocetti utilizando un manuscrito perdido. Alguien se dirigió al editor alabándole por haber "enmendado, limado y cuidadosamente dispuesto" esta disertación de geofísica. Tales términos hicieron surgir la duda de que hubiese podido ser él mismo el autor de la obrita. Esta opinión está hoy completamente descartada. Jacobo, el hijo del poeta, ya había reunido en un *Doctrinal,* siendo canónigo de Verona, la obra de su padre, y por si quedase todavía alguna sospecha acerca de la autenticidad el joven dantólogo italiano F. Manzzoni ha descubierto indicios de una difusión de la *Quaestio,* muy anterior a la edición "princeps" de 1508.

[73] Así llamado por la admiración que profesaba al vate mantuano.

dos primeros cantos de la *Comedia* e intentó persuadir al autor de que
se trasladase a Bolonia, ciudad más culta que la capital del Exarcado
y tal vez dispuesta a coronarle poeta si, en vez de cultivar el toscano
que pronto caería en desuso, perpetuaba en lengua latina, la propia
de los hombres cultos, las gestas contemporáneas. Mas así como jamás había querido desviarse en su acción política tampoco ahora consintió en renegar de su carrera de poeta en lengua vulgar y, en dos
pulcras églogas, que le revelan ágil versificador latino, desechó la proposición de su reciente admirador, Juan de Virgilio.[74]

A esta misma época pertenece una sobremanera interesante carta
a Can Grande de la Escala, que acompañó el envío del original del
Paraíso a este príncipe. Constituye una introducción a la *Divina Comedia*, explicando los motivos fundamentales que le han llevado a su
composición y, sobre todo, a la del último Canto. La parte medular
de la obra estriba en la teoría de los cuatro sentidos de las "escrituras":
literal, alegórico, moral y anagógico.[75]

Había dado fin a su obra maestra. Vivía rodeado de admiración
y aprecio. Amigos y discípulos recibían sus enseñanzas. Sólo le quedaba esperar la llamada de sus conciudadanos. Pero esa llamada no
llegó nunca, porque se le adelantó otra de lo alto. Desde Ravena
había emprendido Dante varios viajes en el desempeño de diversas
misiones diplomáticas. El último fue una embajada a Venecia, por
cuenta de Guido de Polenta. A su regreso se sintió mal, víctima probablemente de una fiebre infecciosa de tipo palúdico, a la que su
gastada naturaleza no pudo resistir y murió en la noche del 13 al 14
de septiembre de 1321, cuando contaba 56 años.

Rindiéronse a sus despojos honras desacostumbradas. Su cadáver
fue conducido en hombros de los ciudadanos más dignos de Ravena
hasta el convento de los frailes menores. Guido testimonió de mil maneras su profunda pena; una de ellas fue ordenar la erección de un
mausoleo que la muerte le impidió ver terminado. Sus propios conciudadanos reclamaron repetidas veces los restos de aquél a quien habían
expulsado de Florencia y amenazado con la hoguera; la respuesta de
los raveneses no ha variado hasta el presente: "No supisteis tenerlo
vivo, no os lo devolveremos muerto."

El amigo del ocaso, Giovanni de Virgilio, compuso en su honor
un epitafio latino, que comienza con estos versos sintetizadores de la
obra y la vida del florentino:

> Theologus Dantes, nullius dogmatis expers
> quod foveat claro philosophia sinu,
> gloria Musarum, vulgo gratissimus auctor,

[74] Desconocemos hasta el apellido de este Giovanni, uno de los prehuma-
nistas del siglo XIV, que consagraron su vida al culto de la lengua latina. Daba
clases en Bolonia. Un buen día hubo de trasladarse a la vecina Cesena, desde
donde envió otra égloga al famoso latinista de Padua, Albertino Mussato. Después de haber pedido la corona de laurel para el florentino, acabó reclamándola
ingenuamente para sí mismo.

[75] Sigue siendo muy debatida la autenticidad de esta importante carta,
que muchos sospechan obra de un diestro falsificador. De hecho no figura
más que, incompleta, en los manuscritos del siglo XV y, completa, en los del XVI.

hic iacet, et fama pulsat utrumque polum:
qui loca defunctis, gladiis regnumque gemellis
distribuit laicis rhetoricisque modis.
Pascua Pieriis demum resonabat avenis.[76]

Su esposa Gemma pudo rescatar sus derechos dotales. Su hija Beatriz se quedó en Ravena, monja en el convento de San Esteban de los Olivos. Jacobo regresó pronto a la patria y después de asegurar su condición mediante una amnistía en 1325, continuó viviendo en Florencia, tratando, con su escaso ingenio, de exponer y comentar superficialmente el pensamiento y el arte de su padre. Llamaba a la *Comedia* su hermana y escribió un pedestre *Dottrinale* de materia científica y moral. Pedro aparece en Florencia en 1323 y 1324 y en Bolonia en 1327, como alumno de derecho civil; a poco se estableció en Verona ejerciendo la profesión de juez hasta que falleció en Treviso en 1364. También él comentó la *Divina Comedia* en latín, quizá con más profundidad que su hermano pero con menos segura información.

[76] "El teólogo Dante, conocedor de todas las doctrinas que alimenta en su seno la filosofía; la gloria de las Musas, el autor preferido del vulgo iletrado, yace aquí y su fama llega hasta los cielos. En el lenguaje de los legos y en el de los letrados señaló sus lugares a los muertos, y su dominio a las dos espadas gemelas. Finalmente, cantó en musical caramillo el mundo de los pastores."

LA DIVINA COMEDIA

La OBRA que ha elevado a Dante hasta el pináculo de la más alta fama es la *Divina Comedia*. Hasta tal punto eclipsa este ingente monumento de la poesía y de la cultura medieval a toda la restante producción dantesca, que muy bien podría desaparecer ésta sin que la gloria del poeta sufriera menoscabo. Y eso que sus obras menores bastarían por sí solas para asegurar a su autor un destacadísimo puesto dentro de la literatura italiana.

Ciertos dantólogos han creído descubrir entre la *Vida Nueva,* el *Convivio* y la *Divina Comedia* vínculos bastantes para reducirlas a integrar una trilogía literaria. Exageración manifiesta, porque si bien las dos primeras resultan indispensables para una más cabal intelección del gran poema, no media entre ellas nexo intencional alguno ni hay coordinación suficiente como para suponerlas tres actos de un mismo drama, por más que el *Convivio* —interrumpido, a mayor abundamiento, para dar lugar a la obra cumbre— fuese concebido como continuación y desarrollo de la *Vida Nueva,* y la *Comedia* presuponga, por lo que a Beatriz atañe, el conocimiento de lo que aquella gentil dama significó para el poeta y, por ende, la narración contenida en la *Vida Nueva.*

Otros, abandonando la idea de la trilogía, persisten en distinguir, en la vida interior de Dante, tres períodos, de cada uno de los cuales sería expresión artística, respectivamente, la *Vida Nueva,* el *Convivio* y la *Comedia:* un primer período de fe ingenua y de intenso misticismo, un segundo de racionalismo y de conducta moral desarreglada, y un tercero de retorno a una vida profundamente religiosa y a una fe iluminada. Esto no es sino ceder a la natural tendencia de la mente humana hacia las construcciones de líneas precisas y definidas. De una existencia tan compleja y asenderada como la del florentino no cabe esperar que todo proceda por desarrollo regular y continuo, sin contradicciones ni cambios bruscos.

Si hubiese que admitir, aunque fuera forzando un tanto las cosas, tres momentos en la vida de Dante, señalaríamos como característica del primero el culto de la poesía amorosa y del ideal caballeresco, del segundo, el entusiasmo por la ciencia como verdadera perfección del hombre, y del tercero el deseo de una reforma político-religiosa y la conciencia de su misión como vate y como profeta, cuando por obra de la tortuosa política de los poderes de su tiempo, veía apartarse a la humanidad del recto sendero, tanto en los asuntos mundanales como en los negocios del espíritu. Al primer momento pertenecerían la *Vita Nova* y muchas de las rimas anteriores y posteriores no recogidas en su obra primeriza; al segundo, las poesías alegóricas y doctrinales, el *De Vulgari Eloquentia* y el *Convivio;* a la tercera las cartas con ocasión de la venida de Enrique VII a Italia y del conclave de 1314, la *Monarchia* y la *Comedia*.

* * *

La crítica dantesca de nuestros días está casi unánimemente de acuerdo en aseverar que Dante comenzó la elaboración de la *Divina Comedia* en la primavera de 1304,[77] la interrumpió dos años más tarde al concluir el canto VII del *Infierno* y volvió a proseguirla hasta el VI del *Purgatorio* antes del verano de 1310. En el mes de agosto de 1313 estaba totalmente terminado el *Purgatorio,* pero el poema completo no lo fue hasta poco antes de la muerte de su autor. Los siete primeros cantos del *Infierno* debieron ser contemporáneos del *Convivio* y del *De Vulgari Eloquentia,* mientras que el *Monarchia* parece que fue escrito cuando se afanaba en la composición del *Purgatorio*.

Pero, ¿cuándo tuvo Dante la primera intuición de la *Comedia,* la primera idea, siquiera imprecisa del viaje que iba a emprender su imaginación a través de las regiones de ultratumba? Algunos han señalado la conocida canción *Donne ch'avete intelletto d'amore,*[78] una de las más logradas del autor, como la inspiradora del poema y, más concretamente, la segunda estancia, cuando el Sumo Hacedor, respondiendo al ángel y a los santos del cielo, que le piden lleve a Beatriz con ellos, afirma que debe permanecer todavía algún tiempo en la Tierra:

> Sola Pietá nostra parte difende;
> ché parla Iddio, che di madonna intende:
> "Diletti miei, or sofferite in pace,
> che vostra speme sie quanto mi piace
> lá, ov'é alcun che parlar lli s'attende,
> e che dirá nello 'nferno á malnati:
> Io vidi la speranza de'beati."

Sólo Piedad defiende nuestra parte y habla Dios que comprende a mi dama: "Tolerad ahora en paz, amados míos, que vuestra esperanza esté, mientras me plazca, allá donde hay un hombre que la va a perder y que dirá en el infierno a los malnacidos: yo he visto la esperanza de los bienaventurados."

¿Quién sino Dante podría ser ese hombre? Mas no hay por qué empecinarse en que ya pensase en esos días anteriores a la muerte de Beatriz en escribir un poema de la vastedad de la *Divina Comedia,* aunque hubiese en su mente el proyecto de describir un viaje al otro mundo.

Otros, los más, aluden al final de la *Vita Nova,* a la "mirabil visione" que tuvo después de haber escrito el soneto *Oltre la spera che più larga gira.* "En aquella visión, dice el poeta, vi cosas que me in-

---

[77] No merece la pena detenerse a refutar a los que sostienen que fue comenzada en 1300, confundiendo así el año en que Dante finge realizar su viaje imaginario con el año en que empezó a describirlo.
[78] *V. N.* XIX.

dujeron a no hablar más de aquella bendita mujer hasta tanto que pudiese tratar más dignamente de ella. Y en conseguirlo me esfuerzo cuanto puedo, como ella en verdad sabe... Espero decir de ella lo que nunca se ha dicho de persona alguna." Nadie sería capaz de asegurar en qué consistió tal visión; mientras que unos han visto en ella un desarrollo del soneto y colocado, por tanto, su escenario en el Empíreo, otros la han identificado con la aparición de Beatriz en el Paraíso terrenal. Tarea poco menos que inútil tratar de llegar a conclusión definitiva. Ciertamente el poeta nos promete un elogio de su amada que trascenderá en su concepción los estrechos límites del mundo en que habita y que sólo podrá ser llevado a cabo tras una larga preparación. Y Dante fue, sin duda, disponiendo su espíritu para tal empeño a través de prolongados y pacientes estudios. Mas, ¿qué fue lo que escribió como resultado de la visión y de tan esmerados preparativos?

Si hubiéramos de atenernos al relato, mil veces rebatido, de Boccaccio, Dante comenzó a escribir la *Divina Comedia* en latín, para abandonar pronto ese idioma y volver a redactarla en romance. Antes de partir camino del destierro habría redactado los siete primeros cantos del *Infierno* y los dejó en Florencia; descubiertos más tarde en los cofres del proscrito fueron remitidos a Moroello Malaspina, quien instó al vate a proseguir el poema interrumpido. Algún elemento de verdad ha de contener este relato de aquel apasionado de la obra de Dante.

Sea de esto lo que fuere, aun concediendo que la *Comedia* tuvo su origen en el proyecto, anunciado por el poeta en el último capítulo de la *Vida Nueva,* de glorificar a Beatriz, e incluso que fue insertada en tal proyecto, no puede por menos de reconocerse que ha brotado de una mucho más amplia concepción del mundo de la que hubiera podido tener Dante por aquellos días. Tal concepción sólo podía advenir a la mente del poeta después de las amargas experiencias que siguieron a su participación en la vida pública de Florencia y de las varias frustradas tentativas para regresar a su ciudad por la fuerza de las armas. Aún no había experimentado las penas y humillaciones del exilio; aún no había comprobado por sí mismo la miseria que cubría la superficie de Italia toda como consecuencia de la iniquidad de sus gobernantes y del huracán bélico desencadenado por las facciones en pugna. La injusticia de que él había sido víctima se repetía en incontables inocentes en las demás ciudades de la Península. Unicamente entre tanta ruina material y moral pudo alcanzar su madurez la nueva conciencia política de Dante, conciencia que le arrastró a abandonar sus antiguas estrechas concepciones y a concebir la generosa idea de una monarquía universal, capaz de garantizar la paz y la justicia a todos los humanos. Es pensamiento esbozado por vez primera en el cuarto libro del *Convivio.*

No carece de utilidad el haber insistido, aun a riesgo de reiterar conceptos, en las cuestiones referentes a la génesis de la *Divina Comedia,* puesto que de su esclarecimiento depende en buena parte la interpretación de la obra en sí. Atenidos a la hipótesis que tenemos por más viable las cosas se aclaran y resultan más lógicas. En 1308 había regresado Dante de Luca a Casentino. El *Convivio* y el *De Vulgari*

Eloquentia reflejan la experiencia que tenía su autor de las lamentables condiciones políticas prevalentes en Italia. En el cuarto libro del *Convivio* se expone la teoría de la necesidad del Imperio en un estilo desbordante de elocuencia, por la emoción que le comunica una mente que ha sido sacudida por el súbito descubrimiento de una verdad. De pronto, en su mitad, se interrumpen bruscamente esas dos obras, como si el pensamiento del autor virara hacia algo mucho más importante que acaparase por completo su atención. El retorno a Casentino le ha puesto en contacto con un libro apocalipto escrito por el franciscano Ubertino de Casale;[79] un libro leído con lágrimas y meditado con ansias de regeneración. Fue probablemente en esta coyuntura cuando la añeja idea de glorificar a la mujer que amara cristalizó definitivamente en la forma de una visión, en la que el vate, reteniendo a Beatriz como personaje central, podrá sembrar concepciones religiosas y políticas tendientes a regenerar la sociedad cristiana de su tiempo a la par que va narrando su propia personal regeneración. El plan se desarrolla en el curso de un viaje a través de las regiones de ultratumba y el privilegio de emprender tal jornada se le concede al florentino, como en lejanos tiempos se concedieron otros semejantes a Eneas y a San Pablo.[80] Arraigada como tenía en su espíritu la convicción de que el Todopoderoso le había confiado la misión de salvar a un mundo corrompido, se entrega en cuerpo y alma a elaborar una obra que abarcará la historia y la ciencia de su tiempo.

* * *

Sería la que los siglos posteriores conocerán como la *Divina Comedia*. Su título genérico —mejor subtítulo—, a falta de otro mejor, fue originariamente *Commedia*[81] en relación con su contenido, que de un comienzo desdichado avanza hasta desembocar en un final venturoso, y con su elocución, humilde y sin pretensiones. *Incipit Comedia Dantis Alagherii florentini natione non moribus* (Comienza la *Comedia* de Dante Alighieri, florentino de nacimiento que no de costumbres): así declara que reza su título, en la carta dirigida a Can Grande della Escala, que viene considerándose como el prólogo a tan magna obra.[82] El epíteto "divina" no salió de la pluma del autor sino que lo popularizaron las generaciones siguientes, aplicándolo, tanto al autor excepcionalmente insigne, cuanto a la obra, henchida de belleza y de substancia religiosa, sin que tenga que ver con ese adjetivo el hecho de que culmine con la visión de Dios, como todavía repiten manuales

---

[79] Autor de la obra *Arbor vitae crucifixae Jesu*, devotas meditaciones sobre la vida de Cristo y sobre la historia de la Iglesia, de estilo inflamado y violentas soflamas contra la corrupción de la Babilonia romana. Rechaza la legitimidad del pontífice Bonifacio VIII, a quien identifica con la bestia apocalíptica, con cuya señal van marcados cuantos le rodean.

[80] Eneas (libro VI de la *Eneida*) y San Pablo (II *Cor.* XII, 2) son los dos únicos mortales cuyo viaje al más allá considera Dante auténtico. *Inf.* II, 13-33.

[81] El propio Dante se refiere a su obra designándola con ese nombre en *Inf.* XVI, 128 y XXI, 2.

[82] A su controvertida autenticidad aludimos en la nota 75.

al uso. El título actual, *Divina Comedia*, quedó consagrado para siempre a partir de la edición veneciana de Giolito en 1555.

Y, ¿por qué Comedia? Hay en la obra de Dante dos pasajes claves para entender su teoría de los géneros literarios. Creemos conveniente reproducirlos. El *De Vulgari Eloquentia* reza así: "En lo que hemos de decir debemos proceder con tino, determinando si conviene el estilo trágico, el cómico o el elegíaco. Para la tragedia empleamos el estilo sublime; para la comedia, el estilo inferior, y para la elegía, el estilo propio de la desgracia. Por tanto, si hemos de tratar un asunto trágico, debemos emplear el vulgar ilustre, y, por consiguiente, debemos usar la forma de canción. Si tenemos que usar un asunto cómico, entonces convendrá o el estilo vulgar medio o el estilo inferior... Y si hemos de escribir en tono elegíaco habrá que acudir únicamente al estilo vulgar humilde." [83] La teoría se explicita mucho más en la epístola a Can Grande: "Para comprender el significado del título hay que recordar que la palabra *comedia* procede de *comos,* villa, y *oda,* canto, por lo que comedia equivale a "canto de villa". La comedia es un género de composición poética distinto de todos los demás. Se distingue de la tragedia en cuanto a la materia, porque la tragedia al principio es admirable y tranquila, pero al final, en el desenlace, resulta triste y horrible; y por esto su nombre procede de *tragos,* que significa macho cabrío y *oda,* de donde su significado etimológico "canto de macho cabrío", esto es, desagradable como el macho cabrío; todo esto lo comprueba Sénica en sus tragedias. La comedia, en cambio, suele empezar con algún tema o situación áspera, pero luego concluye felizmente, como lo muestra Terencio en sus comedias... Igualmente se distingue en el estilo; elevado y sublime en la tragedia; tranquilo y humilde, por el contrario, en la comedia, como aconseja Horacio en su *Poética*... Con lo dicho queda aclarada la denominación de comedia que recibe la presente obra. Porque si atendemos a la materia, es horrible y desagradable al principio, porque expone el infierno, pero al final resulta feliz, deseable y grata, porque explica el paraíso; en cuanto al estilo, es suave y sencillo, pues emplea el lenguaje vulgar, que emplean las mujeres en sus conversaciones de cada día." Y concluye: "Hay también otras muchas clases de composiciones poéticas, como la poesía bucólica, la elegía, la sátira y la sentencia votiva, como puede verse también en la *Poética* de Horacio, pero en este momento no hay por qué tratar de estos géneros." [84]

Estas un tanto extrañas clasificaciones a que se ciñe el poeta se basan en manifiestos malentendidos de algunas definiciones de Aristóteles y de pasajes de Horacio y estaban muy difundidas en textos de la Edad Media.[85] De los tres géneros tradicionales de expresión poética —la tragedia, la comedia y la elegía—, el primero se caracteriza por la

[83] *De V. E.,* II, IV, 5-6.
[84] Párrafos 28-33.
[85] Tal, por ejemplo, las *Magnae derivationes* de Ugoccione de Pisa, utilizado por Dante, en el que se asienta que la tragedia escoge sus protagonistas entre los reyes y poderosos, mientras que la comedia se limita a los *privati,* a las personas de condición ordinaria. De este autor sacó Dante las etimologías de *tragedia* y de *comedia*.

elevación de estilo: su más preclaro ejemplo es la *Eneida,* a la que el propio Virgilio denomina "mi alta tragedia".[86] La elegía, el más humilde de los géneros, se sirve del estilo más modesto; es la forma de expresión que conviene a los desventurados para exhalar sus quejas. Un término medio ocupa la comedia, que podrá hacer uso, ya del "vulgar medio", inferior al "vulgar ilustre", ya del "vulgar inferior", propio de la elegía. De los tres géneros es el de la comedia el definido con menos exactitud por Dante, sin duda porque pensaba volver a él en el IV libro del *De Vulgari Eloquentia,* que jamás fue escrito. Por otra parte la comedia empieza con el relato de cosas desapacibles y acaba felizmente; es, para nuestro autor, una especie de epopeya que, al revés de la tragedia, termina venturosamente.

Aunque la *Divina Comedia* posee un estilo más llano que el empleado por Virgilio y otros poetas épicos clásicos, no se le puede llamar bajo y humilde y, aunque alcance un final sumamente feliz, su asunto no es la vida ordinaria de cada día. No es improbable, pues, que por la época en que escribió la epístola a Can Grande hubiera dejado a un lado sus primeras teorías y clasificaciones de los diferentes estilos italianos, y, si afirmaba que su lenguaje era humilde no quería decir que fuera un estilo llano de italiano vulgar, sino simplemente que era toscano común y no latín literario. Cuando le reproche Giovanni de Virgilio no será porque escriba en estilo italiano bajo, sino porque emplea el italiano en vez del latín. Dante replicará con una égloga latina, para demostrar que, aunque escribía en italiano la *Comedia,* era un hombre culto.

* * *

Asunto del poema es una visita al mundo del más allá, tema harto frecuente en poetas y visionarios del mundo grecorromano y, más todavía en los de la cristiandad medieval. Recordemos siquiera dos famosas de la antigüedad clásica: la visión del otro mundo que tiene el misterioso personaje Her, en el libro X de la *República* de Platón y el admirable —y admirado, por cierto, en el Medievo— *Somnium Scipionis,* cuyo motivo central, un viaje por las esferas celestes, tiene sorprendente parecido con el marco estructural del *Paraíso.* La Edad Media resulta prolífica en visiones de esta índole: la visión de Wettin, la más importante obra poética de Walafrido Estrabón (siglo IX), la visión del abismo de Alberico de Monte Casino, el *Viaje al Paraíso* de Balduino de Condé, la *Visión de San Pablo* del fraile anglonormando Adam de Ros, la *Visión de Tundal,* el *Viaje de San Balandrán,* el *Purgatorio de San Patricio,* el *Anticlaudiano* de Alain de Lille, las *Revelaciones* de la religiosa Matilde de Hackeborn (1241-1299)... Es posible que a más de una de estas obras sea deudor Dante y, de hecho, no es difícil encontrar analogías entre la *Divina Comedia* y algunas de ellas,[87] como

---

[86] *Inf.* XX, 113.

[87] Que ofrece notables paralelismos con el *Anticlaudiano* del poeta y filósofo Alain de Lille lo ha demostrado E. R. Curtius en su artículo *Dante und Alanus ab Insulis* en "Romanische Forsehungen", LXII, 1950, pp. 28 ss.

tampoco cuesta mucho hallárselas ·con diversos *romans* caballerescos franceses, en los que se reitera el motivo del extravío en el bosque con que se abre el poema de Dante.

Sea lo que fuere de todo ello, la concepción de la *Comedia* arranca de un encuentro espiritual de su autor con Virgilio; en el sexto libro de la *Eneida* está su más señalado precedente. El descubrimiento de Virgilio por el florentino, ese encuentro de los dos latinos más grandes en el firmamento de las letras, señala uno de los momentos culminantes en la historia de la cultura.

Bien sabido es cómo la obra cimera del vate mantuano escapó a la destrucción ordenada por su autor. Imperfecta y todo, la *Eneida* conquistó, apenas publicada, una admiración unánime y perdurable; lo testimonian los frescos y grafitos que ornan los muros de Pompeya y Herculano. Generaciones de gramáticos la proponen a los espíritus de jóvenes alumnos y todavía en el siglo VI es objeto de lecturas públicas en el foro de Trajano. Sus admiradores no se contentan con declamarle; como otrora le sucediera a Homero, se le alegoriza. Macrobio asegura muy serio en sus *Saturnales* que Virgilio poseía un conocimiento admirable de las doctrinas sagradas y que sus versos son con frecuencia mucho más profundos de lo que parecen a primera vista. "Todo Virgilio está lleno de ciencia, declara Servio, particularmente en ese libro (el VI, el del descenso a los Infiernos), buena parte del cual está tomado de Homero." Por este camino es por donde se llegará a la interpretación cristiana de Virgilio, la de algunos autores eclesiásticos, la de la gente culta medieval, la de Dante. Interpretación, por lo demás, a la que daba pie la antigüedad pagana. ¿No es el poeta, el *vates*, un profeta, un adivino? Esta antigua tradición será deformada por la Edad Media popular, que hará de Virgilio el equivalente de sus encantadores y magos.[88] Pero en la tradición culta ocurre algo muy distinto: Virgilio es ese "sabio" que el florentino invoca contra la bestia amenazadora: "Sálvame de ella, célebre sabio." [89]

Alighieri admite todavía a este respecto lo que ya no admitirá Petrarca: que Virgilio ha profetizado en la IV *Égloga,* pero ambos, el hombre medieval y el renacentista, creen en un Virgilio precristiano, una *anima naturaliter christiana,* que resume de la manera más pura la sabiduría y la poesía antigua. Saben encontrar en sus versos mucho más de lo que el latino intentó expresar en ellos. Y esa interpretación, lejos de disminuir su aprecio por el vate, permite al cristiano medieval comprenderle plenamente —comprender en el sentido literal de "tomarle con ellos"—.

Dante representa la culminación de la Edad Media y, en más de un aspecto, pisa terreno renacentista. Expresa de manera ejemplar las concepciones medievales envueltas en el didactismo teológico y en el simbolismo propios de aquella edad "enorme y delicada", pero repara en algo que frecuentemente desaparecía oculto tras el predominante punto de vista teocéntrico: el sentido y el gusto de aquella inimitable

---

[88] Deformación manifiesta: esos encantadores tienen su lugar en el Infierno; allá se los mostrará el mantuano a Dante.
[89] *Inf.* I, 89.

manera clásica de expresarse, a la que todavía los Padres de la Iglesia habían sido sensibles. Y la encuentra precisamente en esa *Eneida,* cuyo descenso a los Infiernos proporciona el marco a la *Divina Comedia.* ¿Cómo se presenta, en efecto, Virgilio desde el primer canto y qué le responde el florentino? "Poeta fui y canté a aquel varón justo, hijo de Anquises, que vino de Troya después de que ardió la soberbia Ilión..." "Entonces ¿eres tú aquel Virgilio, aquella fuente de la que nace tan caudaloso río de elocuencia? —le respondí con rubor en la frente—: ¡Oh tú, honor y luz de los poetas! ¡Válgame el largo estudio y el profundo amor que me hiciera disfrutar de tu obra! Tú eres mi maestro y mi autor; de ti sólo aprendí el bello estilo que me ha dado gloria!"

Prestemos fe a esta confesión liminar. Virgilio, y solo él, es el maestro y el guía de Dante en los Infiernos y en la poesía, y es a él a quien debe, desde antes de escribir la *Comedia,* "el bello estilo que le ha dado gloria". La gloria de Virgilio es, pues, ante todo, esa "gloria del lenguaje", que Cavalcanti acababa de arrebatar a Guinizelli poco antes de irrumpir Dante en ese campo, y por la cual rivalizan los poetas, y las lenguas. Al florentino, no obstante su evidente interpretación cristiana, no se le puede echar en cara que haya preterido el valor formal y puramente poético de la obra virgiliana. ¿No cita en un momento crucial —el que en latín solamente citaba la Escritura— el *manibus date lilia plenis* del homenaje a Marcelo? Y algo adelante, cuando vuelve a ver a Beatriz tras tan larga separación, ¿no es el latín de Virgilio el que apenas se disfraza de toscano? ¿El *agnosco veteris vestigia flammae* en *conosco i segni dell'antica fiamma?* [90]

Ese experto conocedor de cada verso de la *Eneida* que era Dante [91] ha sabido apreciar el sentido poético de una producción que él coloca muy por encima de la de cualquier otro poeta, sea Horacio, Ovidio o Lucano. Estos tienen que asistir y honrar al "altísimo poeta", a Virgilio, la "cortés alma mantuana, cuya fama vive todavía en el mundo y durará lo que el mundo dure". [92]

A este Virgilio, rey de los poetas, ha superpuesto el florentino el Virgilio que presintió a Cristo. ¿Cómo? El episodio de Estacio [93] nos suministra una preciosa indicación: fue la lectura de Virgilio la que reveló a Estacio su vocación poética, pero ha sido también esa lectura la que le condujo a la conversión. Cuando el autor de las *Bucólicas* le pregunta "qué sol o qué luz le disipó las tinieblas del paganismo y le condujo hacia el pescador", responde Estacio con estos versos: "Tú primero me enviaste hacia el Parnaso a beber en sus fuentes y después alumbraste mi camino hacia Dios. Hiciste como aquel que va de noche y lleva la luz detrás, de la cual no goza, pero ilumina a los que le siguen, cuando dijiste: "El siglo se renueva; vuelve la justicia a la primera edad del hombre y una nueva progenie desciende del cielo." Por ti fui poeta, y por ti, cristiano." [94]

[90] *Purg.* XXX, 21 y 48.
[91] *Inf.* XX, 112-114.
[92] *Inf.* II, 58-61.
[93] *Purg.* XXI y XXII.
[94] *Purg.* XXII, 64-73.

Nada de extraño tiene, después de lo que llevamos dicho, que haya elegido a Virgilio como guía, donde no le puede acompañar Beatriz, y llene de su presencia las dos terceras partes de la *Comedia*. Teniendo en cuenta el precedente de su maestro Brunetto Latini, quien, al contar en su *Tesoretto* un viaje al más allá, encomendara a Ovidio un papel semejante, el admirador de la *Eneida* ha querido colocarse bajo la protección de aquel que había legado a los "filósofos", capaces de encontrar la verdad bajo la fábula, el más genial relato de ultratumba.

A escoger tal patrocinio le impulsaban algunas tradiciones y no pocos factores espirituales profundamente reveladores, como el hecho de que Virgilio hubiese descrito el viaje a través del mundo subterráneo, no como simple relato de aquellas maravillas, sino como una explicación filosófica y moral del sentido último de la vida y de la muerte, acumulando ideas místicas del orfismo, del platonismo y de otras doctrinas hoy desconocidas. Añádase que, aunque ni Dante ni Virgilio fueron romanos por nacimiento, ambos creyeron que los ideales de Roma tenían que extenderse y animar a toda Italia. Este tema, que ya asoma en las *Geórgicas,* reaparece insistentemente en la *Eneida* y Dante lo reafirma a cada paso, llamando a Italia simplemente "tierra latina" y designando como "latinos" a los italianos cuyas almas le salen al encuentro. Para Alighieri el mundo romano del pasado era parte del Sacro Romano Imperio a que él pertenecía, del mismo modo que el limbo y el infierno son partes del mundo eterno cuya culminación es el paraíso.

Influye también en la elección el que Virgilio, con su celebérrima *Egloga* IV, escrita unos 40 años antes del nacimiento de Cristo, prediciendo la venida de un niño maravilloso, que señalaría el comienzo de una nueva edad dorada, había tendido un puente entre el paganismo y el cristianismo, ya que, debido principalmente a este poema, adquirió el mantuano la reputación de haber sido un cristiano antes de Cristo y de haber profetizado, por inspiración divina, el nacimiento de Jesús. De otra parte, este poema era la expresión de un hecho espiritual concreto: los profundos anhelos de paz, el ardiente deseo de ver al mundo gobernado por la caridad de Dios y no ya por las contradictorias apetencias humanas. Esta añoranza preparó la vía a la expansión del cristianismo y el joven Virgilio supo captarla e inmortalizarla en una poesía inolvidable. La época de Dante estaba transida de sentimientos semejantes, y en él, tan acuciado por la acción pública, pesaron mucho los móviles políticos. Fue éste, con toda seguridad, el factor más determinante en su elección. En el canto II del *Infierno* enumera entre sus predecesores a Eneas y a San Pablo, juzgándose indigno de compararse a ellos en sus respectivas misiones. Al escoger a Virgilio por guía ha preferido ser un segundo Eneas antes que un segundo Pablo. Pero resulta que Eneas es a sus ojos el padre de Roma y del Imperio, el lejano fundador, no sólo de la Monarquía universal, sino de la Ciudad, del "lugar santo en que se sienta el sucesor más grande de los Pedros". Y Virgilio es, fundamentalmente, el cantor de la gesta de Eneas, el panegirista de la grandeza romana en su origen, el santificador de la monarquía.[95] En fórmulas como "nuestro mayor poeta", "nuestra más grande musa" [96] el posesivo es de acepción política; es el "nuestro" del patriota y del partidario imperial, porque Dante jamás separa a Italia de ese Imperio, del cual es a la vez la cuna y el "jardín".[97]

La antigua Roma y la Italia contemporánea se adecuan por completo para hacer resaltar el contraste entre el orden y la anarquía, para justificar con el ejemplo del pasado la solución que reclama el presente. Si este doble efecto de continuidad y de oposición no reviste toda su amplitud más que a partir del canto XIX del *Infierno,* se encuentra ya en germen en algunos versos liminares del poema, concretamente en aquellos del canto II, que se refieren al cometido de Eneas. Desde el momento en que la Providencia destina a Roma y al Imperio para que alberguen la cabeza de la Iglesia, el régimen imperial se encuentra investido de la misma legitimidad que aquélla. Para el florentino las más venerables instituciones de este mundo son la Iglesia y el Sacro Imperio Romano. Virgilio había anunciado la Iglesia con un oscuro presentimiento poético; en cambio había cantado el Imperio mejor que ningún otro. La *Eneida* es, medularmente, una proclamación del Imperio Romano en cuanto establecido por voluntad del cielo y destinado a durar por siempre. Dante creía que ese Imperio era el mismo que regía la Europa medieval, el mismo que glorificó en su *Monarquía.* Tal creencia emerge en un pasaje culminante de la *Divina Comedia:* la descripción del círculo más hondo del infierno, reservado para aquellos que fueron traidores a sus amos. En él ven ambos poetas al supremo traidor, Satanás, eternamente inmóvil en el hielo, mascando en sus tres fauces a los tres peores traidores de la tierra: Judas Iscariote que vendió al fundador de la Iglesia y Bruto y Casio que asesinaron al padre del Imperio Romano.

* * *

El patriotismo, la imaginación, el carácter y el arte de Virgilio han moldeado en grado sumo el poema dantesco, pero es fuerza reconocer que, casi tanto como al vate latino, debe al filósofo griego Aristóteles, "el maestro de los sabios", cuyos sistemas ético y físico conoce a maravilla. Si casi todos los habitantes sobrenaturales del infierno están tomados de Virgilio, su topografía moral está calcada en el esquema aristotélico de los vicios, salvo ciertas explicaciones pedidas a Santo Tomás y algunos cambios sugeridos por su propia imaginación.

Aprovechando un breve reposo explica el latino a Dante la distribución del infierno, basada en la ética del Estagirita [98] y el lector no tiene por qué sorprenderse de ver a Aristóteles investido de tal autoridad si recuerda que, en la consideración del florentino, no es

---

[95] Hasta más allá de la mitad del poema (*Purg.* XXII, 57) no sabremos que es el autor de las *Bucólicas;* las *Geórgicas* no son mencionadas en ninguna parte.

[96] *Conv.* IV, XXVI, 8 y *Par.* XV, 26.

[97] *Purg.* VI, 105.

[98] *Inf.* XI, 16-111.

solamente el "maestro de los que saben",[99] sino también el "maestro de la razón humana",[100] el "soberanamente digno de fe y de obediencia",[101] y, lo que aún indica mejor su crédito en el dominio de la moral, el "maestro de nuestra vida".[102] Con los estudios realizados después de haber escrito los siete primeros cantos del Infierno, Dante caló más hondo en el conocimiento de la ética peripatética y esto explica que haya acudido al filósofo griego, pasado el otoño de 1306, en demanda de un esquema capaz de reemplazar la nomenclatura familiar de los pecados capitales, que sólo a medias convenía a su invención poética.[103]

Pero no es sólo en estos dos grandes de la antigüedad clásica en quienes se han abrevado la mente y la imaginación del florentino; el mundo grecorromano está tan vivo para él como el suyo propio y ambos se entretejen inextricablemente. En el poema alternan sin cesar figuras e ideas del mundo antiguo con figuras e ideas del moderno y las citas de la Biblia se equilibran con las referencias al mundo clásico. Más de medio millar de personajes pululan en la *Comedia*.[104] De esos personajes que pueblan el universo dantesco, ciento ochenta son italianos y noventa extranjeros, todos ellos históricos y pertenecientes en su mayoría al período que pudo ser abarcado por el recuerdo del autor. Otros doscientos cincuenta, mitológicos en su mayor parte, provienen de la Antigüedad; el resto lo integran unas ochenta figuras bíblicas. Todo esto supone vastas lecturas y conocimientos. Conocimiento de la Biblia, de los Padres, de otros autores cristianos. Conocimientos jurídicos, retóricos, científicos, poéticos. Conocimiento de la historia contemporánea, en la que le tocó desempeñar un papel no desdeñable. Conocimiento, sobre todo, de los autores antiguos. A esos autores, que el mundo moderno ignora y menosprecia, acudía Dante con afán de saber y con enorme veneración. Alguien ha realizado un minucioso análisis y nos ha proporcionado una lista de los ecos y reminiscencias clásicas que se encuentran en toda la producción dantesca, no sólo en la *Comedia*.[105] De Aristóteles hay más de trescientas referencias abar-

[99] *Inf.* IV, 131.
[100] *Conv.* IV, 2.
[101] *Conv.* IV, 6.
[102] *Conv.* IV, 23.
[103] Cuando en el *Infierno* se llega a la ciudad de Dite (canto VIII), se ha visto ya desfilar la selva oscura, el valle peligroso, el vestíbulo del infierno, los limbos, a los lujuriosos, a los glotones, a los avaros y pródigos, a los coléricos, a los perezosos. De pronto el ritmo se torna lento en extremo, hasta el punto de que serán menester ocho cantos para recorrer los círculos sexto y séptimo y diecisiete para visitar los dos últimos. Tal parece que Dante hubiese comenzado la *Divina Comedia* clasificando a los condenados conforme a la nomenclatura católica de los pecados capitales, y, de repente, hubiese modificado su plan sin tocar lo que ya había escrito, integrando toda su materia en la distinción aristotélica de las tres disposiciones viciosas del alma humana: incontinencia (ἀχρασία), bestialidad (θηριότης) y maldad (χαγία). *Etica a Nicómaco*, VII, 1.
[104] Ninguna obra medieval se acerca, ni con mucho, a tal riqueza, y en la poesía antigua sólo pueden compararse con ella las *Metamorfosis* de Ovidio, cosa muy explicable por tratarse de un poema que se extiende desde la cosmogonía hasta la época de Augusto.
[105] E. Moore: *Studies in Dante*, Oxford, 1896.

cando todos los libros del Estagirita que se podían leer entonces, excepto la *Poética*. Síguele Virgilio con más de doscientas, casi en su totalidad de la *Eneida*. De Ovidio, cuyas *Metamorfosis* fueron la principal fuente de Dante para la mitología, hay más de cien. Cicerón es citado como cincuenta veces, no por sus discursos sino por sus tratados morales; Lucano, considerado más como historiador que como poeta, otras cincuenta; Boecio treinta o cuarenta. De Estacio, "simia Virgilii", no se conocía entonces más que la *Tebaida;* de ella proceden algunas imágenes dantescas no indignas, por cierto, de figurar entre las mejores de su repertorio.

* * *

El plan general del universo dantesco se sustenta en una estudiada mezcolanza de ciencia matemática y doctrina cristiana y está en un todo de acuerdo con la "filosofía" —con las teorías de Tolomeo en este caso— y con la Revelación. Esta estrecha asociación entre la ciencia y el dogma en materia de cosmografía se justifica por los significados que se esconden tras la pura y simple descripción del universo físico. Por eso conviene, antes de analizar la estructura del cosmos de la *Divina Comedia,* transcribir lo que el autor asentara en su epístola a Can Grande, a propósito de los varios sentidos del poema: "Hay que advertir que el sentido de esta obra no es único sino plural, es decir, tiene muchos sentidos: el primer significado arranca del texto literal, el segundo deriva de lo significado por el texto. El primero llámase sentido literal; el segundo, sentido alegórico, moral o anagógico. Para que resulte más claro este procedimiento, consideremos los versículos siguientes: *Al salir Israel de Egipto, la casa de Jacob, de un pueblo bárbaro, se convirtió Judea en su santificación e Israel en su poder.*[106] Si nos atenemos sólo a la letra se alude aquí a la salida de Egipto de los hijos de Israel en tiempos de Moisés; si atendemos a la alegoría, se significa nuestra redención realizada por Cristo; si miramos el sentido moral, se refiere a la conversión del alma desde el estado deplorable del pecado hasta el estado de gracia; si inquirimos el sentido anagógico, quiérese significar la salida del alma santa de la esclavitud de esta nuestra corrupción hacia la libertad de la eterna gloria. Y, aunque estos sentidos místicos reciben denominaciones diversas en general, todos pueden llamarse alegóricos, por ser distintos del sentido literal o histórico. Pues el nombre de *alegoría* procede del adjetivo griego *alleon,* que en latín significa extraño o distinto.

Esto supuesto, resulta evidente que la materia en torno a la cual se desarrollan estos dos sentidos debe ser doble. Y por eso hay que examinar primero el asunto de esta obra desde el punto de vista del sentido literal, y después desde el punto de vista del sentido alegórico. El asunto de toda la obra, en sentido literal, es simplemente el estado de las almas después de la muerte, pues todo el desarrollo de la obra gira alrededor de este tema. Pero, si consideramos la obra en su aspecto alegórico, el tema es el hombre sometido, por los méritos y deméritos de su libre albedrío, a la justicia del premio y del castigo.

[106] *Ps.* 114-115, 1.

Y confirmar esa idea, familiar a Dante, de que todo escrito, máxime si es poético, comporta cuatro sentidos superpuestos, aduciendo, a mayor abundamiento, lo que escribe en el *Convivio* (II, 1): "Es menester saber que los escritos se pueden entender y se deben exponer principalmente en cuatro sentidos. Llámase el primero literal, y es aquel que no va más allá de la letra propiamente dicha, como sucede en las fábulas de los poetas. El segundo se llama alegórico y es el que se esconde bajo la capa de esas fábulas, y consiste en una verdad oculta bajo una hermosa ficción. Como cuando dice Ovidio que Orfeo amansaba las fieras con su cítara y arrastraba tras sí las piedras y los árboles, lo cual quiere significar que el hombre sabio con el instrumento de su voz amansaría y humillaría los corazones crueles y movería, de acuerdo con su voluntad, a los que carecen de la vida de la ciencia y del arte, pues los que no tienen vida racional alguna son casi como piedras.

"El tercer sentido se denomina moral y éste es el que los lectores deben atentamente descubrir en los escritos para utilidad suya y de sus discípulos, como puede advertirse en el Evangelio cuando Cristo subió a la montaña para transfigurarse, que de los doce apóstoles no llevó más que tres, lo que moralmente puede entenderse que en los asuntos muy secretos debemos tener poca compañía. El cuarto sentido se llama anagógico, es decir, sentido superior, y se tiene cuando espiritualmente se expone un escrito, el cual, aunque sea verdadero también en el sentido literal, por las cosas significadas encierra realidades sublimes de la gloria eterna, como puede verse en aquel canto del profeta que dice que con la salida de Egipto del pueblo de Israel hízose Judea santa y libre. Pues aunque sea verdadero cuanto la letra manifiesta, no es menos cierto lo que espiritualmente se entiende, esto es, que al salir el alma del pecado se hace santa y libre en su propia potestad. Y al explicar estos sentidos, debe ir siempre delante el literal, por estar incluidos en él todos los demás y porque sin él sería imposible e irracional entender los demás y principalmente el alegórico."

No estará por demás tener presentes los dos pasajes citados al analizar la estructura y buena parte de la temática de la *Comedia,* ya que su autor ha considerado con frecuencia como un deber filosófico, moral, religioso e incluso poético sobreponer uno o más sentidos al literal de los versos y llega a invitar al lector a profundizar en ellos.[107] Ni siquiera el orden mismo de su universo puede ser captado plenamente sin referencia a los principios de exégesis que acabamos de transcribir.

Para Dante, como para todos los científicos y teólogos de su tiempo, el universo consta de materia y forma. Los ángeles son forma pura; los cielos y las estrellas son materia y forma indisolublemente unidas.

El globo terráqueo es eterno en su materia, pero es contingente y corruptible en su forma, que ha recibido, no directamente de Dios sino del perpetuo girar de las esferas celestes movidas por los coros

---

[107] Así en *Inf.* IX, 61-63: "¡Oh vosotros los que tenéis entendimiento lúcido! ¡Reparad en la doctrina que se oculta bajo el velo de los versos oscuros!"

angélicos, bajo cuya influencia se producen los elementos —aire, fuego, agua, tierra— y todos los cuerpos que de ellos resultan.

El Infierno tiene la figura de un cono invertido que va descendiendo de la superficie del hemisferio boreal, estrechándose gradualmente, a través de nueve círculos concéntricos, hasta el centro del globo terráqueo, mansión de Lucifer, el primer ángel rebelde. Un sendero tortuoso conduce a la superficie del hemisferio austral, completamente cubierta por el mar. Sólo queda al descubierto una isla, sobre la que se eleva, altísima, la montaña del Purgatorio. La tierra estaba en un principio en la superficie austral, pero por efecto de la caída de Lucifer desde el cielo, se retiró hasta el hemisferio boreal y formó dicha montaña. El Purgatorio está cortado en cornisas que se van poco a poco restringiendo hasta la cumbre, donde florece la amena selva del Paraíso terrenal. En las dos primeras, que forman el antepurgatorio, se detienen algún tiempo los almas que se convirtieron a Dios a la hora de la muerte; las otras se encuentran en el verdadero Purgatorio, esto es, en las siete cornisas superpuestas que tienen forma regular.

Nueve son los cielos que rodean la Tierra: los siete primeros, los de aquellos planetas ya conocidos por los antiguos —Luna, Mercurio, Venus, Sol, Marte, Júpiter, Saturno—; el octavo el de las constelaciones solares o de las estrellas fijas; el noveno es el cielo Cristalino o Primer Móvil, el más veloz de todos. En torno a estos nueve cielos permanece inmóvil el Empíreo, cielo espiritual, amor y luz, sede del verdadero Paraíso. Los bienaventurados se van presentando al poeta, primero separados en aquel planeta cuya influencia más sintieron en vida, y al final todos juntos, con Cristo y la Virgen, en el octavo cielo. En el noveno se ven los ángeles dispuestos en nueve coros luminosos, rotando en torno a Dios. En el Empíreo, santos y ángeles comparecen de nuevo; los primeros sentándose en las diversas gradas de una rosa luminosa, la Rosa mística, y los segundos, como otras tantas centellas que vuelan de Dios a los bienaventurados y de éstos a Dios.

Las almas están revestidas en el Infierno y en el Purgatorio de un cuerpo aéreo, semejante en apariencia a los de carne y hueso, que las hace capaces de sufrir toda clase de tormentos; más o menos palpable en el Infierno, impalpable en el Purgatorio. En el Paraíso, los elegidos que aparecen en la Luna muestran débiles rasgos humanos; en los otros planetas se ofrecen en forma de esplendores, hasta que en el Empíreo vuelven a mostrar todos sus semblantes antiguos, apenas ofuscados por la luz que los reviste.

El sentido literal de la *Comedia* no es otro que la narración de un viaje a los mundos sobrenaturales; viaje que, comenzado el ocho de abril de 1300, duró siete días. El sentido alegórico es la conversión de Dante, iniciada aquel año de gracia de 1300, en que tuvieron principio todas sus desventuras, y en que se celebró un sonado jubileo. Ha cumplido Dante sus treinta y cinco años; se encuentra en "la mitad del camino de su vida". En la primavera de ese año vese investido de las funciones de prior que le van a causar tantos sinsabores, que le van a engolfar en peligrosas preocupaciones mundanales, que le van a exponer a tantos errores por pasión, por debilidad o por ceguera, que le van a acarrear su ruina, apartándole del "recto camino" y exponiéndole a los peligros, mortales para el alma y para el cuerpo, de la "selva oscura".

Del sentido alegórico se desprende necesariamente el sentido moral del poema, el más buscado por el poeta, para quien era un deber imperioso exponer su propia experiencia como ejemplo a sus hermanos. Dante representa al hombre pecador convertido por la misericordia divina. Avisado por la recta razón que se despierta en él (Virgilio) y guiada ésta a su vez por la revelación o teología (Beatriz), empieza a considerar con fatiga y dolor los vicios humanos (Infierno), estudia y practica los medios más adecuados para enmendar las malas inclinaciones que le hicieron delinquir (Purgatorio), y, recuperada la inocencia bautismal (Paraíso terrenal), se va elevando poco a poco, iluminado por la revelación (Beatriz), a conocer las virtudes sobrenaturales y a meditar finalmente, por la contemplación (San Bernardo), los misterios de la divinidad (Paraíso).

El abismo subterráneo y las tinieblas perpetuas del Infierno simbolizan la bajeza y tristura del pecado que se personifica en los diversos monstruos mitológicos; los tormentos físicos y morales de los condenados expresan o la naturaleza de cada culpa o los tristes efectos que de ellos se derivan en este mundo. El salir del monte a la claridad del sol simboliza el progreso en la enmienda y en la gracia; las penas del Purgatorio son figura de la penitencia o de la mortificación. Las lozanas plantas y las flores olorosas del Paraíso terrenal figuran las obras buenas y virtuosas cuyo ejercicio constituye la "vida activa". La luz celestial que ilumina y nimba a los bienaventurados, la danza, el canto figuran la claridad y la serenidad de la "vida contemplativa", que hace pregustar en la tierra el gozo del Paraíso celestial.

Más difícil es precisar el sentido anagógico; aquí es donde los comentadores discrepan y se contradicen. Y con razón, puesto que Dante se ha guardado muy bien de descubrir su intención última. Pero cualquiera que sea la interpretación anagógica de la *Divina Comedia,* tiene que desembocar en una conclusión política. La humanidad, llena de errores y de vicios (selva oscura), espera la salvación de un príncipe (veltro) que restablecerá el Sacro Romano Imperio y volverá a meter al papa dentro de la órbita de las cosas espirituales. El emperador —representado técnicamente en Virgilio, el cantor del antiguo Imperio Romano y de la paz, y moralmente en Catón, guardián del Purgatorio—, guiará al hombre a la felicidad de la vida activa (Paraíso terrenal). El papa —representado técnicamente en Beatriz, y moralmente en Matilde, reina del Paraíso terrenal—, lo guiará con los preceptos del Evangelio a la bienaventuranza y al perfeccionamiento espiritual. Así se justifican las frecuentes invectivas que resuenan en los tres cantos contra los pontífices usurpadores del poder político, contra los prelados ávidos de bienes mundanos, contra las ciudades y reinos rebeldes al Imperio y contra los mismos emperadores que descuidan sus deberes de restablecer el orden y la paz en el mundo.

Nel mezzo del cammin di nostra vita
mi ritrovai per una selva oscura,
ché la diritta via era smarrita.

Así comienza la *Divina Comedia.* Dante, apoderándose de una antiquísima imagen literaria, que figura la vida como una jornada a través de este mundo, se da cuenta de que a mitad de la misma se ha extraviado en una *"selva selvaggia e aspra e forte — che nel pensier rinova la paura".* Admitiendo un sentido alegórico personal viene el poeta a decir que después de haber vivido descarriado durante algún tiempo en una vida pecaminosa, se percata de la bajeza de su estado y quiere volver a tomar el camino del bien. En un sentido alegórico universal querrá decir que el hombre se extravía sin darse cuenta entre las pasiones y vicios y allí permanece hasta que la gracia divina y la razón le iluminan y le ayudan a salir de tan triste condición. Las tres fieras —pasiones humanas— que le hicieron perder el recto camino le acechan aún: son la pantera de manchado pelaje que representa la lujuria, el león que es la soberbia, y la loba, la codicia. Y le seguirán acechando hasta que llegue el *veltre,* el mastín que ahuyentará a la loba, y que es el propio Cristo, a menos que se trate del emperador que efectuará la unidad espiritual y temporal de Italia. Que no nos es dado precisar demasiado el pensamiento de los poetas, a quienes asiste el derecho, como dice Ronsard, de envolver "la verdad de las cosas en el mundo fabuloso que las encierra".

Mientras retrocede asustado hacia la selva, divisa el poeta una figura humana, sin que acierte a distinguir si es hombre vivo o mera sombra: trátase de Virgilio, el inmortal cantor de las desdichas de Troya y de la azarosa fundación de Roma, enviado por Beatriz en auxilio de su protegido. "¿Eres tú Virgilio, el manantial de que brota tan caudaloso río de elocuencia?... Mira la bestia que me ha obligado a huir. ¡Ayúdame contra ella, sabio famoso, porque me hace palpitar las venas y el pulso!" [108]

Virgilio, que sacará a Dante de la selva oscura y le guiará hasta el Paraíso terrenal, figura de la felicidad en esta vida, es símbolo de la autoridad imperial, a la que incumbe el oficio de guiar al género humano a la felicidad temporal *per philosophica documenta;*[109] y, porque es símbolo de la autoridad imperial, representa también la razón humana. Tras haberle dicho que el sendero tomado no es el bueno, le asegura que el único camino de salvación es el viaje por el Infierno y por el Purgatorio. Se presta a conducirle en ese periplo; si después quiera pasar al Paraíso le guiará el alma bienaventurada de Beatriz. No acepta de inmediato el florentino, pero se decide cuando el futuro acompañante le revela quién le envía: "Vamos, pues. Que una misma voluntad nos une. Tú eres mi guía, mi señor, mi maestro." [110]

Las puertas del Infierno, en cuyo dintel resalta en negros caracteres la conocida leyenda: "Por mí se va a la ciudad doliente. Por mí

---

[108] *Inf.* I, 795.
[109] *Mon.* III, XVI, 8.
[110] *Inf.* II, 139-140.

se va a las eternas penas. Por mí se va entre la gente perdida. La justicia movió a mi autor supremo. Me hicieron el divino Poder, la suma Sabiduría y el Amor primero. Antes que yo no hubo cosa creada, sino lo eterno, y yo permaneceré eternamente. Dejad toda esperanza los que entráis",[111] se franquean a los dos viajeros, y el Viernes Santo, 8 de abril de 1300, año del solemne jubileo decretado por el papa Bonifacio VIII, penetran en la oscura llanura que sirve de vestíbulo al Infierno. Allí vagan, incesantes, sin poderse detener jamás, las sombras de personas carentes de carácter, los *sciaurati che mai non fur vivi*,[112] los cobardes e indiferentes, obligados a correr tras una enseña, aguijoneados por avispas y moscardones.

A orillas de la triste ribera del Aqueronte ven caer las almas como hojas muertas que se desprenden del árbol. El barquero Caronte los pasa al lado opuesto. Es allí donde propiamente comienza el Infierno, ese tremendo embudo de nueve círculos cada vez más estrechos, cuyo fondo es el centro de la Tierra. Del primer círculo o Limbo sacó Cristo a los Patriarcas; ahora es mansión de los justos que murieron sin conocer la verdadera fe. Allí moran, sin llantos ni suspiros, los muertos sin bautizar, y también los grandes sabios, héroes y poetas de la Antigüedad que amaron la belleza del ser y fueron ya cristianos en esperanza. "Honrad al altísimo poeta", clama una voz al reconocer al mantuano que habita de ordinario este lugar, y enseguida corren a su encuentro Homero, poeta soberano, el satírico Horacio, Ovidio, Lucano... En un noble y luminoso castillo rodeado de siete muros tienen su residencia los héroes que cantaron: Electra, Héctor y Eneas, César, Bruto, Camilo, Pentesilea, Lavinia, Lucrecia, Cornelia... También la tienen los grandes filósofos de los tiempos antiguos: Aristóteles "el maestro de los que saben", Sócrates, Platón, Demócrito, Diógenes, Anaxágoras y Tales, Empédocles y Heráclito, Séneca el moralista, Euclides el geómetra, Tolomeo, Hipócrates, Galeno, Avicena y Averroes, "que escribió el gran comentario". Imposible mencionarlos a todos cuando queda tan largo tema.

Sin aclararnos cómo, pasan los poetas del primero al segundo círculo, donde Minos examina las culpas de los que van llegando.[113] Envueltos y agitados por un torbellino que no para nunca encuentran a los pecadores carnales: Semíramis, Dido, Cleopatra, Elena, París, Tristán... y mil sombras más "a las que Amor hizo salir de esta vida", como la infortunada Francesca que, abrazando con pasión a su Paolo, le asegura que no pudo evitar aquel impulso que la llevó a la muerte y a las eternas penas.

Si en el círculo segundo están los lujuriosos arrastrados por incesante torbellino, en el tercero los glotones son azotados en el suelo por

---

[111] *Inf.* III, 1-9.
[112] *Inf.* III, 64.
[113] Señalemos de paso que Minos, como tantos otros personajes de la mitología y aun de la historia antigua en diversos pasajes del poema, está sometido aquí a tratamiento medieval: no es el juez sereno, amigo de Júpiter, sino un diablo gruñón, cuyas sentencias consisten en dar vueltas con el rabo alrededor de su cuerpo: el número de vueltas indica cuántos círculos del Infierno tiene que descender cada condenado.

una lluvia tenaz y agobiadora y desollados por el Cerbero, monstruo de tres cabezas. Por amor a su ciudad detiénese Alighieri ante su compatriota Ciacco, que le habla indignado y dolorido de las facciones que desgarran a Florencia y le predice su próximo destierro.

Los pródigos y los avaros, reunidos *per dritta oposizione* en el cuarto círculo, vense obligados a arrastrar enormes pesos y se mofan unos de otros cada vez que se encuentran. Para bajar al quinto Virgilio hace seguir a Dante el curso de un torrente que va a desembocar en la laguna Estigia. Sumergidos en aquel inmenso lodazal se golpean y desgarran brutalmente los iracundos, mientras que desde el fondo del fango suspiran los perezosos por el *aer dolce che del sol s'allegra.*

Flegias los conduce, mal de su grado, ante los muros incendiados de Dite, la ciudad de Dis, como los antiguos denominaban a Plutón. Los demonios, furiosos y arrogantes, intentan impedir la entrada a Virgilio si bien están dispuestos a dejar pasar a Dante, pero llega en el preciso momento un mensajero celeste atravesando a pie enjuto la Estigia y abre las puertas, tocándolas con su varita, mientras huyen de estampida por todas partes los espíritus del mal.

Así, no sin esfuerzo y peligro, franquean los poetas la puerta de Dite. Se encuentran ya en el sexto círculo y ahora les toca bordear una landa sembrada de tumbas ardientes, dentro de las cuales yacen los herejes. Entre ellos están los que creyendo muerta el alma con el cuerpo fiaron exclusivamente en su voluntad e hicieron de ella la medida de todas las cosas. Dante los llama epicúreos y nos asoma a un ángulo de la Edad Media que suelen pasar por alto los historiadores de aquella época, empeñados en esquematizar demasiado las vivencias del Medievo. Entre los epicúreos está el magnánimo Farinata degli Uberti, hombre de partido que amó apasionadamente a la patria y la defendió con denuedo, pero que dejó detrás de sí un surco de odios y venganzas imposible de colmar; entre los incrédulos el celebrado emperador de Alemania Federico II y el cardenal Ottaviano degli Ubaldini; entre los heréticos, el papa Anastasio, del que el clérigo medieval sospechaba que se había desviado a la herejía.

En el séptimo círculo, dividido en tres escalones, el Minotauro de Creta, aquél que se nutría de carne humana, reina soberano sobre los rebeldes a Dios, creador del orden natural y legislador supremo. Los violentos contra el prójimo y sus cosas, tiranos y homicidas, están sumergidos en la sangre hirviente del Flegetonte, a lo largo de cuyas orillas corren, velocísimas fieras, los Centauros asaeteando a todo aquel que emerge de la sangre más de lo que su cuerpo le permite. Allí se encuentran Alejandro de Tesalia —no Alejandro Magno, al que la Edad Media reverencia—, Dionisio, el tirano de Siracusa, Pirro, Ezzelino y, no podía faltar, Atila, el azote de Dios. Más lejos se extiende un bosque agreste reseco y desnudo de follaje, morada de las Arpías, que rompen las ramas, desoladora y gimiente germinación de las almas de los suicidas que, arrancándose del cuerpo, se encarcelan como plantas en su propia naturaleza. En este mismo escalón, perseguidos por hambrientos canes, huyen por el bosque los dilapidadores, que lo fiaron todo a la suerte y al azar. Junto con sus haberes disiparon la sustancia de su persona moral, convirtiéndose en fácil presa de las discordantes exigencias del instinto. Sobre el tercer escalón se cierne una atmósfera pesada e inmóvil y caen de lo alto amplias bocanadas de fuego. Tendidos en el suelo yacen los que blasfeman de Dios, mientras corren sin descanso los que en sus actos obraron contra la naturaleza, y permanecen sentados, tratando de apartar de sí las llamas, como los perros espantan las avispas, los que en el mundo fueron usureros. Nos sorprende hallar en esta última zona a Brunetto Latini, al que Dante llama mi maestro, ya que al señalarle el camino de las letras le enseñó "cómo se inmortaliza el hombre". Si Alighieri le sitúa entre los sodomitas, contradictores de la ley natural, débese a que Latini, que vivió largos años en Francia, redactó y publicó en francés su *Tesoro*, en el que asegura que "el idioma francés es el más deleitable y y más común a todas las gentes". Dante, lejos de compartir esa aseveración, le acusa implícitamente de haber obrado contra la naturaleza, al no escribir en su lengua materna, la toscana.

A la grupa de Gerión, el monstruo alado con cabeza y brazos humanos y cuerpo y cola de serpiente, llega Dante al octavo círculo de Malebolge —*male bolgie,* malas bolsas o fosas—, diez fosas circulares, concéntricas, donde sufren condena los fraudulentos, repartidos en otras tantas categorías: los alcahuetes y los seductores, terriblemente burlados por el diablo; los aduladores, hundidos en el estiércol; los simoníacos, ralea de aquel Simón el mago de Samaria, que quiso comprar a los apóstoles Pedro y Juan el poder de comunicar el Espíritu Santo por la simple imposición de manos,[114] con la cabeza metida en un hoyo de piedra, donde sólo les queda agitar las piernas con los pies encendidos; los magos y adivinos, que caminan hacia atrás con el rostro en los riñones; los culpables de malversación, sumergidos en pez hirviente y vigilados por los demonios —esos demonios truculentos, de denominaciones pintorescas, que tantas veces había contemplado Dante esculpidos en los tímpanos de las catedrales—; los hipócritas, revestidos de capas de plomo, doradas por encima, que agobian con su peso; los ladrones, que, espantados, intentan escapar de una masa inmunda de reptiles pululantes en la fosa, aunque en vano, porque las serpientes acaban por morderlos y rodearlos hasta convertirse en las figuras humanas que han atravesado; los consejeros pérfidos, envueltos en devoradoras llamas; los sembradores de escándalos y cismas —Mahoma, Alí— lacerados y mutilados, de cuyo vientre hendido brotan las entrañas; los falsificadores de toda índole, que se presentan con semblantes de roñosos, rabiosos, hidrópicos, sedientos y enfebrecidos. Diez fosas en las que se acumulan las más horribles visiones, las fantasías más desatentadas, que con justicia suelen llamarse "dantescas", los suplicios más inauditos y refinados.

Por simoníaco está condenado en la fosa tercera el papa francés Clemente V, que trasladó la sede papal a Aviñón y fue condescendiente en demasía con Felipe el Hermoso, cediéndole no sólo los diezmos eclesiásticos, sino también los bienes de los templarios inicuamente perseguidos; por estafador Ciampolo de Navarra en la quinta;

---

[114] *Hechos de los Apóstoles*, VIII, 9 s.

por ladrón, en la séptima con otros cinco florentinos Vanni Fucci, que pierde la color al ver a Dante y por despecho le predice oscuramente las calamidades que caerán sobre su partido. Una llama, que termina en doble lengua de fuego, solicita la atención del poeta al pasar por la fosa octava, donde se encuentran los consejeros fraudulentos: allí gimen los héroes griegos Ulises y Diomedes. De el primero escucha Dante el relato de su postrer viaje y de su muerte, un relato según el cual, Ulises, después del retorno a Itaca se habría embarcado en una nueva aventura llena de peripecias que ignorara la antigua tradición. Cuando calla Ulises y queda inmóvil la llama que le cubre, le hace volver los ojos otra que demanda noticias de la Romaña: es la voz de Guido de Montefeltro, hombre de armas y políticamente "el individuo más sagaz y más sutil que había en Italia por aquellos tiempos",[115] quien refiere las astucias del papa Bonifacio VIII y se declara víctima consciente de las mismas.

En el último recinto de Malebolge —fosa décima— ayes desgarradores taladran sus oídos, bien habituados ya a los lamentos de los condenados; son de los falsificadores, cuyos espíritus languidecen amontonados en aquel oscuro valle con los miembros gangrenados y cubiertos de pústulas. Dos alquimistas apoyados el uno contra el otro, se arrancan con las garras las costras de sarna que los cubren, del mismo modo que se hacen saltar las escamas de la carpa con un cuchillo. A pocos pasos un falsificador, hábil, como tantos otros, en aligerar el peso del florín, la moneda con la flor de Florencia, que primaba en todos los mercados europeos, pareciera un laud si hubiese tenido cortado el cuerpo en el sitio donde el hombre se bifurca. Ni las más osadas fantasías de nuestros pintores surrealistas o las que estamparan en sus lienzos Brueghel el Viejo y Jerónimo Bosch pueden parangonarse con las macabras que ha descrito la pluma inmortal de Dante.

Y no ha terminado todavía su recorrido por el Infierno. Estamos a la altura del canto XXXI cuando arriba al noveno y último círculo, para oír el sonido de un cuerno, que le recuerda el olifante de Roldán pidiendo ayuda a Carlomagno en los desfiladeros de Roncesvalles, y divisar a lo lejos unas torres altísimas. Virgilio le saca de su error: no son torres sino gigantes, masas brutales e inertes, de los que tan sólo se aprecian las cabezas, hombros, torsos y parte del vientre; el resto permanece sepultado en tierra. Allí está Nemrod, el constructor de la torre de Babel que impidió que el mundo hablase una misma lengua. El florentino busca en vano a Briareo, encadenado más lejos, pero distingue a Anteo, al que venciera Hércules, levantándole en sus brazos. Por orden de Virgilio alza a los dos viajeros y los lleva hasta el fondo de aquel pozo, donde en cuatro zonas distintas, oprimidos por los hielos del Cocito, reciben su castigo los traidores a sus parientes (la Caína), a su patria (la Antenora), a sus huéspedes (la Tolomea) y a sus bienhechores (la Judaica). Aprisionados por el silencio, su existencia es semejante a la de las piedras y su tormento apenas puede describirse en una lengua que dice "papá y mamá". Hielos,

---

[115] G. Villani, VII, 80.

más gruesos que los del Danubio en el invierno austríaco, los ciñen hasta la cintura y sus dientes castañetean como las cigüeñas baten sus picos. También el poeta se estremece en aquella algidez eterna. Su pie, al pasar, toca un semblante y su dueño exclama sollozando: "¿Por qué me hablas? Es el mudo dolor de Bocca degli Abbati, que traicionó en Montaperti la causa güelfa y se avergüenza de revelar su nombre a Dante. Es el dolor del conde Ugolino, el traidor a su patria, que se ensaña brutalmente en el cuerpo de aquel que a su vez le traicionó a él, y que presta voz al instinto de la paternidad herida y da color a la ferocidad del arzobispo Ruggiero, narrando su propia muerte y la de sus hijos en la Torre del hambre. Los dos están congelados en un agujero; la cabeza de uno sirve de sombrero al otro: como quien devora hambriento el pan, así clavaba los dientes en el cuello ajeno, donde el cerebro descansa en la nuca. Ruggiero, arzobispo de Pisa —oprobio de Italia, llama Dante a esa ciudad— encerró al conde en la Torre del hambre, después de haberle traicionado. Y tras haberla descrito el poeta por boca del propio protagonista, ¿quién no ha oído hablar nunca de la horrorosa escena de Ugolino en la famosa Torre, más terrible por lo que insinúa que por lo que expresa? El florentino se retira maldiciendo a la ciudad, teatro de tan gran crimen, dejando a Ugolino que prosiga su macabro yantar en el cráneo miserable de Ruggiero.

En el centro del universo, en el punto más alejado de Dios, entre los hielos que envuelven las sombras, está Lucifer, emperador del reino del dolor, sacando medio cuerpo fuera de la superficie glacial. Brotan en su espalda dos descomunales alas de murciélago, como velas en el mar sacudidas por el viento. Trinidad material del ciego abismo, monstruo de tres caras, que llora por seis ojos, mientras sus tres bocas de sanguinolenta baba mastican a tres pecadores, como tritura el cáñamo la agramadera: Judas, traidor a Cristo y Bruto y Casio, traidores a César. En el momento en que Dite o Lucifer despliega sus inmensas alas, agárranse a sus crines los dos poetas, atraviesan el centro de la Tierra y, por un abrupto sendero, suben al hemisferio opuesto para volver al mundo luminoso y divisar de nuevo las estrellas, que ya empezaban a brillar en el cielo, en las primeras horas de la noche de aquel Sábado Santo, 9 de abril del año del Señor de 1300.

* * *

El Infierno de Dante es una especie de embudo, formado por nueve círculos concéntricos, cada vez más estrechos y cada vez más profundos. Está situado bajo la corteza de la tierra, en la parte del hemisferio boreal habitada por el hombre. Ese cono invertido se hunde hasta el centro de la tierra, que es también el centro del Universo y el lugar más alejado de Dios. Allí, precipitándose desde el cielo, cayó y está confinado Lucifer. La tierra que se retiró ante su caída y quedó sobresaliendo por encima de las aguas del hemisferio austral, formó el islote del Purgatorio: una montaña alta y escarpada bajo la Cruz del Sur, formada por nueve terrazas superpuestas, en cuya cumbre verdean los frescos y vivos bosques del *Paraíso terrenal*. De las nueve terrazas, las dos primeras, la playa que limita la montaña y las abruptas pendientes del monte, son el vestíbulo de las almas arrepentidas: el Antepurgatorio, donde permanecen en espera las "sombras" de los negligentes; las otras siete constituyen el Purgatorio propiamente dicho, y en cada una de ellas se purga uno de los pecados capitales.

Al alba del Domingo de Pascua de 1300, después de haber atravesado de parte a parte el globo terráqueo, arribaron Virgilio y Dante al hemisferio austral, en los antípodas de Jerusalén. Se encuentran en una isla, al pie de la montaña del Purgatorio, cuya custodia está confiada al suicida Catón de Utica, aquel decidido defensor de la libertad contra César.[116] Llevaba una larga barba canosa como sus cabellos, que, dividida en dos mechones, le caía sobre el pecho. Virgilio le presenta a su compañero "buscador de la libertad tan amada como bien lo sabe el que por ella desprecia la vida", y obtiene permiso para visitar aquellos reinos; lávase las mejillas con el rocío de la hierba fresca y presta a Dante para que se lo ciña un junco flexible, símbolo de la humildad. Y es el propio Catón quien, en la frescura de la madrugada, bajo un cielo azul en el que brillan Venus y las cuatro estrellas de las virtudes cardinales, señala a Dante el camino que debe seguir, humildemente, con ojos claros y afecto puro.

Por el mar se aproxima, rauda y esplendorosa en una nave tan rápida que apenas roza las olas, una potente luz: es el ángel del Señor. Su barca acarrea las almas exultantes, destinadas a la expiación y a la salvación, que recogió en la desembocadura del Tíber. De entre ellas se destaca un viejo conocido, Casella, el que pusiera música a su poema: "Amor que dentro de mi mente habla", y que ahora empieza a cantar tan dulcemente que embelesa a las "sombras", y a los peregrinos como si no tuvieran otra cosa en qué pensar. Sácalos de su embeleso la severa voz del uticense, que censura su conducta y les insta a la ascensión. Ascensión ruda, lenta, porque la montaña es escarpada y como cortada a pico; sus flancos están aserrados por precipicios o cornisas circulares, donde las almas se purifican. Al pie de la montaña, fuera todavía del verdadero Purgatorio, Dante encuentra temporalmente retenidas, las "sombras" de los negligentes. Entre esas almas, que vivieron en este mundo, difiriendo para más tarde el cuidado de su salvación, distingue tres grupos: los que vivieron excomulgados por la Iglesia, y los perezosos propiamente dichos, que murieron de muerte violenta y se arrepintieron *in extremis*. Con los primeros divisan un joven rubio y gallardo, mostrando una reciente herida en la garganta. "Yo soy Manfredo, dice, nieto de la emperatriz Constanza." Hijo natural de Federico II, ha pecado mucho. Sufriendo la persecución del papa, pero confiando en la infinita Bondad reclama la sepultura que le negó el obispo de Cosenza después de la batalla de Benevento, donde Carlos de Anjou le arrebató su reino.

Los dos compañeros suben el acantilado por una estrecha grieta de la roca. Arriba, en una especie de plataforma, Virgilio se orienta

---

[116] El haber escogido a un suicida como Catón para custodiar el Purgatorio —más bien el Antepurgatorio— sólo se explica por la veneración de que aureolaron los Padres de la Iglesia la severa figura de este mártir de la libertad romana; veneración que después compartirán los humanistas.

por medio de las constelaciones y del ecuador y nos da, de paso, una lección de cosmografía medieval. Sentados a la sombra de los peñascos, siempre ociosos, vegetan los que tuvieron pereza para arrepentirse, como aquel Belacqua, fabricante de astas de laúdes y de guitarras, tan bebedor como perezoso. Algo más lejos, se adelantan hacia ellos, cantando verso a verso el *Miserere,* cuantos murieron de muerte violenta y terminaron sus días pecadores, pero que, iluminados por el cielo en la postrera hora, abandonaron la vida en gracia de Dios: el primero en presentarse es el podestá de Bolonia, Jacobo del Cassero, asesinado en 1298 por orden del marqués de Ferrara; pronuncia después su nombre Buonconte de Montefeltro, que pereció a orillas del Arno después de la rota de Campaldino y del que nunca se supo donde estaba su sepultura; la última en hablar es el alma melancólica, tímida y pudorosa de Pía de Tolomei; solo tiene palabras de perdón para aquel cruel marido, que ordenó la defenestraran. Con el arrepentimiento, y por obra de la misericordia divina, todas estas almas instauraron en sí mismas a la hora de la muerte el estado de gracia, por lo que pudieron salvarse. Y desde ese estado de gracia contemplan su vida terrenal y juzgan sus errores y culpas, mientras exaltan en Dios la bondad del perdón. Cuantas almas encuentra en su ascenso le ruegan las recuerde a las personas queridas que permanecen todavía en la Tierra, para que les sirva de consuelo en el dolor y para que, con sus plegarias, quieran aquel bien que Dios quiere para todos por toda la eternidad.

A poco divisa Virgilio un alma que los contempla en solitario apartamiento. Al nombre de Mantua reconoce al vate latino, corre hacia él y se abrazan jubilosos. La escena arranca a Dante una tremenda invectiva contra Italia, dividida por odios, egoísmos e intereses materiales:

> *¡Ahi serva Italia, di dolore ostello,*
> *nave sanza nocchiere in gran tempesta,*
> *non donna di provincie, ma bordello!* [117]

Los italianos han citado a menudo estos versos en las tribulaciones de su historia. A la simple mención de Mantua, su ciudad natal se abrazan los dos poetas, mientras sus descendientes, sin más separación que una muralla y un foso, se hostilizan mutuamente. Ningún estado italiano sabe lo que es la paz. La bestia resulta feroz porque carece de freno. Invoca al César de Germania hacia el que clama Italia, como una viuda lastimada en sus derechos.

Por un tortuoso sendero desembocan en un risueño valle, donde, sentados entre flores, agrúpanse los príncipes que faltaron a sus deberes de rectores de los pueblos.

Sordello, desde la cumbre de una colina, va señalándoselos, con breve comentario: Rodolfo de Habsburgo, que pudo curar las llagas que han dado muerte a Italia, y su gran enemigo Ottokar de Bohemia. A su lado los franceses, también negligentes: Felipe III el Atrevido, hijo de San Luis y padre de Felipe el Hermoso, a quien Dante

---

[117] "Ah, Italia esclava, albergue del dolor, nave sin piloto en fuerte tormenta, no señora de provincias sino meretriz." *Purg.* VI, 76-78.

jamás perdonará ni el atentado de Anagni ni el proceso de los Templarios. Y Pedro III de Aragón y Carlos I de Anjou, y Alfonso el Magnífico y Jaime y Federico. Toda una galería de los reyes y reinas de la segunda mitad del siglo XIII, entre quienes va distribuyendo reproches y alabanzas, con predominio de los primeros. En el canto siguiente, sin embargo, se deshará en loas a los Malaspina de Lunigiana, de cuya corte fue huésped el poeta.

Ha llegado la noche y Dante se ha quedado dormido. En sueños es transportado por su patrona bienamada, Santa Lucía, hasta la entrada del Purgatorio propiamente dicho, custodiada por un ángel que simboliza al sacerdote. Con la punta de la espada traza en la frente del florentino siete P, inicial de la palabra *Peccatum,* que representan los siete pecados capitales; una por una se irán borrando en la terraza respectiva. Gira en sus quicios la sacra puerta, de metal macizo y sonoro, mientras voces misteriosas cantan al son de dulces acordes el himno *Te Deum laudamus.*

Huelga advertir que en el Purgatorio, aunque lugar también de pena, se han las cosas de muy diversa manera que en el Infierno. A las escenas violentas y atormentadas de allí suceden aquí espectáculos de mansa resignación. La purificación de las almas se verifica necesariamente de muy distinto modo que el castigo infligido a los condenados del Infierno. Las "sombras" que el ángel acoge en el Purgatorio se encuentran ya en gracia de Dios, pero tienen que despojarse de las malas inclinaciones inherentes a la naturaleza humana. Empero tales inclinaciones no pueden desaparecer más que cediendo a las contrarias. Síguese de ahí que los castigos del Purgatorio no pueden tener más que un carácter esencialmente moral: subsisten, es cierto, las penas aflictivas, como en el Infierno, pero predomina siempre el tratamiento curativo. Por eso cuando desfilan por las diversas terrazas los pecadores, al lado de cada pecado capital veremos surgir su antídoto correspondiente.

Las almas que están purgando su vida pasada, serán iluminadas en su inteligencia y confortadas en su voluntad con ejemplos que exaltan la virtud moral opuesta al pecado que purgan o recuerdan cómo ha sido castigado su mismo pecado en otras almas.

En la primera terraza del Purgatorio están detenidos los orgullosos. Lo primero que sorprende a nuestros viajeros a su arribo a este recinto son los varios ejemplos de humildad esculpidos en las paredes; ejemplos que arrancan al poeta un sentido apóstrofe al orgullo humano. Entre los soberbios, que en esta terraza avanzan encorvados bajo pesados peñascos, advierte Dante a Oderisi de Gubbio, que destacó en el arte de iluminar miniaturas; con sus palabras que le recuerdan el rápido marchitarse de la fama terrenal, vive el poeta por anticipado el olvido futuro de su fama como tal. Oderisi se creía superior a Franco de Bolonia; ha sido esa vanidad de artista la que le ha llevado a la cornisa de los soberbios. Así Cimabue se creyó el primero en la pintura hasta que Giotto oscureció su fama; así Guido Cavalcanti, el rival de Dante en el "dulce estilo nuevo", arrebató la palma de la lengua al otro Guido, a Guinizelli, el poeta lírico boloñés. Y quizá haya nacido ya, prosigue Dante —sin temor a asignarse un lugar entre los orgullosos del Infierno, si aceptamos la interpretación más común— quien a los dos expulse de su nido. Que el rumor del mundo —la fama lisonjera— no es más que un soplo; tan pronto viene de un lado como de otro, y cambia de nombres por lo mismo que cambia de sitios.

A los envidiosos se les reserva la segunda terraza, donde se ven sombras, "cuyas capas se confundían con las piedras", que invocaban a María, a Miguel, a Pedro y a todos los santos. Cubiertos de cilicio, como mendigos ciegos pegados a las rocas, tienen los párpados cosidos con alambres. Entre los envidiosos que, fruncido el ceño, se apoyan unos en otros, reconoce que estuvo un tiempo la sienense Sapia, cuyo nombre evoca la sabiduría, pero que en la vida se alegraba de los males de sus conciudadanos. Gracias, sin embargo, a la ayuda de un humilde terciario franciscano muerto en olor de santidad, se la admite a que haga penitencia. Envidiosos son los habitantes del Valle del Arno, a juicio de Guido del Duca y de Ranieri de Calboli, que deploran el ocaso de las virtudes caballerescas de su Romaña natal. Pero la presente corrupción del mundo no tanto se debe a la naturaleza del hombre, esencialmente buena, cuanto a la falta de una armadura moral sólida que lo sostenga y proteja.

Tal es el pensamiento de Marco Lombardo, habitante de la tercera terraza, entre los iracundos, a quienes envuelve una densa humareda. Marco expone a Dante la teoría del libre albedrío según la doctrina, entonces reciente, de Santo Tomás. El hombre tiene libertad para elegir entre el bien y el mal por voluntad propia, y es él la única causa de sus desgracias. Las leyes existen; el hombre está ordenado como individuo al bien común de la ciudad, y como persona al bien espiritual y eterno, pero nadie hace valer esas leyes por la confusión que reina actualmente entre las dos supremas potestades. Es el mal gobierno lo que ha hecho culpable al mundo, no la naturaleza; la Iglesia de Roma se equivocó al querer reunir en sí los dos poderes. Así es como este pasaje, que comenzó evocando las disputas de los Blancos y los Negros en Florencia, va elevándose de tono hasta desembocar en temas de la más alta política.

Pasando de la tercera a la cuarta terraza, salen los viajeros del humazo, como de una espesa niebla, para ver el sol. Al canto de: "Bienaventurados los pacíficos, porque serán llamados hijos de Dios", el ángel de la paz ha borrado de la frente de Dante la tercera P, signo de la ira. La falta que en este nuevo ámbito se purga es la de la pereza en hacer el bien, revela Virgilio a su pupilo, y esboza a continuación la teoría del amor: el amor instintivo por Dios y el amor racional o de elección, que a veces puede oponer la criatura al Creador. Sólo el Primer Bien, que es Dios, hace dichoso al hombre. Este, por su naturaleza de animal racional, está ordenado al bien moral, y debe quererlo bajo pena de perder su razón de ser. Debe, porque su conciencia le promulga ese deber. Por ello los perezosos, los demasiado tardos en buscar el bien, vense obligados a agitarse en perpetuo movimiento.

Inmóviles, con los rostros aplastados contra el suelo, hallamos a los avaros y pródigos en los cantos XIX y XX. El papa Adriano confía al florentino que, después que hubo alcanzado los más altos honores, cuando fue elegido Pastor romano, "conoció lo engañosa que es la vida y se dio cuenta de que ni aun allí reposaba el corazón ; el bien que anhelaba era Aquel que para el bien le había creado. Y Hugo Capeto, "raíz de la mala planta que hoy arroja sobre toda la tierra cristiana tan nociva sombra que apenas se coge en ella fruto bueno", a quien siguiendo una falsa leyenda creía Dante hijo de un carnicero de París, tras confesar algunas turbias peripecias de familia y exponer las poco gloriosas gestas de sus descendientes, desde Carlos de Anjou a Carlos de Valois y a Felipe el Hermoso,[118] siente dentro de sí la necesidad y el poder dominador de los derechos de la justicia, y la invoca a Dios. De improviso, retiembla la montaña del Paraíso cual si se hundiera y resuena por todos sus ámbitos el canto del *Gloria in excelsis Deo,* dejando inmóviles y suspensos a los viajeros hasta que cesó el temblor y acabó el himno: un alma ha quedado purificada. Esa alma que se ha hecho digna del cielo es la del poeta latino Estacio, del primer siglo de nuestra Era, a quien Dante por una equivocación hace nacer en Toulouse y de quien —nuevo error— supone que fue cristiano en secreto. Sobremanera emocionante resulta el encuentro de estos dos vates latinos en el Purgatorio. Pero el lector se quedará sorprendido por la presencia de Estacio en tal lugar hasta que le saque de su asombro, en el canto XXII, la explicación brindada por el autor de la *Tebaida.* Fue pródigo en vida y la prodigalidad se castiga, lo mismo que la avaricia, en esa quinta terraza. A Virgilio debe su primera inspiración; él le enseñó a beber el agua de la Fuente Castalia, que brota al pie del Parnaso, el monte de doble cumbre nevada. A Virgilio, que cantara —*Egloga* IV— el retorno de la antigua Edad de Oro, el advenimiento de una nueva humanidad en un mundo de justicia y de paz, debe también su bienaventurada suerte, ya que le enseñó el camino de Cristo. La Edad Media gustaba colocar a Virgilio entre los profetas de Cristo, interpretando su vaticinio como el anuncio de la llegada de Jesús a la tierra. Eso justifica que lo eligiera Beatriz para guía de Dante a través de los círculos infernales y las terrazas descubiertas del Purgatorio. Estacio, que acompañará a los dos peregrinos del infinito, remata con el bello verso: *Per te poeta fui, per te christiano.*

En la sexta terraza se aposentan los glotones, reducidos a lastimosa delgadez y sometidos al suplicio de Tántalo. Dante y Forese Donati, su antiguo camarada de errores y francachelas, evocan oscuramente su pasado, mientras los recuerdos familiares van desfilando, tiernos y dulces, por su memoria, y en sus labios resuenan los ecos de los nombres de las personas queridas. Forese ensalza a su bondadosa mujer que está rogando por él y arremete contra las impúdicas mujeres florentinas. Prevé también el triste fin de su arrogante hermano Corso, el caudillo de los güelfos negros. A propósito de una pregunta del poeta Bonagiunta de Luca, cultivador, como sus contemporáneos provenzales, del *Trobar clus* o poesía hermética, Dante erige en regla suprema del arte aquel recto amor que informaba la lírica juvenil de su "dolce stil nuovo" y conseguía una cabal correspondencia

[118] *Purg.* XX, 85-94.

de la forma con el sentimiento, con lo que el de Luca alcanzó a ver la causa que impidiera a Guittón de Arezzo, al notario siciliano Jacopo da Lentino y a él arribar al nuevo estilo.

Los tres poetas se alejan de la muchedumbre de espíritus famélicos, que inútilmente extienden sus manos hacia el árbol cargado de frutos, y, a una llamada del ángel, trepan la angosta escalera de la séptima terraza —la de los lujuriosos, rodeados por una llama purificadora—. Estacio, transformándose en filósofo y en teólogo, les explica la generación humana y la infusión del alma en el feto, corrigiendo de paso la doctrina del árabe Averroes, que separaba del alma el intelecto posible, porque no vio que dispusiera de ningún órgano especial adecuado a sus funciones, para concluir que el alma, separada del cuerpo por la muerte, se enfrenta a sus propias culpas o méritos y se lanza a la ribera del Aqueronte —los condenados— o a la del Tiber —los elegidos—, no sin antes exponer una curiosa teoría que nos aclara por qué sufren las sombras de los que están condenados o en el Purgatorio. Recorriendo la vasta estancia de los lujuriosos, topa Dante con poetas contemporáneos suyos a quienes el fuego purifica: Guido Guinizelli, el precursor e iniciador del *"dolce stil nuovo"* y Arnaldo Daniel, el sutil y alquitarado trovador perigordino, preferible, dice el florentino, a aquel lemosín que por entonces disfrutaba de enorme fama, Gerardo de Borneil. Después, guiado y alentado afectuosamente por Virgilio, traspasa el cinturón de llamas para llegar a la escalera que conduce al Paraíso terrenal. Adormecido en un peldaño de la escala, entre Virgilio y Estacio, contempla Dante a Lía y a Raquel, primera y segunda esposa de Jacob: simbolizan respectivamente la vida activa y la contemplativa.

"La dulce fruta que por tantas ramas va buscando la solicitud de los mortales, calmará hoy tu hambre", le asegura Virgilio al despertar. Ascienden toda la escalera y desde la última grada le dirige el mantuano con conmovida frase sus postreras recomendaciones antes de despedirse; hasta aquí pudieron conducirle su ciencia y su arte; ahora ya está el discípulo purificado y libre; puede retirarse el guía.

La mañana del miércoles de Pascua sorprende a los poetas en la maravillosa floresta que corona la montaña del Purgatorio. Es el Paraíso terrenal "en su bella juventud, en su primera flor". A orillas del Leteo, el río del Olvido, "se le apareció, como aparece súbitamente una cosa maravillosa que desvía de nuestra mente todo otro pensamiento, una dama sola que iba cantando y cogiendo flores de las muchas que esmaltaban su camino". Es Matilde, simbolizadora de la actividad virtuosa que prepara al hombre a la contemplación bienaventurada. Da razón a Dante de la forma del Paraíso terrenal, de sus dos ríos, el Leteo y el Eunoe y de la caída del primer hombre, y de ahí le lleva a contemplar con una primera mirada de fe, la sabiduría divina que vela por la ejecución de su plan providencial, asistiendo a los hombres en su viaje hacia la eternidad por medio de los santos del cielo y de los ángeles. Orlada por un gran resplandor, se acerca una procesión maravillosa: veinticuatro ancianos coronados de azucenas, todos cantando; los cuatro animales de Ezequiel que representan a los cuatro evangelistas. Entre ellos avanza el carro triunfal de la

Iglesia sobre dos ruedas —Antiguo y Nuevo Testamento— tirado por un grifo de alas de ángel y cuerpo de león —Cristo con su doble naturaleza, divina y humana—. Danzando en torno a la rueda derecha, tres damas, en las que se reconoce a las virtudes teologales; cerca de la izquierda otras cuatro, vestidas de púrpura: las cuatro cardinales. Por este tenor prosigue la maravillosa visión, henchida de un simbolismo familiar al hombre del Medievo, en cuyo manejo es maestro Dante.[119]

Al fin, radiante y avasalladora, cubierta con un blanco velo, ceñida de hojas de olivo, portando un manto verde y un vestido de color de fuego, aparece Beatriz, en su personalidad real y en su personalidad simbólica. Dante se derrumba en su presencia. La hermosa señora interpela al lloroso poeta y le llama, por vez primera, por su nombre: "No llores, Dante, porque se vaya Virgilio; es preciso que llores por otra razón." Y le va recordando —continuo reproche— la gracia que recibió en su niñez, cuando el primer encuentro a los nueve años, y cómo le sostuvo con su inspiración "mostrándole sus ojos de adolescente". Cómo, después de muerta ella, "cuando subió desde la carne al espíritu, y hubo crecido en belleza y virtud", encaminó sus pasos por un camino falso, corriendo tras engañosas imágenes, a pesar de los sueños que le infundía. Muy abajo cayó. Por él hubo de visitar el umbral de los muertos y buscar a Virgilio. Y prosiguen implacables los reproches, mientras Dante apenas acierta a formular vagas excusas. Tanto le oprime el corazón el remordimiento que cayó desmayado. Así termina esta escena culminante de su encuentro con Beatriz, tal vez la más hermosa de la *Divina Comedia;* escena de una belleza conmovedora, ardiente y pudorosa a la vez, verdadero oasis de pura poesía. Vuelto en sí, es sumergido Dante por Matilde en el Leteo y renace por el agua a la vida de la gracia para poder entrar en la ciudad de Dios. La procesión mística reanuda su camino y siguen acumulándose las visiones fantásticas, exponentes tanto de la personalidad alegórica de Beatriz como de las personales ideas de Dante sobre los destinos de la Iglesia. En los dos últimos cantos del *Purgatorio* traza el poeta a su manera su pasado, su presente y su futuro, particularmente en sus relaciones con el Imperio. Condena la supuesta donación de Constantino como una subversión del orden providencial, por la cual

---

[119] Ha llegado el momento en que Virgilio tiene que abandonar a su discípulo después de haberlo llevado tan cerca de la visión de la amada. Cuando se advierte la presencia de ésta Dante se dirige a su maestro, como un niño se vuelve hacia su madre, para decirle: "Reconozco las huellas de la antigua llama", mismas palabras con que la infeliz Dido había expresado su pasión devoradora. Mas Virgilio ya no se encuentra allí y Dante, agrdecido, le rinde un conmovedor homenaje repitiendo tres veces su nombre en un terceto, que trasmina amor y nostalgia:

> Ma Virgilio n'avea lasciati scemi
> di se, Virgilio dolcissimo patre,
> Virgilio, a cui per mia saluti die' mi,

colocándole exactamente en el mismo lugar, dentro de cada verso, en que el propio Virgilio había colocado el nombre de Eurídice, al contar los lamentos de Orfeo por su amada. (*Georgicas,* IV, 523-527).

se coló en la Iglesia militante el espíritu de codicia. Flagela la simonía papal y anuncia, por boca de Beatriz, un remedio inminente: el advenimiento de un misterioso DXV, que constituye el más arcano enigma de los muchos que el poema encierra.

* * *

El 13 de abril de 1300 encuéntrase Dante en la terraza superior de la montaña del Purgatorio, purificado, al fin, de sus faltas y unido en corazón y en espíritu a Beatriz. Después de haber contemplado por un instante la luz que llueve sobre él desde lo alto, vuelve su mirada a la hermosa dama, cuyos ojos están firmemente dirigidos hacia Dios. Y entonces, por el ardiente amor de esa belleza que resplandece en ella, experimenta el poeta una suerte de exaltación que le hace considerarse "transhumanizado". Se da cuenta de que ha dejado la tierra. Comienza la ascensión al Paraíso. Al mediodía, como no podía ser por menos; si su arribo al Infierno tuvo lugar al caer la tarde y su llegada al Purgatorio al nacer la aurora, es justo que su ascenso al Paraíso se efectúe a la plena luz de la mitad del día. No es, pues, de maravillar que comience esta tercera parte del poema con una invocación a Apolo, símbolo del sol, al que únicamente los ojos de Beatriz pueden mirar; el poeta sólo por mediación de ella y por su virtud.

Vamos a emprender con el florentino y su celeste compañera un viaje a través de los planetas, el sol y las estrellas. La Tierra es el centro del universo en el poema; no olvidemos que su autor es un hombre medieval. Alrededor de ella, como esferas de cristal, giran los diez firmamentos que constituyen el universo en el orden siguiente, dirigiéndose hacia el infinito: el cielo de la Luna, de Mercurio, de Venus, del Sol, de Marte, de Júpiter, de Saturno y de las Estrellas fijas. En torno al último gira, a una velocidad inconcebible, el cielo cristalino del Primer Móvil, cuya rotación comunica movimiento a los otros cielos. Por encima del Primer Móvil, y envolviéndolo en su inmutable serenidad, está el Empíreo o cielo de Fuego, donde se sitúa la Rosa Blanca, trono y corte de Dios. Por un designio de armonía y de simetría, poética a la vez que filosófica, Dante ha tenido cuidado de enumerar diez cielos en el Paraíso como había contado diez círculos en el Infierno y diez terrazas en el Purgatorio. Diez es un número perfecto, compuesto de nueve —tres veces tres, tres veces la cifra de la Trinidad— más la unidad que es el origen de la serie numérica.

Impelido por el deseo de ver a Dios como Él mismo se contempla, siéntese Dante transportado dentro de la luz deslumbradora de los cielos y de la sonora armonía de las esferas en perpetuo giro. La razón que ahora le guía es la de Beatriz, "que es obra de fe"; una razón verdaderamente pura, que no vive más que por la fe y que, juntamente con esta virtud, posee la esperanza y la caridad. El Paraíso dantesco simboliza la ciudad de Dios: la Iglesia triunfante. Allá, por los méritos de Cristo y la Virgen María mediadora, se desborda de Dios hacia todas las almas un influjo sobrenatural de luz y de amor, que las mantiene bajo el resplandor de su radiante bondad y las hace prorrumpir en cánticos de acción de gracias por la paz finalmente conseguida con la posesión efectiva y gozosa de la verdad contemplada.

Dante conversa con los espíritus bienaventurados y los conoce experimentalmente, por connaturalidad afectiva. Asciende primero a los siete cielos planetarios, donde se le van ofreciendo las distintas almas según las varias conexiones de la naturaleza y de la gracia. Cada una está en su propio planeta por razón de la virtud moral adquirida, pero realzada ahora por la caridad y la correspondiente virtud moral infusa. El orden del Paraíso dantesco obedece, por tanto, a un proceso perfectivo de energías naturales y sobrenaturales: la fortaleza en el cielo de la Luna movido por los Angeles; la justicia en Mercurio, impelido por los Arcángeles; la templanza en Venus, regido por los Principados; y la prudencia en el Sol, gobernado por las Potestades. Por las virtudes teologales infusas, pero consideradas en el ejercicio humano y según el uso de la inteligencia, la fe está en el cielo de Marte movido por las Virtudes, la esperanza en el de Júpiter impulsado por las Dominaciones y la caridad en el de Saturno animado por los Tronos. Por esas virtudes infusas, las almas, aunque aparecen en la *Comedia* en los distintos planetas, se hallan juntas en el Paraíso. Un solo Espíritu obra en todas, no obstante la diversidad de sus dones. Un solo Padre, que está por encima de todos, actúa en ellas no obstante la diversidad de sus operaciones. En Dios todas se armonizan en sí mismas y entre sí, y todas actúan unas sobre otras en santo celo del bien y horror santo del mal.

Arrebatado por la esencia subyugadora del Empíreo, cuyo reflejo percibe en los ojos de Beatriz, asciende en pos de ella para llegar bien pronto al cielo de la Luna. En este satélite, cambiante y tornadizo, sálenles al encuentro, bajo la apariencia de una imagen humana reflejada en las ondas, las almas a las que un obstáculo más fuerte que su voluntad impidió cumplir sus votos.[120] La primera en hacerlo es Piccarda Donati, hija de Simón [121] y hermana carnal de Forese y de Corso,[122] bella y gentil criatura, que había profesado como "virgen hermana" en el convento de Santa Clara, de donde la sacó Corso para casarla por la fuerza. Milagrosamente enfermó y murió. Su fortaleza, probada por Dios en los tormentos de la suerte adversa, triunfa alegremente allá arriba como fortaleza del Espíritu Santo. Siguen, encumbradas por una vida de rara perfección y de altos méritos, Clara de Asís, fundadora de la Orden que lleva su nombre y la gran Constanza, madre de Federico II, a quien el arzobispo de Palermo —otra vez presta crédito Dante a la leyenda— hizo salir del convento para que desposara a Enrique VI de Suabia. "La arrebataron de la cabeza la sombra de las sagradas tocas; pero desde que fue devuelta al mundo contra su voluntad y contra toda buena usanza nunca apartó el velo de su corazón." [123]

[120] Como observamos en otro lugar, es esta la única vez en todo el Paraíso que percibirá Dante la imagen de un elegido con algunos rasgos humanos; a partir de Mercurio no contemplará a los bienaventurados más que como llamas o fulgores, radiantes de amor divino y de caridad cristiana.

[121] *Inf.* XXX.

[122] *Purg.* XXIII y XXIV.

[123] *Par.* III, 113-117.

En el canto cuarto se adelanta Beatriz a resolver las dificultades que Dante no se atrevía a plantearle. Una de ellas resulta de interés para nosotros, pues su solución arroja luz sobre la peculiar estructura del Paraíso dantesco. ¿Por qué ha distribuido a los bienaventurados en los diversos planetas, si sabemos y profesamos que todos ellos moran juntos, bañados por la mirada de Dios, en ese enorme coliseo que es la Rosa celeste? Por motivos de ilustración y de enseñanza. "El serafín que se halle más cerca de Dios, Moisés, Samuel, aquel de los Juanes que quieras escoger e incluso María, no tienen sus escaños en otro cielo que estos espíritus poco ha aparecidos, ni han de permanecer en su estado más o menos años, sino que todos embellecen el primer círculo y tienen diferente vida de beatitud según sienten más o menos el eterno espíritu. Aquí se mostraron no porque les tocara en suerte permanecer en esta esfera, sino para dar muestra de que en la celeste ocupan la parte menos alta. Así hay que hablarle a vuestro entendimiento, que sólo aprende por medio de los sentidos lo que hace después digno de la inteligencia." [124]

Las llamas de Mercurio, el astro que preside las actividades humanas, son las de aquellas almas que obraron grandes cosas en este mundo, inspiradas por el amor de la gloria. Entre los espíritus activos, el glorioso emperador de Bizancio, Justiniano, que con la ayuda de Belisario devolvió las fuerzas al águila romana, exalta su obra de legislador, ensalzando la virtud de la justicia que informó las leyes del Imperio Romano. Virtud que los güelfos y gibelinos ignoran y que es análoga a la justicia distributiva de Dios, por la cual es premiado en aquel mismo cielo el humilde Romeo de Villeneuve, administrador del conde de Provenza Ramón Berenguer, injustamente tratado por éste a pesar de haber procurado un trono a cada una de sus cuatro hijas.

Cuando Beatriz hubo aclarado una nueva duda del poeta: por qué Dios quiso, la muerte de su Hijo para la redención del mundo, siente aquel que pisa una nueva estrella, a la que ha subido sin saber cómo: es la de Venus, morada de las almas que se entregaron al amor en cualquiera de sus manifestaciones y que fueron rescatadas de sus flaquezas por la llama del amor divino. Entre los espíritus amantes reconoce al malogrado Carlos Martel, rey de Hungría, hijo primogénito de Carlos II de Anjou, que vitupera la intemperancia de los príncipes de su estirpe, preocupados únicamente por dominar. Dante le conoció en Florencia en 1294. Y reconoce también a la amante de Sordello, Cunizza da Romano, y al trovador provenzal Foulques de Marsella, que templaron las llamas de su amor dirigiéndolo a fines sobrenaturales.

El Sol está consagrado a los espíritus sabios, filósofos o teólogos, iluminados por la luz de lo alto. En este cielo "muchos fulgores vivos y triunfantes, aún más dulces por su voz que relucientes a la vista" rodean a los viajeros y forman corona a su alrededor. Quiénes sean algunos de aquellos ardientes soles, se lo va revelando Tomás de Aquino uno de los más luminosos entre todos: su maestro Alberto Magno; el jurista Graciano, docto en ambos derechos; el maestro de las sentencias, Pedro Lombardo; el sapientísimo Salomón; el historiador hispano

[124] *Par.* IV, 28-42.

Paulo Orosio, "aquel abogado de los tiempos cristianos, de cuya doctrina se sirvió Agustín"; Boecio, el autor de la *Consolación de la Filosofía;* el enciclopédico Isidoro de Sevilla, cuyas obras tanto utilizara la Edad Media; Beda el Venerable y Ricardo de San Víctor y hasta el filósofo averroísta Siger de Brabante, "que enseñando en la calle de la Paja demostró verdades que despertaron envidia". El doctor Angélico, menciona también a los dos príncipes que la Providencia otorgó a la humanidad; "el uno estuvo todo lleno de ardor seráfico; el otro por su sabiduría fue en la tierra un resplandor de la luz de los querubines". Fácil es reconocer en esas alusiones a Francisco de Asís, que abandonó a su propio padre por una dama a la que "nadie abrió jamás la puerta con agrado", y a Domingo de Guzmán, esposo de la fe y jardinero de Cristo, el debelador de los albigenses, cuya palabra persuasiva tenía más efecto que la sangrienta espada de Simón de Montfort. Y resulta emotivo oír cómo Santo Tomás y San Buenaventura, las más brillantes luminarias de dominicos y franciscanos tejen, en el estilo peculiar de cada uno, el primero el panegírico de San Francisco y el otro el de Santo Domingo, los dos santos fundadores de Ordenes religiosas que se han desviado demasiado del espíritu que les infundieron. Tras el elogio de Domingo de Guzmán enumera San Buenaventura, para hacer contrapeso a la serie de ilustres personajes citados por Santo Tomás, a Hugo de San Víctor, a Pedro Comestor, el devorador de libros, a Pedro Hispano, a San Juan Crisóstomo, a Anselmo de Canterbury, al gramático Donato, el maestro de San Jerónimo, cuyo *Arte gramatical* sirvió de texto durante toda la Edad Media, al monje Rábano Mauro, el teólogo de Maguncia y hasta al abad calabrés Joaquín de Fiore, "dotado de espíritu profético", cuyas doctrinas eran más que sospechosas.

En el cielo de Marte flamean los espíritus de aquellos que empuñaron las armas en defensa de la fe. Los coros de estas almas forman una cruz griega luminosa y animada, en cuyo centro fulgura la imagen de Cristo. Es aquí donde Dante encuentra a su tatarabuelo Cacciaguida, fundador de su familia. El motivo lírico de la sabiduría crucificada, que informa el Paraíso, y que constituye el motivo secreto y profundo de toda la experiencia cristiana transfundida en la *Divina Comedia,* se concreta e ilumina en el diálogo entre abuelo y nieto. Cacciaguida evoca, contrastándola con la actual, la Florencia de los bellos tiempos antiguos, toda ella ordenada al bienestar civil y al respeto de la persona humana, cuyo último fin es Dios. ¡Cómo es grato releer aquella imagen idílica de una edad dorada florentina sin oro y sin florines, transida de vida casera y familiar! "Florencia, dentro de sus antiguos muros, vivía en paz, púdica y sobria. No tenía brazaletes, ni coronas, ni faldas con cenefa, ni cinturones que llamasen la atención más que las personas. Aún no preocupaba al padre el nacimiento de la hija, ya que la edad de la boda y la dote no habían huido aún de toda medida. No había casas vacías; no había venido aún Sardanápalo a enseñar lo que se puede hacer en una habitación... Yo vi a Bellincione Berti ir con cinturón de cuero con hebilla de hueso, y a su mujer retirarse del espejo sin pintarse el rostro, y vi a los Nerli y a los Vecchio sentirse contentos cubriéndose con una simple piel, y a sus mujeres manejando el huso y la rueca... Entre tanta calma, tan bello vivir de los ciudadanos, tan fiel ciudadanía y tan dulce hogar, la Virgen María me hizo nacer invocada a grandes gritos, y en nuestro antiguo baptisterio fui, a la vez, cristiano y Cacciaguida".[125] Cuenta brevemente su vida, que desembocó en el martirio peleando por la fe, y parla por extenso de las grandes familias de antaño no entregadas aún al comercio ni al cambio, como más tarde harían otras. Pero Cacciaguida no se limita a evocar el pasado, sino que predice a su nieto, venido de esa Florencia moderna que le ha condenado y a la que a su vez condena desde el cielo, las penalidades del destierro injusto y de la pobreza: "Cómo partió Hipólito de Atenas, a causa de su despiadada y pérfida madrastra, así tendrás que salir de Florencia. Esto se desea y esto se trama y pronto será realizado por quienes piensan en ello allí donde Cristo es vendido cada día... Dejarás las cosas más amadas... Probarás cuán amargo sabe el pan ajeno y qué duro camino es el subir y bajar por las escaleras de los demás." [126] Mas no todo es sombrío, que espera al desterrado poeta justiciero la compensación de amables acogidas, como la que le dispensarán los señores de Verona. Con Cacciaguida forman en la cruz luminosa otros paladines de la fe: Josué y Judas Macabeo, Carlomagno y Roldán, Guillermo de Orange o de Aquitania, Godofredo de Bouillon y Roberto Guiscardo.

"Me volví a la derecha, prosigue Dante, para advertir en las palabras o en los ademanes de Beatriz lo que debía hacer, y vi sus ojos tan puros, tan gozosos, que su semblante superaba a los demás e incluso al que de ordinario solía tener. Y así como por sentir mayor satisfacción obrando bien, se va dando cuenta el hombre día a día de que progresa en la virtud, así me percaté yo de que mi giro con el cielo alcanzaba su círculo más amplio, viendo más resplandeciente aquel milagro. Y al modo que en poco tiempo se torna blanco el rostro de una dama cuando se libera del peso de la vergüenza, tal se presentó a mis ojos, cuando me volví, la blancura de la sexta y templada estrella que me había acogido en su recinto." [127] Es el cielo de Júpiter destinado a los justos y piadosos. Los que por su nacimiento pertenecen a él, son tan alegres que reciben el epíteto de joviales. A guisa de las figuras que las aves trazan en el firmamento en su vuelo, los espíritus dibujan aquí las palabras: *Diligite iustitiam que iudicatis terram*. A la M. final de la palabra *iustitia* se sobrepone la figura del águila imperial que libertaría a Italia y al Pontificado.

"Ya antaño se hacía la guerra con la espada, pero ahora se hace arrebatando a cualquiera el pan que el Padre celestial a nadie niega." [128] Esta águila se dirigirá a los soberanos de Europa ensalzándolos y amonestándolos. Como águila, cuyo ojo ve donde no alcanza el ojo humano, la justicia inexcrutable de Dios, que se identifica con su misericordia, y que quiere ser vencida por el amor, infundió en los espíritus de este círculo, aunque hubiesen sido paganos como Rifeo o Trajano, la fe y la esperanza en la salvación eterna.

Una vez más crece la belleza de Beatriz en el canto XXI ante una

[125] *Par.* XV. 97-135.
[126] *Par.* XVII, 46-60.
[127] *Par.* XVIII, 52-69.
[128] *Par.* XVIII, 127-129.

nueva ascensión, esta vez al cielo de Saturno, morada de los Santos que vivieron en caridad y contemplación. Estos espíritus cooperan al gobierno divino de las almas con la plegaria, medio estatuido por Dios a fin de recabar de él la gracia que necesitamos para llegar al término de nuestro viaje; su procesión se eleva desde el suelo del astro bajo la forma de una escala de oro cuya cima se pierde en el infinito. Dante escucha la inspirada palabra de San Pedro Damiano y de San Benito, que recuerdan su vida y sus acciones y censuran, uno a los prelados y el otro a sus propios seguidores, demasiado aferrados a las cosas de este mundo y olvidados del fin sobrenatural a que toda alma está ordenada. El primero, santo monje que se llamaba Pedro el pecador por humildad, prefirió la oscura y mortificada vida monástica en la ribera del Adriático a la pompa cardenalicia que conociera en Ostia. Flaco y descalzo mendigaba el alimento en cualquier posada, "pero hoy quieren los modernos pastores que los levanten y sostengan —¡tan pesados son!—, y que les lleven la cola. Cubren con sus mantos sus palafrenes, de modo que van dos bestias bajo una misma piel. ¡Oh divina paciencia, qué aguante tienes!" [129] El segundo, fundador del famoso monasterio de Monte Casino y padre del monaquismo occidental, no se queda atrás en la sátira: "Nuestra escala llega hasta la última esfera, mas nadie levanta los pies de la tierra para subir por ella; mi regla ya solo sirve para malgastar papel. Los muros que antaño fueron abadías trocáronse en cavernas y los hábitos monacales son sacos de harina mohosa... Todo lo que la Iglesia guarda pertenece a la gente que pide por Dios y no a los parientes o a otros más indignos. Pedro empezó sin oro ni plata y con ayuno y oraciones; Francisco su orden con humildad. Si miras los principios de cada uno y contemplas después adónde han ido a parar, verás que lo blanco se ha tornado negro". [130]

A partir del octavo cielo, el de las estrellas fijas, cambia de carácter la exploración del Paraíso: hasta aquí se había limitado a consideraciones morales y espirituales; en adelante se complacerá en escenas de intención netamente mística y doctrinal. En la constelación de Géminis —que había presidido su nacimiento y despertado, pensaba él, su genio— ya no entreve Dantes más almas de bienaventurados, pero asiste al triunfo de Cristo y a la apoteosis de María mediadora, astros máximos entre miríadas de estrellas. Con imágenes, en las que se reúnen los esplendores del cielo y de la tierra, traduce el poeta en términos de analogía el contenido de la fe cristiana, mientras su alma toma conciencia de sí misma y de sus propias certidumbres interiores y se confirma gozosa en aquella fe. En la vida de la gracia Dante da pruebas de un conocimiento inspirado cuando San Pedro, el portallaves, le interroga sobre la fe, o cuando Santiago, "el barón por quien se visita Galicia" [131] le pregunta sobre la esperanza o, en fin, cuando San Juan, "el que descansó sobre el pecho de nuestro Pelícano y fue elegido desde lo alto de la Cruz para una sublime misión", [132] le examina sobre la cari-

[129] *Par.* XXI, 127-135.
[130] *Par.* XXII, 68-93.
[131] *Par.* XXV, 17-18.
[132] *Par.* XXV, 112-114.

dad. Apenas el tribunal apostólico ha terminado el examen resuena en el cielo el *Sanctus, Sanctus, Sanctus* y aparece en visión el alma de Adán, primera raíz del género humano. Toda la historia de la creación, a través de las vicisitudes de la cambiante humanidad, se junta allí en el primer hombre, en quien tiene principio y fin. A continuación la poderosa voz de Pedro truena desde lo alto del Paraíso contra quien usurpa su lugar en la tierra, contra Bonifacio VIII y demás pontífices que olvidan su alto ministerio: "El que usurpa en la Tierra un lugar ha hecho de mi tumba cloaca de sangre y de podredumbre... No fue alimentada la Esposa de Cristo con mi sangre, la de Lino y la de Cleto para ser empleada en la adquisición de oro, sino para alcanzar esta vida feliz... No fue nuestra intención que una parte del pueblo cristiano se sentase a la diestra y la otra a la siniestra de nuestro sucesor, ni que las llaves que me fueron entregadas se convirtiesen en pendón de guerra contra los bautizados, ni que yo fuera imagen de sello en privilegios vendidos o mendaces, por los que con frecuencia me irrito y me avergüenzo. En traje de pastores se ven lobos rapaces desde aquí arriba por todos los prados. ¡Oh protección divina! ¿Por qué duermes? Los de Cahors y los de Gascuña se aprestan a beber de nuestra sangre. ¡Oh buen principio, a que vergonzoso fin debes ir a parar!" [133] Y termina anunciándole el socorro de la Divina Providencia, al par que le encomienda la misión de comunicar lo que ha oído.

En el noveno cielo o Primer Móvil, al que el impaciente deseo de cada una de sus partes de unirse al Empíreo, mansión de Dios, arrebata a la prodigiosa rotación que transmite a los cielos inferiores, aparecen a los ojos del poeta los nueve coros de los ángeles, girando en torno a un luminoso punto lejano, Dios, llama de amor y fuente de luz intelectual, de la cual desciende, junto con el movimiento de la vida y del tiempo, una eterna oleada de causalidad creadora que se refracta y prismatiza en las criaturas. Beatriz aprovecha la ocasión para exponer ampliamente la doctrina de la Iglesia sobre la creación, naturaleza y oficio de los ángeles.

Los nueve primeros cielos han sido recorridos el día 14 de abril, Jueves de Pascua. Al Empíreo llegan los felices viajeros fuera del tiempo y del espacio. Es la sede de la Corte celestial y se ofrece ante sus ojos como un río de luz entre floridas márgenes, un río del que emergen vivas centellas, que aletean por el cáliz de las flores y se hunden de nuevo en el "admirable abismo" de luz. Tangible manifestación de la bondad de Dios, aquel río de luz se revela luego a la contemplación de Dante como una cándida rosa, cuyos pétalos son cada uno el asiento de un alma bienaventurada, mientras una volante multitud de ángeles, descendiendo de la luz eterna a la flor y volviendo a subir hasta aquella, comunican a todas las almas el ardor de caridad y la paz. "La forma general del Paraíso había sido ya abarcada completamente por mi vista, que en ninguna parte se había fijado aún, cuando volvíme con nuevo ímpetu para preguntar a mi dama algunos puntos sobre los que mi mente permanecía dudosa".[134] Pero ésta había desaparecido. Bea-

---

[133] *Par.* XXVII, 22-60.
[134] *Par.* XXXI, 52-57.

triz, la Teología, la santa que le ha guiado de cielo en cielo y de perfección en perfección, le deja ahora para volver a su sitial de gloria "reflejando en sí los eternos rayos". La reemplaza el místico San Bernardo, el gran contemplador, cuya alada plegaria mariana impetra para Dante el goce de la visión de Dios. La Virgen mueve los ojos a la eterna Luz y por su intercesión el poeta, en el silencio de todas las criaturas y de todas las representaciones, obtiene la gracia de la visión suprema y goza de un conocimiento fruitivo de Dios. Su mirada penetra hasta el Supremo Ser, y distingue en él no solamente la unión de todas las Ideas, sino también la unidad de las tres Personas divinas. Iba a entrever incluso, iluminada su mente por un fulgor, la fusión de la naturaleza divina y la humana en la persona de Cristo, cuando a su alta fantasía le faltaron las fuerzas y desfalleció. Había acabado el éxtasis. Mas nada importaba, que ya su deseo y su querer giraban como rueda impulsada por el Amor, que mueve el sol y las demás estrellas. *L'Amor che muove il sole e l'altre stelle.*

LA OBRA DE DANTE

I. VITA NUOVA (V. N.)
(La Vida Nueva)
1292-1293

II. RIMAS
(Sonetos, baladas, canciones, sextinas)

III. IL CONVIVIO (Conv.)
(El Banquete)
1304-1307

IV. DE VULGARI ELOQUENTIA (De V. E.)
(De la Elocuencia en lengua vulgar)
1304-1307

V. MONARCHIA (Mon.)
(De la Monarquía Universal)
1310-1313

VI. EPISTOLAS
1305-1319

VII. EGLOGAS
1319-1321

VIII. QUAESTIO DE AQUA ET TERRA
1320

IX. LA DIVINA COMMEDIA (D. C.)
(La Divina Comedia)
1307-1321

BIBLIOGRAFIA SUMARIA

La simple enumeración de los libros que se han escrito en torno a Dante y su obra, y en particular sobre la *Divina Comedia*, ocuparía tantos volúmenes como los que llenan sus obras completas. Nos vamos a limitar, por tanto, a señalar aquellos que juzgamos de mayor interés y que son más asequibles.

AGNELLI G. *Topocronografia del viaggio dantesco*, Milán, 1891.

AMADUCCI P. *La fonte della D. C. scoperta e descritta*, Bolonia, Beltrami, 1911.

ANGELETTI A. *Sito, forma e dimensioni del Purgatorio dantesco* Palermo, 1906.

APOLLONIO M. *Dante. Storia della Commedia*, Milán, 1951.

ARIAS G. *Le Istituzioni giuridiche medievali nella D. C.*, Florencia, Lumachi, 1901.

ASÍN PALACIOS M. *La escatología musulmana en la D. C.*, Madrid, 1919.

AUERBACH E. *Dante als Dichter der irdischen Welt*, Berlín-Leipzig, 1929.

BARBAGALLO C. *Il Medioevo*, Turín, Utet, 1935.

BARBI M. *Problemi di critica dantesca*, Florencia, Sansoni, 1941.

———— *Dante*, Florencia, Sansoni, 1940.

———— *Con Dante e coi suoi interpreti*, Florencia, Le Monnier, 1941.

———— *Per il testo della D. C.*, Roma, 1891.

BARELLI V. *L'allegoria della D. C. di Dante Alighìeri*, Florencia, Cellini, 1864.

BARONE G. *Ancora sulla Gerusalemme celeste*, Roma, Loescher, 1911.

BARSANTI E. *I processi di Dante*, Florencia, Lumachi, 1908.

BARTARD Y. *Dante, Minerve et Apollon: le images dans la D. C.* París, 1952.

BASSERMANN A. *Dantes Spuren in Italien*, Heidelberg, 1897.

BATTAGLIA F. *Impero, chiesa e stati particolari nel pensiero di Dante*, Bolonia, 1944.

BERARDINELLI T. *Il concetto della D. C. di Dante Alighieri.* Florencia, 1923.

BERSANI S. *Dottrine, allegorie, simboli nella D. C.*, Plasencia, 1931.

BERTOLDI A. *Nostra maggior musa*, Florencia, 1921.

BETTI S. *Scritti danteschi*, Città di Castello, 1893.

BIAGI G. *La D. C. nella figurazione artistica e nel secolare commento*, Turín, 1924-39.

BINDONI G. *Indagini critiche sulla D. C.* Milán, Albrighi e Segati, 1918.

BLANC L. G. *Vocabulario dantesco*, Leipzig, 1852.

BREGLIA S. *Poesia e struttura nella D. C.* Génova, Orfini, 1934.

BUSELLI G. *L'etica nicomachea e l'ordinamento morale dell'Inferno di Dante*, Bolonia, Zanichelli, 1907.

————— *L'ordinamento morale del Purgatorio dantesco*, Roma, 1908.

————— *Il concetto e l'ordine del Paraiso Dantesco*, Città de Castello, Lapi, 1912.

————— *Cosmogonia e antropogenesi secondo Dante e le sue fonte*, Roma, 1922.

CAGGESE R. *Duecento-Trecento. Dal Concordato de Worms alla fine della prigionia di Avignone*, Turín, Utet, 1939.

CAPETTI V. *L'anima e l'arte di Dante*, Leghorn, Giusti, 1907.

CASELLA G. *Della forma allegorica e della principale allegorie della D. C.*, Florencia, Barbera, 1884.

CASINI T. *Scritti danteschi*, Città di Castello, Lapi, 1913.

CAVALLARI E. *La fortuna di Dante nel Trecento*, Florencia, 1921.

CAVEDONI C. *Raffronti tra gli autori biblici e sacri e la D. C.*, Città di Castello, Lapi, 1896.

CERULLI E. *Il "Libro della Scala" e la questione delle fonti arabo-spagnole della D. C.*, Città del Vaticano, 1949.

CESARI R. *Belleze della Commedia di Dante Alighieri*, Verona, 1826.

CHIMENZ S. A. *Lectura Dantis*, Roma. Signorelli. (En curso de publicàción.)

————— *Dante*, Milán, 1956.

CHISTONI P. *L'etica nicomachea nel Convivio*, Pisa, 1897.

————— *La seconda fase del pensiero dantesco*, Leghorn, Giusti, 1903.

CIPOLLA C. *Di alcuni luoghi autobiografici nella D. C.*, Turín, Clausen, 1893.

————— *Gli studi danteschi*, Verona, 1921.

COLAGROSSO F. *Gli uomini di corte nella D. C.*, Nápoles, Giannini, 1900.

COLI E. *Il Paradiso terrestre dantesco*, Florencia, Carnesecchi, 1897.

CORDIÉ S. *Dolce stil novo*, Milán, Bianchi Giovini, 1942.

COSMO U. *Con Dante attraverso il Seicento*, Bari, Laterza, 1946.

————— *Guida a Dante*, Turín, 1947.

————— *L'ultima ascesa*, Bari, Laterza, 1940.

CROCE B. *La poesia di Dante*, Bari, Laterza, 1943.

DA CARBONARA M. *Dante e Pier Lombardo*, Città di Castello, Lapi, 1897.

D'ANCONA A. *Scritti danteschi*, Florencia, Sansoni, 1912-13.

D'ENTREVES P. *Dante as a political thinker*, Oxford, 1952.

DAVIDSOHN R. *Geschichte von Florenz, Berlín*, 1896-1927.

————— *Forschungen zur Geschichte von Florenz*, Berlín, 1896-1908.

DEL LUNGO I. *Dell esilio di Dante*, Florencia, Le Monnier, 1891.

————— *Beatrice nella vita e nella poesia del secolo XIII*, Milán, Hoepli, 1891.

————— *La donna fiorentina del buon tempo antico*, Florencia, Bemporad, 1906.

————— *I Bianchi e i Neri*, Milán, Hoepli, 1921.

DE SANCTIS F. *Saggi danteschi*, Milán, 1951.

DE STEFANO A. *Federico II e le correnti spirituali del suo tempo*, Roma, 1922.

D'OVIDIO F.*Studi sulla D. C.*, Palermo, Sandrón, 1901.
———— *Ugolino, Pier de la Vigna, i Simoniaci e discussione varie*, Milán, Hoepli, 1907.
———— *Il Purgatorio e il suo preludio*, Milán, Hoepli, 1916.
———— *Nuovo volume di studii danteschi*, Caserta, 1926.
———— *L'ultimo volume dantesco*, Caserta, 1926.

ERCOLE F. *Dal Comune al Principato*, Florencia, Vallecchi, 1929.
———— *Il pensiero politico di Dante*. Milán, Alpes, 1927-28.

FAJANI A. *Dante e Verona*, Verona, Tip. Coop. 1921.
FALORSI G. *Le concordanze dantesche*, Florencia, 1920.
FARINELLI A. *Dante e la Francia*, Milán, Hoepli, 1908.
———— *Dante in Spagne, France, Inghilterra, Germania*, Turín, 1922.
FAY E. A. *Concordance of the Divine Comedy*, Boston and Londres, 1888.
FEDERZONI G. *Studi e diporti danteschi*, Bolonia, Zanichelli, 1902.
FELIX-FAURE L. *Les femmes dans l'œuvre de Dante*, París, Perrín, 1902.
FENAROLLI G. *Il veltro allegorico della D. C.*, Florencia, Cellini, 1891.
FERRAZZ, G. I. *Manual dantesco*, Bassano, 1865-77.
FERRETTI G. *I due tempi della composizione della D. C.*, Bari, Laterza, 1935.
FIGURELLI F. *Il dolce stil novo*, Nápoles, Ricciardi, 1933.
FILIPPINI F. *Dante scolaro e maestro*, Génova, Olschki, 1929.
FILOMUSI GUELFI L. *Studii su Dante*, Città Castello, Lapi, 1908.
———— *Nuovi studii su Dante*, Città Castello, Lapi, 1911.
———— *Novissimi studii su Dante*, Città Castello, Lapi, 1912.
FLAMINI S. *I significati della Commedia di Dante e il suo significato supremo*, Leghorn, Giusti, 1916.
———— *Avviamento allo studio della D. C.*, Leghorn, Guisti, 1921.
FORNACIARI R. *Studi su Dante*, Florencia, 1900.
FORNARI V. *Dante e il suo secolo*, Florencia, Cellini, 1865.
FRIEDRICH W. P. *Dante's fame abroad*, Roma, 1950.

GABRIELI G. *In torno alle fonti orientali della D. C.*, Roma, Poliglotta, 1919.
GALLAVATI-SCOTTI. *Vita di Dante*, Milán, 1939.
GARDNER E. G. *Dante and the Mystics*, Londres, Dent, 1917.
GARLANDA F. *Il verso di Dante*, Roma, Societá editrice laziale, 1907.
GETTO G. *Aspetti della poesia di Dante*, Florencia, 1947.
GILLET L. *Dante et l'Italia*, París, 1941.
GILSON E. *Dante et la philosophie*, París, 1939.
GINORI CONTI P. *Vita e opere di Pietro di Dante Alighieri*, Florencia, Fondazione Ginori, 1939.
GIUFFRÈ L. *Nuovi studii danteschi*, Palermo, 1940.
GORRA E. *Il soggettivismo di Dante*, Bolonia, Zanichelli, 1899.
GRAFF C. *Miti, leggende e superstizioni del Medio Evo*, Turín, Loescher, 1892.
GRAUERT R. *Dante und die Idee des Weltfriedens*, Munich, 1909.

GUARDINI R. *Der Engel in Dantes göttlicher Komödie*, Munich, Kösel, 1951.

HAUVETTE H. *Etudes sur la Divine Comédie*, París, Champion, 1922.
————— *Dante. Introduction a l'etude de la D. C.*, París, Hachette, 1912.
————— *La France et la Provence dans l'œuvre de Dante*, París, 1929.

KLACZKO J *Causeries florentines*, París, Plon, 1880.
KRAUSS F. X. *Dante, sein Leben, sein Werk, seine Verhältnisse zur Kunst und zur Politik*, Berlín, 1897.
KOCKEN E. J. *Ter Dateering van Dantes Monarchia*, Nimega-Utrecht, 1927.

LANZANI F. *La Monarchia di Dante, studi storici*, Milán, 1864.
LA PIANA A. *Dante's American Pilgrimage*, New Haven, 1948.
LAURENZI F. *Ermetica e ermeneutica dantesca*, Città di Castello, 1931.
LEIGH G. *The passing of Beatrice. A study in the heterodoxy of Dante*, Londres, 1933.
LEYNARDI L. *La psicologia dell' arte nella D. C.*, Turín, Loescher, 1894.
LIVI S. *Dante, suoi primi cultori, sua gente in Bologna*, Bolonia, Coppelli, 1918.
LUISO R. *Dante*, Milán, Treves, 1921.

MAGGINI F. *Dalle "Rime" alla lirica del "Paradiso" dantesco*, Florencia, 1938.
MALAGOLI C. *Linguaggio e poesia nella D. C.*, Génova, 1949.
————— ' *Storia della poesia nella D. C.*, Génova, 1950.
MAMBELLI G. *Gli annali delle edizioni dantesche*, Bolonia, Zanichelli, 1931.
MANDONNET P. *Dante le theologien*, París, desclée de Brower, 1935.
MARCHETTI G. *Della prima e principale allegoria del poema di Dante*, Bolonia, 1918.
MARIGO A. *Cistica e scienza nella Vita Nuova di Dante*, Padua, Drucker, 1914.
MARIOTTI F. *Dante e la statistica delle lingue*, Florencia, Barbera, 1880.
MAZZONI G. *Almae luces malae cruces*, Bolonia, 1941.
MESTICA E. *La psicologie nella D. C.*, Florencia, 1893.
MONTICELLI G. *Vita religiosa italiana nel secolo XIII*, Turín, Bocca, 1932.
MOORE E. *Studies in Dante*, Oxford, Clarendon Press, 1889.
————— *Dante and his early biographers*, Londres, Rivington, 1890.
————— *Contributions to the Textual Criticism of the D. C.*, Cambridge, 1891.
MURADI R. *Dante e Boezio*, Bolonia, Zanichelli, 1905.

NARDI B. *Dante e la cultura medievale*, Bari, Laterza, 1942.
————— *Saggi di filosofia dantesca*, Milán, Societá Dante Alighieri, 1930.
————— *Nel mondo di Dante*, Roma, 1944.
NORWAY A. H. *The Divine Commedy. Its essential significance*. Londres, 1931.
NOVATI F. *Con Dante e per Dante*, Milán, Hoepli, 1898.

OLIVERO F. *La rappresentazione dell'immagine in Dante*, Turín, Lattes, 1936.

OZANAM F. *Dante et la philosophie catholique*, París, 1839.

PALGEN R. *Werden und Wesen der Komödie Dantes*, Graz, 1955.

PALMAROCCHI R. *Cronisti del Trecento*, Milán, Rizzoli, 1935.

PARODI G. *Poesia e storia nella D. C.*, Nápoles, Perella, 1921.

PASCAL C. *Le credenze d'oltre tomba*, Turín, Paravia, 1924.

PASCOLI G. *Minerva oscura*, Lehorn, Giusti, 1898.

———— *Soto il velame*, Mesina, Unglia, 1900.

PASSERINI G. L. *Le vite di Dante scritte da G. e F. Villani, da G. Boccaccio, L. Aretino e G. Manetti*, Florencia, Sansoni, 1918.

———— *La vita di Dante*, Florencia, 1929.

PEDRAZZINI C. *Le peregrinazioni di Dante*, Turín, 1938.

PÉREZ P. *I sette cerchi del Purgatorio di Dante*, Milán, 1896.

PERRENS F. T. *Histoire de Florence*, París, 1877-80.

PEZARD A. *Dante sous la pluie de feu*, París, 1950.

PIATTOLI R. *Codice diplomatico dantesco*, Florencia, 1950.

PIETROBONO J. *Il Poema sacro*, Bolonia, Zanichelli, 1915.

———— *Dal centro al cerchio, e dal cerchio al centro*, Turín, S. E. I., 1923.

POMPEATI A. *Dante*, Venecia, La Nuova Italia, 1928.

PORENA M. *Delle manifestazioni plastiche del sentimenti nei personaggi della D. C.*, Milán, Hoepli, 1902.

PROTO E. *L'apocalissi nella D. C.*, Nápoes, Pierro, 1905.

———— *Dante e i poeti latini*, Florencia, 1910.

RAJNA P. *La vita italiana nel Trecento*, Milán, Treves, 1902.

———— *Le opere minori di Dante*, Florencia, Sansoni, 1906.

READE W. H. V. *The moral System of Dante's Inferno*, Oxford, Clarendon Press, 1909.

RENAUDET A. *Dante humaniste*, París, 1952.

RENUCCI P. *Dante disciple et juge du monde greco-latin*, París, 1954.

REVELLI P. *L'Italia nella D. C.*, Milán, 1923.

RICCI C. *L'ultimo rifuggio di Dante*, Milán, Hoepli, 1921.

———— *Ore ed ombre dantesche*, Florencia, Le Monnier, 1921.

RIZZO T. L. *Allegoria, allegorismo e poesia nella D. C.* Milán, 1941.

ROCCA L. *Di alcuni commenti della D. C. compositi nei primi venti anni dopo la morte di Dante*, Florencia, Sansoni, 1891.

ROSSI V. *Saggi e discorsi su Dante*, Florencia, 1930.

RUSSO L. *Studi sul due e Trecento*, Roma, Edizioni italiane, 1946.

———— *Ritratti e disegni storci*, Bari, 1951.

SALVADORI G. *Sulla vita giovanile di Dante*, Roma, Societá Dante Alighieri, 1906.

———— *La mirabile visione di Dante nel Paradiso terrestre*, Turín, Società Editrice Internazionale, 1915.

SALVATORELLI L. *L'Italia comunale dal secolo XI alla metá del secolo XIV*, Milán, Mondadori, 1940.

SANNIA E. *Il comico, l'umorismo e la satira nella D. C.*, Milán, Hoepli, 1909.

SANTANGELO L. *Dante e i trovatori provenzali*, Catania, Giannotta, 1921.
SANTI G. *L'ordinamento morale e l'allegoria della D. C.*, Palermo, Sandrón, 1923.
SCARTAZZINI G. A. *Enciclopedia dantesca*, Milán, Hoepli, 1896-99.
————— *Prolegomeni della D. C.*, Leipzig, Brockhaus, 1890.
————— *Dantologia*, Milán, Hoepli, 1906.
SCHEFFER-BOICHORST. *Aus Dantes Verbannung*. Estrasburgo, 1882.
SCHELDON E. S. y WHITE A. G. *Concordanza delle opere italiane in prosa e dal canzoniere di Dante*, Oxford, 1905.
SCHNEIDER F. *Kaiser Heinrich VII*, Leipzig, 1924-28.
SCHERILLO M. *Alcuni capitoli della biografia di Dante*, Turín, Loescher, 1896.
————— *Arte, Scienza e Fede ai giorni di Dante*, Milán, Hoepli, 1901.
SCIUTO S. *La D. C. di Dante. Esposizione critico-esegetica*, Turín, 1931.
SCOLARI A. *Il Messia dantesco*, Bolonia, Zanichelli, 1913.
SCROCCA A. *Il peccato di Dante*, Roma, Loescher, 1900.
————— *Il sistema dantesco dei cieli e le loro influenze*, Nápoles, 1895.
SHAW T. *Essays on the Vita Nuova*, Princeton, 1930.
SINGLETON CH. S. *An Essay on the Vita Nuova*, Harvard, University Press, 1949.
STOPANI J. *Il sentimento della natura e la D. C.*, Milán, Bernardoni, 1865.

TAROZZI G. *Teologia dantesca studiata nel Paradiso*, Leghorn, Giusti, 1906.
TODESCHINI L. *Scritti su Dante*, Vincenza, Buratto, 1872.
TORRACA F. *Nuovi studi danteschi*, Nápoles, Federico e Ardia, 1921.
————— *Il regno di Sicilia nelle opere di Dante*, Palermo, 1900.
————— *Di un commento nuovo alla D. C.*, Bolonia, Zanichelli, 1899.
TOYNBEE P. *A Dictionary of Proper Names and Notable Matters in the Works of Dante*, Oxford, Clarendon Press, 1899.
————— *Dante Studies and Researches*, Londres, Methuen, 1902.
————— *Dante Studies*, Oxford, Clarendon Press, 1921.
TRENTA C. *L'esilio di Dante nella D. C.*, Pisa, 1892.

USSANI V. *Dante e Lucano*, Florencia, Sansoni, 1917.

VALENSIN A. *Le christianisme de Dante*, París, 1954.
VALLI L. *Il linguaggio segreto di Dante e dei "Fedeli d'Amore"*, Roma, 1928.
VALLONE A. *La critica dantesca contemporanea*, Pisa, 1953.
VANDELLI G. G. *Boccaccio editore di Dante*, Florencia, Ariani, 1923.
VENTURI L. *Le similitudini dantesche ordinate e ilustrate e confrontate*, Florencia, Sansoni, 1874.
VERNON W. W. *Readings on the Purgatorio of Dante*, Londres, 1907.
VETTERLI W. *Die ästhetische Deutung und das Problem der Einheit der Göttlichen Komödie in der neueren Literaturgeschichte*, Estrasburgo, Heitz, 1935.
VILLARI P. *Antiche leggende e tradizioni che illustrano la D. C.*, Pisa, Nistri, 1865.
————— *I primi due secoli della storia di Firenze*, Florencia, Sansoni, 1905.

VOLPE G. *Movimenti religiosi e sette ereticali nella societá medievale ita-
liana*, Florencia, Vallecchi, 1926.
VOSSLER K. *La D. C. studiata nelle sua genesi e interpretata*, Bari, Laterza,
1927.
WICKSTEED P. H. *Dante und Aquinas*, Londres, 1913.
WITTE S. *Dante Alighieris lyrische Gedichte*, Leipzig, 1827.

ZABUGHIN W. *L'oltre tomba classico medievale dantesco nel Rinascimento*,
Florencia, Olschki, 1922.
ZENATTI O. *Dante e Firenze*, Florencia, Sansoni, 1903.
ZINGARELLI N. *La vita, i tempi e le opere di Dante*, Milán, Vallardi, 1931.

A estas producciones de carácter monográfico convendrá añadir algunas obras más generales, cuya consulta resulta imprescindible a todo aquel
que quiera adentrarse un poco más en el conocimiento de Dante y su
mundo. G. A. Scartazzini, *Enciclopedia dantesca; dizionario critico e ra-
gionato di quanto concerne la vita e le opere di Dante Alighieri*, Milán,
Hoepli, 1896-9, dos volúmenes, a los que añadió un tercero A. Fiammazzo,
Vocabolario concordanza delle opere latine e italiane, Milán, Hoepli, 1905.
G. Poletto, *Dizionario dantesco di quanto si contiene nelle opere di Dante
Alighieri con richiami alla Somma teologica di San Tommaso, con l'illus-
trazione dei nomi propri e delle questioni più controverse*, Siena, 1885-92,
7 vols. P. Toynbee, *A Dictionary of Proper Names and Notable Matters in
the Works of Dante*, Oxford, Clarendon Press, 1898. M. Casella, *Indice
analitico dei nomi e delle cose*, Florencia, Bemporad, 1921. C. de Batines,
*Bibliografía dantesca, ossia catalogo delle edizioni, traduzioni, codici, ma-
noscritti e commenti della Divina Commedia e delle Opere minori di Dante,
seguito dalla serie dei biografi di lui*, Prato, 1845-6, 3 vols. A. Bacchi della
Lega, *Indice generale della bibliografia dantesca compilata dal visconte C.
de Batines*, Bolonia, 1883. G. Biagi, *Giunte e correzioni inedite alla bibio-
grafia dantesca del visconte C. de Batines*, Florencia, 1888. G. I. Ferrazzi,
Manuale dantesco, Bassano, 1865-77. A. Agresti, *Monografie dantesche edi-
te dal 1877 al 1901*, Nápoles, 1902. G. L. Passerini y C. Mazzi, *Un decen-
nio di bibliografia dantesca (1891-1900)*, Milán, 1905. L. Perroni-Grande,
Saggio di bibliografia dantesca, Mesina, 1910, 3 vols. N. D. Evola, *Bibliografia dantesca, (1920-1930)*, Florencia, Olschki, 1932. A. Vallone, *Gli
studi danteschi dal 1940 al 1949*, Florencia, 1950. G. Mambelli, *Gli annali
delle edizioni dantesche*, Bolonia, Zanichelli, 1931.

No son escasas las publicaciones periódicas especializadas en los estudios dantescos, Italia ha visto aparecer algunas tan notables como *L'Alighieri*, editado por F. Pasqualigo en Verona y en Venecia, 1889-93; *Il Giornale
dantesco, publicado* por G. L. Passerini en Florencia, 1893-1915; el *Bullettino della Societá Dantesca Italiana*, Florencia, 1890-1921; *Il nuovo Giornale dantesco*, Florencia y Milán, 1917-1921. El *Bullettino* ha sido conti-
nuado por *Studi danteschi*, que comenzó a publicarse en 1921 bajo la dirección del eminente dantólogo italiano Miguel Barbi.

Pero la más antigua revista sobre temas de Dante no fue italiana sino
alemana: *Jahrbuch der deutschen Dante-Gesellschaft*, que vio la luz en
Leipzig de 1867 a 1877. Volvió a ser resucitada de 1920 a 1925 por Hugo

Daffner con el título de *Deutscher Dante-Jahrbuch* y nuevamente en 1928 en Weimar por Federico Schneider. Estados Unidos tuvo una excelente por más de cuarenta años: *Annual Report o the Dante Society,* Cambridge, Mass., 1883-1926, y Francia ofrece desde 1947 la publicación anual *Travaux de la Société d'Etudes Dantesques du Centre Universitaire Mediterranéen.*

La edición más aceptable, en conjunto, de las obras completas de Dante sigue siendo todavía la aparecida en 1921 por iniciativa de la *Societá Dantesca Italiana,* en la que intervinieron M. Barbi, E. G. Parodi, F. Pellegrini, E. Pistelli, P. Rajna, E. Rostagno y G. Vandelli. A partir de entonces ha sido depurado sensiblemente el texto de algunas obras.

De la *Divina Comedia* existen numerosas ediciones modernas abundantemente anotadas; señalaremos, entre las más recomendables, la de G. Vandelli, que su autor se esforzó en ir mejorando, Milán, Hoepli, 9ª ed., 1932; la de T. Casini, puesta al día por S. A. Barbi, Florencia, Sansoni; la de Grabher, Mesina, Principado; la de A. Momigliano, Florencia, Sansoni, provista de un valioso comentario de índole estética. Y hay no pocos que a todas prefieren aún la del inglés E. Moore, Oxford, 1894, cuyo texto fue establecido después del cotejo parcial de 256 manuscritos.

A no menos de cincuenta idiomas ha sido traducida ya la *Divina Comedia* y a algunos muchas veces. En Francia, por ejemplo, se ha publicado en lo que va del siglo una veintena de traducciones diferentes. La primera versión castellana de que se tiene noticia —al catalán se tradujo antes, aunque no se publicó— fue la de don Enrique de Villena. Su pérdida no es muy de lamentar si la versión era tan hinchada y retorcida como la que el mismo autor hiciera de la *Eneida.* El arcediano Pedro Fernández de Villegas tradujo el *Infierno* y lo publicó en Burgos, 1515. Las traducciones modernas españolas más divulgadas siguen siendo las de Manuel Aranda (Barcelona, 1868) y Cayetano Rosell (Barcelona, 1870), en prosa, y las de Juan de la Pezuela, Conde de Cheste (Madrid, 1879) y Bartolomé Mitre (Buenos Aires, 1894), en verso. Recientemente ha aparecido una nueva versión en prosa por Nicolás González Ruiz, incluida en las *Obras Completas de Dante Alighieri,* publicadas por la Biblioteca de Autores Cristianos, Madrid, 1956.

CUADRO CRONOLOGICO

1250. Muerte de Federico II. San Luis, rey de Francia, es derrotado y hecho prisionero en Egipto.

1252. Muere San Fernando, rey de Castilla, y le sucede su hijo Alfonso X, el Sabio.

1254. Regresa a Francia San Luis después del fracaso de la Séptima Cruzada. Con la muerte de Conrado IV termina en Alemania la dinastía de los Hohenstaufen.

1255. Se constituye la Liga Hanseática germana.

1261. Hace su entrada en Constantinopla Miguel Paleólogo, emperador griego de Nicea.

1265. Nace Dante a fines de mayo. Aparece el *Libro del Tesoro* de Brunetto Latini. Gonzalo de Berceo escribe la *Vida de Santa Oria*. Comienza Santo Tomás la *Suma Teológica*. Restablécese en Inglaterra la autoridad real al ser derrotado y muerto Simón de Montfort en Evesham.

1266. Manfredo, el hijo bastardo de Federico II, es derrotado por Carlos de Anjou, hermano de San Luis. Carlos de Anjou es coronado rey de Nápoles y Sicilia. Rogerio Bacon envía su *Opus Maius* al papa Clemente IV.

1268. Es muerto en Nápoles Conradino, el último de los Hohenstaufen. *Libro de los Oficios*, de Boileau.

1270. Octava Cruzada. Muere San Luis ante los muros de Túnez el 25 de agosto. Primera condena de Siger de Brabante y del averroísmo.

1271. Confederación en favor de la candidatura de Alfonso X, el Sabio, al Imperio. Gregorio X, pontífice.

1272. Fallece Enrique III de Inglaterra y le suecede su hijo Eduardo I. Inocencio V.

1273. Coronación de Rodolfo de Habsburgo, emperador de Alemania y rey de los romanos. Primera parte de la *Crónica General de España*.

1274. Dante encuentra a Beatriz por vez primera. Fallecen San Buenaventura y Santo Tomás de Aquino. II Concilio de Lyon. Unión de las Iglesias de Oriente y de Occidente. Los mogoles contra el Japón.

1276. Juan XXI. Aparece la segunda parte del *Roman de la Rose* de Jean de Meung. Nace Giotto.

1277. Nicolás III. El obispo de París, Tempier, condena tesis tomistas y averroístas.

1278. Rodolfo de Habsburgo bate a Ottokar de Bohemia. Construcción de la Iglesia de Santa María la Novella en Florencia.

1279. Don Denis I, rey de Portugal. Fin de los Song; China entera reunida bajo los mogoles.

1280. Proyectos de Carlos de Anjou sobre el Imperio de Oriente. Muere San Alberto Magno. Reconciliación entre los partidos florentinos: paz del cardenal Latino.

1281. Los mogoles en Tonkin, pero fracasan en el Japón. Son también derrotados en Siria por el sultán de Egipto. Martín V, papa.

1282. Vísperas Sicilianas. Pedro III de Aragón apoya a los sicilianos contra Carlos de Anjou. Andrónico II Paleólogo reanuda el Cisma de Oriente. Nace D. Juan Manuel.

1283. Nuevo encuentro de Dante con Beatriz. *Blanquerna* de Raimundo Lulio.

1284. Mueren Alfonso X, el Sabio, y Siger de Brabante. Conquista del país de Gales por Eduardo I.

1285. El sultán de Egipto ocupa Trípoli. Mueren Carlos de Anjou y Felipe III. Felipe IV, el Hermoso, rey de Francia.

1287. Los mogoles en Birmania. Muere Honorio IV.

1288. Nicolás IV. Muerte del conde Ugolino.

1289. Dante toma parte en importantes operaciones contra Arezzo. Batalla de Campaldino.

1290. Eduardo I, rey de Escocia. Se hace bautizar el Kan de Persia. Nace Taulero. Muerte de Beatriz.

1291. Pérdida de San Juan de Acre, última posesión cristiana en Siria. Alianza de los tres primeros cantones suizos. Nace Can Grande de la Escala.

1292. Marco Polo conduce a una princesa mogol de China a Persia. Adolfo de Nassau emperador. Fallecen Nicolás IV y Rogerio Bacon.

1293. Nace Juan Ruysbroek. Muere Brunetto Latini. Los mogoles fracasan contra Java.

1294. Breve pontificado de Celestino V. Bonifacio VIII. Muerte de Guittón de Arezo.

1295. Nace Enrique Susón. Gazán, Kan de Persia. Tratado de Anagni entre los angevinos y los aragoneses. Dante forma parte del Consejo especial del pueblo.

1296. Comienza el conflicto entre Felipe IV y Bonifacio VIII: bula *Clericis laicos*. Santa María de las Flores en Florencia. Dante en el Consejo de los Ciento.

1297. Manifiesto de los Espirituales y Jacopone de Todi contra Bonifacio VIII. Canonización de Luis IX.

1298. Dicta Marco Polo el libro de sus viajes en francés. Eduardo I derrota a los escoceses en Falkirk. Muere Jacobo de la Vorágine.

1299. Se inicia la dinastía turca de los osmanlíes con Osmán I.

1300. Año del gran Jubileo, que lleva a Roma dos millones de romeros. Nace el geógrafo inglés Juan de Mandávila, autor del *Libro de las Maravillas del mundo*. Mueren Cimabue y Guido Cavalcanti.

1301. Dante forma parte de una embajada ante Bonifacio VIII. Fundación de las Universidades de Coimbra y de Lérida. Nuevo conflicto entre el papa y el rey de Francia: bula *Ausculta, fili*.

1302. Dante es confinado por dos años y condenado más tarde a la pena de muerte. Los güelfos negros se adueñan del poder en Florencia. Expedición de catalanes y aragoneses a Oriente comandada por Roger de Flor. Muere Gertrudis la Magna. Bula *Unam Sanctam*.

1303. Dante en Forli como secretario de Scarpetta Ordelaffi y como embajador en Verona ante los Escalígero. Atentado de Anagni. Muerte de Bonifacio VIII.

1304. Benedicto XI absuelve a Felipe el Hermoso. Nacimiento de Petrarca.

1305. Clemente V. Pinta Giotto los frescos de la iglesia de Santa María de Padua.

1306. Dante trabaja en el *De vulgari eloquentia* y en el *Convivio*. Unificación de Polonia por Ladislao el Breve. Expulsión de los judíos de Francia. Muerte de Jacopone de Todi.

1307. Dante huésped de los Malaspina. El Maestro Eckhart provincial de Sajonia y vicario general en Bohemia. Muere en Escocia Eduardo I.

1308. Muere asesinado Alberto de Austria y es proclamado Enrique VII rey de los romanos. Fallece en Colonia Duns Scoto.

1309. Clemente V se establece en Aviñón: comienza la "Cautividad de Babilonia". *Vida de San Luis* de Joinville.

1310. Enrique VII en Italia. Los Hospitalarios en Rodas. Se construye el palacio de los Dux en Venecia. Nace en Cuenca Gil Alvarez de Albornoz.

1311. Decimoquinto Concilio ecuménico en Vienne. Supresión de los Templarios.

1312. Enrique VII recibe la corona imperial en Roma. Alfonso XI sucede en Castilla a Fernando IV.

1313. Nace Boccaccio. Muere Enrique VII en Buonconvento, cerca de Siena. Dante se refugia en Ravena.

1314. Mueren Clemente V y Felipe el Hermoso. Luis de Baviera se enfrenta a Federico de Austria. Es laureado en Bolonia Cino de Pistoya. El médico inglés Juan de Gaddesden publica su *Rosa Anglica*.

1315. Derrotan los suizos a Leopoldo de Austria. Muere Raimundo Lulio. Es coronado poeta en Padua Albertino Mussato.

1316. Es elegido papa Juan XXII. Gediminio, gran príncipe de Lituania. Muere Joinville.

1317. Los reyes de Dinamarca, Noruega y Suecia contra Stralsund, defendida por los reyes de Polonia y de Hungría. Guerra general en el Báltico.

1318. División de Djagatai en Turquestán oriente y Turquestán occidental.

1320. El principado de Moscú toma la preponderancia en Rusia, con el apoyo del Kan tártaro de la Horda de Oro. Dante sostiene en Verona una discusión pública.

1321. Muerte de Dante, a su regreso de un viaje a Venecia como embajador. Muere doña María de Molina.

1322. Federico es definitivamente derrotado en Muhldorff; Luis V, rey de Romanos.

1323. Mueren Dino Compagni, autor de la *Crónica Florentina* y Marco Polo. Canonización de Santo Tomás de Aquino. Los moscovitas contra los suecos en Finlandia.

1324. El *Defensor pacis* de Marsilio de Padua. Excomunión de Luis el Bávaro. Los aragoneses en Cerdeña.

1325. Los aztecas fundan Tenochtitlán.

1327. Eduardo III rey de Inglaterra. Buridán, rector de la Universidad de París.

1328. Coronación imperial de Luis el Bávaro y proclamación del antipapa Nicolás V. Extinción de la dinastía de los Capetos en Francia.

1330. Primeras invasiones turcas en Europa.

LA DIVINA COMEDIA

INFIERNO

CANTO PRIMERO

A LA MITAD del viaje de nuestra vida [1] me encontré en una selva obscura,[2] por haberme apartado del camino recto. ¡Ah! Cuán penoso me sería decir lo salvaje, áspera y espesa que era esta selva, cuyo recuerdo renueva mi pavor, pavor tan amargo, que la muerte no lo es tanto. Pero antes de hablar del bien que allí encontré, revelaré las demás cosas que he visto. No sé decir fijamente cómo entré allí; tan adormecido estaba cuando abandoné el verdadero camino. Pero al llegar al pie de una cuesta, donde terminaba el valle que me había llenado de miedo el corazón, miré hacia arriba, y vi su cima revestida ya de los rayos del planeta que nos guía con seguridad por todos los senderos. Entonces se calmó algún tanto el miedo que había permanecido en el lago de mi corazón durante la noche que pasé con tanta angustia; y del mismo modo que aquel que, saliendo anhelante fuera del piélago, al llegar a la playa, se vuelve hacia las ondas peligrosas y las contempla, así mi espíritu, fugitivo aún, se volvió hacia atrás para mirar el lugar de que no salió nunca nadie vivo. Después de haber dado algún reposo a mi fatigado cuerpo, continué subiendo por la solitaria playa, procurando afirmar siempre aquel de mis pies que estuviera más abajo. Al principio de la cuesta, aparecióseme una pantera ágil, de rápidos movimientos y cubierta de manchada piel. No se separaba de mi vista, sino que interceptaba de tal modo mi camino, que me volví muchas veces para retroceder. Era a tiempo que apuntaba el día, y el sol subía rodeado de aquellas estrellas que estaban con él cuando el amor divino imprimió el primer movimiento a todas las cosas bellas.[3] Hora y estación tan dulces me daban motivo para augurar bien de aquella fiera de pintada piel. Pero no tanto que no me infundiera terror el aspecto de un león que a su vez se me apareció: figuróseme que venía contra mí, con la cabeza alta y con un hambre tan rabiosa, que hasta el aire parecía temerle. Siguió a éste una loba que, en medio de su demacración, parecía cargada de deseos; loba que ha obligado a vivir miserable a mucha gente. El fuego que despedían sus ojos me causó tal turbación, que perdí la esperanza de llegar a la cima. Y así como el que gustoso atesora, se entristece y llora con todos sus pensamientos cuando llega el momento en que sufre una pérdida, así me hizo padecer aquella inquieta fiera, que, viniendo a mi encuentro, poco a poco me repelía hacia donde el sol se calla. Mientras yo retrocedía hacia

---

[1] Cuando Dante tenía treinta y cinco años. "Nuestra vida se desarrolla a manera de arco, ascendiendo y descendiendo... Resulta difícil saber cuál es el punto más elevado de este arco, pero creo que en la mayoría de los casos está situado entre los treinta y los cuarenta años, y opino que en los que poseen una naturaleza perfecta reside en los treinta y cinco años." Así se expresa en el *Convivio* IV, 23, el propio Dante quien, nacido en 1265, cumplía su 35º aniversario en 1300, precisamente el año del célebre Jubileo ordenado por Bonifacio VIII, y al cual se refiere en el Canto XVIII del *Infierno*.

[2] Aunque algunos han pensado que esta selva obscura simboliza la vida miserable de Dante, privado en el destierro hasta de lo más necesario, y otros los desórdenes morales y políticos de Italia en general y de Florencia en particular, pensamos que se refiere más bien a la propia vida equivocada y disoluta de su juventud. Sobre todo, teniendo en cuenta que el mismo poeta habla en el *Convivio* IV, 24 de "la selva de errores de esta vida" y en el *Purgatorio* XXIII de la suya propia como de una vida pecadora.

[3] Era una creencia medieval que el mundo había creado en primavera, con el sol en Aries, el mismo día de la encarnación y de la muerte de Cristo.

3

el valle, se presentó a mi vista uno, que por su prolongado silencio parecía mudo. Cuando le vi en aquel gran desierto:

—Piedad de mí —le grité— quienquiera que seas, sombra u hombre verdadero.

Respondióme:

No soy ya hombre, pero lo he sido; mis padres fueron lombardos y ambos tuvieron a Mantua por patria. Nací "sub Julio", aunque algo tarde,[4] y vi a Roma bajo el mando del buen Augusto en tiempos de los dioses falsos y engañosos. Poeta fui, y canté a aquel justo hijo de Anquises, que volvió de Troya después del incendio de la soberbia Ilión. Pero, ¿por qué te entregas de nuevo a tu aflicción? ¿Por qué no asciendes al delicioso monte, que es causa y principio de todo goce?

—¡Oh! ¿Eres tú aquel Virgilio, aquella fuente que derrama tan ancho raudal de elocuencia? —le respondí ruboroso—. ¡Ah!, ¡honor y antorcha de los demás poetas! Válganme para contigo el prolongado estudio y el grande amor con que he leído y meditado tu obra. Tú eres mi maestro y mi autor predilecto; tú solo eres aquél de quien he imitado el bello estilo que me ha dado tanto honor. Mira esa fiera debido a la cual retrocedía; líbrame de ella, famoso sabio,[5] porque a su aspecto se estremecen mis venas y late con precipitación mi pulso.

—Te conviene seguir otra ruta —respondió al verme llorar—, si quieres huir de este sitio salvaje; porque esa fiera que te hace prorrumpir en tales lamentaciones no deja pasar a nadie por su camino, sino que se opone a ello matando al que a tanto se atreve. Su instinto es tan malvado y cruel, que nunca ve satisfechos sus ambiciosos deseos, y después de comer tiene más hambre que antes. Muchos son los animales a quienes se une, y serán aun muchos más hasta que venga el Mastín [6] y la haga morir entre dolores. Este no se alimentará de tierra ni de peltre, sino de sabiduría, de amor y de virtud, y su patria estará entre Feltro y Feltro. Será la salvación de esta humilde Italia, por quien murieron de sus heridas la virgen Camila, Euríalo y Turno y Niso.[7] Perseguirá a la loba de ciudad en ciudad hasta que la haya arrojado en el infierno, de donde en otro tiempo la hizo salir la envidia. Ahora, por tu bien, pienso y veo claramente que debes seguirme: yo seré tu guía, y te sacaré de aquí para llevarte a un lugar eterno, donde oirás aullidos desesperados; verás los espíritus dolientes de los antiguos condenados, que llaman a gritos a la segunda muerte; verás también a los que están contentos entre las llamas, porque esperan, cuando llegue la ocasión, tener un puesto entre los bienaventurados. Si quieres, en seguida, subir hasta ellos, te acompañará en este viaje un alma más digna que yo,[8] te dejaré con ella cuando yo parta; pues el Emperador que reina en las alturas no quiere que por mediación mía se entre en su ciudad, porque fui rebelde a su ley. Él impera en todas partes y reina arriba; arriba

[4] En tiempo de Julio César. Virgilio nació el 70 a. C., cuando César tenía 31 años. Fue asesinado el 44 a. C., cuando el poeta latino apenas tenía 26.
[5] Sabios llama Dante a los poetas dignos de particular consideración como Virgilio, Estacio, Homero, Horacio, Ovidio y Lucano. Y conviene advertir aquí que el vate mantuano disfrutaba en la Edad Media, por obra, sobre todo, de su IV *Egloga* y del Canto VI de la *Eneida*, de no menor fama como profeta y adivino que como poeta. Tal fuer haya sido esa una de las principales razones por las que Dante le escogiera para guía en el otro mundo.
[6] El mastín —y no lebrel, como suele traducirse de ordinario la palabra *Veltro*— simbolizaría a un importante personaje del siglo XIV, de quien Dante esperaba la salvación de Italia: Con Grande della Scala, Castruccio Castracani, Enrique de Luxemburgo..., sobre todo si se quiere ver en la loba el símbolo de la sociedad corrompida de su tiempo. Que si no se reconoce en ella más que la alegoría moral de la incontinencia, no tenía por qué pensar el poeta en el emperador ni en ningún otro caudillo, sino simple y sencillamente en Jesucristo, como Redentor de la humanidad pecadora.
[7] Camila, hija de Metabo, rey de los volscos, murió combatiendo contra los troyanos de Eneas; Turno, rey de los rútulos fue muerto por Eneas; Euríalo y Niso, dos jóvenes troyanos que cayeron en combate ante los volscos. Son héroes de los últimos cantos de la *Eneida*.
[8] Beatriz.

está su ciudad y su alto solio: ¡Oh! ¡Feliz el elegido para su reino!

Y yo le contesté:

—Poeta, te requiero por ese Dios a quien no has conocido, que me hagas huir de este mal y de otro peor; condúceme adonde has dicho, para que yo vea la puerta de San Pedro y a los que, según dices, están tan desolados.

Entonces se puso en marcha, y yo seguí tras él.

CANTO SEGUNDO

EL DÍA terminaba; la atmósfera obscura de la noche invitaba a descansar de sus fatigas a los seres animados que existen sobre la tierra, y yo solo me preparaba a sostener los combates del camino y de las cosas dignas de compasión, que mi memoria trazará sin equivocarse. ¡Oh Musas!, ¡oh alto ingenio!, venid en mi ayuda: ¡oh mente, que escribiste lo que vi!, ahora aparecerá tu nobleza.

Yo comencé:

—Poeta, que me guías, mira si mi virtud es bastante fuerte antes de aventurarme en tan profundo viaje. Tú dices que el padre de Silvio, aun corruptible, pasó al siglo inmortal y pasó sensiblemente.[1] Si el adversario de todo mal le fue favorable, debióse a los grandes efectos que de él debían sobrevenir; y el por qué no parece injusto a un hombre de talento; pues en el Empíreo fue elegido para ser el padre de la fecunda Roma y de su imperio: el uno y la otra, a decir verdad, fueron establecidos en favor del sitio santo en donde reside el sucesor del gran Pedro. Durante este viaje, por el que le elogias, oyó cosas que presagiaron su victoria y el manto papal. Después el Vaso de elección[2] fue transportado hasta el cielo para dar más firmeza a la fe, que es el principio del camino de la salvación. Pero yo ¿por qué he de ir?, ¿quién me lo permite? Yo no soy Eneas, ni San Pablo: ante nadie, ni ante mí mismo, me creo digno de tal honor. Porque si me lanzo a tal empresa, temo por mi loco empeño. Puesto que eres sabio, comprenderás las razones que me callo.

Y como aquel que no quiere ya lo que quería, y asaltado de una nueva idea, cambia de parecer, de suerte que abandona todo lo que había comenzado, así me sucedía en aquella obscura cuesta; porque, a fuerza de pensar, abandoné la empresa que había empezado con tanto ardor.

—Si he comprendido bien tus palabras —respondió aquella sombra magnánima—, tu alma está traspasada de espanto, el cual se apodera frecuentemente del hombre, y tanto, que le retrae de una empresa honrosa, como una vana sombra hace a veces retroceder a una fiera, cuando se introduce en la oscuridad. Para librarte de ese temor, te diré por qué he venido, y lo que vi en el primer momento en que me moviste a compasión. Yo estaba entre los que se hallan en suspenso, y me llamó una dama tan bienaventurada y tan bella,[3] que le rogué me diera sus órdenes. Brillaban sus ojos más que la estrella, y empezó a decirme con voz angelical, en su lengua: "¡Oh alma cortés mantuana, cuya fama dura aún en el mundo y durará mientras su movimiento se prolongue! Mi amigo, que no lo es de la ventura, se ve tan embarazado en la playa desierta, que en medio del camino el miedo le ha hecho retroceder; y temo (por lo que he oído de él en el Cielo) que se haya extraviado ya, y que yo haya

---

[1] En la *Eneida* VI. 236 ss. cuenta Virgilio cómo Eneas, padre de Silvio, bajó, vivo todavía, con la Sibila a visitar el Infierno y allí obtuvo de su padre Anquises la revelación de la futura grandeza romana.

[2] Así es llamado el apóstol San Pablo, (*Hechos de los Apóstoles*, IX, 15), que, como él mismo atestigua (*II Corintios*, XII, 2), fue arrebatado hasta el tercer cielo.

[3] Beatriz, a quien Dante había ya cantado en su *Vita Nova*. Ella acompañará al poeta en el Paraíso, como Virgilio lo va a hacer en el Infierno y en el Purgatorio. Si éste simboliza en la *Divina Comedia* a la recta Razón humana, libre de las pasiones y de los atractivos del mal, Beatriz es figura de la Verdad sobrenatural, revelada por el Espíritu Santo, de la Teología.

acudido tarde en su socorro. Ve, pues, y con tus elocuentes palabras, y con lo que se necesita para sacarle de su apuro, auxíliale tan bien, que yo quede consolada. Yo soy Beatriz, la que te hace marchar; vengo de un sitio adonde deseo volver: amor me impele, y es el que me hace hablar. Cuando vuelva a estar delante de mi Señor, le hablaré de ti bien **y con frecuencia.**" Calló entonces, y yo repuse: "¡Oh mujer de virtud única, por quien la especie humana excede en dignidad a todos los seres contenidos bajo aquel Cielo que tiene los círculos más pequeños! Tanto me place tu orden, que si ya te hubiera obedecido, creería haber tardado: no tienes necesidad de expresarme más tus deseos. Mas dime: ¿por qué causa no temes descender al fondo de este centro desde lo alto de esos inmensos lugares, adonde ardes en deseos de volver?" "Puesto que tanto quieres saber, te diré brevemente— respondióme— por qué no temo venir a este abismo. Sólo deben temerse las cosas que pueden redundar en perjuicio de otros; pero no aquellas que no inspiran este temor. Por la merced de Dios, estoy hecha de tal suerte, que no me alcanzan vuestras miserias, ni puede prender en mí la llama de este incendio. Hay en el Cielo una dama gentil,[4] que se conduele del obstáculo opuesto al que te envío, y que mitiga el duro juicio de la justicia divina. Ella se ha dirigido a Lucía[5] con sus ruegos, y le ha dicho: 'Tu fiel amigo tiene necesidad de ti, y te lo recomiendo.', Lucía, enemiga de todo corazón cruel, se ha conmovido e ido al lugar donde yo me encontraba, sentada al lado de la antigua Raquel.[6] Y me ha

dicho: 'Beatriz, verdadera alabanza de Dios, ¿no socorres a quél que te amó tanto, y que por ti salió de la vulgar esfera? ¿No oyes su queja conmovedora? ¿No ves la muerte contra quien combate sobre ese río, más formidable que el mismo mar?' En el mundo no ha habido jamás una persona más pronta en correr hacia un beneficio ni en huir de un peligro, que yo, en cuanto oí tales palabras. Descendí desde mi dichoso puesto, fiándome en esa elocuente palabra que te honra, y que honra a cuantos la han oído." Después de haberme hablado de este modo, volvió llorando hacia mí sus ojos brillantes, con lo que me hizo partir más presuroso. Y me he dirigido a ti tal como ha sido su voluntad, y te he preservado de aquella fiera que te cerraba el camino más corto de la hermosa montaña. Pero ¿qué tienes?, ¿por qué te suspendes?, ¿por qué abrigas tanta cobardía en tu corazón?, ¿por qué no tienes atrevimiento ni valor, cuando tres mujeres benditas cuidan de ti en la corte celestial, y mis palabras te prometen tanto bien?

Y así como las florecillas, inclinadas y cerradas por la escarcha, se abren erguidas en cuanto el Sol las ilumina, así creció mi abatido ánimo, e inundó tal aliento mi corazón, que exclamé como un hombre decidido:

—¡Oh! ¡Cuán piadosa es la que me ha socorrido! ¡Y tú, alma bienhechora, que has obedecido con tal prontitud las palabras de verdad que ella te ha dicho! Con las tuyas has preparado mi corazón de tal suerte, y le has comunicado tanto deseo de emprender el gran viaje, que vuelvo a abrigar mi primer propósito. Ve, pues; que una sola voluntad nos dirija: tú eres mi guía, mi señor, mi maestro.

Así le dije, y en cuanto echó a andar, entré por el camino profundo y salvaje.

---

[4] La Virgen María, cuya intervención en favor de Dante simboliza la misericordia divina. Nótese que Dante no menciona los nombres de Cristo y de la Virgen en todo el *Infierno*, como si temiese profanarlos.
[5] La virgen y mártir de Siracusa, que es invocada a causa de su nombre, en las enfermedades de los ojos. Simboliza aquí a la gracia iluminante. Dante confiesa tenerle particular devoción y más tarde le ayudará ella a entrar en el Purgatorio y en el Paraíso.
[6] La segunda mujer del patriarca Jacob, símbolo de la vida contemplativa.

CANTO TERCERO

POR MÍ se va a la ciudad del llanto; por mí se va al eterno dolor; por mí se va hacia la raza condenada: la justicia animó a mi sublime arquitecto; me hizo la divina potestad, la suprema sabiduría y el primer amor. Antes que yo no hubo nada creado, a excepción de lo eterno, y yo duro eternamente. ¡Oh vosotros los que entráis, abandonad toda esperanza!"

Vi escritas estas palabras con caracteres negros en el dintel de una puerta, por lo cual exclamé:

—Maestro, el sentido de estas palabras me causa pena.

Y él, como hombre lleno de prudencia, me contestó:

—Conviene abandonar aquí todo temor; conviene que aquí termine toda cobardía. Hemos llegado al lugar donde te he dicho que verías a la dolorida gente, que ha perdido el bien de la inteligencia.

Y después de haber puesto su mano en la mía con rostro alegre, que me reanimó, me introdujo en medio de las cosas secretas. Allí, bajo un cielo sin estrellas, resonaban suspiros, quejas y profundos gemidos, de suerte que al escucharlos comencé a llorar. Diversas lenguas, horribles blasfemias, palabras de dolor, acentos de ira, voces altas y roncas, acompañadas de palmadas, producían un tumulto que va rodando siempre por aquel espacio eternamente obscuro, como la arena impelida por un torbellino. Yo, que estaba horrorizado, dije:

—Maestro, ¿qué es lo que oigo, y qué gente es ésa, que parece doblegada por el dolor?

Me respondió:

—Esta miserable suerte está reservada a las tristes almas de aquellos que vivieron sin merecer alabanzas ni vituperio: están confundidas entre el perverso coro de los ángeles que no fueron rebeldes ni fieles a Dios, sino que sólo vivieron para sí. El Cielo los lanzó de su seno por no ser menos hermoso; pero el profundo Infierno no quiere recibirlos por la gloria que con ello podrían reportar los demás culpables.

Y yo repuse:

—Maestro, ¿qué cruel dolor les hace lamentarse tanto?

A lo que me contestó:

—Te lo diré brevemente. Estos no esperan morir; y su ceguedad es tanta, que se muestran envidiosos de cualquiera otra suerte. El mundo no conserva ningún recuerdo suyo; la misericordia y la justicia los desdeñan: no hablemos más de ellos, míralos y pasa adelante.

Y yo, fijándome más, vi una bandera que iba ondeando tan de prisa, que parecía desdeñosa del menor reposo: tras ella venía tanta muchedumbre, que no hubiera creído que la muerte destruyera tan gran número. Después de haber reconocido a algunos, miré más fijamente, y vi la sombra de aquel que por cobardía hizo la gran renuncia.[1] Comprendí inmediatamente y adquirí la certeza de que aquella turba era la de los ruines que se hicieron desagradables

---

[1] La mayor parte de los comentaristas creen que se refiere al papa Celestino V, quien, trasladado de su humilde retiro eremítico a la silla de san Pedro, renunció al sumo pontificado a los seis meses de su elección, el 13 de diciembre de 1294, debido según creían muchos de sus contemporáneos, Dante entre ellos, a las intrigas del que había de ser su sucesor con el nombre de Bonifacio VIII. Ni se opone a esta interpretación, que hace aparecer a un papa como primer condenado en la *Divina Comedia*, el hecho de que Celestino fuera canonizado en 1313, porque probablemente el decreto jamás llegó a conocimiento del poeta.

a los ojos de Dios y a los de sus enemigos. Aquellos desgraciados, que no vivieron nunca, estaban desnudos, y eran molestados sin tregua por las picaduras de las moscas y de las avispas que allí había; las cuales hacían correr por su rostro la sangre, que mezclada con sus lágrimas, era recogida a sus pies por asquerosos gusanos.

Habiendo dirigido miradas a otra parte, vi nuevas almas a la orilla de un gran río,[2] por lo cual, dije:

—Maestro, dígnate manifestarme quiénes son y por qué ley parecen ésos tan prontos a atravesar el río, según puedo ver a favor de esta débil claridad.

Y él me respondió:

—Te lo diré cuando pongamos pies sobre la triste orilla del Aqueronte.

Entonces, avergonzado y con los ojos bajos, temiendo que le disgustasen mis preguntas, me abstuve de hablar hasta que llegamos al río. En aquel momento vimos un anciano cubierto de canas,[3] que se dirigía hacia nosotros en una barquichuela, gritando: "¡Ay de vosotras, almas perversas! No esperéis ver nunca el Cielo. Vengo para conduciros a la otra orilla, donde reinan eternas tinieblas, en medio del calor y del frío. Y tú, alma viva, que estás aquí, aléjate de entre esas que están muertas." Pero cuando vio que yo no me movía dijo: "Llegarás a la playa por otra orilla, por otro puerto, mas no por aquí: para llevarte se necesita una barca más ligera."[4]

Y mi guía le dijo:

—Carón, no te irrites. Así se ha dispuesto allí donde se puede todo lo que se quiere; y no me preguntes más.

Entonces se aquietaron las velludas mejillas del barquero de las lívidas lagunas, que tenía círculos de llamas alrededor de sus ojos. Pero aquellas almas, que estaban desnudas y fatigadas, no bien oyeron tan terribles palabras, cambiaron de color, rechinando los dientes, blasfemando de Dios, de sus padres, de la especie humana, del sitio y del día de su nacimiento, de la prole de su prole y de su descendencia: después se retiraron todas juntas, llorando fuertemente, hacia la orilla maldita en donde se espera a todo aquel que no teme a Dios. El demonio Carón, con ojos de ascuas, haciendo una señal, las fue reuniendo, golpeando con su remo a las que se rezagaban; y así como en otoño van cayendo las hojas una tras otra, hasta que las ramas han devuelto a la tierra todos sus despojos, del mismo modo los malvados hijos de Adán se lanzaban uno a uno desde la orilla, a quella señal, como pájaros que acuden al reclamo. De esta suerte se fueron alejando por las negras ondas; pero antes de que hubieran saltado en la orilla opuesta, se reunió otra nueva muchedumbre en la que aquéllas habían dejado.

—Hijo mío —me dijo el cortés Maestro—, los que mueren en la cólera de Dios acuden aquí de todos los países, y se apresuran a atravesar el río, espoleados de tal suerte por la justicia divina, que su temor se convierte en deseo. Por aquí no pasa nunca un alma pura; por lo cual, si Carón se irrita contra ti, ya conoces ahora el motivo de sus desdeñosas palabras.

Apenas hubo terminado, tembló tan fuertemente la sombría campiña, que el recuerdo del espanto que sentí aún me inunda la frente de sudor. De aquella tierra de lágrimas salió un viento que produjo rojizos relámpagos, haciéndome perder el sentido y caer como un hombre sorprendido por el sueño.

---

[2] El Aqueronte, río que, según la creencia de la antigüedad clásica, tenían que atravesar las almas camino del Infierno.
[3] Caronte o Carón, hijo del Erebo y de la Noche, barquero del Infierno, como Catón lo será del Purgatorio.
[4] Alude Carón al camino y a la barca que lleva las almas al Purgatorio.

CANTO CUARTO

INTERRUMPIÓ mi profundo sueño un trueno tan fuerte, que me estremecí como hombre a quien se despierta a la fuerza: me levanté, y dirigiendo una mirada en derredor mío, fijé la vista para reconocer el lugar donde me hallaba. Vime junto al borde del triste valle, abismo de dolor, en que resuenan infinitos ayes, semejantes a truenos. El abismo era tan profundo, obscuro y nebuloso, que en vano fijaba mis ojos en su fondo, pues no distinguía cosa alguna.

—Ahora descendamos allá abajo, al tenebroso mundo —me dijo el poeta muy pálido—: yo iré el primero; tú el segundo.

Yo, que había advertido su palidez, le respondí:

—¿Cómo he de ir yo, si tú, que sueles desvanecer mis incertidumbres, te atemorizas?

Y él repuso:

—La angustia de los desgraciados que están ahí abajo, refleja en mi rostro una piedad que tú tomas por terror. Vamos, pues; que la longitud del camino exige que nos apresuremos.

Y sin decir más, penetró y me hizo entrar en el primer círculo que rodea el abismo. Allí, según pude advertir, no se oían quejas, sino sólo suspiros, que hacían temblar la eterna bóveda, y que procedían de la pena sin tormento de una inmensa multitud de hombres, mujeres y niños. El buen Maestro me dijo:

—¿No me preguntas qué espíritus son los que estamos viendo? Quiero, pues, que sepas, antes de seguir adelante, que éstos no pecaron; y si contrajeron en su vida algunos méritos, no es bastante, pues no recibieron el agua del bautismo, que es la puerta de la Fe que forma tu creencia. Y si vivieron antes del cristianismo, no adoraron a Dios como debían: yo también soy uno de ellos. Por tal falta, y no por otra culpa, estamos condenados, consistiendo nuestra pena en vivir con el deseo sin esperanza.

Un gran dolor afligió mi corazón cuando oí esto, porque conocí personas de mucho valor que estaban suspensas en el Limbo.

—Dime, Maestro y señor mío —le pregunté para afirmarme más en esta Fe que triunfa de todo error; —¿alguna de esas almas ha podido, bien por sus méritos o por los de otros, salir del Limbo y alcanzar le bienaventuranza?

Y él, que comprendió mis palabras encubiertas y obscuras, repuso:

—Yo era recién llegado a este sitio, cuando vi venir a un Ser poderoso, coronado con la señal de la victoria.[1] Hizo salir de aquí el alma del primer padre, y la de Abel su hijo, y la de Noé; del legislador Moisés, tan obediente; la del patriarca Abraham, y la del rey David; a Israel, con su padre y con sus hijos, y a Raquel por quien aquél hizo tanto,[2] y a otros muchos, a quienes otorgó la bienaventuranza; pues debes saber que, antes de ellos, no se salvaban las almas humanas.

Mientras así hablaba, no dejábamos de andar; pero seguíamos atravesando siempre la selva, esto es, la selva que formaban los espíritus apiñados. Aún no estábamos muy lejos de la entrada del abismo, cuando vi un resplandor que triunfaba del hemisferio de las tinieblas: nos encontrábamos todavía a bastante distan-

[1] Cristo, cuyo nombre, por reverendia, jamás pronuncia Dante en el Infierno.
[2] Israel o Jacob y su padre Isaac. Para poder obtener a Raquel por esposa tuvo Jacob que servir al padre de aquélla durante siete años y después durante otros siete.

cia, pero no a tanta que no pudiera yo distinguir que aquel sitio estaba ocupado por personas dignas.

—Oh tú, que honras toda ciencia y todo arte, ¿quiénes son ésos, cuyo valimiento debe ser tanto, que así están separados de los demás?

Y él a mí:

—La hermosa fama que aún se conserva de ellos en el mundo que habitas, los hace acreedores a esta gracia del cielo, que de tal suerte los distingue.

Entonces oí una voz [3] que decía: "¡Honrad al sublime poeta; regresa su sombra que se había separado de nosotros!" Cuando calló la voz, vi venir a nuestro encuentro cuatro grandes sombras, cuyo rostro no manifestaba tristeza ni alegría. El buen maestro empezó a decirme:

—Mira aquel que tiene una espada en la mano, y viene a la cabeza de los tres como su señor. Ese es Homero, poeta soberano: el otro es el satírico Horacio, Ovidio es el tercero y el último Lucano. Cada cual merece, como yo, el nombre que antes pronunciaron unánimes; me honran y hacen bien.

De este modo vi reunida la hermosa escuela de aquel príncipe del sublime cántico, que vuela como el águila sobre todos los demás.

Después de haber estado conversando entre sí un rato, se volvieron hacia mí dirigiéndome un amistoso saludo, que hizo sonreír a mi Maestro; y me honraron aún más, puesto que me admitieron en su compañía, de suerte que fui el sexto entre aquellos grandes genios. Así seguimos hasta donde estaba la luz, hablando de cosas que es bueno callar, como bueno era hablar de ellas en el sitio en que nos encontrábamos. Llegamos al pie de un noble castillo, rodeado siete veces de altas murallas, y defendido alrededor por un bello riachuelo. Pasamos sobre éste como sobre tierra firme; y atravesando siete puertas con aquellos sabios, llegamos a un prado de fresca verdura. Allí había personajes de mirada tranquila y grave, cuyo semblante revelaba una grande autoridad: hablaban poco y con voz suave. Nos retiramos luego hacia un extremo de la pradera; a un sitio despejado, alto y luminoso, desde donde podían verse todas aquellas almas. Allí, en pie sobre el verde esmalte, me fueron señalados los grandes espíritus, cuya contemplación me hizo estremecer de alegría. Allí vi a Electra con muchos de sus compañeros, entre los que conocí a Héctor y a Eneas; después a César, armado, con sus ojos de ave de rapiña. Vi en otra parte a Camila y a Pentesilea, y vi al rey Latino, que estaba sentado al lado de su hija Lavinia; vi a aquel Bruto, que arrojó a Tarquino de Roma; a Lucrecia también, a Julia, a Marcia y a Cornelia, y a Saladino,[4] que estaba solo y separado de los demás. Habiendo levantado después la vista, vi al maestro de los que saben,[5] sentado entre su filosófica familia. Todos le admiran, todos le honran; vi además a Sócrates y a Platón, que estaban más próximos a aquél que los demás; a Demócrito, que pretende que el mundo ha tenido por origen la casualidad; a Diógenes, a Anaxágoras y a Tales, a Empédocles, a Heráclito y a Zenón: vi al buen observador de la cualidad, es decir, a Dioscórides, y vi a Orfeo, a Tulio y a Lino, y al moralista Séneca; al geómetra Euclides, a Tolomeo, Hipócrates, Avicena y Galeno, y a Averroes, que hizo el gran comentario. No me es posible mencionarlos a todos, porque me arrastra el largo tema que he de seguir y muchas veces las palabras son breves para el asunto. Bien pronto la compañía de seis queda reducida a dos: mi sabio guía me conduce por otro camino fuera de aquella inmovilidad hacia una aura temblorosa, y llego a un punto privado totalmente de luz.

[3] Debe ser la voz de Homero, que viene precediendo a los otros tres como señor y que aquí mismo es proclamado "príncipe del sublime canto" o sea, del canto épico.

[4] Saladino, sultán de Egipto y de Siria (1137-1193) fue muy celebrado aun entre los cristianos por sus altas virtudes guerreras y civiles. En el *Convivio* IV, 11, lo enumera entre los príncipes más liberales.
[5] Aristóteles, el gran maestro de la filosofía escolástica.

CANTO QUINTO

Así DESCENDÍ del primer círculo al segundo, que contiene menos espacio, pero mucho más dolor, y dolor punzante, que origina desgarradores gritos. Allí estaba el horrible Minos[1] que, rechinando los dientes, examina las culpas de los que entran; juzga y da a comprender sus órdenes por medio de las vueltas de su cola. Es decir, que cuando se presenta ante él un alma pecadora, y le confiesa todas sus culpas, aquel gran conocedor de los pecados ve qué lugar del infierno debe ocupar y se lo designa, ciñéndose al cuerpo la cola tantas veces cuantas sea el número del círculo a que debe ser enviada. Ante él están siempre muchas almas, acudiendo por turno para ser juzgadas; hablan y escuchan, y después son arrojadas al abismo.

—¡Oh, tú, que vienes a la mansión del dolor! —me gritó Minos cuando me vio, suspendiendo sus terribles funciones—; mira cómo entras y de quien te fías: no te alucine lo anchuroso de la entrada.

Entonces mi guía le preguntó:

—¿Por qué gritas? No te opongas a su viaje ordenado por el destino: así lo han dispuesto allí donde se puede lo que se quiere; y no preguntes más.

Empezaron a dejarse oír voces plañideras: y llegué a un sitio donde hirieron mis oídos grandes lamentos. Entrábamos en un lugar que carecía de luz, y que rugía como el mar tempestuoso cuando está combatido por vientos contrarios. La tromba infernal, que no se detiene nunca, envuelve en su torbellino a los espíritus; les hace dar vueltas continuamente, y los agita y les molesta: cuando se encuentran ante la ruinosa valla que los encierra, allí son los gritos, los llantos y los lamentos, y las blasfemias contra la virtud divina. Supe que estaban condenados a semejante tormento los pecadores carnales que sometieron la razón a sus lascivos apetitos; y así como los estorninos vuelan en grandes y compactas bandadas en la estación de los fríos, así aquel torbellino arrastra a los espíritus malvados llevándolos de acá para allá, de arriba abajo, sin que abriguen nunca la esperanza de tener un momento de reposo, ni de que su pena se aminore. Y del mismo modo que las grullas van lanzando sus tristes acentos, formando todas una prolongada hilera en el aire, así también vi venir, exhalando gemidos, a las sombras arrastradas por aquella tromba. Por lo cual pregunté:

—Maestro, ¿qué almas son ésas a quienes de tal suerte castiga ese aire negro?

—La primera de ésas, de quienes deseas noticias —me dijo entonces—, fue emperatriz de una multitud de pueblos donde se hablaban diferentes lenguas, y tan dada al vicio de la lujuria, que permitió en sus leyes todo lo que excitaba el placer, para ocultar de este modo la abyección en que vivía. Es Semíramis, de quien se lee que sucedió a Nino y fue su esposa y reinó en la tierra en donde impera el Sultán. La otra es la que se mató por amor y quebrantó la fe prometida a las cenizas de Siqueo.[2] Después sigue la lasciva Cleopatra. Ve también a Helena, que dio lugar

---

[1] Minos, mítico hijo de Júpiter y de Europa, justo rey y legislador de Creta, era uno de los tres jueces del Infierno.

[2] Dido, reina de Cartago, que habiendo prometido permanecer fiel a su marido Siqueo aun después de su muerte, se enamoró de Eneas y abandonada por éste se suicidó.

12

a tan funestos tiempos; y ve al gran Aquiles, que al fin tuvo que combatir por el amor. Ve a Paris y a Tristán...[3]

Y a más de mil sombras me fue enseñando y designando con el dedo, a quienes Amor había hecho salir de esta vida. Cuando oí a mi sabio nombrar las antiguas damas y los caballeros, me sentí dominado por la piedad y quedé como aturdido. Empecé a decir:

—Poeta, quisiera hablar a aquellas dos almas[4] que van juntas y parecen más ligeras que las otras impelidas por el viento.

Y él me contestó:

—Espera que estén más cerca de nosotros: y entonces ruégales, por el amor que las conduce, que se dirijan hacia ti.

Tan pronto como el viento las impulsó hacia nosotros, alcé la voz diciendo:

—¡Oh almas atormentadas!, venid a hablarnos, si otro no se opone a ello.

Así como dos palomas, excitadas por sus deseos, se dirigen con las alas abiertas y firmes hacia el dulce nido, llevadas en el aire por una misma voluntad, así salieron aquellas dos almas de entre la multitud donde estaba Dido, dirigiéndose hacia nosotros a través del aire malsano, atraídas por mi eficaz y afectuoso llamamiento.

—¡Oh ser gracioso y benigno, que viene a visitar enmedio de este aire negruzco a los que hemos teñido el mundo de sangre! Si fuéramos amados por el Rey del universo, le rogaríamos por tu tranquilidad, ya que te compadeces de nuestro acerbo dolor. Todo lo que te agrade oír y decir, te lo diremos y escucharemos con gusto mientras que siga el viento tan tranquilo como ahora. La tierra donde nací está situada en la costa donde desemboca el Po con todos sus afluentes para descansar en el mar.[5] Amor, que se apodera pronto de un corazón gentil, hizo que éste se prendara de aquel hermoso cuerpo que me fue arrebatado de un modo que aún me atormenta. Amor, que no dispensa de amar al que es amado, hizo que me entregara vivamente al placer de que se embriagaba éste, que, como ves, no me abandona nunca. Amor nos condujo a la misma muerte. Caína[6] espera al que nos arrancó la vida.

Tales fueron las palabras de las dos sombras. Al oír a aquellas almas atormentadas, bajé la cabeza y la tuve inclinada tanto tiempo, que el poeta me dijo:

—¿En qué piensas?

—¡Ah —exclamé al contestarle—; cuán dulces pensamientos, cuántos deseos les han conducido a doloroso tránsito!

Después me dirigí hacia ellos, diciéndoles:

—Francisca, tus desgracias me hacen derramar tristes y compasivas lágrimas. Pero dime: en tiempo de los dulces suspiros ¿cómo os permitió Amor conocer vuestros secretos deseos?

Ella me contestó:

—No hay mayor dolor que acordarse del tiempo feliz en la miseria; y eso lo sabe bien tu Maestro. Pero si tienes tanto deseo de conocer cuál fue el principal origen de nuestro amor, haré como el que habla y llora a la vez. Leíamos un día por pasatiempo las aventuras de Lancelote,[7] y de qué modo cayó en las redes del Amor: estábamos solos y sin abrigar sospecha alguna. Aquella lectura hizo que nuestros ojos se buscaran muchas veces y que palideciera nuestro semblante; mas un solo pasaje fue el que decidió de nosotros. Cuando leíamos que la deseada sonrisa de la amada fue interrumpida por el beso del amante, éste, que jamás se ha de separar de mí, me besó tembloroso

---

[3] Tristán, el héroe de la novela medieval francesa, enamorado de Isolda.
[4] Francisca de Rímini y Pablo Malatesta.
[5] En Ravena.

[6] La Caína es la primera y más externa de las cuatro regiones del último círculo del Infierno, el Cocito. Es el lugar destinado a los condenados que traicionaron a sus propios parientes. Paolo y Francesca fueron muertos por su hermano y esposo, Gianciotto.
[7] Héroe de los poemas de la Tabla Redonda, que cuentan sus amores con Ginebra, la esposa del rey Artús de Bretaña.

en la boca: el libro y quien lo escribió fue para nosotros otro Galeoto; [8] aquel día ya no leímos más.

[8] En el poema, Galeoto pide a Ginebra que bese a Lancelote, que se mostraba demasiado tímido en su presencia.

Mientras que un alma decía esto la otra lloraba de tal modo, que movido de compasión, desfallecí como si me muriera, y caí como cae un cuerpo inanimado.

CANTO SEXTO

AL RECOBRAR los sentidos, que perdí por la tristeza y la compasión que me causó la suerte de los dos cuñados, vi en derredor mío nuevos tormentos y nuevas almas atormentadas doquier iba y doquier me volvía o miraba. Me encuentro en el tercer círculo; en el de la lluvia eterna, maldita, fría y densa, que cae siempre igualmente copiosa y con la misma fuerza. Espesos granizos, agua negruzca y nieve descienden en turbión a través de las tinieblas; la tierra, al recibirlos, exhala un olor pestífero. Cerbero,[1] fiera cruel y monstruosa, ladra con sus tres fauces de perro contra los condenados que están allí sumergidos. Tiene los ojos rojos, los pelos negros y cerdosos, el vientre ancho y las patas guarnecidas de uñas que clava en los espíritus, les desgarra la piel y los descuartiza. La lluvia los hace aullar como perros; los miserables condenados forman entre sí una muralla con sus costados y se revuelven sin cesar. Cuando nos descubrió Cerbero, el gran gusano abrió las bocas enseñándonos sus colmillos; todos sus miembros estaban agitados. Entonces mi guía extendió las manos, cogió tierra, y la arrojó a puñados en las fauces ávidas de la fiera. Y del mismo modo que un perro se deshace ladrando al tener hambre, y se apacigua cuando muerde su presa, ocupado tan sólo en devorarla, así también el demonio Cerbero cerró sus impuras bocas, cuyos ladridos causaban tal aturdimiento a las almas que quisieran quedarse sordas. Pasamos por encima de las sombras derribadas por la incesante lluvia, poniendo nuestros pies sobre sus fantasmas, que parecían cuerpos humanos. Todas yacían por el suelo, excepto una que se levantó con presteza para sentarse, cuando nos vió pasar ante ella.

—¡Oh, tú, que has venido a este Infierno! —me dijo—; reconóceme si puedes. Tú fuiste hecho, antes que yo deshecho.

Yo le contesté:

—La angustia que te atormenta es quizá causa de que no me acuerde de ti; me parece que no te he visto nunca. Pero dime, ¿quién eres tú, que a tan triste lugar has sido conducido, y condenado a un suplicio, que si hay otro mayor, no será por cierto tan desagradable?

Cóntestome:

—Tu ciudad, tan llena hoy de envidia, que ya colma la medida, me vio en su seno en vida más serena. Vosotros, los habitantes de esa ciudad, me llamasteis Ciacco.[2] Por el reprensible pecado de la gula, me veo, como ves, sufriendo esta lluvia. Yo no soy aquí la única alma triste; todas las demás están condenadas a igual pena por la misma causa.

Y no pronunció una palabra más. Yo le respondí:

—Ciacco, tu martirio me conmueve tanto, que me hace verter lágrimas; pero dime, si es que lo sabes: ¿en qué pararán los habitantes de esa ciudad tan dividida en facciones? ¿Hay algún justo entre ellos? Dime por qué razón se ha introducido en ella la discordia.

Me contestó:

—Después de grandes debates, llegarán a verter su sangre, y el partido

---

[1] Perro de tres cabezas que, según la mitología antigua, guarda las puertas del Infierno.

[2] Ciacco —literalmente puerco— es el apodo de un florentino del que nada seguro se sabe, sino que debió ser un hombre entregado al vicio de la glotonería.

salvaje arrojará al otro partido causándole grandes pérdidas. Luego será
preciso que el partido vencedor su-
cumba al cabo de tres años, y que
el vencido se eleve, merced a la ayuda de aquel que ahora es neutral.[3]
Esta facción llevará la frente erguida
por mucho tiempo, teniendo bajo su
férreo yugo a la otra, por más que
ésta se lamente y avergüence. Aun
hay dos justos, pero nadie les escucha: la soberbia, la envidia y la avaricia son las tres chispas que han inflamado los corazones.

Aquí dio Ciacco fin a su lamentable discurso, y yo le dije:

—Todavía quiero que me infor-
mes, y me concedas algunas palabras.
Dime dónde están, y dame a conocer
a Farinata y al Tegghiaio, que fueron
tan dignos, a Jacobo Rusticucci, Ari-
go y Mosca,[4] y a otros que a hacer
bien consagraron su ingenio, pues
siento un gran deseo de saber si están entre las dulzuras del Cielo o entre las amarguras del Infierno.

A lo que me contestó:

—Están entre almas más perversas; otros pecados los han arrojado
a un círculo más profundo: si bajas
hasta allí, podrás verlos. Pero cuando vuelvas al dulce mundo, te ruego
que hagas porque en él se renueve
mi recuerdo; y no te digo ni te respondo más.

[3] El papa Bonifacio VIII, protector de los
negros. todavía neutral en el año 1300.
[4] De Farinata habla en el Canto X, de
Teghiaio y Rusticucci en el XVI y de Mosca
en el XXVIII. De Arrigo no vuelve a hacer
mención.

Entonces torció los ojos que había
tenido fijos; miróme un momento,
y luego inclinó la cabeza, y volvió a
caer entre los demás ciegos. Mi guía
me dijo:

—Ya no volverá a levantarse hasta
que se oiga el sonido de la angélica
trompeta; cuando venga la potestad
enemiga del pecado. Cada cual encontrará entonces su triste tumba;
recobrará sus carnes y su figura; y
oirá el juicio que debe resonar por
toda una eternidad.

Así fuimos atravesando aquella im-
pura mezcla de sombras y de lluvia,
con paso lento, razonando un poco
sobre la vida futura. Por lo cual dije:

—Maestro, ¿estos tormentos serán
mayores después de la gran sentencia,
o bien menores, o seguirán siendo
tan dolorosos?

Y él a mí:

—Acuérdate de tu ciencia,[5] que
pretende que cuanto más perfecta es
una cosa, tanto mayor bien o dolor
experimenta. Aunque esta raza maldita no debe jamás llegar a la verdadera perfección, espera ser después
del juicio más perfecta que ahora.

Caminando por la vía que gira
alrededor del círculo, continuamos
hablando de otras cosas que no refiero, y llegamos al sitio donde se desciende: allí encontramos a Plutón,[6]
el gran enemigo.

[5] La doctrina aristotélico-tomista, en la
que se inspira profundamente Dante.
[6] Plutón, hijo de Saturno y dios del Aver-
no según los griegos, a quien Dante parece
haber confundido con Pluto, el dios de las
riquezas.

CANTO SEPTIMO

"PAPE SATÁN, pape satán aleppe"[1] comenzó a gritar Plutón con ronca voz. Y aquel sabio gentil, que lo supo todo, para animarme, dijo:

—No te inquiete el temor; pues a pesar de su poder, no te impedirá que desciendas a este círculo.

Después, volviéndose hacia aquel rostro hinchado de ira, le dijo:

—Calla, lobo maldito: consúmete interiormente con tu propia rabia. No sin razón venimos al profundo infierno; pues así lo han dispuesto allá arriba, donde Miguel castigó la soberbia rebelión.

Como las velas, hinchadas por el viento, caen derribadas cuando el mástil se rompe, del mismo modo cayó al suelo aquella fiera cruel. Así bajamos a la cuarta cavidad, aproximándonos más a la dolorosa orilla que encierra en sí todo el mal del universo. ¡Ah, justicia de Dios!, ¿quién, si no tú, puede amontonar tantas penas y trabajos como allí vi? ¿Por qué nos desgarran así nuestras propias faltas? Como una ola se estrella contra otra ola en el escollo de Caribdis, así chocan uno contra otro los condenados. Allí vi más condenados que en ninguna otra parte, los cuales formados en dos filas, se lanzaban de la una a la otra enormes pesos con todo el esfuerzo de su pecho, gritando fuertemente: dábanse grandes golpes, y después se volvían cada cual hacia atrás, exclamando: "¿Por qué guardas? ¿Por qué derrochas?" De esta suerte iban girando por aquel tétrico círculo, yendo desde un extremo a su opuesto, y repi-

tiendo a gritos su injurioso estribillo. Después, cuando cada cual había llegado al centro de su círculo, se volvían todos a la vez para empezar de nuevo otra pelea.

Yo, que tenía el corazón conmovido de lástima, dije:

—Maestro mío, indícame qué gente es ésta. Todos esos tonsurados que vemos a nuestra izquierda ¿han sido clérigos?

Y él me respondió:

—Erró la mente de todos en la primera vida, y no supieron gastar razonablemente: así lo manifiestan claramente sus aullidos cuando llegan a los dos puntos del círculo que los separa de los que siguieron camino opuesto. Esos que no tienen cabellos que cubran su cabeza, fueron clérigos, papas y cardenales, a quienes subyugó la avaricia.

Y yo:

—Maestro, entre todos ésos, bien deberá haber algunos a quienes yo conozca y a quienes tan inmundos hizo este vicio.

Y él a mí:

—En vano esforzarás tu imaginación: la vida sórdida que los hizo deformes, hace que hoy sean obscuros y desconocidos. Continuarán chocando entre sí eternamente; y saldrán éstos del sepulcro con los puños cerrados, y aquéllos con el cabello rapado. Por haber gastado mal y guardado mal, han perdido el Paraíso, y se ven condenados a ese eterno combate, que no necesito pintarte con palabras escogidas. Ahí podrás ver, hijo mío, cuán rápidamente pasa el soplo de los bienes de la Fortuna, por los que la raza humana se enorgullece y querella. Todo el oro que existe bajo la Luna, y todo lo que ha existido, no puede dar un momen-

[1] Aunque Dante hubiese querido dar a estas palabras extranjeras un sentido inteligible para Virgilio, no sabríamos cómo interpretarlas. Es un desahogo subitáneo que parece querer decir: "¡oh dios Satanás, oh dios Satanás, alerta!"

to de reposo a una sola de esas almas fatigadas.

—Maestro —le dije entonces—, enséñame cuál es esa Fortuna de que me hablas, y que así tiene entre sus manos los bienes del mundo.

Y él a mí:

—¡Oh necias criaturas! ¡Cuán grande es la ignorancia que os extravía! Quiero que te alimentes con mis lecciones. Aquél, cuya sabiduría es superior a todo, hizo los cielos y les dio un guía,[2] de modo que toda parte orilla para toda parte, distribuyendo la luz por igual; con el esplendor del mundo hizo lo mismo, y te dio una guía, que administrándolo todo, hiciera pasar de tiempo en tiempo las vanas riquezas de una a otra familia, de una a otra nación, a pesar de los obstáculos que crean la prudencia y previsión humanas. He aquí por qué, mientras una nación impera, otra languidece, según el juicio de Aquél que está oculto, como la serpiente en la hierba. Vuestro saber no puede contrastarla; porque provee, juzga y prosigue su reinado, como el suyo cada una de las otras deidades. Sus transformaciones no tienen tregua; la necesidad la obliga a ser rápida; por eso se cambia todo en el mundo con tanta frecuencia. Tal es esa a quien tan a menudo vituperan los mismos que deberían ensalzarla, y de quien blasfeman y maldicen sin razón. Pero ella es feliz, y no oye esas maldiciones: contenta entre las primeras criaturas, prosigue su obra y goza en su beatitud. Bajemos ahora donde existen mayores

y más lamentables males: ya descienden todas las estrellas que salían cuando me puse en marcha, y nos está prohibido retrasarnos mucho.

Atravesamos el círculo hasta la otra orilla, sobre un hirviente manantial, que vierte sus aguas en un arroyo que le debe su origen y cuyas aguas son más bien obscuras que azuladas; y bajamos por un camino distinto, siguiendo el curso de tan tenebrosas ondas. Cuando aquel arroyo ha llegado al pie de la playa gris e infecta, forma una laguna llamada Estigia; y yo, que miraba atentamente, vi algunas almas encenegadas en aquel pantano, completamente desnudas y de irritado semblante. Se golpeaban no sólo con las manos, sino con la cabeza, con el pecho, con los pies, arrancándose la carne a pedazos con los dientes. Díjome el buen Maestro:

—Hijo, contempla las almas de los que han sido dominados por la ira: quiero además que sepas que bajo esta agua hay una raza condenada que suspira, y la hace hervir en la superficie, como te lo indican tus miradas en cuantos sitios se fijan. Metidos en el lodo, dicen: "Estuvimos siempre tristes bajo aquel aire dulce que alegra el Sol, llevando en nuestro interior una tétrica humareda: ahora nos entristecemos también en medio de este negro cieno." Estas palabras salen del fondo de su garganta, como si formaran gárgaras, no pudiendo pronunciar una sola íntegra.

Así fuimos describiendo un gran arco alrededor del fétido pantano, entre la playa seca y el agua, vueltos los ojos hacia los que se atragantaban con el fango, hasta que al fin llegamos al pie de una torre.

---

[2] Alude a la creación simultánea de los cielos y de los ángeles, según la doctrina tomista. La Fortuna de que va a hablar Dante no es una diosa, sino más bien un ángel, una inteligencia celeste ordenada por Dios al gobierno de los bienes de este mundo.

CANTO OCTAVO

DIGO, CONTINUANDO, que mucho antes de llegar al pie de la elevada torre, nuestros ojos se fijaron en su parte más alta, a causa de dos lucecitas que allí vimos, y otra que correspondía a estas dos, pero desde tan lejos, que apenas podía distinguirse. Entonces, dirigiéndome hacia el mar de toda ciencia, dije:

—¿Qué significan esas llamas? ¿Qué responde aquella otra, y quiénes son los que hacen esas señales?

Respondiome:

—Sobre esas aguas fangosas puedes ver lo que ha de venir, si es que no te lo ocultan los vapores del pantano.

Jamás cuerda alguna despidió una flecha que corriese por el aire con tanta velocidad, como una navecilla que vi surcando las aguas en nuestra dirección, gobernada por un solo remero que gritaba: "¿Has llegado ya, alma vil?"

—Flegias, Flegias,[1] gritas en vano esta vez —dijo mi Señor—; no nos tendrás en tu poder más tiempo que el necesario para pasar la laguna.

Flegias, conteniendo su cólera, hizo lo que un hombre a quien descubren que ha sido víctima de un engaño, ocasionándole esto un dolor profundo. Mi guía saltó a la barca y me hizo entrar en ella tras él; pero aquélla no pareció ir cargada hasta que recibió mi peso. En cuanto ambos estuvimos dentro, la antigua proa partió trazando en el agua una estela más profunda de lo que solía cuando llevaba otros pasajeros. Mientras recorríamos aquel canal de agua estancada, se me presentó una sombra llena de lodo, y me preguntó:

—¿Quién eres tú, que vienes antes de tiempo?

A lo que contesté:

—Si he venido, no es para permanecer aquí; mas dime: ¿quién eres tú, que tan sucio estás?

Respondiome:

—Ya ves que soy uno de los que lloran.

Y yo a él:

—¡Permànece, pues, entre el llanto y la desolación, espíritu maldito! Te conozco aunque estés tan enlodado.[2]

Entonces extendió sus manos hacia la barca, pero mi prudente Maestro le rechazó diciendo:

—Vete de aquí con los otros perros.

En seguida rodeó mi cuello con sus brazos, me besó en el rostro y me dijo:

—Alma desdeñosa, ¡bendita aquella que te llevó en su seno! Ese que ves fue en el mundo una persona soberbia; ninguna virtud ha honrado su memoria, por lo que su sombra está siempre furiosa. ¡Cuántos se tienen allá arriba por grandes reyes, que se verán sumidos como cerdos en este pantaño, sin dejar en pos de sí más que horribles desprecios!

Y yo:

—Maestro, antes de salir de este lago, desearía en gran manera ver a ese pecador sumergido en el fango.

Y él a mí:

—Antes de que veas la orilla, quedarás satisfecho: convendrá que goces de ese deseo.

Poco después, le vi acometido de tal modo por las demás sombras cenagosas, que aún alabo a Dios y le

---

[1] Flegias es el personaje mitológico que, airado contra Apolo por haber seducido a su hija Coronis, prendió fuego al templo de Delfos y lo destruyó.

[2] Felipe Argenti, hombre rico, soberbio e iracundo, enemigo de Dante, porque pertenecía a la facción negra de los güelfos y el poeta a la blanca.

doy gracias por ello. Todas gritaban: "¡A Felipe Argenti!" Este florentino, espíritu orgulloso, se revolvía contra sí mismo, destrozándose con sus dientes. Dejémosle allí, pues no pienso ocuparme más de él. Después vino a herir mis oídos un lamento doloroso, por lo cual miré con más atención en torno mío. El buen Maestro me dijo:

—Hijo mío, ya estamos cerca de la ciudad que se llama Dite,[3] sus habitantes pecaron gravemente y son muy numerosos.

Y yo le respondí:

—Ya distingo en el fondo del valle sus torres bermejas, como si salieran de entre llamas.

A lo cual me contestó:

—El fuego eterno que interiormente las abrasa, les comunica el rojo color que ves en ese bajo infierno.

Al fin entramos en los profundos fosos que ciñen aquella desolada tierra: las murallas me parecían de hierro. Llegamos, no sin haber dado antes un gran rodeo, a un sitio en que el barquero nos dijo en alta voz: "Salid, he aquí la entrada." Vi sobre las puertas más de mil espíritus, caídos del cielo como una lluvia, que decían con ira: "¿Quién es ése que sin haber muerto anda por el reino de los muertos?" Mi sabio Maestro hizo un ademán expresando que quería hablarles en secreto. Entonces contuvieron un poco su cólera y respondieron: "Ven tú solo, y que se vaya aquel que tan audazmente entró en este reino. Que se vuelva solo por el camino que ha emprendido locamente: que lo intente, si sabe; porque tú, que le has guiado por esta obscura comarca, te has de quedar aquí."

Juzga, lector, si estaría yo tranquilo al oír aquellas palabras malditas: no creí volver nunca a la tierra.

—¡Oh, mi guía querido!, tú que más de siete veces me has devuelto la tranquilidad y librado de los grandes peligros con que he tropezado, no me dejes —le dije— tan abatido: si nos está prohibido avanzar más, volvamos inmediatamente sobre nuestros pasos.

Y aquel señor que allí me había llevado me dijo:

—No temas, pues nadie puede cerrarnos el paso que Dios nos ha abierto. Aguárdame aquí: reanima tu abatido espíritu y alimenta una grata esperanza, que yo no te dejaré en este bajo mundo.

En seguida se fue el dulce Padre, y me dejó solo. Permanecí en una gran incertidumbre, agitándose el sí y el no en mi cabeza.

No pude oír lo que les propuso; pero habló poco tiempo con ellos, y todos a una corrieron hacia la ciudad. Nuestros enemigos dieron con las puertas en el rostro a mi Señor, que se quedó fuera, y se dirigió lentamente hacia donde yo estaba. Tenía los ojos inclinados, sin dar señales de atrevimiento, y decía entre suspiros: "¿Quién me ha impedido la entrada en la mansión de los dolores?" Y dirigiéndose a mí:

—Si estoy irritado —me dijo—, no te inquietes; yo saldré victorioso de esta prueba, cualesquiera que sean los que se opongan a nuestra entrada. Su temeridad no es nueva: ya la demostraron ante una puerta menos secreta,[4] que se encuentra todavía sin cerradura. Ya has visto sobre ella la inscripción de muerte. Pero más acá de esa puerta, descendiendo la montaña y pasando por los círculos sin necesidad de guía, viene uno que nos abrirá la ciudad.

---

[3] La parte inferior del Infierno que toma el nombre de Dite o Lucifer, "el emperador del doloroso reino".

[4] Según una antigua tradición, los demonios pretendieron oponerse a la bajada de Cristo a los Infiernos, cuando iba a rescatar las almas de los justos de la Antigua Ley, pero Él rompió la puerta, que quedó abierta desde entonces.

CANTO NONO

Aquel color que el miedo pintó en mi rostro cuando vi a mi guía retroceder, hizo que en el suyo se desvaneciera más pronto la palidez insólita, púsose atento, como un hombre que escucha, porque las miradas no podían penetrar a través del denso aire y de la espesa niebla.

—Sin embargo, debemos vencer en esta lucha —empezó a decir—; ¡si no!... pero se nos ha prometido... ¡Oh!, ¡cuánto tarda el otro en llegar!

Yo vi bien que ocultaba lo que había comenzado a decir bajo otra idea que le asaltó después, y que estas últimas palabras eran diferentes de las primeras: sin embargo, su discurso me causó espanto, porque me parecía descubrir en sus entrecortadas frases un sentido peor del que en realidad tenían.

—¿Ha bajado alguna vez al fondo de este triste abismo algún espíritu del primer círculo, cuya sola pena es la de perder la esperanza?— le pregunté.

A lo que me respondió:

—Rara vez sucede que alguno recorra el camino por donde yo voy. Es cierto que tuve que bajar aquí otra vez [1] a causa de los conjuros de la cruel Erictón, que llamaba las almas a sus cuerpos. [2] Hacía poco tiempo que mi carne estaba despojada de su alma, cuando me hizo traspasar esas murallas para sacar un espíritu del círculo de Judas. Este círculo es el más profundo, el más obscuro y el más lejano del Cielo que lo mueve todo. Conozco bien el camino; por lo cual debes estar tranquilo. Esta laguna, que exhala tan gran fetidez, ciñe en torno la ciudad del dolor, donde ya no podremos entrar sin justa indignación.

Dijo además otras cosas, que no he podido retener en mi memoria, porque me hallaba absorto, mirando la alta torre de ardiente cúspide, donde vi de improviso aparecer rápidamente tres furias infernales, tintas en sangre, las cuales tenían movimientos y miembros femeniles. Estaban ceñidas de hidras verdosas, y tenían por cabellos pequeñas serpientes y cerastas, que ceñían sus horribles sienes. Y aquél que conocía muy bien a las siervas de la Reina [3] del dolor eterno:

—Mira —me dijo—, las feroces Erinnias.[4] La de la izquierda es Megera; la que llora a la derecha es Alecton, y la del centro es Tisifona.

Después calló. Las furias se desgarraban el pecho con sus uñas; se golpeaban con las manos, y daban tan fuertes gritos, que por temor me acerqué más al poeta. "Venga Medusa,[5] y le convertiremos en piedra, decían todas mirando hacia abajo: mal hemos vengado la entrada del audaz Teseo." [6]

—Vuélvete y cúbrete los ojos con las manos, porque si apareciese la Gorgona, y la vieses, no podrías jamás volver arriba.

[1] Para que apareciese natural el conocimiento que muestra Virgilio del camino del infierno inventó Dante esta primera bajada del poeta latino.

[2] Erictón, famosa maga de Tesalia, que hizo revivir a un muerto para predecir a Sexto Pompeyo el éxito de la batalla de Farsalia, como narra Lucano en el Canto VI de su epopeya.

[3] Hécate o Proserpina, mujer de Plutón, rey del Infierno.

[4] Nombre griego de las Furias. Eran las ejecutores de la venganza celestial y simbolizan los remordimientos de la conciencia.

[5] La menor de las tres Gorgonas, que convertía en piedra a quienes la miraban.

[6] Teseo descendió con su amigo Piritoo a los Infiernos para raptar a Proserpina; Piritoo fue devorado por el Cerbero y Teseo hubo de permanecer allí prisionero hasta que fue liberado por Hércules.

Así me dijo el Maestro, volviéndome él mismo; y no fiándose de mis manos, me tapó los ojos con las suyas. ¡Oh vosotros, que gozáis de sano entendimiento; descubrid la doctrina que se oculta bajo el velo de tan extraños versos!

Oíase a través de las turbias ondas un gran ruido, lleno de horror, que hacía retemblar las dos orillas, asemejándose a un viento impetuoso, impelido por contrarios ardores, que se ensaña en las selvas y sin tregua las ramas rompe y desgaja, y las arroja fuera; y marchando polvoroso y soberbio, hace huir a las fieras y a los pastores. Me descubrió los ojos, y me dijo:

—Ahora dirige el nervio de tu vista sobre esa antigua espuma, hacia el sitio en que el humo es más maligno.

Como las ranas, que, al ver la culebra enemiga, desaparecen a través del agua, hasta que se han reunido todas en el cieno, del mismo modo vi más de mil almas condenadas, huyendo de uno que atravesaba la Estigia a pie enjuto. Alejaba de su rostro el aire denso, extendiendo con frecuencia la siniestra mano hacia delante, y sólo este trabajo parecía cansarle. Bien comprendí que era un mensajero del Cielo, y volvíme hacia el Maestro; pero éste me indicó que permaneciese quieto y me inclinara. ¡Ah!, ¡cuán desdeñoso me pareció aquel enviado celeste! Llegó a la puerta, y la abrió con una varita sin encontrar obstáculo.

—¡Oh demonios arrojados del Cielo, raza despreciable! —empezó a decir en el horrible umbral—; ¿cómo habéis podido conservar vuestra arrogancia? ¿Por qué os resistís contra esa voluntad, que no deja nunca de conseguir su intento, y que ha aumentado tantas veces vuestros dolores? ¿De qué os sirve luchar contra el destino? Vuestro Cerbero, si bien lo recordáis, tiene aún el cuello y el hocico pelados.

Entonces se volvió hacia el cenagoso camino sin dirigirnos la palabra, semejante a un hombre a quien preocupan y apremian otros cuidados, que no se relacionan con la gente que tiene delante. Y nosotros, confiados en las palabras santas, dirigimos nuestros pasos hacia la ciudad de Dite. Entramos en ella sin ninguna resistencia; y como yo deseaba conocer la suerte de los que estaban encerrados en aquella fortaleza, luego que estuve dentro, empecé a dirigir escudriñadoras miradas en torno mío, y vi por todos lados un gran campo lleno de dolor y de crueles tormentos. Como en los alrededores de Arlés [7] donde se estanca el Ródano, o como en Pola, cerca de Quarnero, que encierra a Italia y baña sus fronteras, vense antiguos sepulcros, que hacen montuoso el terreno, así también aquí se elevaban sepulcros por todas partes; con la diferencia de que su aspecto era más terrible, por estar envueltos entre un mar de llamas, que los encendían enteramente, más que lo fue nunca el hierro en ningún arte. Todas sus losas estaban levantadas, y del interior de aquéllos salían tristes lamentos, parecidos a los de los míseros ajusticiados. Entonces le pregunté a mi Maestro:

¿Qué clase de gente es ésa, que sepultada en aquellas arcas, se da a conocer por sus dolientes suspiros?

A lo que me respondió:

—Son los heresiarcas, con sus secuaces de todas sectas: esas tumbas están mucho más llenas de lo que puedes figurarte. Ahí está sepultado cada cual con su semejante, y las tumbas arden más o menos.

Después, dirigiéndose hacia la derecha, pasamos por entre los sepulcros y las altas murallas.

---

[7] Alusión a los Alyscamps de Arlés, inmensa necrópolis de origen probablemente prehistórico, donde, todavía en plena Edad Media, se enviaban a enterrar cuerpos de todas las regiones de occidente. Por este pasaje y otros semejantes se ha deducido que Dante hubo de estar en Francia y en París.

CANTO DECIMO

MI MAESTRO avanzó por un estrecho sendero, entre los muros de la ciudad y las tumbas de los condenados, y yo seguí tras él.

—¡Oh suma virtud —exclamé— que me conduces a tu placer por los círculos impíos! Háblame y satisface mis deseos. ¿Podré ver la gente que yace en esos sepulcros? Todas las losas están levantadas, y no hay nadie que vigile.

Respondióme:

—Todos quedarán cerrados, cuando hayan vuelto de Josafat[1] las almas con los cuerpos que han dejado allá arriba. Epicuro y todos sus sectarios, que pretenden que el alma muere con el cuerpo, tienen su cementerio hacia esta parte.[2] Así, pronto contestarán aquí dentro a la pregunta que me haces, y al deseo que me ocultas.[3]

Yo le repliqué:

—Buen Guía, si acaso te oculto mi corazón, es por hablar poco, a lo cual no es la primera vez que me has predispuesto con tus advertencias.

—¡Oh toscano, que vas por la ciudad del fuego hablando modestamente!, dígnate detenerte en este sitio. Tu modo de hablar revela claramente el noble país al que quizá fui yo funesto.

Tales palabras salieron súbitamente de una de aquellas arcas, haciendo que me aproximara con temor a mi Guía. Este me dijo:

—Vuélvete: ¿qué haces? Mira a Farinata,[4] que se ha levantado en su tumba, y a quien puedes contemplar desde la cintura a la cabeza.

Yo tenía ya mis miradas fijas en las suyas, él erguía su pecho y su cabeza en ademán de despreciar al Infierno. Entonces mi Guía, con mano animosa y pronta, me impelió hacia él a través de los sepulcros, diciéndome: "Háblale con claridad."

En cuanto estuve al pie de su tumba, examinóme un momento; y después, con acento un tanto desdeñoso, me preguntó:

—¿Quiénes fueron tus antepasados?

Yo, que deseaba obedecer, no le oculté nada, sino que se lo descubrí todo; por lo cual arqueó un poco las cejas, y dijo:

—Fueron terribles contrarios míos, de mis parientes y de mi partido; por eso los desterré dos veces.

—Si estuvieron desterrados —le contesté—, volvieron de todas partes una y otra vez, arte que los vuestros no han aprendido.

Entonces, al lado de aquél, apareció a mi vista una sombra, que sólo descubría hasta la barba, lo que me hace creer que estaba de rodillas.[5]

[1] Valle cercano a Jerusalén, donde tendrá lugar el juicio final.
[2] Ni Epicuro ni ninguno de sus antiguos discípulos tienen por qué figurar en el círculo de los herejes. Si Dante los coloca aquí —y es la única secta que nombra expresamente— se debe a que todos los incrédulos, librepensadores, libertinos y materialistas de aquella época eran considerados bajo el común denominador de epicúreos.
[3] El deseo de ver a Farinata ya expresado a Ciacco en el Canto VI.

[4] Farinata degli Uberti, jefe de la facción gibelina de Florencia desde 1239, expulsó de la ciudad a los güelfos en 1248. A su vez fue expulsado por aquellos diez años más tarde y se retiró a Siena desde donde, apoyado por el rey Manfredo de Sicilia, hijo natural de Federico II, formó la coalición que derrotó a los güelfos en la tremenda batalla de Montaperti en 1260. Regresó triunfalmente a Florencia, de donde volvió a arrojar a sus enemigos. Fue el único que se opuso en la dieta de Empoli a la opinión de los restantes caudillos gibelinos de destruir a Florencia por completo. Falleció en aquella ciudad en 1264.
[5] Trátase de Cavalcante Cavalcanti, güelfo como Dante, que al igual que Farinata profesaba opiniones materialistas. Su hijo Guido Cavalcanti (1250-1300), gran ingenio

23

Miró en torno mío, como deseando
ver si estaba alguien conmigo; y apenas se desvanecieron sus sospechas,
me dijo llorando:

—Si la fuerza de tu genio es la
que te ha abierto esta obscura prisión, ¿dónde está mi hijo y por qué
no se encuentra a tu lado?

Respondíle:

—No he venido por mí mismo: el
que me espera allí me guía por estos
lugares: quizá vuestro Guido "tuvo"
hacia él demasiado desdén.

Sus palabras y la clase de su suplicio me habían revelado ya el nombre de aquella sombra: así es que
mi respuesta fue precisa. Irguiéndose
repentinamente exclamó:

—¿Cómo dijiste "tuvo"? Pues qué,
¿no vive aún? ¿No hiere ya sus ojos
la dulce luz del día?

Cuando observó que yo tardaba
en responderle, cayó de espaldas en
su tumba, y no volvió a aparecer
fuera de ella. Pero aquel otro magnánimo, por quien yo estaba allí, no
cambió de color, ni movió el cuello,
ni inclinó el cuerpo.

El que no hayan aprendido bien
ese arte —me dijo continuando la
conversación empezada—, me atormenta más que este lecho. Mas la
deidad que reina aquí [6] no mostrará
cincuenta veces su faz iluminada, sin
que tú conozcas lo difícil que es ese
arte. Pero dime, así puedas volver
al dulce mundo, ¿por qué causa es
ese pueblo tan desapiadado con los
míos en todas sus leyes?

A lo cual le contesté:

—El destrozo y la gran matanza
que enrojeció el Arbia excita tales
discursos en nuestro templo.

Entonces movió la cabeza suspirando, y después dijo:

—No estaba yo allí solo; y en
verdad, no sin razón me encontré en
aquel sitio con los demás; pero sí fui
el único que, cuando se trató de destruir a Florencia, la defendí resueltamente.

—¡Ah! —le contesté—; ¡ojalá
vuestra descendencia tenga paz y reposo! Pero os ruego que deshagáis
el nudo que ha enmarañado mi pensamiento. Me parece, por lo que he
oído, que prevéis lo que el tiempo
ha de traer, a pesar de que os suceda lo contrario con respecto a lo
presente.

—Nosotros —dijo— somos como
los que tienen la vista cansada, que
vemos las cosas distantes, gracias a
una luz con que nos ilumina el Guía
soberano. Cuando los cosas están
próximas o existen, nuestra inteligencia es vana, y si otro no nos lo cuenta, nada sabemos de los sucesos humanos; por lo cual puedes comprender que toda nuestra inteligencia morirá el día en que se cierre la puerta
del porvenir.

—Decid a ese que acaba de caer,
que su hijo está aún entre los vivos.
Si antes no le respondí, hacedle saber que lo hice porque estaba distraído con la duda que habéis aclarado.

Mi Maestro me llamaba ya, por
cuya razón rogué más solícitamente
al espíritu que me dijera quién estaba
con él.

—Estoy tendido entre más de mil
—me respondió—; ahí dentro están
el segundo Federico y el Cardenal.[7]
En cuanto a los demás, me callo.

Se ocultó después de decir esto,
y yo dirigí mis pasos hacia el antiguo poeta, pensando en aquellas
palabras que me parecían amenaza-
doras. Se puso en marcha, y mientras
caminábamos, me dijo:

—¿Por qué estás tan turbado?

Y cuando satisfice su pregunta:

—Conserva en tu memoria lo que
has oído contra ti —me ordenó aquel
sabio—; y ahora estame atento.

Y levantando el dedo, prosiguió:

---

y lírico exquisito, fue uno de los grandes
amigos de nuestro poeta.

[6] La Luna o Proserpina. El sentido es:
no pasarán cincuenta plenilunios (cuatro años
y dos meses) sin que puedas experimentar lo
difícil que es volver a Florencia. Y, en efecto, vanos resultaron todos los esfuerzos de
los blancos por regresar a su ciudad.

[7] El emperador Federico II, que era tenido en su tiempo por librepensador y, por
tanto, por epicúreo. El cardenal es Octaviano
degli Ubaldini, partidario del emperador,
hombre mundano que no creía en la otra
vida. "Puedo afirmar, decía, que si existe
el alma, yo he perdido la mía al servicio
de los gibelinos."

—Cuando estés ante la dulce mirada de aquella cuyos ojos lo ven todo, conocerás el porvenir que te espera.

En seguida se dirigió hacia la izquierda. Dejamos las murallas y fuimos hacia el centro de la ciudad, por un sendero que conduce a un valle, el cual exhalaba un hedor insoportable.

CANTO UNDECIMO

A LA extremidad de un alto promontorio, formado por grandes piedras rotas y acumuladas en círculo, llegamos hasta un montón de espíritus más cruelmente atormentados. Allí, para preservarnos de las horribles emanaciones y de la fetidez que despedía el profundo abismo, nos pusimos al abrigo de la losa de un gran sepulcro, donde vi una inscripción que decía: "Encierro al papa Anastasio, a quien Fotino arrastró lejos del camino recto." [1]

—Es preciso que descendamos por aquí lentamente, a fin de acostumbrar de antemano nuestros sentidos a este triste hedor, y después no tendremos necesidad de precavernos de él.

Así habló mi Maestro, y yo le dije:

—Busca algún recurso para que no perdamos el tiempo inútilmente.

A lo que me respondió:

—Ya ves que en ello pienso. Hijo mío —continuó—, en medio de estas rocas hay tres círculos, que se estrechan gradualmente como los que has dejado: todos están llenos de espíritus malditos; mas para que después te baste con sólo verlos, oye cómo y por qué están aquí encerrados. La injuria es el fin de toda maldad que se atrae el odio del cielo, y se llega a este fin, que redunda en perjuicio de otros, bien por medio de la violencia, o bien por medio del fraude. Pero como el fraude es una maldad propia del hombre, por eso es más desagradable a los ojos de Dios, y por esta razón los fraudulentos están debajo, entregados a un dolor más vivo. Todo el primer círculo lo ocupan los violentos, círculo que está además construido y dividido en tres recintos; porque puede cometerse violencia contra tres clases de seres: contra Dios, contra sí mismo y contra el prójimo; y no sólo contra sus personas, sino también contra sus bienes, como lo comprenderás por estas claras razones. Se comete violencia contra el prójimo dándole la muerte o causándole heridas dolorosas; y contra sus bienes, por medio de la ruina, del incendio o de los latrocinios. De aquí resulta que los homicidas, los que causan heridas, los incendiarios y los ladrones están atormentados sucesivamente en el primer recinto. Un hombre puede haber dirigido su mano violenta contra sí mismo o contra sus bienes: justo es, pues, que purgue su culpa en el segundo recinto, sin esperar tampoco mejor suerte aquel que por su propia voluntad se priva de vuestro mundo, juega, disipa sus bienes o llora donde debía haber estado alegre y gozoso. Puede cometer violencia contra la Divinidad el que reniega de ella y blasfema con el corazón, y el que desprecia la Naturaleza y sus bondades. He aquí por qué el recinto más pequeño marca con su fuego a Sodoma y a Cahors, [2] y a todo el que, despreciando a Dios, le injuria sin hablar, desde el fondo de su corazón. El hombre puede emplear el fraude que produce remordimientos en todas las conciencias, ya con el que de él

---

[1] Anastasio II, papa del 496 al 498, por debilidad de carácter y por amor a la paz, admitió a la comunión al diácono de Tesalónica Fotino, partidario del heresiarca Acacio, quien sostenía que en Jesucristo no había más que una naturaleza, la humana.. De ahí la creencia, muy extendida hasta el siglo XVI, de que el pontífice había sido convencido por el diácono.

[2] Los sodomitas, así llamados por la bíblica ciudad de Sodoma, o pecadores contra la naturaleza. La ciudad francesa de Cahors tenía fama de ser un centro de usureros.

se fía, ya también con el que desconfía de él. Este último modo de usar del fraude parece que sólo quebranta los vínculos de amor, que forma la Naturaleza; por esta causa están encadenados en el segundo recinto los hipócritas, los aduladores, los hechiceros, los falsarios, los ladrones, los simoníacos, los rufianes, los barateros y todos los que se han manchado con semejantes e inmundos vicios. Por el primer fraude no sólo se olvida el amor que establece la Naturaleza, sino también el sentimiento que le sigue, y de donde nace la confianza: he aquí por qué, en el círculo menor, donde está el centro de la Tierra y donde se halla el asiento de Dite, yace eternamente atormentado todo aquel que ha cometido traición.

Le dije entonces:

—Maestro, tus razones son muy claras, y bien me dan a conocer, por medio de tales divisiones, ese abismo y la muchedumbre que le habita; pero dime: los que están arrojados en aquella laguna cenagosa, los que agita el viento sin cesar, los que azota la lluvia, y los que chocan entre sí lanzando tan estridentes gritos, ¿por qué no son castigados en la ciudad del fuego, si se han atraído la cólera de Dios? Y si no se la han atraído, ¿por qué se ven atormentados de tal suerte?

Me contestó:

¿Por qué tu ingenio, contra su costumbre, delira tanto ahora?, ¿o es que **tienes** el pensamiento en otra parte? ¿No te acuerdas de aquellas palabras de la Ética,[3] que has estudiado, en las que se trata de las tres

inclinaciones que el Cielo reprueba: la incontinencia, la malicia y la loca bestialidad, y de qué modo la incontinencia ofende menos a Dios y produce menor censura? Si examinas bien esta sentencia, acordándote de los que sufren su castigo fuera de aquí, conocerás por qué están separados de esos felones, y por qué los atormenta la justicia divina, a pesar de demostrarse con ellos menos ofendida.

—¡Oh Sol, que sanas toda vista conturbada! —exclamé—: tal contento me das cuando **desarrollas tus** ideas, que sólo por eso me es tan grato dudar como saber. Vuelve atrás un momento, y explícame de qué modo ofende la usura a la bondad divina: desvanece esta duda.

—La filosofía —me contestó— enseña en más de un punto al que la estudia, que la Naturaleza tiene su origen en la Inteligencia divina y en su arte; y si consultas bien tu Física, encontrarás, sin necesidad de hojear muchas páginas, que el arte humano sigue cuanto puede a la Naturaleza, como el discípulo a su maestro; de modo que aquél es casi nieto de Dios. Partiendo, pues, de estos principios, sabrás si recuerdas bien el Génesis, que es conveniente sacar de la vida la mayor utilidad, y multiplicar el género humano. El usurero sigue otra vía; desprecia a la naturaleza y a su secuaz, y coloca su esperanza en otra parte. Ahora sígueme; que me place avanzar. Los peces suben ya por el horizonte; el Carro se ve hacia aquel punto donde expira Coro,[4] y lejos de aquí el alto promontorio parece que desciende.

---

[3] La *Ética a Nicómaco* de Aristóteles, bien conocida por Dante, y en la que se inspira toda esta casuística de los pecados de violencia y de fraude.

[4] El Carro es la Osa Mayor y Coro un viento.

CANTO DUODECIMO

EL SITIO por donde empezamos a bajar era un paraje alpestre y, a causa del que allí se hallaba, todas las miradas se apartarían de él con horror. Como aquellas ruinas, cuyo flanco azota el río Adigio, más acá de Trento, producidas por un terremoto o por falta de base, que desde la cima del monte de donde cayeron hasta la llanura, presentan la roca tan hendida, que ningún paso hallaría el que estuviese sobre ellas, así era la bajada de aquel precipicio; y en el borde de la entreabierta sima estaba tendido el monstruo, oprobio de Creta,[1] que fue concebido por una falsa vaca. Cuando nos vió, se mordió a sí mismo, como aquel a quien abrasa la ira. Gritóle entonces mi Sabio:

—¿Por ventura crees que esté aquí el rey de Atenas,[2] que allá arriba, en el mundo, te dió la muerte? Aléjate, monstruo; que éste no viene amaestrado por tu hermana, sino con el objeto de contemplar vuestras penas.

Como el toro que rompe las ligaduras en el momento de recibir el golpe mortal, que huir no puede, pero salta de un lado a otro, lo mismo hizo el Minotauro; y mi prudente Maestro me gritó:

—Corre hacia el borde; mientras esté furioso, bueno es que desciendas.

Nos encaminamos por aquel derrumbamiento de piedras, que oscilaban por primera vez bajo el peso de mi cuerpo. Iba yo pensativo; por lo cual me dijo:

—Acaso piensas en estas ruinas, defendidas por aquella ira bestial, que he disipado. Quiero, pues, que sepas que la otra vez que bajé al profundo Infierno aún no se habían desprendido estas piedras; pero un poco antes (si no estoy equivocado) de que viniese aquél que arrebató a Dite la gran presa del primer círculo, retembló el impuro valle tan profundamente por todos sus ámbitos, que creí ver al universo sintiendo aquel amor, por el cual otros creyeron que el mundo ha vuelto más de una vez a sumirse en el caos; y entonces fue cuando esa antigua roca se destrozó por tan diversas partes. Pero fija tus miradas en el valle; pues ya estamos cerca del río de sangre, en el cual hierve todo el que por medio de la violencia ha hecho daño a los demás.

¡Oh ciegos deseos! ¡Oh ira desatentada que nos aguijonea de tal modo en nuestra corta vida, y así nos sumerge en sangre hirviente por toda una eternidad! Vi un ancho foso en forma circular, como la montaña que rodea toda la llanura, según me había dicho mi Guía, y entre el pie de la roca y este foso corrían en fila muchos centauros armados de saetas, del mismo modo que solían ir a cazar por el mundo. Al vernos descender, se detuvieron, y tres de ellos se separaron de la banda, preparando sus arcos y escogiendo antes sus flechas. Uno de ellos gritó desde lejos:

—¿Qué tormento os está reservado a vosotros los que bajáis por esa cuesta? Decidlo desde donde estáis, porque si no, disparo mi arco.

Mi Maestro respondió:

—Contestaremos a Quirón,[3] cuando estemos cerca. Tus deseos fueron

[1] El Minotauro, guardián de este círculo de los violentos. Era un ser fabuloso de la isla de Creta, con cuerpo y miembros de hombre y cabeza de toro. Según la leyenda sería hijo de Pasifae y de un toro.
[2] Teseo, hijo de Egeo, rey de Atenas, que dio muerte al Minotauro.
[3] Los Centauros, seres mitológicos, caballos y hombres a un tiempo, que no conocen más derecho que el de la fuerza, simbolizan la violencia bestial. Aquí habla de tres:

siempre por desgracia muy impetuosos.

Después me tocó y me dijo:

—Ese es Neso, el que murió por la hermosa Deyanira, y vengó por sí mismo su muerte; el de enmedio, que inclina la cabeza sobre el pecho, es el gran Quirón, que educó a Aquiles; el otro es el irascible Foló. Alrededor del foso van a millares, atravesando con sus flechas a toda alma que sale de la sangre más de lo que le permiten sus culpas.

Nos fuimos aproximando a aquellos ágiles monstruos: Quirón cogió una flecha, y con el regatón apartó las barbas hacia detrás de sus quijadas. Cuando se descubrió la enorme boca, dijo a sus compañeros:

—¿Habéis observado que el de detrás mueve cuanto toca? Los pies de los muertos no suelen hacer eso.

Y mi buen Maestro, que estaba ya junto a él, y le llegaba al pecho, donde las dos naturalezas se unen, repuso:

—Está en efecto vivo, y yo sólo debo enseñarle el sombrío valle: viene a él por necesidad, y por distracción. La que me ha encomendado este nuevo oficio, ha cesado por un momento de cantar "aleluya." No es él un ladrón, ni yo un alma criminal. Pero por aquella virtud que dirige mis pasos en un camino tan salvaje, cédeme uno de los tuyos para que nos acompañe, que nos indique un punto vadeable y lleve a éste sobre sus ancas, pues no es espíritu que vaya por el aire.

Quirón se volvió hacia la derecha, y dijo a Neso:

—Vé, guíales, y si tropiezan con algún grupo de los nuestros, haz que les abran paso.

Nos pusimos en marcha, tan fielmente escoltados, hacia lo largo de las orillas de aquella roja espuma, donde lanzaban horribles gritos los ahogados. Los vi sumergirse hasta las cejas, por lo que el gran Centauro dijo:

—Esos son los tiranos, que vivieron de sangre y de rapiña. Aquí se lloran las desapiadadas culpas: aquí está Alejandro, y el feroz Dionisio, que tantos años de dolor hizo sufrir a la Sicilia.[4] Aquella frente que tiene el cabello tan negro es la de Azzolino, y la otra que lo tiene rubio es la de Obezzo de Este, que verdaderamente fue asesinado en el mundo por su hijastro.[5]

Entonces me volví hacia el Poeta, el cual me dijo:

—Sea éste ahora tu primer guía; yo seré el segundo.

Algo más lejos se detuvo el Centauro sobre unos condenados, que parecían sacar fuera de aquel hervidero su cabeza hasta la garganta, y nos mostró una sombra que estaba separada de las demás, diciendo:

Aquél hirió, en recinto sagrado, a un corazón, que aún se ve honrado en las orillas del Támesis.

Después vi otras sombras que sacaban la cabeza fuera del río, y algunas todo el pecho, y reconocí a muchos de ellos. Como la sangre

Quirón, Neso y Folo. A Quirón, el más sabio de entre ellos, le fue encomendada la educación de Aquiles. Neso, cediendo a la pasión, intentó raptar a Deyanira, la mujer de Hércules, pero éste le hirió con una flecha envenenada. Ya moribundo entregó a Deyanira su vestido, tinto en su propia sangre envenenada, como si tuviese la virtud de enamorar a quien se lo pusiera. Creyolo ella, y queriendo conservar el afecto de su esposo se lo entregó. Hércules al vestirlo enloqueció de dolor y se quemó él mismo. Folo, habiéndose emborrachado durante las bodas de Pirítoo y de Hipodamía, quiso violentar a la esposa y a las mujeres de los lápitas, con lo que la fiesta degeneró en feroz lucha entre centauros y lápitas.

[4] Probablemente no Alejandro el Grande de Macedonia, sino el tirano de Feras en Tesalia, asesinado por su mujer y sus hermanos en 358 a. C., después de mantener constantes luchas con sus súbditos. Una de sus diversiones consistía en vestir a los hombres con pieles de animales feroces y arrojarlos así a los perros para que los despedazaran. Dionisio es el tirano de Siracusa del siglo IV antes de nuestra era.
[5] El gibelino al servicio de Federico II, Ezzelino da Romano, conde de Onara, dio muestras de feroz crueldad en el Norte de Italia. Murió en la cárcel en 1259. Obezzo de Este, marqués de Ferrara y de la marca de Ancona, muerto en 1293.
[6] Guido de Montfort. Para vengar la muerte de Simón, su padre, muerto en Inglaterra por Eduardo, asesinó en 1271, en una iglesia de Viterbo, a Enrique, hermano de aquél, mientras el sacerdote elevaba la hostia. El corazón del asesinado fue llevado en una copa a Londres, y colocado sobre una columna en el puente del Támesis, para recordar a los ingleses la ofensa que se les había hecho.

iba disminuyendo poco a poco, hasta no cubrir más que el pie, vadeamos el foso.

—Quiero que creas —me dijo el Centauro— que así como ves desminuir la corriente por esta parte, por la otra es su fondo cada vez mayor, hasta que llega a reunirse en aquel punto donde la tiranía está condenada a gemir. Allí es donde la justicia divina ha arrojado a Atila, que fue su azote en la tierra; a Pirro, a Sexto,[7] y eternamente arranca lágrimas, con el hervor de esa sangre, a Renato de Corneto y a Renato Pazzo,[8] que tanto daño causaron en los caminos.

Dicho esto, se volvió y repasó el vado.

[7] Puede tratarse, refiriéndose a Pirro, del rey de Epiro que luchó contra los romanos o del hijo de Aquiles y Didamía, que inmoló a Políxena a los manes de su padre, mató a Príamo y fue muerto por Orestes. Sexto es el hijo de Pompeyo el rival de César; después de la muerte de su padre se dedicó a la piratería en el Mediterráneo.

[8] Renato de Corneto era un famoso bandido de las cercanías de Roma, mientras que Renato Pazzo era un gibelino señalado por sus violencias y desmanes, que asaltó y dio muerte al prelado de Valle de Arno cuando se dirigía a Roma.

CANTO DECIMOTERCIO

No había llegado aún Neso a la otra parte, cuando penetramos en un bosque, que no estaba surcado por ningún sendero. El follaje no era verde, sino de un color obscuro; las ramas no eran rectas, sino nudosas y entrelazadas; no había frutas, sino espinas venenosas. No son tan ásperas y espesas las selvas donde moran las fieras, que aborrecen los sitios cultivados entre el Cecina y Corneto. Allí anidan las brutales Arpías,[1] que arrojaron a los Troyanos de las Estrófades con el triste presagio de un mal futuro. Tienen alas anchas, cuellos y rostros humanos, pies con garras, y el vientre cubierto de plumas: subidas en los árboles, lanzan extraños lamentos.

Mi buen Maestro empezó a decirme:

—Antes de avanzar más, debes saber que te encuentras en el segundo recinto, por el cual continuarás hasta que llegues a los terribles arenales. Por tanto, mira con atención; y de este modo verás cosas, que darán testimonio de mis palabras.

Por todas partes oía yo gemidos, sin ver a nadie que los exhalara; por eso me detuve todo atemorizado. Creo que él creyó que yo creía que aquellas voces eran gente que se ocultaba de nosotros entre la espesura; y así me dijo mi Maestro:

—Si rompes cualquier ramita de una de esas plantas, verás trocarse tus pensamientos.

Entonces extendí la mano hacia delante, cogí una ramita de un endrino, y su tronco exclamó:

—¿Por qué me tronchas?

Inmediatamente se tiñó de sangre, y volvió a exclamar:

—¿Por qué me desgarras? ¿No tienes ningún sentimiento de piedad? Hombres fuimos, y ahora estamos convertidos en troncos: tu mano debería haber sido más piadosa, aunque fuéramos almas de serpientes.

Cual de verde tizón que, encendido por uno de sus extremos, gotea y chilla por el otro, a causa del aire que le atraviesa, así salían de aquel tronco palabras y sangre juntamente; lo que me hizo dejar caer la rama, y detenerme como hombre acobardado.

—Alma herida —respondió mi Sabio—; si él hubiera podido creer, desde luego, que era verdad lo que ha leído en mis versos, no habría extendido su mano hacia ti: el ser una cosa tan increíble me ha obligado a aconsejarle que hiciese lo que ahora me está pesando. Pero dile quién fuiste, a fin de que, en compensación, renueve tu fama en el mundo, donde le es lícito volver.

El tronco respondió:

—Me halagas tanto con tus dulces palabras, que no puedo callar: no llevéis a mal que me entretenga un poco hablando con vosotros. Yo soy aquél[2] que tuvo las dos llaves del corazón de Federico, manejándolas tan suavemente para cerrar y abrir, que a casi todos aparté de su confianza, habiéndome dedicado con tanta fe a aquel glorioso cargo, que perdí el sueño y la vida. La cortesa-

---

[1] Animales fabulosos con cara de mujer y cuerpo de pájaro.

[2] Pedro Desvignes, o Pedro della Vigna, jurisconsulto de Capua; gozó por mucho tiempo el favor del emperador Federico II, de quien era canciller y a quien inclinaba lo mismo a la clemencia que a la severidad. Acusado de traición por envidiosos cortesanos le sacaron los ojos en 1246. Su desesperación fue tal que se estrelló la cabeza contra los muros de su calabozo.

na que no ha separado nunca del palacio de César sus impúdicos ojos, peste común y vicio de las cortes, inflamó contra mí todos los ánimos, y los inflamados inflamaron a su vez y de tal modo a Augusto, que mis dichosos honores se trocaron en triste duelo. Mi alma, en un arranque de indignación, creyendo librarse del oprobio por medio de la muerte, me hizo injusto contra mí mismo, siendo justo. Os juro, por las tiernas raíces de este leño, jamás fui desleal a mi señor, tan digno de ser honrado. Y si uno de vosotros vuelve al mundo, restaure en él mi memoria, que yace aún bajo el golpe que le asestó la envidia.

El poeta esperó un momento, y después me dijo:

—Pues que calla, no pierdas el tiempo: habla y pregúntale, si quieres saber más.

Yo le contesté:

—Interrógale tú mismo lo que creas que me interese, pues yo no podría: tanto es lo que me aflige la compasión.

Por lo cual volvió él a empezar de este modo:

—A fin de que este hombre haga generosamente lo que tu súplica reclama, espíritu encarcelado, dígnate aún decirnos cómo se encierra el alma en esos nudosos troncos, y dime además, si puedes, si hay alguna que se desprenda de tales miembros.

Entonces el tronco suspiró, y aquel resoplido se convirtió en esta voz:

—Os contestaré brevemente: cuando el alma feroz sale del cuerpo de donde se ha arrancado ella misma, Minos la envía al séptimo círculo. Cae en la selva, sin que tenga designado sitio fijo, y allí donde la lanza la fortuna, germina cual grano de espelta. Brota primero como un retoño, y luego se convierte en planta silvestre: las Arpías, al devorar sus hojas, le causan dolor, y abren paso por donde ese dolor se exhale. Como las demás almas, iremos a recoger nuestros despojos; pero sin que ninguna de nosotras pueda revestirse con ellos, porque no sería justo volver a tener lo que uno se ha quitado voluntariamente. Los arrastraremos aquí; y en este lúgubre bosque estará cada uno de nuestros cuerpos suspendidos en el mismo endrino donde sufre tal tormento su alma.

Prestábamos aún atención a aquel tronco, creyendo que añadiría algo más, cuando fuimos sorprendidos por un rumor, a la manera del que siente venir el jabalí y los perros hacia el sitio donde está apostado, que juntamente oye el ruido de las fieras y el fragor del ramaje. Y he aquí que aparecen a nuestra izquierda dos infelices,[3] desnudos y lacerados, huyendo tan precipitadamente, que rompían todas las ramas de la selva. El de adelante: "¡Acude, acude, muerte!" decía; y el otro, que no corría tanto: "Lano, tus piernas no eran tan ágiles en el combate del Topo." Y sin duda, faltándole el aliento, hizo un grupo de sí y de un arbusto.

Detrás de ellos estaba la selva llena de perras negras, ávidas y corriendo cual lebreles a quienes quitan su cadena. Empezaron a dar terribles dentelladas a aquél que se ocultó, y después de despedazarle, se llevaron sus miembros palpitantes. Mi Guía me tomó entonces de la mano, y llevóme hacia el arbusto, que en vano se quejaba por sus sangrientas heridas:

—¡Oh, Jacobo de San Andrés! —decía—. ¿De qué te ha servido tomarme por refugio? ¿Tengo yo la culpa de tu vida criminal?

Cuando mi Maestro se detuvo delante de aquel arbusto, dijo:

—¿Quién fuiste tú [4] que por tantas ramas rotas exhalas con tu sangre tan quejumbrosas palabras?

A lo que contestó:

—¡Oh, almas, que habéis venido a contemplar el lamentable estrago

---

[3] Lano de Sierra que encontró la muerte en la batalla de Toppo, 1287, en la que los de Sierra fueron vencidos por los aretinos y Jacobo de San Andrés, de Padua, parece que fue muerto por Ezzelino. Ambos famosos derrochadores.

[4] Según unos Rocco dei Mozzi, quien habiendo sido extremadamente rico y viéndose después reducido a pobreza, se ahorcó en su propia casa. Según otros Loto degli Agli, abogado que se ahorcó también por haber dado una sentencia injusta.

que me ha separado así de mis hojas!,
recogedlas al pie del triste arbusto.
Yo fui de la ciudad que cambió su
primer patrón por San Juan Bautista;[5] por cuya razón aquél la contristará siempre con su terrible arte: y

a no ser porque en el puente del Arno
se conserva todavía alguna imagen
suya, fuera en vano todo el trabajo
de aquellos ciudadanos que la reedifi-
caron sobre las cenizas que de ella
dejó Atila. Yo de mi casa hice mi
propia horca.

[5] Florencia, cuyo antiguo patrón era el
dios Marte. Su estatua ecuestre se conservaba aún en 1337 en el Ponte-Vecchio, de
donde la arrancó, juntamente con un trozo
del puente, una avenida del Arno.

CANTO DECIMOCUARTO

ENTERNECIDO por el amor patrio, reuní las hojas dispersas, y las devolví a aquel que ya se había callado. Desde allí nos dirigimos al punto en que se divide el segundo recinto del tercero, y donde se ve el terrible poder de la justicia divina. Para explicar mejor las cosas nuevas que allí vi, diré que llegamos a un arenal, que rechaza toda planta de su superficie. La dolorosa selva lo rodeaba cual guirnaldas, así como el sangriento foso circundaba a aquélla. Nuestros pies quedaron fijos en el mismo lindero de la selva y la llanura. El espacio estaba cubierto de una arena tan árida y espesa, como la que oprimieron los pies de Catón en otro tiempo.[1] ¡Oh venganza de Dios! ¡Cuánto debe temerte todo aquél que lea lo que se presentó a mis ojos! Vi numerosos grupos de almas desnudas, que lloraban miserablemente, y parecían cumplir sentencias diversas. Unas yacían de espaldas sobre el suelo; otras estaban sentadas en confuso montón; otras andaban continuamente. Las que daban la vuelta al círculo eran más numerosas, y en menor número las que yacían para sufrir algún tormento; pero éstas tenían la lengua más suelta para quejarse. Llovían lentamente en el arenal grandes copos de fuego, semejantes a los de nieve que en los Alpes caen cuando no sopla el viento. Así como Alejandro vio en las ardientes comarcas de la India caer sobre sus soldados llamas, que quedaban en el suelo sin extinguirse, lo que le obligó a ordenar a las tropas que las pisaran, porque el incendio se apagaba mejor

cuanto más aislado estaba, así descendía el fuego eterno, abrasando la arena, como abrasa a la yesca el pedernal, para redoblar el dolor de las almas. Sus míseras manos se agitaban sin reposo, apartando a uno y otro lado las brasas continuamente renovadas. Yo empecé a decir:

—Maestro, tú que has vencido todos los obstáculos, a excepción del que nos opusieron los demonios inflexibles a la puerta de la ciudad, dime, ¿quién es aquella gran sombra,[2] que no parece cuidarse del incendio, y yace tan feroz y altanera, como si no la martirizara esa lluvia?

Y la sombra, observando que yo hablaba de ella a mi Guía, gritó:

—Tal cual fui en vida, soy después de muerto. Aun cuando Júpiter cansara a su herrero, de quien tomó en su cólera el agudo rayo que me hirió el último día de mi vida; aun cuando fatigara uno tras otro a todos los negros obreros del Mongibelo,[3] gritando: "Ayúdame, ayúdame, buen Vulcano," según hizo en el combate de Flegra,[4] y me asaeteara con todas sus fuerzas, no lograría vengarse de mí cumplidamente.

Entonces mi Guía habló con tanta vehemencia, que nunca yo lo había oído expresarse de aquel modo:

—¡Oh! Capaneo, si no se modera tu orgullo, él será tu mayor castigo. No hay martirio comparable al dolor que te hace sufrir tu rabia.

[1] La arena de la Libia pisada por los pies de Catón de Utica, cuando condujo a través del desierto los restos del ejército de Pompeyo.

[2] Capaneo, uno de los siete reyes de Grecia confederados con Polinice contra Tebas. Habiendo escalado los muros de la ciudad desafió a Júpiter para que la defendiese; éste le fulminó con un rayo.
[3] El Etna, donde la mitología situaba la fragua de Vulcano.
[4] Valle de Tesalia, donde tuvo lugar el combate entre Júpiter y los Gigantes, que intentaban escalar el cielo poniendo montañas sobre montañas.

Después se dirigió a mí, diciendo con acento más apacible:

—Ese fue uno de los siete reyes que sitiaron a Tebas; despreció a Dios, y aun parece seguir despreciándole, sin que se note le ruegue; pero, como le he dicho, su mismo despecho es el más digno premio debido a su corazón. Ahora, sígueme, y cuida de no poner tus pies sobre la abrasada arena; camina siempre arrimado al bosque.

Llegamos en silencio al sitio donde desemboca fuera de la selva un riachuelo, cuyo rojo color aún me horripila. Cual sale del Bulicame [5] el arroyo, cuyas aguas se reparten las pecadoras, así corría aquel riachuelo por la arena. Las orillas y el fondo estaban petrificados, por lo que pensé que por ellas debía andar.

—Entre todas las cosas que te he enseñado, desde que entramos por la puerta en cuyo umbral puede detenerse cualquiera, tus ojos no han visto otra tan notable como esa corriente, que amortigua todas las llamas.

Tales fueron las palabras de mi Guía; por lo que le supliqué se explicase más claramente, ya que había excitado mi curiosidad.

—En medio del mar existe un país arruinado —me dijo entonces—, que se llama Creta, y tuvo un rey,[6] bajo cuyo imperio el mundo fue virtuoso: en él hay un monte, llamado Ida, que en otro tiempo fue delicioso por sus aguas y su frondosidad, y hoy está desierto, como todas las cosas antiguas. Rea lo escogió por cuna segura de su hijo; y para ocultarlo mejor, cuando lloraba, hacía que se produjesen grandes ruidos. En el interior del monte se mantiene en pie un gran anciano, que está de espaldas hacia Damieta, con la mirada fija en Roma como en un espejo. Su cabeza es formada de oro fino, y de plata pura son los brazos y el pecho; después es de bronce hasta la entrepierna, y de allí para abajo es todo de hierro escogido, excepto el pie derecho, que es de barro cocido, y se afirma sobre éste más que sobre el otro. Cada parte, menos la formada de oro, está surcada por una hendedura que mana lágrimas, las cuales, reunidas, agujeran aquel monte. Su curso se dirige hacia este valle, de roca en roca, formando el Aqueronte, la Estigia y el Flegetón; después descienden por este estrecho conducto, hasta el punto donde no se puede bajar más, y allí forman el Cocito: ya verás lo que es este lago; por eso no te lo describo ahora.

Yo le contesté:

—Si ese riachuelo se deriva así de nuestro mundo, ¿por qué se deja ver únicamente al margen de este bosque?

Y él a mí:

—Tú sabes que este lugar es redondo, y aunque hayas andado mucho, descendiendo siempre al fondo por la izquierda, no has dado aún la vuelta a todo el círculo; por lo cual, si se te aparece alguna cosa nueva, no debe pintarse la admiración en tu rostro.

Le repliqué:

—Maestro, ¿dónde están el Flegetón y el Leteo?[7] Del uno no dices nada, y del otro sólo me dices que lo origina esa lluvia de lágrimas.

—Me agradan todas tus preguntas —contestó—: pero el hervor de esa agua roja debiera haberte servido de contestación a una de ellas. Verás el Leteo; pero fuera de este abismo, allá donde van las almas a lavarse, cuando, arrepentidas de sus culpas, les son perdonadas.

Después añadió:

—Ya es tiempo de que nos apartemos de este bosque; procura venir detrás de mí: sus márgenes nos ofrecen un camino; pues no son ardientes, y sobre ellas se extinguen todas las brasas.

---

[5] Manantial de aguas minerales calientes, a dos millas de Viterbo. De él salía un riachuelo con el cual se formaba un baño, al que acudían toda clase de enfermos, y más abajo tomaban y se repartían sus aguas *le peccatrici*, las mujeres públicas.

[6] Saturno, dios del tiempo.

[7] El Leteo es el río del olvido y no puede estar en el Infierno cristiano, como estaba en el pagano, porque allí ya no pueden arrepentirse de sus pecados los condenados.

CANTO DECIMOQUINTO

Nos pusimos en marcha siguiendo una de aquellas orillas petrificadas: el vapor del arroyuelo formaba sobre él una niebla, que preservaba del fuego làs ondas y los ribazos. Así como los flamencos que habitan entre Gante y Brujas, temiendo al mar que avanza hacia ellos, levantan diques para contenèrle; o como los Paduanos lo hacen a lo largo del Brenta para defender sus ciudades y castillos, antes que el Chiarentana sienta el calor, de un modo semejante èran formados aquellos ribazos; pero su constructor, quienquiera que fuese, no los había hecho tan altos ni tan gruesos.

Nos hallábamos ya tan lejos de la selva, que no me habría sido posible descubrirla, por más que volviese atrás la vista, cuando encontramos una legión de almas, que venía a lo largo del ribazo: cada cual de ellas me miraba, como de noche suelen mirarse unos a otros los humanos a la escasa luz de la luna nueva, y aguzaban hacia nosotros las pestañas, como hace un sastre viejo para enfilar la aguja.

Examinado de este modo por aquellas almas, fui conocido por una de ellas, que me cogió el vestido, exclamando:

—¡Qué maravilla!

Y yo, mientras me tendía los brazos, miré atentamente su abrasado rostro, de tal modo que, a pesar de estar desfigurado, no me fue imposible conocerlè a mi vez; e inclinando hacia su faz la mía contesté:

—¿Vos aquí, "ser" Brunetto?

Y él repuso:

—¡Oh hijo mío!, no te enojes si Brunetto Latini vuelve un poco atrás contigo, y deja que se adelanten las demás almas.

Yo le dije:

—Os lo ruego cuanto me es posible; y si queréis que nos sentemos, lo haré, si así le place a éste con quien voy.

—¡Oh hijo mío! —replicó—; cualquiera de nosotros que se detenga un momento, queda después cien años sufriendo esta lluvia, sin poder esquivar el fuego que le abrasa. Así, pues, sigue adelante; yo caminaré a tu lado, y luego me reuniré a mi mesnada, que va llorando sus eternos tormentos.

No me atreví a bajar del ribazo por donde iba para nivelarme con él; pero tenía la cabeza inclinada, en actitud respetuosa. Empezó de este modo:

—¿Cuál es la suerte o el destino que te trae aquí abajo antes de tu última hòra? ¿Y quién es ése que te enseña el camino?

—Allá arriba, en la vida serena —le respondí—, me extravié en un valle antes de haberse llenado mi edad. Pero ayer de mañana le volví la espalda; y cuando retrocedía otra vez hacia él, se me apareció ése, y me volvió al verdadero camino por esta vía.

A lo que me contestó:

—Si sigues tu estrella, no puedes menos de llegar a glorioso puerto, dado que yo en el mundo predijera bien tu destino. Y a no haber muerto tan pronto, viendo que el cielo te era tan favorable, te habría dado alientos para proseguir tu obra. Pero aquel pueblo ingrato y malo, que en otro tiempo descendió de Fiésole, y que aun conserva algo de la aspereza de sus montañas y de sus rocas, será tu enemigo, por lo mismo que prodigarás el bien; lo cual es natural, pues no conviene que madure

el dulce higo entre ásperos serbales.
Una antigua fama les da en el mundo el nombre de ciegos; raza avara, envidiosa y soberbia: ¡que sus malas costumbres no te manchen nunca! La fortuna te reserva tanto honor, que los dos partidos anhelaran poseerte; pero la hierba estará lejos del pico. Hagan las bestias fiesolanas forraje de sus mismos cuerpos, y no puedan tocar a la planta, si es que todavía sale alguna de entre su estiércol, en la que reviva la santa semilla de aquellos romanos que quedaron después de construído aquel nido de perversidad.

—Si todos mis deseos se hubiesen realizado —le respondí—, no estaríais vos fuera de la humana naturaleza; porque tengo siempre fija en mi mente, y ahora me contrista verla así, vuestra querida, buena y paternal imagen, cuando me enseñabais en el mundo cómo el hombre se inmortaliza: me creo, pues, en el deber, mientras viva, de patentizar con mis palabras el agradecimiento que os profeso. Conservo grabado en la memoria cuanto me referís acerca de mi destino, para hacerlo explicar con otro texto por una Dama que lo sabrá hacer, si consigo llegar hasta ella. Solamente deseo manifestaros que estoy dispuesto a correr todos los azares de la Fortuna con tal que mi conciencia no me remuerda nada. No es la vez primera que he oído semejante predicción; y así, mueva su rueda la Fortuna como le plazca, y el campesino su azada.

Entonces mi Maestro se volvió hacia la derecha, me miró, y después me dijo:

—Bien escucha quien bien retiene.

No por eso dejé de seguir hablando con "ser" Brunetto,[1] y preguntándole quiénes eran sus más notables y eminentes compañeros, me contestó:

—Bueno es que conozcan los nombres de algunos de ellos: con respecto a los otros, vale más callar; que para tanta conversación el tiempo es corto. Sabe, pues, que todos ellos fueron clérigos y literatos de gran fama, y el mismo pecado los contaminó a todos en el mundo.[2] Con aquella turba desolada va Prisciano, como también Francisco de Accorso; y si desearas conocer a tan inmunda caterva, podrías ver a aquel que por el Siervo de los siervos de Dios fue trasladado del Arno al Bacchiglione, donde dejó sus mal extendidos miembros. Más te diría; pero no puedo avanzar ni hablar más, porque ya veo salir nuevo humo de la arena. Vienen almas con las cuales no debo estar. Te recomiendo mi "Tesoro", en el que aún vive mi memoria, y no pido nada más.

Después se volvió con los otros, del mismo modo que los que, en la campiña de Verona, disputan a la carrera el palio verde, pareciéndose en el correr a los que vencen y no a los vencidos.

---

[1] Tradicionalmente se venía creyendo que Brunetto estaba condenado por sodomía y su suerte resultaba bastante desconcertante para los comentadores. El francés André Pezard nos da una nueva interpretación del caso en su tesis *Dante sous la pluie de feu*, aparecida en 1946. Según él, Brunetto se encuentra en tal lugar en calidad de "intelectual", es decir, de "violento contra el espíritu, hijo de Dios", por haber preferido indebidamente para la redacción de su *Tesoro*, la lengua francesa, extranjera, a su lengua materna, la toscana, contraviniendo así la ley del lenguaje, establecida por Dios mismo.

[2] Semejante al de Brunetto es el pecado de sus acompañantes. Prisciano célebre gramático del siglo VI, tuvo la superstición del genio y de la lengua griegos y Accorso profesor de la Universidad de Bolonia, en el derecho cuando afirma que "sólo el derecho es la verdadera filosofía y contiene toda la teología". En cuanto a Andrés dei Mozzi, que fue desposeído del obispado de Florencia, pecó por vulgaridad intencionada y visible de su predicación.

CANTO DECIMOSEXTO

ENCONTRÁBAME ya en un sitio donde se oía el rimbombar del agua que caía en el otro recinto, rumor semejante al zumbido que producen las abejas en sus colmenas, cuando a un tiempo y corriendo se separaron tres sombras de entre una multitud que pasaba sobre la lluvia del áspero martirio. Vinieron hacia nosotros, gritando cada cual: "Detente, tú, que, a juzgar por tus vestidos, eres hijo de nuestra depravada tierra." ¡Ah!, ¡qué de llagas antiguas y recientes vi en sus miembros, producidas por las llamas! Su recuerdo me contrista todavía. A sus gritos se detuvo mi Maestro; volvió el rostro hacia mí, y me dijo:

—Espera aquí si quieres ser cortés con esos; aunque si no fuese por el fuego que lanza sus rayos sobre este lugar, te diría que, mejor que a ellos la prisa de venir, te estaría a ti la de correr a su encuentro.

Las sombras volvieron de nuevo a sus exclamaciones luego que nos detuvimos, y cuando llegaron adonde estábamos, empezaron las tres a dar vueltas formando un círculo. Y como solían hacer los gladiadores desnudos y untados de aceite, que antes de venir a las manos buscaba cada cual la oportunidad de lanzarse con ventaja sobre su contrario, del mismo modo cada una de aquellas sombras dirigía su rostro hacia mí, girando sin cesar, de suerte que tenía vuelto el cuello en distinta dirección de la que seguían sus pies.

—Aunque la miseria de este suelo movedizo y nuestro llagado y sucio aspecto haga que nosotros y nuestros ruegos seamos despreciables, comenzó a decir una de ellas, nuestra fama debe incitar a tu corazón a decirnos quién eres tú, que sientas con tal seguridad los pies vivos en el Infierno. Este que ves tan desnudo y destrozado, y cuyas huellas voy siguiendo, fue de un rango mucho más elevado de lo que te figuras. Nieto fue de la púdica Gualdrata,[1] se llamó Guido Guerra, y durante su vida hizo tanto con su talento, como con su espada: el otro, que tras de mí oprime la arena, es Tegghiaio Aldobrandi, cuya voz debería ser agradecida en el mundo; y yo, que sufro el mismo tormento que ellos, fui Jacobo Rusticucci, y por cierto que nadie me causó más daño que mi fiera mujer.[2]

Si hubiese podido estar al abrigo del fuego, me habría lanzado hacia los de abajo, y creo que mi Maestro lo hubiera tolerado; pero como estaba expuesto a abrasarme y cocerme, el miedo venció la buena intención que me impelía a abrazarlos. Así les dije:

—Vuestra situación no me ha inspirado desprecio, sino un dolor que tardará en desaparecer; esto es lo que he sentido desde el momento que mi Señor me dijo algunas palabras, por las cuales comprendí que

[1] Bellísima y honesta doncella, hija de Bellicion Berti, la cual, al mostrarse al emperador Otón IV deseoso de besarla, se volvió hacia su padre diciendo: "Nadie me ha de besar, excepto aquel a quien dé la mano de esposa." Se casó con el conde Guido, de familia germánica, del cual descendieron los condes Guidi, señores de Casentino. De este matrimonio nació Marcovaldo, que fue padre de Guido Guerra, valiente caballero y hombre de gran prudencia y talento, a quien se debió la victoria en la batalla de Benevento, en la que pereció el rey Manfredo de Sicilia.

[2] T. Aldobrandi de los Adimari, valiente caballero y hombre culto y cortés que había muerto antes de 1266. En ese año todavía vivía Jacobo Rusticucci, rico y honorable caballero florentino, de quien históricamente apenas sabemos nada. Basándose en estas palabras de Dante, se suele afirmar, que tuvo una mujer esquiva de la cual se separó para entregarse a la sodomía.

era gente de vuestra calidad la que hacia nosotros venía. De vuestra tierra sóy; y siempre he retenido y escuchado con gusto vuestros actos y vuestros honrados nombres. Dejo las amarguras, y voy en busca de los sabrosos frutos que me ha prometido mi sincero Guía; pero antes me es preciso bajar hasta el centro.

—Así tu alma permanezca unida a tus miembros por mucho tiempo —repuso aquél—, y así también resplandezca tu fama después de la muerte, ruégote nos digas si la gentileza y el valor habitan aún en nuestra ciudad, como solían, o si se han desterrado por completo; porque Guillermo Borsiere,[3] que gime hace poco tiempo entre nosotros, y va allí con los demás compañeros, nos atormenta con sus relatos.

—¡Los advenedizos y las rápidas fortunas han engendrado en ti, Florencia, tanto orgullo e inmoderación, que tú misma te lamentas ya por esa causa!

Así exclamé con el rostro levantado; y las tres sombras, oyendo esta respuesta, se miraron mutuamente, como cuando se oyen cosas que se tienen por verdaderas.

—¡Si tan poco te cuesta en otras ocasiones satisfacer las preguntas de cualquiera —respondieron todos—, dichoso tú que dices lo que sientes! Mas, si sales de estos lugares, obscuros, y vuelves a ver las hermosas estrellas, cuando te plazca decir: "Estuve allí", haz que los hombres hablen de nosotros.

En seguida rompieron el círculo, y huyeron tan de prisa, que sus piernas parecían alas. No podría decirse "amén" tan pronto como ellos desaparecieron: por lo cual mi Maestro determinó que nos fuésemos. Yo le seguía, y a los pocos pasos advertí que el ruido del agua estaba tan próximo, que aun hablando alto apenas nos hubieran oído. Como aquel río que sigue su propio curso desde el monte Veso hacia levante por la izquierda del Apenino, el cual se llama Acquacheta antes de precipitarse

en un lecho más bajo, y perdiendo este nombre en Forli, y formando después una cascada, ruge sobre San Benedetto en los Alpes, donde un millar de hombres debiera hallar su retiro, así en la parte inferior de una roca escarpada, oímos resonar tan fuertemente aquella agua teñida de sangre, que me habría hecho ensordecer en poco tiempo. Tenía yo una cuerda ceñida al cuerpo,[4] con la cual había esperado apoderarme de la pantera de pintada piel: cuando me la desaté, según me lo había ordenado mi Guía, se la presenté arrollada y replegada: entonces se volvió hacia la derecha, y desde una distancia considerable de la orilla, la arrojó en aquel abismo profundo. "Preciso es, decía yo entre mí, que alguna novedad responda a esa nueva señal, cuyo efecto espera con tanta atención mi Maestro." ¡Oh!; ¡qué circunspectos deberían ser los hombres ante los que, no solamente ven sus actos, sino que, con la inteligencia, leen en el fondo de su pensamiento! Mi Guía me dijo:

—Pronto vendrá de arriba lo que espero, y pronto también es preciso que descubran tus ojos lo que tu pensamiento no ve con claridad.

El hombre debe, siempre que pueda, cerrar sus labios antes de decir una verdad, que tenga visos de mentira; porque se expone a avergonzarse sin tener culpa. Pero ahora no puedo callarme, y te juro, ¡oh lector!, por los versos de esta comedia, a la que deseo la mayor aceptación, que vi venir nadando por el aire denso y obscuro una figura, que causaría espanto al corazón más entero; la cual se asemejaba al buzo que vuelve del fondo adonde bajó acaso a desprender el ancla que está afianzada a un escollo, u otro cualquier objeto escondido en el mar, y que extiende hacia arriba los brazos, al mismo tiempo que encoge sus piernas.

---

[3] Un caballero florentino, distinguido por su elegancia y finas maneras.

[4] ¿Alude al cordón franciscano? Dante tuvo siempre gran admiración hacia San Francisco y su regla y parece que se hizo terciario ya en su adolescencia. Pero tal vez esa cuerda simbolice la castidad, virtud opuesta al vicio que representa la pantera, o la justicia y la verdad, opuestas al fraude, representado por Gerión.

CANTO DECIMOSEPTIMO

He ahí la fiera de aguzada cola, que traspasa las montañas, y rompe los muros y las armas: he ahí la que corrompe al mundo entero.

Así empezó a hablarme mi Maestro, e hizo a aquélla una seña, indicándole que se dirigiera hacia la margen de piedra donde nos encontrábamos. Y aquella inmunda imagen del fraude,[1] llegó a nosotros, y adelantó la cabeza y el cuerpo, pero no puso la cola sobre la orilla. Su rostro era el de un varón justo, tan bondadosa era su apariencia exterior, y el resto del cuerpo el de una serpiente. Tenía dos garras llenas de vello hasta los sobacos, y la espalda, el pecho y los costados salpicados de tal modo de lazos y escudos, que no ha habido tela turca ni tártara tan rica en colores, no pudiendo compararse tampoco a aquéllos los de las telas de Aracnea.[2] Como se ven muchas veces las barcas en la orilla, mitad en el agua y mitad en tierra, o como en el país de los glotones tudescos el castor se prepara a hacer la guerra a los peces, así la detestable fiera se mantenía sobre el cerco de piedra que circunda la arenosa llanura, agitando su cola en el vacío, y levantando el venenoso dardo de que tenía armada su extremidad, como la de un escorpión. Mi Guía me dijo:

—Ahora conviene que dirijamos nuestros pasos hacia la perversa fiera que allí está tendida.

Por lo cual descendimos por la derecha, y dimos diez pasos sobre la extremidad del margen, procurando evitar la arena abrasada y las llamas: cuando llegamos donde la fiera se encontraba, vi a corta distancia sobre la arena mucha gente sentada al borde del abismo. Allí me dijo mi Maestro:

—A fin de que adquieras una completa experiencia de lo que es este recinto, anda y examina la condición de aquellas almas, pero que sea corta tu conferencia. Mientras vuelves, hablaré con esta fiera, para que nos preste sus fuertes espaldas.

Continué, pues, andando solo hasta el extremo del séptimo círculo, donde gemían aquellos desgraciados. El dolor brotaba de sus ojos, mientras acá y allá se defendían con las manos, ya de las pavesas, ya de la candente arena, como los perros, en el estío, rechazan con las patas o con el hocico las pulgas, moscas o tábanos, que les molestan. Mirando atentamente el rostro de muchos de aquellos a quienes azota el doloroso fuego, no conocí a ninguno; pero observé que del cuello de cada cual pendía una bolsa de cierto color, marcada con un signo, en cuya contemplación parecían deleitarse sus miradas. Aproximándome más para examinar mejor, vi en una bolsa amarilla una figura azul, que tenía toda la apariencia de un león. Después, prosiguiendo el curso de mis observaciones, vi otra, roja como la sangre, que ostentaba una oca más blanca que la leche. Uno de ellos, en cuya bolsa blanca figuraba una puerca preñada, de color azul,[3] me dijo:

—¿Qué haces en esta fosa? Vete; y puesto que aún vives, sabe que mi

---

[1] El gigante Gerión de la fábula, rey de un país occidental, que tenía tres cuerpos y tres cabezas y fue muerto por Hércules, tiene poco de común con ese monstruo a quien da su nombre Dante.

[2] Célebre tejedora lidia, que se atrevió a desafiar en su arte a Minerva y al ser vencida fue convertida en araña.

[3] Las armas de tres famosos usureros: Catello di Rosso, Gianfigliazzi, de Florencia, Ciappo degii Ubriachi, también florentino y Reginaldo Scrovegni, de Padua.

vecino Vitaliano [4] debe sentarse aquí a mi izquierda. Yo soy paduano, en medio de estos florentinos, que muchas veces me atruenan los oídos gritando: "Venga el caballero soberano, que llevará la bolsa con los tres picos." [5]

Después torció la boca, y sacó la lengua como el buey que se lame las narices. Y yo, temiendo que mi tardanza incomodase a aquél que me había encargado que estuviera allí poco tiempo, volví la espalda a tan miserables almas. Encontré a mi Guía, que había saltado ya sobre la grupa del feroz animal, y me dijo:

—Ahora sé fuerte y atrevido. Por aquí no se baja sino por escaleras de esta clase: monta adelante; quiero quedarme entre ti y la cola, a fin de que ésta no pueda hacerte daño alguno.

Al oír estas palabras, me quedé como aquel que, presintiendo el frío de la cuartana, tiene ya las uñas pálidas, y tiembla con todo su cuerpo tan sólo al mirar la sombra; pero su sentido amenazador me produjo la vergüenza que da ánimo a un servidor delante de un buen amo. Me coloqué sobre las anchas espaldas de la fiera, y quise decir: "Ten cuidado de sostenerme"; pero, contra lo que esperaba, me faltó la voz; si bien él, que ya anteriormente me había socorrido en todos los peligros, apenas monté, me estrechó y me sostuvo entre sus brazos. Después dijo:

—Gerión, ponte ya en marcha, trazando anchos círculos y descendiendo lentamente: piensa en la nueva carga que llevas.

Aquel animal fue retrocediendo

[4] Vitaliano del Dente, podestá de Padua en 1307.
[5] Es el caballero florentino Juan de Buiamonte, cambista que desempeñó altos cargos públicos a fines del siglo XIII. Murió en la miseria.

como la barca que se aleja de la orilla, y cuando sintió todos sus movimientos en libertad, revolvió la cola hacia donde antes tenía el pecho, y extendiéndola, la agitó como una anguila, atrayéndose el aire con las garras. No creo que Faetón tuviera tanto miedo, cuando abandonó las riendas, por lo cual se abrasó el cielo, como se puede ver todavía; ni el desgraciado Ícaro, cuando, derritiéndose la cera, sintió que las alas se desprendían de su cintura, al mismo tiempo que su padre le gritaba: "Mal camino llevas", como el que yo sentí, al verme en el aire por todas partes, y alejado de mi vista todo, excepto la fiera. Esta empezó a marchar, nadando lentamente, girando y descendiendo; pero yo no podía apercibirme más que del viento que sentía en mi rostro y en la parte inferior de mi cuerpo. Empecé a oír hacia la derecha el horrible estrépito que producían las aguas en el abismo; por lo cual incliné la cabeza y dirigí mis miradas hacia abajo, causándome un gran miedo aquel precipicio; porque vi llamas y percibí lamentos, que me obligaron a encogerme tembloroso. Entonces observé, pues no lo había reparado antes, que descendíamos dando vueltas, como me lo hizo notar la proximidad de los grandes dolores, amontonados por doquier en torno nuestro. Como el halcón, que ha permanecido volando largo tiempo sin ver reclamo ni pájaro alguno, hace exclamar al halconero: "¡Eh! ¿Ya bajas?", y efectivamente desciende cansado de las alturas donde trazaba cien rápidos círculos, posándose lejos del que lo amaestró, desdeñoso e iracundo, así nos dejó Gerión en el fondo del abismo, al pie de una desmoronada roca; y libre de nuestras personas, se alejó como la saeta despedida por la cuerda.

CANTO DECIMOCTAVO

Hay un lugar en el Infierno, llamado Malebolge,[1] construido todo de piedra y de color ferruginoso, como la cerca que lo rodea. En el centro mismo de aquella funesta planicie se abre un pozo bastante ancho y profundo, de cuya estructura me ocuparé en su lugar. El espacio que queda entre el pozo y el pie de la dura cerca es redondo, y está dividido en diez valles, o recintos cerrados, semejantes a los numerosos fosos que rodean a un castillo para defensa de las murallas; y así como estos fosos tienen puentes que van desde el umbral de la puerta a su otro extremo, del mismo modo aquí avanzaban desde la base de la montaña algunas rocas, que atravesando las márgenes y los fosos, llegaban hasta el pozo central, y allí se reunían quedando truncadas. Tal era el sitio donde nos encontramos cuando descendimos de la grupa de Gerión: el Poeta echó a andar hacia la izquierda, y yo seguí tras él. A mi derecha vi nuevas causas de conmiseración, nuevos tormentos y nuevos burladores, que llenaban la primera fosa. En el fondo estaban desnudos los pecadores; los del centro acá venían de frente a nosotros; y los de esta parte afuera seguían nuestra misma dirección, pero con paso más veloz. Como en el año del Jubileo, a causa de la afluencia de gente que atraviesa el puente de San Angelo, los romanos han determinado que todos los que se dirijan al castillo y vayan hacia San Pedro pasen por un lado, y por el otro los que van hacia el monte, así vi, por uno y otro lado de la negra roca,

cornudos demonios con grandes látigos, que azotaban cruelmente las espaldas de los condenados. ¡Oh! ¡Cómo les hacían mover las piernas al primer golpe! Ninguno aguardaba el segundo ni el tercero. Mientras yo andaba, mis ojos se encontraron con los de un pecador, y dije en seguida: "No es la primera vez que veo a ése." Por lo que me detuve a observarlo mejor: mi dulce Guía se detuvo al mismo tiempo, y aun me permitió retroceder un tanto. El azotado creyó ocultarse bajando la cabeza; mas le sirvió de poco, pues le dije:

—Tú, que fijas los ojos en el suelo, si no son falsas las facciones que llevas, eres Venedico Caccianemico.[2] Pero ¿qué es lo que te ha traído a tan picantes salsas?

A lo que me contestó:

—Lo digo con repugnancia; pero cedo a tu claro lenguaje, que me hace recordar el mundo de otro tiempo. Yo fui aquel que obligó a la bella Ghisola a satisfacer los deseos del Marqués, cuéntese como se quiera la tal historia. Y no soy el único boloñés que llora aquí; antes bien este sitio está tan lleno de ellos, que no hay en el día entre el Savena y el Reno tantas lenguas que digan "sipa",[3] como en esta fosa; y si quieres una prueba de lo que te digo, recuerda nuestra codicia notoria.

Mientras así hablaba, un demonio le pegó un latigazo, diciéndole: "An-

---

[1] "Malebolge", fosas malditas. Vocablo dantesco compuesto de "bolge" bolsas, alforjas, y "male" malditas.

[2] Podestá de Imola, de Milán y de Pistoya, fue en Bolonia el agente de la política del marqués de Este. Ghisolabella, su hermana, estaba desposada con Nicolás de Fontana cuando accedió a los consejos de su hermano.
[3] En la provincia de Bolonia, situada entre los ríos Savena y Reno, para decir *sia* o *sí*, decían *sipo* o *sipó*. En el día pronuncian *se pó*, que viene a ser el *c'es bon* de los franceses.

da, rufián; que aquí no hay mujeres que se vendan."

Me reuní a mi Guía; y a los pocos pasos llegamos a un punto de donde salía una roca de la montaña. Subimos por ella ligeramente, y volviendo a la derecha sobre su áspero dorso, salimos de aquel eterno recinto. Luego que llegamos al sitio en que aquel peñasco se ahueca por debajo a modo de puente, para dar paso a los condenados, mi Guía me dijo:

—Detente, y haz que en ti se fijen las miradas de esos otros malnacidos, cuyos rostros no has visto aún, porque han caminado hasta ahora en nuestra misma dirección.

Desde el vetusto puente contemplamos la larga fila que hacia nosotros venía por la otra parte, y que era igualmente castigada por el látigo. El buen Maestro me dijo, sin que yo le preguntara nada:

—Mira esa gran sombra que se acerca, y que, a pesar de su dolor, no parece derramar ninguna lágrima. ¡Qué aspecto tan majestuoso conserva aún! Ese es Jasón, que con su valor y destreza robó en Cólquide el vellocino de oro. Pasó por la isla de Lemnos, después que las audaces y crueles mujeres de aquella isla dieron muerte a todos los habitantes varones; y allí, con sus artificios y sus halagüeñas palabras, engañó a la joven Hisípila, que antes había engañado a todas sus compañeras, y la dejó encinta y abandonada; por tal culpa está condenado a tal martirio, que es también la venganza de Medea. Con él van todos los que han cometido igual clase de engaños: bástete, pues, saber esto de la primera fosa, y de los que en ella son atormentados.

Nos encontrábamos ya en el punto donde el estrecho sendero se cruza con el segundo margen, que sirve de apoyo para otro arco. Allí vimos a

los que se anidan en una nueva fosa, dando resoplidos con sus narices y golpeándose con sus propias manos. Las orillas estaban incrustadas de moho producido por las emanaciones de abajo, que allí se condensan, ofendiendo a la vista y al olfato. La fosa es tan profunda, que no se puede ver el fondo, sino mirando desde la parte más alta del arco, que lo domina perpendicularmente. Allí nos pusimos, y desde aquel punto vimos en el foso unas gentes sumergidas en un estiércol, que parecía salir de las letrinas humanas; y mientras tenía la vista fija allí dentro, vi uno con la cabeza tan sucia de excremento, que no podía saber si era clérigo o seglar. Aquella cabeza me dijo:

—¿Por qué te muestras tan ávido de mirarme a mí, con preferencia a los otros que están tan sucios como yo?

Le respondí:

—Porque, si mal no recuerdo, te he visto otra vez con los cabellos enjutos, y tú eres Alejo Interminelli de Luca; por eso te miro más que a todos los otros.

Entonces, él, golpeándose la calabaza, exclamó:

—Aquí me han sumergido las lisonjas que no se cansó de prodigar mi lengua.

Después de esto, mi Guía me dijo:

—Procura adelantar un poco la cabeza, a fin de que tus miradas alcancen las facciones de aquella sucia esclava desmelenada, que se desgarra las carnes con sus uñas llenas de inmundicia, y que tan pronto se encoge como se estira. Esa es Thais, la prostituta,[4] que cuando su amante le preguntó: "¿Tengo grandes méritos a tus ojos?", ella le contestó: "Sí, maravillosos." Y con esto quedan saciadas nuestras miradas.

---

[4] Personaje femenino del *Eunuco* de Terencio.

CANTO DECIMONONO

¡Oh Simón el mago![1] ¡Oh miserables sectarios suyos, almas rapaces, que prostituís a cambio de oro y plata las cosas de Dios, que deben ser las esposas de la virtud! Ahora resonará la trompa para vosotros, puesto que os encontráis en la tercera fosa.

Estábamos ya junto a ésta, subidos en aquella parte del escollo que cae justamente sobre su centro. ¡Oh suma Sabiduría! ¡Cuán grande es el arte que demuestras en el cielo, en la tierra y en el mundo maldito, y con cuánta equidad se reparte tu virtud! Vi en los lados y en el fondo la piedra lívida llena de pozuelos, todos redondos y de igual tamaño, los cuales me parecieron ni más ni menos anchos que los que hay en mi hermoso San Juan para servir de pilas bautismales; uno de éstos rompí yo no ha muchos años, por salvar a un niño que dentro dē él se ahogaba; y baste lo que digo, para desengañar a todos.[2] Fuera de la boca de cada uno de aquellos pozuelos salían los pies y las piernas de un pecador, hasta el muslo, quedando dentro el resto del cuerpo. Ambos pies estaban encendidos, por cuya razón se agitaban tan fuertemente sus coyunturas, que hubieran roto sogas y cuerdas. Del mismo modo que la llama suele recorrer la superficie de los objetos untados de grasa, así el fuego flameaba desde el talón a la punta en los pies de los condenados.

—¿Quién es aquél, Maestro, que furioso agita los pies más que sus otros compañeros —dije entonces—, y a quien corroe y deseca una llama mucho más roja?

A lo cual me contestó:

—Si quieres que te conduzca por aquella parte de la escarpa que está más cercana al fondo, él mismo te dirá quién es y cuáles son sus crímenes.

Le respondí:

—Me parece bien todo lo que a ti te agrada: tú eres el dueño y sabes que yo no me separo de tu voluntad, así como también conoces lo que me callo.

Subimos entonces al cuarto margen; después volvimos y bajamos por la izquierda hacia la estrecha y perforada fosa, sin que el buen Maestro me hiciera separar de su lado, hasta haberme conducido junto al hoyo de aquel que me daba tantas señales de dolor con los movimientos de sus piernas.

—¡Oh! Quienquiera que seas, tú, que tienes enterrada la parte superior de tu cuerpo; alma triste, plantada como una estaca —empecé a decir—, habla, si puedes.

Yo estaba como el fraile que confiesa al pérfido asesino, que, metido en la tierra, le llama para que cese su muerte. Y él gritó:

—¿Estás ya aquí derecho, estás ya aquí derecho, Bonifacio?[3] Me ha engañado en algunos años lo que está escrito. ¿Tan pronto te has saciado de aquellos bienes, por los cuales no

---

[1] Mago de Samaria que quiso comprar con dinero a S. Pedro y S. Juan el poder de comunicar a los bautizados el Espíritu Santo, como hacían los Apóstoles. *Hechos de los Apóstoles* VIII, 9 ss. De él viene la palabra "simonía", traficar con los bienes espirituales.

[2] Habiendo roto Dante una de las pilas bautismales de la iglesia de San Juan de Florencia, para salvar a un niño que se ahogaba, fue acusado de sacrilegio. Por esto hace constar aquí que no lo hizo por menosprecio a las cosas sagradas.

[3] Esta sombra es la del papa Nicolás III, de la familia de los Orsini de Roma electo en 1277. Cree que quien le interroga es el alma de Bonifacio VIII; y por eso dice: "¿Estás ya aquí Bonifacio?" Y añade en seguida: "Me ha engañado en algunos años lo escrito." Es decir: El libro profético, en que nosotros los condenados leemos lo futuro, me ha engañado; porque, según él, tú debías morir en 1303, y no en 1300.

temiste apoderarte con embustes de la hermosa Dama,[4] y gobernarla después indignamente?

Quedéme, al oír esto, como aquellos que, casi avergonzados de no haber comprendido lo que se les ha dicho, no saben qué contestar. Entonces Virgilio dijo:

—Respóndele pronto: "yo no soy, yo no soy el que tú crees."

Y yo contesté como se me ordenó. Por lo cual el espíritu retorció sus pies; y luego, suspirando y con llorosa voz, me dijo:

—¿Pues qué es lo que me preguntas? Si te urge conocer quién soy, hasta el punto de haber descendido para ello por todos estos peñascos, sabrás que estuve investido del gran manto, y fui verdadero hijo de la Osa, tan codicioso, que, por aumentar la riqueza de los oseznos, embolsé arriba todo el dinero que pude, y aquí mi alma. Bajo mi cabeza están sepultados los demás papas, que antes de mí cometieron simonía, y se hallan comprimidos a lo largo de este angosto agujero. Yo me hundiré también luego que venga aquel que creí fueses tú, cuando te dirigí mi súbita pregunta. Pero desde que mis pies se abrasan, y me encuentro colocado al revés, ha transcurrido más tiempo del que él permanecerá en este mismo sitio con los pies quemados; porque en pos de él vendrá de poniente un pastor sin ley,[5] por causa más repugnante, y ése deberá cubrirnos a entrambos. Será un nuevo Jasón, parecido al de que se habla en el libro de los Macabeos,[6] y así como el rey de éste fue débil para con él, así con el otro lo será el que rige la Francia.

No sé si en tal momento fue de-

masiada audacia la mía; pues le respondí en estos términos:

—¡Eh!, dime: ¿cuánto dinero exigió Nuestro Señor de San Pedro, antes de poner las llaves en su poder? En verdad no le pidió más sino que le siguiera. Ni Pedro ni los otros pidieron a Matías oro ni plata cuando por suerte fue elegido en reemplazo del que perdió su alma traidora. Permanece, pues, ahí, porque has sido castigado justamente, y guarda bien la mal adquirida riqueza, que tan atrevido te hizo contra Carlos.[7] Y si no fuese porque aún me contiene el respeto a las llaves soberanas, que poseíste en tu alegre vida, emplearía palabras mucho más severas; porque vuestra avaricia contrista al mundo, pisoteando a los buenos, y ensalzando a los malos. Pastores, a vosotros se refería el Evangelista, cuando vio prostituida ante los reyes a la que se sienta sobre las aguas; a la que nació con siete cabezas, y obtuvo autoridad por sus diez cuernos, mientras la virtud agradó a su marido.[8] Os habéis construido dioses de oro y plata: ¿qué diferencia, pues, existe entre vosotros y los idólatras, sino la de que ellos adoran a uno y vosotros adoráis a ciento? ¡Ah, Constantino![9] ¡A cuántos males dio origen, no tu conversión al cristianismo, sino la donación que de ti recibió el primer papa que fue rico!

Mientras yo le hablaba con es-

4 Según la historia, esta opinión de Dante es exagerada. Sin embargo, Celestino V dijo de Bonifacio VIII que este papa entró a reinar como un zorro, gobernó como un león y murió como un perro.

5 Clemente V, el segundo sucesor de Bonifacio, que hizo largas concesiones a Felipe el Hermoso de Francia y trasladó la sede pontificia a Aviñón.

6 Sumo sacerdote del Templo de Jerusalén, cargo que compró al rey Antíoco de Siria; introdujo en la Ciudad Santa costumbres paganas. *II Macabeos* IV, 7-26; V, 5-10.

7 Nicolás III habíase opuesto siempre a la influencia del hermano de San Luis. Carlos I de Anjou. Pero Dante parece dar por buena la leyenda de que el papa había recibido dinero de Juan de Prócida para estar de acuerdo en la conjura que llevó a las vísperas Sicilianas.

8 Dante alude aquí a Roma, edificada sobre siete colinas, a la que rendían obediencia muchos pueblos y naciones, y permaneció constituida en gran poder y autoridad, mientras (su marido) sus jefes fueron virtuosos; pero decayó en la opinión, que por tanto tiempo había merecido y gozado, cuando la corte romana prefirió a la virtud el oro y la plata, prostituyéndose a los reyes de la tierra.

9 Dante creía, como todos sus contemporáneos, que el poder temporal de los papas se remontaba no a Pipino el Breve, sino al mismo Constantino. Este, habría trasladado la sede imperial a Constantinopla precisamente para dejar a Roma en propiedad al papa Silvestre y a sus sucesores. Por supuesto que tal donación es absolutamente apócrifa.

ta claridad, él, ya fuese a impulsos de la ira, o porque le remordiese la conciencia, respingaba fuertemente con ambas piernas. Creo que complací a mi Guía; porque escuchó siempre con rostro satisfecho el sonido de mis palabras, expresadas con sinceridad. Entonces me cogió con los dos brazos, y teniéndome en alto bien afianzado sobre su pecho, volvió a subir por el camino por donde habíamos descendido, sin dejar de estrecharme contra sí, hasta llegar a la parte superior del puente que va de la cuarta a la quinta calzada. Allí, depositó suavemente su querido fardo sobre el áspero y pelado escollo, que hasta para las cabras sería un difícil sendero, desde donde descubrí una nueva fosa.

CANTO VIGÉSIMO

MIS VERSOS deben relatar un nuevo suplicio, el cual servirá de asunto al vigésimo canto del primer cántico, que trata de los sumergidos en el Infierno. Me hallaba ya dispuesto a contemplar el descubierto fondo, que está bañado de lágrimas de angustia, cuando vi venir por la fosa circular gentes que, llorando en silencio, caminaban con aquel paso lento que llevan las letanías en el mundo. Cuando incliné más hacia ellos mi mirada, me pareció que cada uno de aquellos condenados estaba retorcido de un modo extraño desde la barba al principio del pecho; pues tenían el rostro vuelto hacia las espaldas, y les era preciso andar hacia atrás, porque habían perdido la facultad de ver por delante. Quizá, por la fuerza de la perlesía, se encuentre un hombre de tal manera contrahecho; pero yo no lo he visto ni creo que pueda suceder. Ahora bien, lector, ¡así Dios te permita sacar fruto de esta lectura! Considera por ti mismo si mis ojos podrían permanecer secos, cuando vi de cerca nuestra humana figura tan torcida, que las lágrimas le caían por la espina dorsal. Yo lloraba en verdad, apoyado contra una de las rocas de la dura montaña, de suerte que mi Guía me dijo:

—¿Tú también eres de los insensatos? Aquí vive la piedad cuando está bien muerta. ¿Quién es más criminal que el que se apasiona contemplando la justicia divina? Levanta la cabeza, levántala y mira a aquel por quien se abrió la tierra en presencia de los tebanos, que exclamaban: "¿Adónde caes, Anfiarao? ¿Por qué abandonas la guerra?" Y no cesó de caer en el Infierno hasta llegar a Minos, que se apodera de cada cul-

pable.[1] Mira cómo ha convertido sus espaldas en pecho: por haber querido ver demasiado hacia adelante, ahora mira hacia atrás, y sigue un camino retrógrado. Mira a Tiresias,[2] que mudó de aspecto cuando de varón se convirtió en hembra, cambiando también todos sus miembros, y hubo de abatir con su vara las dos serpientes unidas, antes que recobrara su pelo viril. El que acerca sus espaldas al vientre de aquél es Aronte,[3] que tuvo por morada una gruta de blancos mármoles en las montañas de Luni, cultivadas por el carrarés que habita en su falda, y desde allí no había nada que limitara su vista, cuando contemplaba el mar o las estrellas. Aquella que, con los destrenzados cabellos, cubre sus pechos, por lo cual se ocultan a tus miradas, y tiene en ese lado de su cuerpo todas las partes velludas, fue Manto, que recorrió muchas comarcas, hasta que se detuvo en el sitio donde yo nací; por lo cual deseo que me prestes un poco de atención. Luego que su padre salió de la vida, y fue esclavizada la ciudad de Baco,[4] Manto anduvo errante por el mundo durante mucho tiempo. Allá arriba, en la bella Italia, existe un lago al

[1] Anfiarao fue uno de los jefes de la expedición contra Tebas para devolver el trono a Polinice. En su calidad de adivino sabía que ninguno de los jefes expedicionarios, salvo Adrasto, regresaría vivo y trató de disuadir a sus compañeros de la empresa, pero fue obligado a tomar parte en la misma. Muertos los otros jefes, cuando Anfiarao huía le salvó Júpiter abriendo la tierra con un rayo para que desapareciese por la hendidura.

[2] Famoso adivino que ejerció su arte en el ejército griego durante la guerra de Tebas y fue padre de Manto, otra célebre adivina.

[3] Arúspice etrusco que en tiempos de César y Pompeyo profetizó la contienda civil y el triunfo del primero.

[4] Tebas, ciudad consagrada a Baco.

pie de los Alpes que ciñen la Alemania por la parte superior del Tirol, el cual se llama Benaco. Mil corrientes, y aún más, según creo, vienen a aumentar, entre Garda, Val-Camonica y el Apenino, el agua que se estanca en dicho lago. En medio de éste hay un sitio, donde el Pastor de Trento, y los de Verona y Brescia, podrían dar su bendición si siguiesen aquel camino. En el punto donde es más baja la orilla que le circunda, está situada Peschiera, bello y fuerte castillo, a propósito para hacer frente a los de Brescia y a los de Bérgamo. Allí afluye necesariamente toda el agua que no puede estar contenida en el lago de Benaco, formando un río que corre entre verdes praderas. En cuanto aquella agua sigue un curso propio, ya no se llama Benaco, sino Mincio, hasta que llega a Governolo, donde desemboca en el Pó. No corre mucho sin que encuentre una hondonada, en la cual se extiende y se estanca, y suele ser malsana en el estío. Pasando, pues, por allí la feroz doncella, vio en medio del pantano una tierra inculta y deshabitada. Se detuvo en ella con sus esclavas, para huir de todo consorcio humano, y para ejercer su arte mágica, y allí vivió y dejó sus restos mortales. Entonces los hombres, que estaban dispersos por los alrededores, se reunieron en aquel sitio, que era fuerte a causa del pantano que le circundaba: edificaron una ciudad sobre los huesos de la difunta, y del nombre de la primera que había elegido aquel sitio, la llamaron Mantua, sin consultar para ello al Destino. En otro tiempo fueron sus habitantes más numerosos, antes de que Casalodi se dejara engañar neciamente por Pinamonte. Te lo advierto a fin de que, si oyes atribuir otro origen a mi patria, ninguna mentira pueda obscurecer la verdad.

Le respondí:

—Maestro, tus razonamientos son para mí tan verídicos, y me obligan a prestarles tanta fe, que cualesquiera otros me parecerían carbones apagados. Pero dime si entre la gente que va pasando hay alguno digno de notarse, pues eso solo ocupa mi alma.

Entonces me dijo:

—Aquél, cuya barba se extiende desde el rostro a sus morenas espaldas, fue augur cuando la Grecia se quedó tan exhausta de varones, que apenas los había en las cunas, y junto con Calcas dio la señal en Aulide para cortar el primer cable. Se llamó Euripilo, y así lo nombra en algún punto mi alta tragedia.[5] Aquel otro que ves tan demacrado fue Miguel Scott,[6] que conoció perfectamente las imposturas del arte mágica. Mira a Guido Bonatti,[7] y ve allí a Asdente, que ahora desearía no haber dejado su cuero y su bramante; pero se arrepiente demasiado tarde: contempla las tristes que abandonaron la aguja, la lanzadera y el huso para convertirse en adivinas, y para hacer maleficios con hierbas y con figuras. Pero ven ahora, porque ya el astro en que se ve a Caín con las espinas[8] ocupa el confín de los dos hemisferios, y toca el mar más abajo de Sevilla. La luna era ya redonda en la noche anterior; debes recordar bien que no te molestó a veces por la selva umbría.

Así me hablaba y entre tanto íbamos caminando.

---

[5] En la *Eneida*.
[6] Miguel Scott, docto filósofo y astrólogo de la corte de Federico II. Tuvo fama de mago y adivino, sobre todo en su patria, Escocia.
[7] Astrólogo al servicio del conde Guido de Montefaltro.
[8] La Luna. El vulgo veía en las manchas de la luna la figura de Caín cargando un haz de espinas.

CANTO VIGESIMOPRIMERO

Así, DE un puente a otro, y hablando de cosas que mi comedia no se cuida de referir, fuimos avanzando y llegamos a lo alto del quinto, donde nos detuvimos para ver la otra hondonada de Malebolge y otras vanas lágrimas, y la vi maravillosamente obscura. Así como en el arsenal de los venecianos hierve en el invierno la pez tenaz, destinada a reparar los buques averiados que no pueden navegar, y al mismo tiempo que uno construye su embarcación, otro calafatea los costados de la que ha hecho ya muchos viajes; otro recorre la proa, otro la popa; quién hace remos; quién retuerce las cuerdas; quiénes, por fin, reparan el palo de mesana y el mayor; de igual suerte, y no por medio del fuego, sino por la voluntad divina, hervía allá abajo una resina espesa, que se pegaba a la orilla por todas partes. Yo la veía, pero sin percibir en ella más que las burbujas que producía el hervor, hinchándose toda y volviendo a caer desplomada. Mientras la contemplaba fijamente, mi Guía me atrajo hacia sí desde el sitio en que me encontraba, diciéndome: "Ten cuidado, ten cuidado." Entonces me volví como el hombre que ansía ver aquello de que le conviene huir, y a quien asalta un temor tan grande y repentino, que ni para mirar detiene su fuga; y vi detrás de nosotros un negro diablo, que venía corriendo por el puente. ¡Oh! ¡Cuán feroz era su aspecto, y qué amenazador me parecía con sus alas abiertas y sus ligeros pies! Sobre sus hombros, altos y angulosos, llevaba a cuestas un pescador, a quien tenía agarrado por ambos jarretes. Desde nuestro puente dijo:

—¡Oh! Malebranche, ved aquí uno de los ancianos de Santa Zita:[1] ponedle debajo; que yo me vuelvo otra vez a aquella tierra, que está tan bien provista de ellos. Allí todos son bribones, excepto Bonturo,[2] y por dinero, de un "no" hacen un "ita".[3]

Le arrojó abajo, y se volvió por la dura roca tan de prisa, que jamás ha habido mastín suelto que haya perseguido a un ladrón con tanta ligereza. El pecador se hundió y volvió a subir hecho un arco; pero los demonios, que estaban resguardados por el puente, gritaban:

—Aquí no está el Santo Rostro;[4] aquí se nada de diferente modo que en el Serchio. Si no quieres probar nuestros garfios, no salgas de la pez.

Después le pincharon con más de cien harpones, diciéndole:

—Es forzoso que bailes aquí a cubierto, de modo que, si puedes, prevariques ocultamente.

No de otra suerte hacen los cocineros que sus marmitones sumerjan en la caldera las viandas por medio de grandes tenedores, para que no sobrenaden.

—A fin de que no adviertan que estás aquí —me dijo el buen Maestro—, ocúltate detrás de una roca, que te sirva de abrigo; y aunque se me haga alguna ofensa, no temas nada; pues ya conozco estas cosas por haber estado otra vez entre estas almas venales.

En seguida pasó al otro lado del puente, y cuando llegó a la sexta orilla, tuvo necesidad de mostrar su

[1] Patrona de la ciudad de Luca.
[2] Ironía.
[2] Solíase antiguamente, en los testimonios públicos, escribir el *ita* de los latinos por signo de afirmación, y el *no* por signo de negación.
[4] En Luca se veneraba y venera un antiguo crucifijo bizantino de madera negra, llamado el Santo Rostro

49

íntrepidez. Con el furor y el ímpetu con que salen los perros tras el pobre que de pronto pide limosna donde se detiene, así salieron los demonios de debajo del puente, volviendo contra él sus harpones; pero les gritó:

—Que ninguno de vosotros se atreva. Antes que me punce vuestra orquilla, adelántese uno que me oiga, y después medite si debe perdonarme.

Todos gritaron:

—Vé, Malacoda.

Por lo cual uno de ellos se puso en marcha, mientras los otros permanecían quietos, y se adelantó diciendo:

—¿Qué te podrá salvar de nuestras garras?

—¿Crees tú, Malacoda, que a no ser por la voluntad divina y por tener el destino propicio —dijo mi Maestro—, me hubieras visto llegar aquí, sano y salvo, a pesar de todas vuestras armas? Déjame pasar, porque en el cielo quieren que enseñe a otro este camino salvaje.

Entonces quedó tan abatido el orgullo del demonio, que dejó caer el harpón a sus plantas, y dijo a los otros:

—Que no se le haga daño.

Y mi Guía a mí:

—¡Oh tú, que estás agazapado tras de las rocas del puente! Ya puedes llegar a mí con toda seguridad.

Entonces eché a andar, y me acerqué a él con prontitud; pero los diablos avanzaron, de modo que yo temí que no observaran lo pactado: así vi temblar en otro tiempo a los que por capitulación salían de Caprona,[5] viéndose entre tantos enemigos. Me acerqué cuanto pude a mi Guía, y no separaba mis ojos del rostro de aquéllos, que no era nada bueno. Bajaban ellos sus garfios, y: "¿Quieres que le pinche la rabadilla?", decía uno de ellos a los otros. Y respondían: "Sí, sí clávale." Pero aquel demonio, que estaba conversando con mi Guía, se volvió de repente, y gritó: "Quieto, quieto, Scarmiglione." Después nos dijo:

—Por este escollo no podréis ir más lejos, pues el sexto arco yace destrozado en el fondo. Si os place ir más adelante, seguid esta costa escarpada: cerca veréis otro escollo por el que podréis pasar. Ayer, cinco horas más tarde que en este momento, se cumplieron mil doscientos sesenta y seis años desde que se rompió aquí el camino.[6] Voy a enviar hacia allá varios de los míos para que observen si algún condenado procura sacar la cabeza al aire: id con ellos, que no os harán daño.

—Adelante, Alichino y Calcabrina —empezó a decir—; y tú también, Cagnazzo; Barbariccia guiará a los diez. Vengan además Libicocco, y Draghignazzo; Ciriatto, el de los grandes colmillos, y Graffiacane, y Farfarello, y el loco de Rubicante: rondad en torno de la pez hirviente: éstos deben llegar salvos hasta el otro escollo, que atraviesa enteramente sobre la fosa.[7]

—¡Oh Maestro! ¿Qué es lo que veo? —dije—; si conoces el camino, vamos sin escolta; yo, por mí, no la solicito. Si eres tan prudente como de costumbre, ¿no ves que rechinan los dientes, y se hacen guiños que nos amenazan algún mal?

—No quiero que te espantes —me contestó—; deja que rechinen los dientes a su gusto. Si lo hacen, es por los desgraciados que están hirviendo.

Se pusieron en camino por la margen izquierda; pero cada uno de aquéllos de antemano se habían mordido la lengua en señal de inteligencia con su jefe, y éste se sirvió de su ano a guisa de trompeta.

---

[5] Castillo de los pisanos del que se habían apoderado los florentinos en 1289 habiendo figurado Dante en la expedición

[6] Ayer, Viernes, a las tres de la tarde, quiere decir el diablo (pues se supone que habla a las diez de la mañana del Sábado Santo), se cumplieron 1266 años desde que se rompió este puente, a consecuencia de un terremoto, en el momento de la muerte de Jesucristo.

[7] He aquí traducidos los nombres de los doce diablos que Dante menciona en este canto: *Malebranche*, malas garras.—*Malacoda*, cola maldita.—*Scarmiglione*, que arranca los cabellos.—*Alichino*, que hace inclinar a los otros.—*Calcabrina*, que pisa el rocío.—*Cagnazzo*, perro malo.—*Barbariccia*, el de la barba erizada.— *Libicocco*, deseo ardiente. *Draghignazzo*, veneno de dragón.—*Ciriatto-Sannuto*, colmillo de jabalí.—*Graffiaccane*, perro que araña.—*Rubicante*, inflamado. Todas estas versiones son de Landino.

CANTO VIGESIMOSEGUNDO

HE VISTO alguna vez a la caballería levantar el campo, empezar el combate, pasar revista, y a veces batirse en retirada; he visto ¡oh, aretinos! hacer excursiones por vuestra tierra y saquearla; he visto luchar en los torneos y correr en las justas, ya al sonido de las trompetas, ya al de las campanas, al ruido de los tambores, con las señales de los castillos, y con todo el aparato nacional y extranjero; pero lo que no he visto nunca es que tan extraño instrumento de viento haya indicado la marcha a jinetes ni peones; jamás, ni en la tierra, ni en los cielos, guió semejante faro a ningún buque. Marchábamos juntamente con los diez demonios (¡oh terrible compañía!); pero en la iglesia con los santos, y en la taberna con los borrachos. Sin embargo, mi atención estaba concentrada en la pez para distinguir todo lo que contenía la fosa y los que se abrasaban dentro de ella. Así como saltan los delfines fuera del agua, indicando a los marinos que precavan la nave de la tempestad, así también algunos condenados, para aliviar su tormento, sacaban la espalda y la volvían a esconder más rápidos que el relámpago; y lo mismo que en un charco las ranas sacan la cabeza a flor de agua, aunque teniendo dentro de ella sus patas y el resto del cuerpo, así estaban por todas partes los pecadores; pero en cuanto Barbariccia se aproximaba, volvían a sumergirse en aquel hervidero. Yo vi, y aun se estremece por ello mi corazón, a uno de aquellos que había tardado más tiempo en hundirse, como sucede con las ranas, que una queda fuera del agua, mientras otra se zambulle; y Graffiacane, que estaba más cerca de él, le enganchó por los cabellos

enviscados de pez, y lo sacó fuera como si fuese una nutria. Yo sabía el nombre de todos aquellos demonios, por haberme hecho cargo de ellos cuando los eligió Malacoda. "Rubicante, plántale encima tu garfio y desuéllalo", gritaban a un tiempo todos aquellos malditos. Yo dije:

—Maestro mío, si puedes, procura saber quién es ese desgraciado que ha caído en manos de sus adversarios.

Mi Guía se le acercó, y le preguntó de dónde era, a lo que respondió:

—Yo nací en el reino de Navarra. Mi madre me puso al servicio de su señor: ella me había engendrado de un pródigo, que se destruyó a sí mismo y disipó su fortuna. Después fui favorito del buen rey Tebaldo, y me lancé a comerciar con sus favores; crimen de que doy cuenta en este horno.[1]

Y Ciriatto, a quien salía de cada lado de la boca un colmillo como el de un jabalí, le hizo sentir lo bien que uno de ellos hería. Entre malos gatos había caído aquel ratón; porque Barbariccia lo sujetó entre sus brazos, diciendo: "Quedaos ahí mientras que yo le ensarto." Y volviendo el rostro hacia mi Maestro, añadió: "Pregúntale aún si deseas saber más, antes que otros lo destrocen."

Mi Guía preguntó:

—Dime, pues, si entre los otros culpables que están sumergidos en esa pez, conoces algunos que sean latinos.

A lo que contestó:

—Acabo de separarme de uno que fue de allí cerca. ¡Así estuviera, co-

[1] Ciampolo parece que se llamaba este navarro al servicio del rey Tebaldo II, conde de Champaña.

51

mo él, bajo lá pez; no temería ahora
ni las garras ni los garfios!

Y Libicocco: "Ya hemos tenido
demasiada paciencia", dijo; y le enganchó por el brazo con su harpón,
arrancándole de un golpe todo el an-
tebrazo. Draghignazzo quiso también
cogerle por las piernas; pero su De-
curión se volvió hacia todos ellos
lanzando una mirada furiosa. Cuando se hubieron calmado un poco, mi
Guía no tardó en preguntar a aquel
que estaba contemplando su herida:

—¿Quién es ése de quien dices
que te has separado, por tu desgracia, para salir a flote?

Y le respondió:

—Es el hermano Gomita,[2] aquel
de Gallura, vaso de iniquidad, que
tuvo en su poder a los enemigos de su
señor, e hizo de modo que todos le
alabasen. Aceptó su oro y los dejó
libres, según él mismo dice; y con
respecto a los empleos, no fue un
pequeño, sino un soberano prevaricador. Con él conversa a menudo
don Miguel Zanche de Logodoro,[3]
y sus lenguas no se cansan nunca
de hablar de las cosas de Cerdeña.
¡Ay de mí! Ved a ese otro cómo
aprieta los dientes. Aún hablaría más,
pero temo que se prepare a rascarme
la tiña.

El gran jefe de los demonios se
dirigió a Farfarelo, que movía sus
ojos en todas direcciones buscando
donde herir, y le dijo: "Quítate de
ahí, pájaro malvado."

—Si quereis ver u oír a toscanos
y lombardos— empezó a decir en seguida el desgraciado pecador—, haré
que vengan. Pero que esas malditas
garras se mantengan un poco apartadas, a fin de que ellos no teman sus
venganzas: yo, sentándome en este
mismo sitio, por uno que soy haré
venir siete, silbando como acostum-

bramos cuando uno de nosotros saca la cabeza fuera de la pez.

Al oír estas palabras, Gagnazzo
levantó el hocico meneando la cabeza, y dijo: "¡Oigan el medio malicioso de que se ha valido para volver
a sumergirse!" A lo cual contestó
aquél, que tenía abundancia de es-
tratagemas: "¡En verdad que soy
muy malicioso, cuando expongo a
los míos a mayores tormentos!" No
pudo contenerse Alichino, y en contra de lo dicho por los otros, respondió: "Si te arrojas en la pez, no co-
rreré al galope detrás de ti, sino que
emplearé mis alas para ello. Te damos la ventaja de la escarpa, y el
ribazo por defensa, y veamos si tú
solo vales más que todos nosotros."

¡Oh tú, que lees esto, ahora verás
un nuevo juego! Todos los demonios
se volvieron hacia la pendiente
opuesta, y el primero de ellos, el que
se había mostrado más renitente. El
navarro aprovechó bien el tiempo;
fijó sus pies en el suelo, y precipitándose de un solo salto, se puso al abrigo de los malos propósitos de aquéllos. Contristados se quedaron los
demonios ante esta treta, pero mucho más el que tuvo la culpa de ella;
por lo cual se lanzó tras de él gritando: "Ya te tengo." Pero de poco
le valió, porque sus alas no pudieron igualar en velocidad al espanto
de Ciampolo: éste se lanzó en la pez,
y aquél cambió la dirección de su
vuelo, llevando el pecho hacia arriba.

No de otro modo se sumerge ins-
tantáneamente el pato cuando el halcón se aproxima, y éste se remonta
furioso y fatigado. Calcabrina, irritado contra Lichino por aquel engaño, echó a volar tras él, deseoso de
que el pecador se escapara para tener
un motivo de querella. Y cuando
hubo desaparecido el prevaricador,
volvió sus garras contra su compañero, y se aferró con él sobre el mismo estanque. Pero éste, gavilán adies-
trado, hizo uso también de las suyas,
y los dos cayeron en medio de la pez
hirviente. El calor los separó bien
pronto; pero todo su esfuerzo para
remontarse era en vano, porque sus

[2] Religioso de Gallura en Cerdeña. Estuvo a las órdenes de Nino Visconti de Pisa
y aunque se le acusaba de traficar con los
empleos jamás quiso creerlo su señor, dada
la óptima opinión que de él tenía. Sorprendido un buen día con las manos en la masa
fue colgado.
[3] Empleado judicial del rey Enzio, con
cuya viuda se casó a la muerte de éste. Una
de sus hijas contrajo matrimonio con Branca de Oria que le mató a traición, como se
narra en el Canto XXXIII del Infierno.

alas estaban enviscadas. Barbariccia, descontento como los demás, hizo volar a cuatro desde la otra parte con todos sus harpones, y bajando rápidamente hacia el sitio designa- do, tendieron sus garfios a los dos demonios, que estaban medio cocidos en la superficie de aquella fosa. Nosotros los dejamos allí enredados de aquella manera.

CANTO VIGESIMOTERCIO

Solos, en silencio y sin escolta, íbamos uno tras otro, como acostumbran ir los frailes menores. La riña que acabábamos de presenciar me trajo a la memoria la fábula de Esopo, en que habló de la rana y del topo; pues las partículas "mo" e "issa" [1] no son tan semejantes como estos dos hechos, si atentamente se consideran el principio y el fin de entrambos. Y como un pensamiento procede rápidamente de otro, de éste nació uno nuevo, que redobló mi primitivo espanto. Yo pensaba así: "Esos demonios han sido engañados por nuestra causa, y con tanto daño y escarnio, que les creo muy ofendidos. Si a la malevolencia se añade la ira, nos van a perseguir con más crueldad que el perro que sujeta a la liebre por el cuello." Ya sentía que se erizaban mis cabellos a causa del temor, y miraba hacia atrás atentamente, por lo que dije:

—Maestro, si no nos ocultas a los dos prontamente, temo a los demonios que vienen detrás de nosotros; y tan así me lo imagino, que ya me parece que los oigo.

A lo que él contestó:

—Si yo fuera un espejo, no verías en mí tu imagen tan pronto como veo en tu interior. En este momento se cruzaban tus pensamientos con los míos bajo la misma faz y aspecto, de suerte que he deducido de ambos un solo consejo. Si es cierto que la cuesta que hay a nuestra derecha está tan inclinada, que nos permita bajar a la sexta fosa, huiremos de la caza que imaginamos.

Apenas había concluido de decirme su parecer, cuando vi venir a los demonios con las alas extendidas y muy cerca de nosotros, queriendo cogernos. Mi Guía me agarró súbitamente, como una madre que, despertada por el ruido y viendo brillar las llamas cerca de ella, coge a su hijo y huye, y teniendo más cuidado de él que de sí misma, no se detiene ni aun a ponerse una camisa. Desde lo alto de la calzada, se deslizó de espaldas por la pendiente roca, uno de cuyos lados divide la quinta de la sexta fosa. Jamás corrió tan rápida el agua por la canal de un molino, cuando más se acerca a las paletas de la rueda, como descendió por aquel declive mi Maestro, llevándome sobre su pecho, cual si fuese hijo suyo y no su compañero. Apenas tocaron sus pies al suelo del profundo abismo, cuando los demonios aparecieron en la roca sobre nuestras cabezas: pero ya no nos inspiraban temor; porque la alta Providencia que los había designado para ministros de la quinta fosa, les quitó la facultad de separarse de allí. Abajo encontramos unas gentes pintadas, que giraban en torno con bastante lentitud, llorosas y con los semblantes fatigados y abatidos. Llevaban capas con capuchas echadas sobre los ojos, por el estilo de las que llevan las monjas de Cluny.[2] Aquellas capas eran doradas por de fuera, de modo que deslumbraban; pero por dentro eran todas de plomo, y tan pesadas, que las de Federico a su lado parecían de paja.[3] ¡Oh manto fatigoso por toda la eternidad! Nos volvimos aún hacia la izquierda, y anduvimos con aquellas almas, escuchando sus

---

[1] Palabras del antiguo dialecto toscano que quieren decir "sí".

[2] Los monjes benedictinos cluniacenses, que usaban vestes demasiado ampias y vistosas. Contra su fastuosidad reaccionó San Bernardo fundando el Císter.

[3] El emperador Federico II encerraba a los culpables de lesa majestad en capas de plomo, y luego los arrojaba al fuego.

tristes lamentos. Pero las sombras, rendidas por el peso, caminaban tan despacio, que a cada paso que dábamos cambiábamos de compañero. Yo dije a mi Guía:

—Procura encontrar a alguno que sea conocido por su nombre o por sus hechos; y mira el efecto en derredor tuyo mientras andas.

Y uno de ellos, que entendió el idioma toscano, exclamó detrás de nosotros:

Detened vuestros pasos, vosotros que tanto corréis a través del aire sombrío: quizá podrás obtener de mí lo que solicitas.

En seguida mi Guía se volvió y me dijo:

—Espera, y modera tu paso hasta igualar al suyo.

Me detuve, y vi dos de aquéllos, que en sus miradas demostraban gran deseo de estar conmigo; pero su carga y lo estrecho del camino les hacían tardar. Cuando se me hubieron reunido, me miraron con torvos ojos y sin hablarme: después se volvieron uno a otro diciéndose: "Ese parece vivo, a juzgar por el movimiento de su garganta; pero si están muertos, ¿por qué privilegio no llevan nuestra pesada capa?" Después me dijeron:

—¡Oh toscano, que has venido a la mansión de los tristes hipócritas!, dígnate decirnos quién eres.

Les contesté:

—Nací y crecí junto a la orilla del hermoso Arno, en la gran ciudad, y conservo el cuerpo que he tenido siempre. Pero vosotros, a quienes, según veo, cae tan doloroso llanto gota a gota por las mejillas, ¿quiénes sois, y qué pena padecéis que tanto se hace ver?

Uno de ellos me respondió:

—¡Ay de mí! estas doradas capas son de plomo, y tan gruesas, que su peso nos hace gemir como cargadas balanzas. Fuimos hermanos Gozosos [4] y boloñeses. Yo me llamé Cata-

lano y éste Loderingo. Tu ciudad nos nombró magistrados, como suele elegirse a un hombre neutral para conservar la paz; y la conservamos tan bien como puede verse aún cerca del Gardingo.

Yo repuse: "¡Oh hermanos! Vuestros males..." Pero no pude continuar; porque vi en el suelo a uno crucificado en tres palos. [5] En cuanto me vió, se retorció, haciendo agitar su barba con la fuerza de los suspiros; y el hermano Catalano, que lo advirtió, me dijo:

—Ese que estás mirando crucificado aconsejó a los fariseos que era necesario hacer sufrir a un hombre el martirio por el pueblo. Está atravesado y desnudo sobre el camino, como ves; y es preciso que sienta lo que pesa cada uno de los que pasan. Su suegro está condenado a igual suplicio en esta fosa, así como los demás del Consejo que fue para los judíos origen de tantas desgracias.

Entonces vi a Virgilio que contemplaba con asombro a aquel que estaba tan vilmente crucificado en el eterno destierro. Luego se dirigió al fraile en estos términos:

—¿Queríais decirnos si hacia la derecha hay alguna abertura por donde podamos salir los dos, sin obligar a los ángeles negros a que nos saquen de este abismo?

Aquel respondió:

—Más cerca de aquí de lo que esperas, se levanta una peña que parte del gran círculo y atraviesa todas las terribles fosas; pero está cortada en ésta y no continúa sobre ella. Podréis subir por las ruinas que existen en el declive de su falda y cubren el fondo.

Mi Guía permaneció un momento

[4] Hermanas y caballeros de la orden, religiosa y caballeresca al mismo tiempo, de la Gloriosa Virgen María, fundada en Bolonia en 1261, con el fin de acabar con las discordias civiles y familiares y de proteger a los débiles contra los abusos de los podero-

sos. El pueblo los conocía como los "Hermanos gozosos" porque hacían suyo el lema de "servir al Señor con alegría". Catalano era güelfo y Loderingo gibelino, por lo que fueron nombrados podestás de Florencia, después de la batalla de Benevento, con la misión de establecer un gobierno de conciliación. Pero fracasaron.

[5] El sumo Sacerdote Caifás, que con el consejo dado a los judíos favoreció la muerte de Cristo. Más allá está su suegro Anás que pronunció el juicio; y todo el Sanedrín.

con la cabeza inclinada, y después dijo:

—¡Cómo nos ha engañado aquel que ensarta con su garfio a los pecadores!

Y el fraile repuso:

—He oído referir en Bolonia los numerosos vicios del demonio, entre los cuales no era el menor el de ser falso y padre de la mentira.

Entonces mi Guía se alejó precipitadamente con el rostro inmutado por la cólera; y en consecuencia, me alejé también de aquellas almas que soportaban tanto peso, y seguí las huellas de los pies queridos.

CANTO VIGESIMOCUARTO

En la época del año nuevo en que templa el sol su cabellera bajo el Acuario, y en que ya las noches van igualándose con los días; cuando la escarcha imita en la tierra, aunque por poco tiempo, el color de su blanca hermana, el campesino que carece de forraje, se levanta, mira, y al ver blanco el campo se golpea el muslo, vuelve a su casa, y se lamenta continuamente como el desgraciado que no sabe qué hacer; pero torna luego a mirar, y recobra la esperanza, viendo que la tierra ha cambiado de aspecto en pocas horas, y entonces coge su cayado y sale a apacentar sus ovejas: así mi Maestro me llenó de inquietud cuando vi tan turbado su rostro, y así también aplicó pronto el remedio a mi mal; porque al llegar al derruido puente, se volvió hacia mí con aquel amable aspecto que tenía cuando le vi al pie del monte. Después de haber pensado la determinación que había de tomar, contemplando antes con cuidado las ruinas, abrió sus brazos, cogióme por detrás, y como aquel que trabaja, pensando simpre en la labor que emprenderá en seguida, del mismo modo, elevándome sobre la cima de una roca, contemplaba otra diciendo:

—Agárrate bien a ésa, pero tantea primero si tal cual es podrá sostenerte.

Aquel no era un camino a propósito para los que iban con capa; pues apenas podíamos, Virgilio tan ágil, y yo sostenido por él, trepar de piedra en piedra. Y a no ser porque en aquel recinto era más corto el camino que en otro alguno, no sé lo que a él le habría sucedido, pero a mí me hubiera vencido el cansancio. Mas como Malebolge va siempre en declive hasta la boca del profundo pozo, cada fosa que se recorre presenta un margen que se eleva y otro que desciende. Llegamos por fin al extremo en que se destaca la última piedra. Cuando estuve sobre ella, de tal modo me faltaba el aliento, que no podía más; así es que me senté en cuanto nos detuvimos.

—Ahora es preciso que sacudas tu pereza —me dijo el Maestro—; que no se alcanza la fama reclinado en blanda pluma, ni al abrigo de colchas: y el que sin gloria consume su vida, deja en pos de sí el mismo vestigio que el humo en el aire o la espuma en el agua. Ea, pues, levántate; domina la fatiga con el alma, que vence todos los obstáculos, mientras no se envilece con la pesadez del cuerpo. Tenemos que subir todavía una escala mucho más larga; pues no basta haber atravesado por entre los espíritus infernales. Si me entiendes, deben reanimarte mis palabras.

Levantéme entonces, demostrando más resolución de la que verdaderamente sentía en mi interior, y dije:

—Vamos, ya me siento fuerte y atrevido.

Echamos a andar por el escollo, que era áspero, estrecho y escabroso, y más pendiente que el anterior. Iba hablando para disimular mi flaqueza, cuando oí una voz que salía de la otra fosa, articulando palabras ininteligibles. No sé lo que dijo, a pesar de encontrarme en la cima del arco que por allí pasa; mas el que hablaba parecía conmovido por la ira. Yo me había inclinado; pero los ojos de un vivo no podían distinguir el fondo a través de aquella obscuridad; por lo cual dije:

—Maestro, haz por llegar al otro recinto, y descendamos este muro, porque desde aquí oigo y no comprendo nada; miro hacia abajo y nada veo.

—Te responderé —me dijo— haciendo lo que deseas; que las peticiones justas deben satisfacerse en silencio.

Bajamos por el puente desde lo alto hasta donde se une con el octavo margen; y entonces descubrí la fosa, y vi una espantosa masa de serpientes, de tan diferentes especies, que su recuerdo me hiela todavía la sangre. Deje la Libia de envanecerse con sus arenas; que si produce quelidras, yáculos y faras, cencros y anfisbenas,[1] ni en ella, ni en toda la Etiopía con el país que está sobre el mar Rojo, existieron jamás tantas ni tan nocivas pestilencias como en este lugar. A través de aquella espantosa y cruel multitud de reptiles corrían gentes desnudas y aterrorizadas, sin esperanza de encontrar refugio ni heliotropo.[2] Tenían las manos atadas a la espalda con sierpes, las cuales, formando nudos por encima, les hincaban la cola y la cabeza en los riñones. Y he aquí que uno de aquellos desgraciados, que estaba cerca de nosotros, fue mordido por una serpiente en el punto en que se une al cuello se une a los hombros; y en el breve tiempo que se necesita para escribir una O y una I, se incendió, ardió y cayó reducido a cenizas. Pero apenas quedó consumido en el suelo, reuniéronse aquéllas por sí mismas, y súbitamente se rehizo aquel espíritu como estaba antes. Así dicen los grandes sabios que muere el Fénix, y renace cuando está cercano a su quinto siglo: no se alimenta de hierba ni de trigo durante su vida, sino de amomo y lágrimas de incienso, y su último nido está formado con nardo y mirra. Y como aquel que cae y no sabe cómo, a impulsos del demonio que lo arroja en el suelo o de algún accidente producido por su tempera-mento enfermizo, cuando se levanta, se queda asombrado de la cruel angustia que ha sufrido y suspira al mirar en torno suyo, así se levantó el pecador ante nosotros. ¡Oh, cuán severa es la justicia de Dios, que hace estallar su cólera por medio de tales golpes! Mi Guía le preguntó después quién era, y él le contestó:

—Yo caí hace poco tiempo desde Toscana en este horrible abismo. La vida salvaje me agradó más que la humana; fui lo mismo que un mulo; soy Vanni Fucci, el bestia, y Pistoya fue mi digno cubil.[3]

Entonces dije a mi Guía:

—Dile que no huya, y pregúntale qué delito le ha precipitado aquí; pues yo le conocí ya hombre colérico y sanguinario.

El pecador, que me oyó, no se ocultó, sino que dirigió hacia mí atentamente su mirada, y se cubrió el rostro de triste vergüenza. Después dijo:

—Siento más que me hayas encontrado en la miseria en que me ves, de lo que sentí verme privado de la vida; pero no puedo negarme a satisfacer tus preguntas. Estoy sumido aquí, porque robé en la sacristía los hermosos ornamentos, de cuyo delito fue otro acusado falsamente. Mas para que no te goces en mi desgracia, si acaso llegas a salir de estos lugares sombríos, abre tus oídos a mi anuncio, y escucha: primeramente, Pistoya quedará despoblada de Negros; después Florencia renovará sus habitantes y su forma de gobierno; Marte hará salir del valle de Magra un vapor, que envuelto en sombrías nieblas y en tempestad impetuosa y terrible, se desencadenará sobre el campo Piceno; y allí, desgarrándose de repente la nube, aniquilará todos los Blancos. Te he dicho esto para que te cause dolor.

---

[1] Enumeración de serpientes, más o menos fabulosas, tomada de la *Farsalia* de Lucano, IX, 708-721.
[2] Se decía que la flor del heliotropo hacía invisible al que la llevaba.

[3] Vanni, hijo natural de un noble pistoyense se unió con otros dos cómplices para robar el tesoro de la capilla de Santiago, en la catedral de Pistoya. Fueron detenidos muchos inocentes y alguno de ellos hubiera sido colgado de no haber confesado uno de los culpables.

CANTO VIGESIMOQUINTO

Al terminar estas palabras, el ladrón alzó ambas manos haciendo un gesto indecente y exclamando: "Toma, Dios, esto es para tí." Desde entonces fui amigo de las serpientes; porque una de ellas se le enroscó en el cuello como diciendo: "No quiero que hables más": y otra se agarró a sus brazos, sujetándoselos de tal modo,. que no le era posible al condenado hacer ningún movimiento. ¡Ah, Pistoya, Pistoya! ¿Cómo no decides reducirte tú misma a cenizas, y dejar de existir, pues que tus hijos son peores que sus antepasados? En todos los círculos del obscuro Infierno no he visto espíritu tan soberbio ante Dios, a no ser aquel que cayó desde los muros de Tebas. El ladrón huyó sin decir una palabra más. Entonces vi un Centauro lleno de ira, que acudía gritando: "¿Dónde está, dónde está el soberbio?" No creo que contengan las Marismas tanto reptil como llevaba el Centauro sobre su grupa hasta el sitio en que empezaba la forma humana: sobre sus espaldas, detrás de la nuca, descansaba un dragón con las alas abiertas, el cual abrasaba cuanto salía a su encuento. Mi Maestro dijo:

—Ese monstruo es Caco, el que al pie de las rocas del monte Aventino formó más de una vez un lago de sangre. No va por el mismo camino que sus hermanos, porque robó fraudulentamente el gran rebaño que pacía en las inmediaciones del sitio que había escogido por vivienda: pero sus inicuos hechos acabaron por fin bajo la clava de Hércules, que si le dio cien golpes con ella, aquél no llegó a sentir el décimo.

Mientras así hablaba Virgilio, Caco desapareció, al mismo tiempo que se acercaban tres espíritus por debajo del margen donde estábamos, lo cual no advertimos ni mi Guía ni yo, hasta que les oímos gritar: "¿Quiénes sois?" Cesó entonces nuestra conversación, y nos fijamos solamente en ellos. Yo no les conocía; pero sucedió, como suele acontecer algunas veces, que el uno tuvo necesidad de llamar al otro, diciéndole: "Cianfa, ¿dónde te has metido?" Y yo, a fin de que estuviese atento mi Guía, me puse el dedo desde la nariz a la barba. Ahora, lector, si se te hace difícil creer lo que te voy a decir, no será extraño, porque yo que lo vi, apenas lo creo. Mientras estaba contemplando a aquellos espíritus, se lanzó una serpiente con seis patas sobre uno de ellos, agarrándosele enteramente. Con las patas de enmedio le oprimió el vientre; con las de delante le sujetó los brazos, y después le mordió en ambas mejillas. Extendiendo en seguida las patas de detrás sobre sus muslos, le pasó la cola por entre los dos, y se la mantuvo apretada contra los riñones. Nunca se agarró tan fuertemente la hiedra al árbol, como la horrible fiera adaptó sus miembros a los del culpable: después una y otro se confundieron, como si fuesen de blanda cera, y mezclaron tan bien sus colores, que ninguno de ambos parecía ya lo que antes había sido. Así con el ardor del fuego se extiende sobre el papel un color obscuro, que no es negro, y sin embargo deja de ser blanco. Los otros dos condenados le miraban, exclamando cada cual: "¡Ay, Agnel, cómo cambias! No eres ya uno ni dos." Las dos cabezas se habían convertido en una, y aparecían dos figuras mezcladas en una sola faz, quedando en ella confundidas entrambas. De los cuatro brazos se hicieron dos: los muslos y las piernas, el vientre y el tronco se convirtieron en miembros nunca vistos. Quedó borrado todo su primitivo aspecto: aquella imagen transformada parecía dos y ninguna de las anteriores; y en tal estado se alejaba a pasos lentos.

Como el lagarto, que bajo el ardor de los días caniculares, cuando cambia de maleza, parece un rayo al atravesar el camino, tal parecía, dirigiéndose hacia el vientre de los otros dos espíritus, una pequeña serpiente irritada, lívida y negra como grano de pimienta. Picó a uno de ellos en aquella parte del cuerpo por donde nos alimentamos antes de nacer, y después cayó a sus pies quedando tendida. El herido la miró sin decir nada; y permaneció inmóvil, en pie y bostezando, como si le hubiera sorprendido el sueño o la fiebre. Él y la serpiente se miraban, y el uno por la herida y la otra por la boca, lanzaban un denso humo que llegaba a confundirse. Calle Lucano al referir las miserias de Sabello y de Nasidio, y escuche atentamente lo que describo aquí: calle Ovidio al ocuparse de Cadmo y Aretusa; que si, en su poema, convirtió a aquél en serpiente y a éste en fuente, no le envidio. Ovidio no transformó jamás dos naturalezas frente a frente, de tal modo que sus formas cambiaran también de materia. El hombre y la serpiente se correspondieron de tal suerte, que cuando ésta abrió su cola en forma de horquilla, el herido juntó sus dos pies. Las piernas y los muslos de éste se estrecharon tanto, que en poco tiempo no quedaron vestigios de su natural separación. La cola hendida de la serpiente tomaba la figura que desaparecía en el hombre, y su piel se hacía blanda al paso que dura la de aquél. Vi entrar los brazos del condenado en los sobacos; y las dos patas de la fiera, que eran cortas, se alargaban tanto cuanto aquéllos se encogían. Las patas de detrás de aquélla, retorciéndose, formaban el miembro que el hombre oculta, y el del miserable divi-

dióse en dos patas. Mientras que el humo daba el color de la serpiente al hombre y viceversa, y hacía salir en aquélla el pelo que quitaba a éste, el uno, es decir, la fiera transformada en hombre, se levantó, y cayó el otro; pero sin dejar de lanzarse miradas feroces, ante las cuales cada uno de ellos cambiaba de rostro. El que estaba en pie lo encogió hacia las sienes, y de la carne excedente se le formaron las orejas en sus lisos carrillos. La parte del hocico de la serpiente que no se replegó en la cabeza quedó fuera formando la nariz del rostro humano, y abultó al propio tiempo convenientemente los labios. El que estaba en el suelo extendió su boca hacia delante, e hizo entrar sus orejas en la cabeza, como el caracol hace con sus cuernos; y la lengua, que estaba antes unida y dispuesta a hablar, se hendió, al paso que se unía la lengua hendida del reptil, dejando de lanzar humo. El alma que se había convertido en serpiente huyó silbando por la fosa; y el otro, hablando detrás de ella, le escupía. Volvióle después sus recién formadas espaldas, y dijo al otro condenado: "Quiero que Buoso se arrastre por este camino como yo lo he hecho." De tal suerte vi yo, en la séptima fosa, cambiarse y metamorfosearse dos naturalezas; y si mi lenguaje no es florido, sírvame de excusa la novedad del caso.

Aunque mis ojos estuviesen turbados y mi espíritu aturdido, no huyeron las otras dos sombras tan ocultamente, que yo no conociese a Puccio Sciancato, el único de los tres espíritus de los llegados anteriormente que no había cambiado de forma: el otro era aquel que tú lloras, ¡oh Gaville![1]

---

[1] Para mayor claridad, nótese bien que Dante ve primero tres espíritus: Agnolo Brunelleschi, Buoso degli Abati y Puccio Sciancato. Luego viene Cianfa en forma de serpiente con seis patas, se arroja sobre Brunelleschi, y los dos se convierten en un solo monstruo, que se va con pasos lentos. Llega después, en forma de serpiente lívida y negra, Guercio Cavalcante: pica a Buoso, le transforma en serpiente y él se vuelve hombre: Buoso huye silbando. Quedan solos en escena Puccio Sciancato, que no ha sufrido transformación, y "aquel a quien llora Gaville", es decir, Guercio Cavalcante. Todos cinco fueron ladrones.

CANTO VIGESIMOSEXTO

ALÉGRATE, Florencia, pues eres tan grande, que tu nombre vuela por mar y tierra, y es famoso en todo el infierno. Entre los ladrones he encontrado cinco de tus nobles ciudadanos; lo cual me avergüenza, y a ti no te honra mucho. Pero, si es verdad lo que se sueña cerca del amanecer, dentro de poco tiempo conocerás lo que contra ti desean, no ya otros pueblos, sino Prato:[1] y si este mal se hubiese ya cumplido, no sería prematuro. ¡Así viniese hoy lo que ha de suceder, pues tanto más me contristará, cuanto más viejo me vuelva!

Partimos; y por los mismos escalones de las rocas que nos habían servido para bajar, subió mi Guía, tirando de mí. Prosiguiendo la ruta solitaria a través de los picos y rocas del escollo, no era posible mover un pie sin el auxilio de la mano. Entonces me afligí, como me aflijo ahora, cuando pienso en lo que vi; y refreno mi espíritu más de lo que acostumbro, para que no aventure tanto que deje de guiarlo la virtud; porque, si mi buena estrella u otra influencia mejor me ha dado algún ingenio, no quiero yo mismo envidiármelo. Así como en la estación en que aquel que ilumina al mundo nos oculta menos su faz, el campesino que reposa en la colina a la hora en que el mosquito reemplaza a la mosca, ve por el valle las luciérnagas que corren por el sitio donde vendimia y ara, así también vi resplandecer infinitas llamas en la octava fosa, en cuanto estuve en el punto desde donde se distinguía su fondo. Y como aquel a quien los osos ayudaron en su venganza[2] vio partir el carro de Elías, cuando los caballos subían erguidos al cielo, de tal modo que no pudiendo sus ojos seguirle, sólo distinguían una ligera llama elevándose como débil nubecilla,[3] así también noté que se agitaban aquéllas en la abertura de la fosa, encerrando cada una un pecador, pero sin manifestar lo que ocultaban. Yo estaba sobre el puente, tan absorto en la contemplación de aquel espectáculo, que, a no haberme agarrado a un trozo de roca, hubiera caído sin ser empujado. Mi Guía, que me vio tan atento, me dijo:

—Dentro del fuego están los espíritus, cada uno revestido de la llama que le abrasa.

—¡Oh, Maestro! —respondí—; tus palabras han hecho que me cerciore de lo que veo; pero ya lo había pensado así y quería decírtelo. Mas dime: ¿quién está en aquella llama que se divide en su parte superior, y parece salir de la pira donde fueron puestos Eteocles y su hermano?[4]

Me contestó:

—Allí dentro están torturados Ulises y Diomedes: juntos sufren aquí un mismo castigo, como juntos se entregaron a la ira. En esa llama se llora también el engaño del caballo de madera, que fue la puerta por

---

[1] La ciudad de Prato estaba entonces sujeta a Florencia, y muy descontenta con su gobierno.

[2] El profeta Eliseo que "subiendo un día por una cuesta, unos muchachos que salieron de un pueblo le gritaron burlándose de él: ¡Sube, viejo calvo, sube, viejo calvo! El profeta se quedó mirándolos y los maldijo en el nombre del Señor; al punto salieron del bosque dos osos y devoraron a cuarenta y dos de entre ellos." IV, *Reyes*, II, 23-24.

[3] También la desaparición del profeta Elías está narrada en el *IV Libro de los Reyes*, II, 11-12.

[4] Colocados en una misma pira los cadáveres de los hermanos Eteocles y Polinice, que se habían dado muerte el uno al otro, la llama descubría, bifurcándose, que se odiaban aun después de muertos.

donde salió la noble estirpe de los romanos. Llórase también el artificio por el que Deidamia, aun después de muerta, se lamenta de Aquiles, y se sufre además el castigo por el robo del Paladión.

—Si es que pueden hablar en medio de las llamas —dije yo—, Maestro, te pido y te suplico, y así mi súplica valga por mil, que me permitas esperar que esa llama dividida llegue hasta aquí: mira cómo, arrastrado por mi deseo, me abalanzo hacia ella.

A lo que me contestó:

Tu súplica es digna de alabanza, y yo la acojo; pero haz que tu lengua se reprima, y déjame a mí hablar; pues comprendo lo que quieres, y quizás ellos, siendo griegos, se desdeñarían de contestarte.

Cuando la llama estuvo cerca de nosotros, y mi Guía juzgó el lugar y el momento favorables, le oí expresarse en estos términos:

—¡Oh vosotros, que sois dos en un mismo fuego! Si he merecido vuestra gracia durante mi vida, si he merecido de vosotros poco o mucho, cuando escribí mi gran poema en el mundo, no os alejéis; antes bien dígame uno de vosotros dónde fue a morir, llevado de su valor.

La punta más elevada de la antigua llama empezó a oscilar murmurando como la que agita el viento; después, dirigiendo a uno y otro lado su extremidad, empezó a lanzar algunos sonidos, como si fuera una lengua que hablara, y dijo:[5]

—Cuando me separé de Circe, que me tuvo oculto más de un año en Gaeta, antes de que Eneas le diera este nombre, ni las dulzuras paternales, ni la piedad debida a un padre anciano, ni el amor mutuo que debía hacer dichosa a Penélope, pudieron vencer el ardiente deseo que yo tuve de conocer el mundo, los vicios y las virtudes de los humanos, sino que me lancé por el abierto mar sólo con un navío, y con los pocos compañeros que nunca me abandonaron. Vi entrambas costas, por un lado hasta España, por otro hasta Marruecos, y la isla de los Sardos y las demás que baña en torno aquel mar. Mis compañeros y yo nos habíamos vuelto viejos y pesados cuando llegamos a la estrecha garganta donde plantó Hércules las dos columnas para que ningún hombre pasase más adelante. Dejé a Sevilla a mi derecha, como había dejado ya a Ceuta a mi izquierda. "¡Oh hermanos, dije, que habéis llegado al Occidente a través de cien mil peligros!, ya que tan poco os resta de vida, no os neguéis a conocer el mundo sin habitantes, que se encuentra siguiendo al Sol. Pensad en vuestro origen; vosotros no habéis nacido para vivir como brutos, sino para alcanzar la virtud y la ciencia." Con esta corta arenga infundí en mis compañeros tal deseo de continuar el viaje, que apenas los hubiera podido detener después. Y volviendo la popa hacia el Oriente, de nuestros remos hicimos alas para seguir tan desatentado viaje, inclinándonos siempre hacia la izquierda. La noche veía ya brillar todas las estrellas de otro polo, y estaba el nuestro tan bajo que apenas parecía salir fuera de las superficie de las aguas. Cinco veces se había encendido y otras tantas apagado la luz de la luna desde que entramos en aquel gran mar, cuando apareció una montaña obscurecida por la distancia, la cual me pareció la más alta de cuantas había visto hasta entonces. Nos causó alegría, pero nuestro gozo se trocó bien pronto en llanto, pues de aquella tierra se levantó un torbellino que chocó contra la proa de nuestro buque: tres veces lo hizo girar juntamente con las encrespadas ondas, y a la cuarta levantó la popa y sumergió la proa como plugo al Otro, hasta que el mar volvió a unirse sobre nosotros.

---

[5] De todas las versiones relativas a la muerte de Ulises, Dante ha escogido la más gloriosa para el héroe, aquella que le hace emprender, después del retorno que narra la *Odisea*, un nuevo viaje de descubrimientos, en el curso del cual funda *Lisboa*.

CANTO VIGESIMOSEPTIMO

HABÍASE quedado derecha e inmóvil la llama para no decir nada más, y ya se iba alejando de nosotros, con permiso del dulce poeta, cuando otra que seguía detrás nos hizo volver la vista hacia su punta, a causa del confuso rumor que salía de ella. Como el toro de Sicilia que, lanzando por primer mugido el llanto del que lo había trabajado con su lima (lo cual fue justo), bramaba con las voces de los torturados en él de tal suerte, que a pesar de estar construido de bronce, parecía realmente traspasado de dolor,[1] así también las palabras lastimeras del espíritu contenido en la llama, no encontrando en toda la extensión de ella ninguna abertura por donde salir, se convertían en el lenguaje del fuego; pero cuando consiguieron llegar a su punta, comunicándole a ésta el movimiento que la lengua les había dado al pasar, oímos decir:

—¡Oh tú, a quien me dirijo, y que hace poco hablabas en lombardo, diciendo: "Vete ya, no te detengo más"! Aun cuando yo haya llegado tarde, no te pese permanecer hablando conmigo; pues a mí no me pesa, no obstante que estoy ardiendo. Si acabas de caer en este mundo lóbrego desde la dulce tierra latina, donde he cometido todas mis faltas, dime si los romañolos están en paz o en guerra; pues fui de las montañas que se elevan entre Urbino y el yugo de que el Tíber se desata.

Yo escuchaba aún atento e inclinado, cuando mi Guía me tocó, diciendo:

—Habla tú; ese es latino.

Y yo, que tenía la respuesta preparada, empecé a hablarle así sin tardanza:

—¡Oh alma, que te escondes ahí debajo! Tu Romanía no está ni estuvo nunca sin guerra en el corazón de sus tiranos; pero al venir no he dejado guerra manifiesta: Ravena está como hace muchos años: el águila de Polenta anida allí, y cubre aún a Cervia con sus alas. La tierra que sostuvo tan larga prueba, y contiene sangrientos montones de cadáveres franceses, se encuentra en poder de las garras verdes; y el mastín viejo y el joven de Verrucchio, que tanto daño hicieron a Montagna, siguen ensangrentando sus dientes donde acostumbran. La ciudad del Lamone y la del Santerno están dirigidas por el leoncillo de blanco cubil, que del verano al invierno cambia de partido; y aquella que está bañada por el Savio, vive entre la tiranía y la libertad, así como se asienta entre la llanura y la montaña. Ahora te ruego que me digas quién eres:[2] no seas más duro de lo que lo han sido otros; así pueda tu nombre durar eternamente en el mundo.

Cuando el fuego hubo producido su acostumbrado rumor, movió de una parte a otra su aguda punta, y después habló así:

Si yo creyera que dirijo mi res-

---

[1] El toro de Fálaris, sanguinario tirano de Agrigento en Sicilia. Parece que Fálaris encargó al escultor Perilo un nuevo instrumento de tortura y éste modeló un toro de bronce, hueco, en el que se metía a los condenados, y encendiendo fuego debajo se los achicharraba. Los atroces gritos que les hacía proferir el tormento, al salir por la boca del toro, reproducían su mugido. Fálaris hizo que el escultor fuese la primera víctima de su invento.

[2] Guido de Montefeltro, el más astuto y sutil político que había entonces en Italia. Por sus talentos militares y políticos se convirtió en cabeza de todos los gibelinos de la Romaña. En 1296 se reconcilió definitivamente con la Iglesia y entró en la orden de los franciscanos. Dante se hace eco del rumor de su tiempo que le creía en colaboración culpable con Bonifacio VIII.

puesta a una persona que debe volver al mundo, esta llama dejaría de agitarse; pero como ninguno pudo salir jamás de esta profundidad, si es cierto lo que he oído, te responderé sin temor a la infamia. Yo fui hombre de guerra y luego franciscano, creyendo que con este hábito expiaría mis faltas; y mi creencia hubiera tenido ciertamente efecto, si el gran Sacerdote, a quien deseo todo mal, no me hubiese hecho incurrir en mis primeras faltas. Quiero que tú sepas cómo y porqué. Mientras conservé la forma de carne y hueso que mi madre me dio, mis acciones no fueron de león, sino de zorra. Yo conocí toda clase de astucias, todas las asechanzas, y las practiqué tan bien, que su fama resonó hasta en el último confín del mundo. Cuando me vi cercano a la edad en que cada cual debería cargar las velas y recoger las cuerdas, lo que antes me agradaba me disgustó entonces; y arrepentido, confesé mis culpas, retirándome al claustro. Entonces ¡ay, infeliz de mí! pude haberme salvado: pero el príncipe de los nuevos fariseos estaba en guerra cerca de Letrán (y no con los sarracenos ni con los judíos, pues todos sus enemigos eran cristianos, y ninguno de ellos había ido a conquistar a Acre, ni a comerciar en la tierra del Sultán): no tuvo en cuenta su dignidad suprema ni las sagradas órdenes de que estaba investido, ni vio en mí aquel cordón que solía enflaquecer a los que lo llevaban; sino que, así como Constantino llamó a Silvestre en el monte Soracto, para que le curase la lepra, así también me llamó aquél para que le curara su orgullosa fiebre: pidióme consejo, y yo me callé, porque sus palabras me parecieron las de un hombre ebrio. Después añadió: "No abrigue tu corazón temor alguno: te absuel-

vo de antemano; pero me has de decir cómo podré echar por tierra los muros de Preneste. Yo puedo abrir y cerrar el cielo, como sabes; porque son dos las llaves a que no tuvo mucho apego mi antecesor." [3] Estos graves argumentos me impresionaron, y pensando que sería peor callar que hablar, le dije: "Padre, puesto que tú me lavas del pecado en que voy a incurrir, para triunfar en tu alto solio, debes prometer mucho y cumplir poco de lo que prometas." Cuando ocurrió mi muerte, fue Francisco a buscarme; pero uno de los negros querubines, le dijo: "No puedes llevártelo; no me prives de lo que es mío: éste debe bajar a lo profundo entre mis condenados, por haber aconsejado el fraude, desde cuya falta le tengo cogido por los cabellos. No es posible absolver al que no se arrepiente, como tampoco es posible arrepentirse y querer el pecado al mismo tiempo, pues la contradicción no lo consiente." ¡Ay de mí, desdichado! ¡Cómo me aterré cuando me agarró, diciendo: "¡Acaso no creerías que fuera yo tan lógico!" Me condujo ante Minos, el cual se ciñó ocho veces la cola en derredor de su duro cuerpo, y mordiéndosela con gran rabia, dijo: "Ese debe estar entre los culpables que esconde el fuego." He aquí por qué estoy sepultado donde me ves, y por qué gimo al llevar este vestido.

Cuando hubo acabado de hablar, se alejó la plañidora llama, torciendo y agitando su aguda punta. Mi Guía y yo seguimos adelante, a través del escollo, hasta llegar al otro arco que cubre el foso donde se castiga a los que cargaron su conciencia introduciendo la discordia.

[3] Celestino V, el pobre y santo ermitaño que renunció a la tiara y volvió a la soledad.

CANTO VIGESIMOCTAVO

¿Quién podría jamás, ni aun con palabras sin medida, por más que lo intentase muchas veces, describir toda la sangre y las heridas que vi entonces? No existe ciertamente lengua alguna que pueda expresar, ni entendimiento que retenga, lo que apenas cabe en la imaginación. Si pudiera reunirse toda la gente que derramó su sangre en la infortunada tierra de la Pulla, cuando combatieron los romanos durante aquella prolongada guerra en que se recogió tan gran botín de anillos,[1] como refiere Tito Livio y no se equivoca, con la que sufrió tan rudos golpes por contrastar a Roberto Guiscardo,[2] y de aquella cuyos huesos se recogen aún, tanto en Ceperano, donde cada habitante fue un traidor, como en Tagliacozzo, donde el viejo Allard venció sin armas,[3] y fuera posible que todos los combatientes mencionados enseñaran sus miembros rotos y traspasados, ni aun así tendría una idea del aspecto horrible que presentaba la novena fosa. Una cuba que haya perdido las duelas del fondo no se vacía tanto como un espíritu que vi hendido desde la barba hasta la parte inferior del vientre; sus intestinos le colgaban por las piernas: se veía el corazón en movimiento y el triste saco donde se convierte en excremento todo cuanto se come. Mientras le estaba contemplando atentamente, me miró, y con las manos se abrió el pecho, diciendo:

[1] La Segunda Guerra Púnica. Aníbal, cuenta Tito Livio, recogió tres celemines de anillos de los romanos muertos en la batalla de Cannas.
[2] Hermano de Ricardo, fundador de los estados normandos del Sur de Italia, a fines del siglo XI.
[3] Se refiere a las guerras anjevinas. Allard de Valery era consejero de Carlos de Anjou; sus recomendaciones determinaron la victoria.

—Mira cómo me desgarro: mira cuán estropeado está Mahoma. Alí va delante de mí llorando,[4] con la cabeza abierta desde el cráneo hasta la barba, y todos los que aquí ves, vivieron; mas por haber diseminado el escándalo y el cisma en la tierra, están hendidos del mismo modo. En pos de nosotros viene un diablo que nos hiere cruelmente, dando tajos con su afilada espada a cuantos alcanza entre esta multitud de pecadores, luego que hémos dado una vuelta por esta lamentable fosa; porque nuestras heridas se cierran antes de volvernos a encontrar con aquel demonio. Pero tú, que estás husmeando desde lo alto del escollo, quizá para demorar tu marcha hacia el suplicio que te haya sido impuesto por tus culpas, ¿quién eres?

—Ni la muerte le alcanzó aún, ni le traen aquí sus culpas para que sea atormentado —contestó mi Maestro—, sino que ha venido para conocer todos los suplicios. Yo, que estoy muerto, debo guiarle por cada uno de los círculos del profundo Infierno, y esto es tan cierto como que te estoy hablando.

Al oír estas palabras, más de cien condenados se detuvieron en la fosa para contemplarme, haciéndoles olvidar la sorpresa su martirio.

—Pues bien, tú que tal vez dentro de poco volverás a ver el sol, di a fray Dolcino que, si no quiere reunirse conmigo aquí muy pronto, debe proveerse de víveres y no dejarse rodear por la nieve; pues sin el hambre y la nieve, difícil le será al novarés vencerle.[5]

[4] Alí Ebn Abí Talid (597-660) cuñado y yerno de Mahoma, y uno de sus primeros secuaces.
[5] Dolcino Tornielli, de Novara, sucedió a Gerardo Segarelli en la dirección de la secta

Mahoma me dijo estas palabras después de haber levantado un pie para alejarse; cuando cesó de hablar, lo fijó en el suelo y partió.

Otro, que tenía la garganta atravesada, la nariz cortada hasta las cejas, y una oreja solamente, se quedó mirándome asombrado con los demás espíritus, y abriendo antes que ellos su boca, exteriormente rodeada de sangre por todas partes, dijo:

—¡Oh, tú a quien no condena culpa alguna, y a quien ya vi allá arriba, en la tierra latina, si es que no me engaña una gran semejanza!, acuérdate de Pedro de Medicina,[6] si logras ver de nuevo la hermosa llanura que declina desde Vercelli a Marcabó; y haz saber a los dos mejores de Fano a messer Guido y Angiolello,[7] que si la previsión no es aquí vana, serán arrojados fuera de su bajel, y ahogados cerca de la Católica por la traición de un tirano desleal. Desde la isla de Chipre a la de Mallorca no habrá visto jamás Neptuno una felonía tan grande, llevada a cabo por piratas, ni por corsarios griegos. Aquel traidor, que ve solamente con un ojo, y que gobierna el país que no quisiera haber visto uno que está aquí conmigo, les invitará a parlamentar con él, y después hará de modo que no necesiten conjurar con sus votos y oraciones el viento de Focara.

Yo le dije:

—Si quieres que lleve noticias tuyas allá arriba, muéstrame y declara quién es ése que deplora haber visto aquel país.

Entonces puso su mano sobre la mandíbula de uno de sus compañeros, y le abrió la boca exclamando:

—Hele aquí; pero no habla.

Era aquel que, desterrado de Roma, ahogó la duda en el corazón de César, afirmando que el que está preparado, se perjudica en aplazar la realización de una empresa. ¡Oh! ¡Cuán acobardado me parecía con su lengua cortada en la garganta aquel Curión, que tan audaz fue para hablar![8]

Otro, que tenía las manos cortadas, levantando sus muñones al aire sombrío, de tal modo que se inundaba la cara de sangre, gritó:

—Acuérdate también de Mosca,[9] que dijo, ¡desventurado!: "Cosa hecha está concluida." Palabras que fueron el origen de las discordias civiles de los toscanos.

—¡Y de la muerte de tu raza! —exclamé yo.

Entonces él, acumulando dolor sobre dolor, se alejó como una persona triste y demente.

Continué examinando la banda infernal, y vi cosas que no me atrevería a referir sin otra prueba, si no fuese por la seguridad de mi conciencia; esa buena compañera, que confiada en su pureza, fortifica tanto el corazón del hombre: vi, en efecto, y aun me parece que lo estoy viendo, un cuerpo sin cabeza, andando como los demás que formaban aquella triste grey: asida por los cabellos, y pendiente a guisa de linterna, llevaba en una mano su cabeza cortada, la cual nos miraba exclamando: "¡Ay de mí!" Servíase de sí mismo como de una lámpara, y eran dos en

de los Hermanos Apostólicos, cuando aquel fue quemado vivo. Hacíase pasar por apóstol y profeta y predicaba la comunidad de bienes, incluso de las mujeres. En 1305 se hizo fuerte con cinco mil de los suyos en el monte Zebello y resistió a la cruzada predicada contra él por Clemente V, hasta que el hambre le obligó a rendirse el 26 de mayo de 1307.

[6] Ese Pedro, natural de Medicina, entre Bolonia y la baja Romaña, era un hábil sembrador de discordia entre los príncipes y los nobles.

[7] Dos nobles de Farro que, invitados por Malatestino Malatesta a parlamentar con él en Católica, ciudad de la costa del Adriático, cerca de Rímini, fueron arrojados al mar por orden del tirano que los invitaba.

[8] Curión, primero partidario de Pompeyo y después vendido a César, a quien animaba a la guerra civil, después de aparecer el decreto del Senado que declaraba a César enemigo del pueblo si no licenciaba al ejército.

[9] Mosca del Lamberti es el personaje a quien Dante quería conocer ya en el Canto VI, y que, según la tradición popular, fue el iniciador de las discordias intestinas de Florencia. Antes de que existieran güelfos ni gibelinos incitó a los Amidei y a los Uberti a vengarse del joven Buondelmonte, emparentado con los Donati. El asesinato del joven marca la definitiva división de Florencia en dos bandos: los partidarios de Buondelmonte y de los Donato se hicieron güelfos y los de Amidei y los Uberti gibelinos.

uno y uno en dos: cómo puede ser esto, sólo lo sabe Aquél que nos gobierna. Cuando llegó al pie del puente, levantó en alto su brazo con la cabeza para acercarnos más sus palabras que fueron éstas:

—Mira mi tormento cruel, tú que, aunque estás vivo, vas contemplando los muertos: ve si puede haber alguno tan grande como éste. Y para que puedas dar noticias mías, sabe que yo soy Bertrán de Born,[10] aquel que dio tan malos consejos al rey joven. Yo armé al padre y al hijo uno contra otro: no hizo más Aquitofel con sus perversas instigaciones a David y Absalón. Por haber dividido a personas tan unidas, llevo ¡ay de mí! mi cabeza separada de su principio, que queda encerrado en este tronco: así se observa conmigo la pena del talión.

[10] Vizconde de Perigord y señor de Hautefort, famoso trovador del siglo XII, por quien Dante sentía gran admiración. Circulaba la especie de que había instigado al primogénito del rey Enrique II de Inglaterra a rebelarse contra su padre.

CANTO VIGESIMONONO

EL ESPECTÁCULO de aquella multitud de precitos y de sus diversas heridas, de tal modo henchía de lágrimas mis ojos, que hubiera deseado detenerme para llorar. Pero Virgilio me dijo:

—¿Qué miras ahora? ¿Por qué tu vista se obstina en contemplar ahí abajo esas sombras tristes y mutiladas? Tú no has hecho eso en las otras fosas: si crees poder contar esas almas, piensa que la fosa tiene veintidós millas de circunferencia. La luna está ya debajo de nosotros: el tiempo que se nos ha concedido es muy corto, y aún nos queda por ver más de lo que has visto.

—Si hubieses considerado atentamente —le respondí— la causa que me obligaba a mirar, quizá hubieras permitido que me detuviera aquí un poco.

Mi Guía se alejaba ya; mientras yo iba tras de él contestándole y añadiendo:

—Dentro de aquella cueva donde tenía los ojos tan fijos, creo que había un espíritu de mi familia llorando el delito que se castiga ahí con tan graves penas.

Entonces me contestó el maestro:

—No se ocupe ya más tu pensamiento en la suerte de ese espíritu; piensa en otra cosa, y quédese él donde está. Le he visto al pie del puente señalarte y amenzarate airadamente con el dedo, y oí que le llamaban Geri del Bello;[1] pero tú estabas tan distraído con el que gobernó a Altaforte, que como no miraste hacia donde él estaba, se marchó.

—¡Oh, mi guía! —dije yo—. Su violenta muerte, que no ha sido aún vengada por ninguno de nosotros,

partícipes de la ofensa, le ha indignado: he aquí por qué, según presumo, se ha ido sin hablarme; y esto es causa de que me inspire más compasión.

Así continuamos hablando hasta el primer punto del peñasco, desde donde se distinguiría la otra fosa hasta el fondo, si hubiera en ella más claridad. Cuando estuvimos colocados sobre el último recinto de Malebolge, de manera que los transfigurados que contenía pudieran aparecer a nuestra vista, hirieron mis oídos diversos lamentos que cual agudas flechas me traspasaron el corazón; por lo cual tuve que cubrirme las orejas con ambas manos. Si entre los meses de julio y septiembre los hospitales de la Valdichiana y los enfermos de las Marismas y de Cerdeña estuvieran reunidos en una sola fosa, esta acumulación formaría un espectáculo tan doloroso como el que ví en aquella, de la cual se exhalaba la misma pestilencia que la que despiden los miembros gangrenados. Descendimos hacia la izquierda por la última orilla del largo peñasco, y entonces pude distinguir mejor la profundidad de aquel abismo, donde la infalible Justicia, ministro del Altísimo, castiga a los falsarios que apunta en su registro.

No creo que causara mayor tristeza ver enfermo el pueblo entero de Egina,[2] cuando se inficionó tanto el aire, que perecieron todos los ani-

---

[1] Pariente lejano de Dante, conocido como sembrador de discordia. Murió de muerte violenta.

[2] Isla cercana a Atenas, que debe su nombre a la ninfa Egina. Airada Jun~ porque esa ninfa se dejaba amar de Júpit · envió la peste a la isla e hizo morir primero a los animales y después a los huma..os. Sólo supervivió Eaco, hijo de Egina y de Júpiter, quien rogó a su padre que repoblase aquella isla con tantos habitantes como hormigas veía a sus pies. Por eso fueron llamados *myrmidones*, de *myrmex*, hormiga.

males hasta el miserable gusano, habiendo salido después los habitantes de aquella isla de la raza de las hormigas, según aseguran los poetas, como causaba el ver a los espíritus languidecer en tristes montones por aquel obscuro valle. Cuál yacía tendido sobre el vientre, cuál sobre las espaldas unos de otros; y alguno andaba a rastras por el triste camino.

Ibamos caminando paso a paso sin decir una palabra, mirando y escuchando a los enfermos, que no podían sostener sus cuerpos. Vi dos de ellos sentados y apoyados el uno contra el otro, como se apoyan las tejas para cocerlas, y llenos de pústulas desde la cabeza hasta los pies. Nunca he visto criado alguno, a quien espera su amo o que vela a pesar suyo, tan diligente en remover la almohaza, como lo era cada uno de aquellos condenados para rascarse con frecuencia y calmar así la terrible rabia de su comezón, que no tenía otro remedio. Se arrancaban con las uñas las pústulas, como el cuchillo arranca las escamas del escaró o de otro pescado que las tenga más grandes.

—¡Oh tú, que con los dedos te desarmas —dijo mi Guía a uno de ellos—, y que los empleas como si fueran tenazas! Dime si hay algún latino entre los que están aquí, y ¡ojalá puedan tus uñas bastarte eternamente para ese trabajo!

—Latinos somos los dos a quienes ves tan deformes —respondió uno de ellos llorando—; pero ¿quién eres tú, que preguntas por nosotros?

Y el Guía repuso:

—Soy un espíritu que he descendido con este ser viviente de grado en grado, y tengo el encargo de enseñarle el Infierno.

Las dos sombras cesaron entonces de prestarse mutuo apoyo, y cada una de ellas se volvió temblando hacia mí, juntamente con otras que lo oyeron, aunque no se dirigía a ellas la contestación. El buen Maestro se me acercó diciendo: "Diles lo que quieras." Y ya que él lo permitía, empecé de este modo:

—Así vuestra memoria no se borre de las mentes humanas en el primer mundo, y antes bien dure por muchos años; decidme quiénes sois y de qué nación: no tengáis reparo en franquearos conmigo, sin que os lo impida vuestro insoportable y vergonzoso suplicio.

—Yo fui de Arezzo —respondió uno—, y Alberto de Siena me condenó a las llamas; pero la causa de mi muerte no es la que me ha traído al Infierno.[3] Es cierto que le dije chanceándome: "Yo sabría elevarme por el aire volando"; y él, que era curioso y de cortos alcances, quiso que yo le enseñase aquel arte: y tan sólo porque no le convertí en Dédalo, me hizo quemar por mandato de uno que le tenía por hijo; pero Minos, que no puede equivocarse, me condenó a la última de las diez fosas por haberme dedicado a la alquimia en el mundo.

Yo dije al poeta:

—¿Hubo jamás un pueblo tan vano como el sienés? Seguramente no lo es tanto, ni con mucho, el pueblo francés.

Entonces el otro leproso,[4] que me oyó, contestó a mis palabras:

—Exceptúa a Stricca, que supo hacer tan moderados gastos; y a Niccolo, que fue el primero que descubrió la rica usanza del clavo de especia, en la ciudad donde hoy es tan común su uso.[5] Exceptúa también la banda en que malgastó Caccia de Asciano sus viñas y sus bosques, y en la que Abbagliato demostró hasta donde llegaba su juicio.[6] Mas para

[3] Dícese que éste fue cierto Griffolino, alquimista, que alabándose de conocer el arte de volar, prometió enseñárselo a un sienés llamado Alberto, el cual al principio le creyó; pero habiendo advertido después el engaño, le acusó ante el obispo de Siena como reo de nigromancia, y Griffolino fue condenado por dicho obispo a ser quemado vivo, como nigromante.

[4] Capocchio de Florencia, compañero de estudios de Dante, imitador y falsificador. Fue quemado en Siena en 1293.

[5] Ironía. El primero disipó su hacienda en locuras y necedades; Nicolás, su hermano introdujo el uso del clavo en la cocina sienesa.

[6] Otros dos grandes derrochadores de Siena. Se había formado en esa ciudad un grupo de doce jóvenes ricos que vivían en continuas fiestas y festines.

que sepas quién es el que de este modo te secunda contra los sieneses, fija en mí tus ojos a fin de que mi rostro corresponda al deseo que tienes de conocerme, y podrás ver que soy la sombra de Capocchio, el que falsificó los metales por medio de la alquimia: y debes recordar, si eres efectivamente el que pienso, que fui por naturaleza un buen imitador.

CANTO TRIGESIMO

En aquel tiempo en que Juno, por causa de Semele, estaba irritada contra la sangre tebana, como lo demostró más de una vez, Atamas se volvió tan insensato que, al ver acercarse a su mujer, llevando de la mano a sus dos hijos, exclamó: "Tendamos las redes de modo que yo coja a su paso la leona con sus dos cachorros"; y extendiendo después las desapiadadas manos, agarró a uno de ellos, que se llamaba Learco, le hizo dar vueltas en el aire y lo estrelló contra una roca: la madre se ahogó con el hijo restante. Cuando la fortuna abatió la grandeza de los troyanos, que a todo se atrevían, hasta que el reino fue destruido juntamente con el rey, la triste Hécuba, miserable y cautiva, después de haber visto a Polixena muerta, y el cuerpo de su Polidoro tendido en la orilla del mar quedó con el corazón tan desgarrado, que, fuera de sí, empezó a ladrar como un perro; de tal modo la había trastornado el dolor. Pero ni los tebanos ni los troyanos furiosos demostraron tanta crueldad, no ya en torturar cuerpos humanos, sino ni siquiera animales, como la que vi en dos sombras desnudas y pálidas, que corrían mordiéndose, como el cerdo cuando se escapa de su pocilga. Una de ellas alcanzó a Capocchio, y se le afianzó a la nuca de tal modo, que tirando de él, le hizo arañar con su vientre el duro suelo. El aretino, que quedó temblando, me dijo:

—Ese loco es Gianni Schicchi, que va rabioso maltratando a los demás.

—¡Oh! —le dije yo—: no temas decirme quién es la otra sombra que va con él, antes que desaparezca, y ojalá no venga a hincarte los dientes en el cuerpo.

Me contestó:

——Es el alma antigua de la perversa Mirra, que fue amante de su padre contra las leyes del amor honesto: para cometer tal pecado se disfrazó bajo la forma de otra; como aquel que ya se va tuvo empeño en fingirse Buoso Donati, a fin de ganar la "Donna della Torma", testando en su lugar, y dictando las cláusulas del testamento.[1]

Cuando hubieron pasado aquellas dos almas furiosas, sobre las cuales había tenido fija mi vista, me volví para mirar las sombras de los otros mal nacidos. Vi uno, que pareciera un laúd, si hubiese tenido el cuerpo cortado en el sitio donde el hombre se bifurca. La pesada hidropesía, que, a causa de los humores convertidos en maligna sustancia, hace los miembros tan desproporcionados, que el rostro no corresponde al vientre, le obligaba a tener la boca abierta, pareciéndose al hético que, cuando está sediento, dirige uno de sus labios hacia la barba y otro hacia la nariz.

—¡Oh vosotros, que no sufrís pena alguna (y no sé por qué) en este mundo miserable! —nos dijo—: mirad y estad atentos al infortunio de maese Adam: yo tuve en abundancia, mientras viví, todo cuanto deseé; y ahora, ¡ay de mí!, sólo deseo una gota de agua.

Los arroyuelos que desde las verdes colinas del Casentino descienden

---

1 Gianni Schicchi acometió la empresa de suplantar la persona de Buoso Donati, muerto sin testar; para lo cual se metió en la cama de éste, y fingiendo que estaba cercano a la muerte testó e instituyó por heredero a Simón Donati, hijo de Buoso, y como legado, dejó a Gianni Schicchi, es decir, a sí mismo, la mejor yegua de las caballerizas de Buoso. Dante la llama irónicamente *Donna della torma.*

hasta el Arno, trazando frescos y apacibles cauces, continuamente están ante mi vista, y no en vano; pues su imagen me reseca más que el mal que descarna mi rostro. La rígida justicia que me castiga se sirve del mismo lugar donde he pecado para hacerme exhalar más suspiros. Allí está Romena, donde falsifiqué la moneda acuñada con el busto del Bautista, por lo cual dejé en la tierra mi cuerpo quemado. Pero si yo viese aquí el alma criminal de Guido, o la de Alejandro, o la de su hermano, no cambiaría el placer de mirarlos a mi lado ni aun por la fuente Branda. Una de ellas está ya aquí dentro, si es cierto lo que dicen las coléricas sombras de los que giran por estos sitios; pero ¿qué me importa, si tengo encadenados mis miembros? Si a lo menos fuese yo tan ágil que en cien años pudiera andar una pulgada, ya me habría internado por el sendero, buscándola entre esa gente deforme, a pesar de la fosa tiene once millas de circunferencia y no menos de media milla de diámetro. Por su causa me veo entre estos condenados: ellos me indujeron a acuñar los florines, que bien tenían tres quilates de liga.

A mi vez dije:

—¿Quiénes son esos dos espíritus infelices, que despiden vaho, como en el invierno una mano mojada, y que tan unidas yacen a tu derecha?

—Aquí los encontré —respondióme—, cuando bajé a este abismo; y desde entonces; ni se han movido, ni creo que eternamente se muevan. El uno es la falsa que acusó a José; el otro es el falso Simón, griego de Troya: por efecto de su ardiente fiebre, lanzan ese vapor fétido.[2]

Uno de ellos, indignado quizá porque se le daba aquel nombre infame, le golpeó con el puño en su endurecido vientre, haciéndoselo resonar

como un tambor. Maese Adam le dio a su vez en el rostro con su puño, que no parecía menos duro, diciéndole:

—Aunque me vea privado de moverme a causa de la pesadez de algunos de mis miembros, tengo el brazo suelto para semejante tarea.

A lo que aquél replicó:

—Cuando marchabas hacia la hoguera no lo tenías tan suelto; pero lo tenías mucho más cuando acuñabas moneda.

El hidrópico respuso:

—Eres verídico en eso; mas no lo fuiste tanto cuando en Troya te incitaron a que dijeses la verdad.

—Si allí dije una falsedad, en cambio tú falsificaste el cuño —dijo Simón—; y si yo estoy aquí por una falta, tú lo estás por muchas más que ninguno otro demonio.

—Acuérdate, perjuro, del caballo —replicó aquel que tenía el vientre hinchado—; y sírvate de castigo el que el mundo entero conoce tu delito.

—Sírvate a ti también de castigo la sed que tiene agrietada tu lengua —contestó el Griego—, y el agua podrida que eleva tu vientre como una barrera ante tus ojos.

Entonces el monedero replicó:

—También tu boca se rasga por hablar mal, como acostumbra: si yo tengo sed, y si el humor me hincha, tú tienes fiebre y te duele la cabeza; no te harías mucho de rogar para lamer el espejo de Narciso.

Yo estaba escuchándoles atentamente, cuando me dijo mi Maestro:

—Sigue, sigue contemplándolos aún; que poco me falta para reírme de ti.

Cuando le oí hablarme con ira, me volví hacia él tan abochornado, que aún conservo vivo el recuerdo en mi memoria: y como quien sueña en su desgracia, que aun soñando desea soñar, y anhela ardientemente que sea sueño lo que ya lo es, así estaba yo, sin poder proferir una palabra, por más que quisiera excusarme; y

[2] La mujer de Putifar que intentó seducir a José y lo hizo encarcelar. Simón, el griego que persuadió a los troyanos para que introdujeran dentro de las murallas el caballo de madera que habían dejado los griegos cuando aparentaron levantar el sitio.

a pesar de que con el silencio me excusaba, no creía hacerlo así.

—Con menos vergüenza habría bastante para borrar una falta mayor que la tuya —me dijo mi Maestro—: consuélate; y si acaso vuelve a suceder que te reúnas con gente entregada a semejantes debates, piensa en que estoy siempre a tu lado; porque querer oír eso es querer una bajeza.

CANTO TRIGESIMOPRIMERO

LA MISMA lengua que antes me hirió, tiñendo de rubor mis mejillas, me aplicó en seguida el remedio: Así he oído contar que la lanza de Aquiles y de su padre solía ocasionar primero un disfavor, y luego un buen regalo.[1] Volvimos la espalda a aquel desventurado valle, andando, sin decir una palabra, por encima del margen que lo rodea. Allí no era de día ni de noche, de modo que mi vista alcanzaba poco delante de mí: pero oí resonar una gran trompa, tan fuertemente, que habría impuesto silencio a cualquier trueno; por lo cual mis ojos, siguiendo la dirección que aquel ruido traía, se fijaron totalmente en un solo punto. No hizo sonar tan terriblemente su trompa Orlando, después de la dolorosa derrota en que Carlo Magno perdió el fruto de su santa empresa.[2] A poco de haber vuelto hacia aquel lado la cabeza, me pareció ver muchas torres elevadas, por lo que dije:

—Maestro, ¿qué tierra es ésta?

Me respondió:

—Como miras a lo lejos a través de las tinieblas, te equivocas en lo que te imaginas. Ya verás, cuando hayas llegado allí, cuánto engaña a la vista la distancia: así pues, aprieta el paso.

Después me cogió afectuosamente de la mano, y me dijo:

—Antes que pasemos más adelante, y a fin de que el caso no te cause tanta extrañeza, sabe que eso no son torres, sino gigantes; todos los cuales estás metidos hasta el ombligo en el pozo alrededor de sus muros.

Así como la vista, cuando se disipa de la niebla, reconoce poco a poco las cosas ocultas por el vapor en que estaba envuelto el aire, de igual modo, y a medida que la mía atravesaba aquella atmósfera densa y obscura, conforme nos íbamos acercando hacia el borde del pozo, mi error se disipaba y crecía mi miedo. Lo mismo que Montereggione corona de torres su recinto amurallado, así, por el borde que rodea el pozo, se elevaban como torres y hasta la mitad del cuerpo los horribles gigantes, a quienes amenaza todavía Júpiter desde el cielo, cuando truena. Yo podía distinguir ya el rostro, los hombros y el pecho de uno de ellos, y gran parte de su vientre, y sus dos brazos a lo largo de los costados. En verdad que hizo bien la Naturaleza cuando abandonó el arte de crear semejantes animales, para quitar pronto a Marte tales ejecutores; y si ella no se arrepiente de producir elefantes y ballenas, quien lo repare sutilmente, verá en esto mismo su justicia y su discreción; porque donde la fuerza del ingenio se une a la malevolencia y al vigor, no hay resistencia posible para los hombres.

Su cabeza me parecía tan larga y gruesa como la piña de San Pedro en Roma,[3] guardando la misma proporción los demás huesos; de suerte que, aun cuando el ribazo lo ocultaba de medio cuerpo abajo, se veía lo bastante para que tres frisones no hubieran podido alabarse de alcanzar a su

---

[1] La lanza de Aquiles, heredada de su padre Peleo, con un golpe hería y con otro sanaba la herida.
[2] En Roncesvalles.

[3] Piña de bronce que primero estuvo sobre la Mole Adriana: en tiempo de Dante estaba en la plaza de la antigua basílica de San Pedro en el Vaticano, y ahora en la sala del gran nicho de Bramante en el jardín que rodean los Museos, llamado por esto "giardin della pigna". Su altura actualmente es de diez palmos, pero en tiempo de Dante, antes de truncada su parte superior, medía unos quince.

cabellera; porque yo calculaba que tendría treinta grandes palmos desde el borde del pozo hasta el sitio donde el hombre se abrocha la capa.

"Raphel mai amech isabi almi",[4] empezó a gritar la fiera boca, en la cual no estarían bien otras voces más suaves; y mi Guía le dijo:

—Alma insensata, sigue entreteniéndote con la trompa, y desahógate con ella, cuando te agite la cólera u otra pasión. Busca por tu cuello y encontrarás la soga que la sujeta, ¡oh alma turbada!; mírala cómo ciñe tu enorme pecho.

Después me dijo:

Él mismo se acusa: ese es Nemrod,[5] por cuyo audaz pensamiento se ve obligado el mundo a usar más de una lengua. Dejémosle estar, y no lancemos nuestras palabras al viento; y pues ni él comprende el lenguaje de los demás, ni nadie conoce el suyo.

Continuamos, pues, nuestro viaje, siguiendo hacia la izquierda: y a un tiro de ballesta de aquel punto encontramos otro gigante mucho más grande y fiero. No podré decir quién fue capaz de sujetarle; pero sí que tenía ligado el brazo izquierdo por delante y el otro por detrás con una cadena, la cual le rodeaba del cuello abajo, dándole cinco vueltas en la parte del cuerpo que salía del pozo.

—Ese soberbio quiso ensayar su poder contra el sumo Júpiter —dijo mi Guía—, por lo cual tiene la pena que ha merecido. Llámase Efialto.[6]

y dio muestra de audacia cuando los gigantes causaron miedo a los Dioses: los brazos que tanto movió entonces, no los moverá ya jamás.

Y yo le dije:

—Si fuese posible, quisiera que mis ojos tuviesen una idea de lo que es el desmesurado Briareo.[7]

A lo que contestó:

—Verás cerca de aquí a Anteo,[8] que habla y anda suelto, el cual nos conducirá al fondo del Infierno. El que tú quieres ver está atado mucho más lejos, y es lo mismo que éste, sólo que su rostro parece más feroz.

El más impetuoso terremoto no sacudió nunca una torre con tal violencia como se agitó repentinamente Efialto. Entonces temí la muerte más que nunca, y a no haber visto que el gigante estaba bien atado, bastara para ello el miedo que me poseía. Seguimos avanzando, y llegamos adonde estaba Anteo, que, sin contar la cabeza, salía fuera del abismo lo menos cinco alas.[9]

—¡Oh tú, que en el afortunado valle donde Escipión heredó tanta gloria, cuando Aníbal y los suyos volvieron las espaldas, recogiste mil leones por presa, y que, si hubieras asistido a la gran guerra de tus hermanos, aún hay quien crea que habrías asegurado la victoria a los hijos de la Tierra! Si no lo llevas a mal, condúcenos al fondo en donde el frío endurece al Cocito. No hagas que me dirija a Ticio ni a Tifeo:[10] este que ves puede dar lo que aquí se desea: por tanto, inclínate y no tuerzas la boca. Todavía puede renovar tu fama en el mundo; pues vive, y espera gozar aún de larga vida, si la gracia no lo llama a sí antes de tiempo.

Así le dijo el Maestro; y el gigante, apresurándose a extender aquellas manos que tan rudamente oprimieron a Hércules, cogió a mi Guía. Cuando

[4] Según Fraticelli, cada una de estas cinco extrañas palabras pertenece a diferente lengua; la primera al hebreo, y las otras cuatro a los principales dialectos derivados de aquélla. Esta opinión parece confirmarla Dante, cuando dice más abajo: "Él mismo se acusa, ese es Nemrod, etc."; el que por haber querido construir la torre de Babel, produjo la confusión e hizo que en el mundo no se hable una sola lengua. En tal supuesto, y admitiendo la versión del abate José Venturi (aunque este dice que las palabras son siriacas), significarían ¡Poder de Dios! ¿Por qué estoy en esta profundidad? Vuelve atrás; escóndete.
[5] El bíblico Nemrod, cabeza de los descendientes de Cam, primer rey de Babilonia, que pasa por ser el que propuso la edificación de la torre de Babel.
[6] Hijo de Neptuno y de Ifimedia, uno de los gigantes más audaces cuando la rebelión contra los dioses.

[7] Hijo del Cielo y de la Tierra, tenía cincuenta cabezas y cien brazos.
[8] Hijo de Neptuno y de la Tierra, que, como madre, le daba siempre nuevas fuerzas.
[9] Unos veinte metros.
[10] Otros dos gigantes: Ticio fue muerto a flechazos por Apolo; Tifeo fue fulminado por Júpiter y sepultado en el Etna.

Virgilio se sintió agarrar, me dijo: "Acércate para que yo te tome." Y en seguida me abrazó de modo, que los dos juntos formábamos un solo fardo.

Como al mirar la Carisenda [11] por el lado a que está inclinada, cuando pasa una nube por encima de ella en sentido contrario, parece próxima a derrumbarse, tal me pareció Anteo cuando le vi inclinarse; y fue para mí tan terrible aquel momento, que habría querido ir por otro camino. Pero él nos condujo suavemente al fondo del abismo que devora a Lucifer y a Judas; y sin demora cesó su inclinación, volviendo a erguirse como el mástil de un navío.

[11] Torre inclinada de Bolonia, llamada así del nombre de sus constructores, Felipe y Odón de Garisendi (año de 1110), y que hoy se llama la Torre Mozza por haberla mandado truncar en 1355 el tirano Juan Visconti de Oleggio. Tiene 130 pies de elevación. Al que se coloca al pie de ella en el lado a que se inclina, mirando arriba cuando pasa una nube en sentido contrario a su inclinación, le parece que la torre va a caerse.

CANTO TRIGESIMOSEGUNDO

Si POSEYESE un estilo áspero y ronco, cual conviene para describir el sombrío pozo, sobre el que se apoyan todas las otras rocas, expresaría mucho mejor la esencia de mi pensamiento; pero como no lo tengo, me decido a ello con temor; pues no es empresa que pueda tomarse como juego, ni para ser acometida por una lengua balbuciente, la de describir el fondo de todo el universo. Pero vengan en auxilio de mis versos aquellas Mujeres [1] que ayudaron a Anfión a fundar a Tebas, para que el estilo no desdiga de la naturaleza del asunto. ¡Oh gentes malditas sobre todas las demás, que estáis en el sitio del que me es tan duro hablar; más os valiera haber sido aquí convertidas en ovejas o cabras!

Cuando llegamos al fondo del obscuro pozo, mucho más abajo de donde tenía los pies el gigante, como yo estuviese mirando el alto muro, oí que me decían: "Cuidado cómo andas: procura no pisar las cabezas de nuestros infelices y torturados hermanos." Volvíme al oír esto, y vi delante de mí y a mis pies un lago, que por estar helado, parecía de vidrio y no de agua. Ni el Danubio en Austria durante el invierno, ni el Tannais [2] allá, bajo el frío cielo, cubren su curso de un velo tan denso como el de aquel lago, en el cual, aunque hubieran caído el Tabernick o el Pietrapana, no habrían causado el menor estallido. Y a la manera de las ranas cuando gritan con la cabeza fuera del agua, en la estación en que la villana sueña que espiga, así estaban aquellas sombras ilorosas y lívidas, sumergidas en el hielo hasta el sitio donde aparece la vergüenza, produciendo con sus dientes el mismo sonido que la cigüeña con su pico. Tenían todas el rostro vuelto hacia abajo: su boca daba muestras del frío que sentían, y sus ojos las daban de la tristeza de su corazón. Cuando hube examinado algún tiempo en torno mío, miré a mis pies, y vi dos sombras tan estrechamente unidas, que sus cabellos se mezclaban.

—Decidme quiénes sois, vosotros, que tanto unís vuestros pechos —dije yo.

Levantaron la cabeza, y después de haberme mirado, sus ojos, que estaban preñados de lágrimas, se derramaron en los párpados; pero el frío congeló en ellos aquellas lágrimas; volviéndolos a cerrar. Ninguna grapa unió jamás tan fuertemente dos trozos de madera; por lo cual ambos condenados se entrechocaron como dos carneros: tanta fue la ira que los dominó. Y otro, a quien el frío había hecho perder las orejas, me dijo, sin levantar la cabeza:

—¿Por qué nos miras tanto? Si quieres saber quiénes son estos dos, te diré que el valle por donde corre el Bisenzio [3] fue de su padre Alberto y de ellos. Ambos salieron de un mismo cuerpo; y aunque recorras toda la Caína, no encontrarás una sombra más digna de estar sumergida en el hielo, ni aun la de aquel a quien la mano de Arturo rompió de un golpe el pecho y la sombra,[4] ni la de Fo-

[1] Las musas.
[2] El Don.

[3] Alejandro y Napoleón condes de Manzona, dos hermanos que se odiaron a muerte, tanto por causas políticas como por intereses privados.
[4] Mordret, hijo del rey Artús, quiso arrebatar el reino a su padre, pero éste le atravesó de parte a parte con la lanza y, al sacarla, un rayo de sol pasó por la herida, de modo que allí se rompió la sombra del cuerpo de Mordret.

caccia,[5] ni la de éste que me impide con su cabeza ver más lejos, y que se llamó Sassolo Mascheroni:[6] si eres toscano, bien sabrás quién es. Y para que no me hagas hablar más, sabe que yo soy Camiccione de Pazzi,[7] y que espero a Carlino, cuyas culpas harán aparecer menos graves las mías.[8]

Después vi otros mil rostros amoratados por el frío, tanto que desde entonces tengo horror, y lo tendré siempre a los estanques helados. Y mientras nos dirigíamos hacia el centro, donde converge toda la gravedad de la Tierra, yo temblaba en la lobreguez eterna; y no sé si lo dispuso Dios, el Destino o la Fortuna; pero al pasar por entre aquellas cabezas, di un fuerte golpe con el pie en el rostro de una de ellas, que me dijo llorando:

—¿Por qué me pisas? Si no vienes a aumentar la venganza de Monteaperto, ¿por qué me molestas?

Entonces dije yo:

—Maestro mío, espérame aquí, a fin de que éste me esclarezca una duda: en seguida me daré cuanta prisa quieras.

El Guía se detuvo, y yo dije a aquel que aún estaba blasfemando:

—¿Quién eres tú, que así reprendes a los demás?

Me contestó:

—Y tú, que vas por el recinto de Antenor,[9] golpeando a los demás en el rostro, de modo que, si estuvieras vivo, aún serían tus golpes demasiado fuertes, ¿quién eres?

—Yo estoy vivo —fue mi respuesta—; y puede serte grato, si fama deseas, que te ponga tu nombre entre los otros que conservo en la memoria.

A lo que repuso:

—Deseo todo lo contrario: vete de aquí, y no me causes más molestia, pues suenan mal tus lisonjas en esta caverna.

Entonces le cogí por los pelos del cogote, y le dije:

—Es preciso que digas tu nombre o no te quedará ni un solo cabello.

Pero él me replicó:

—Aunque me repeles, ni te diré quien soy, ni verás mi rostro, por más que me golpees mil veces en la cabeza.

Yo tenía ya sus cabellos enroscados en mi mano, y le había arrancado más de un puñado de ellos, mientras él aullaba con los ojos fijos en el hielo, cuando otro condenado gritó: "¿Qué tienes, Bocca?[10] ¿No te basta castañetear los dientes, sino que también ladras? ¿Qué demonio te atormenta?

—Ahora —dije— ya no quiero que hables, traidor maldito; que para tu eterna vergüenza, llevaré al mundo noticias ciertas de ti.

—Vete pronto —repuso—, cuenta lo que quieras; pero si sales de aquí, no dejes de hablar de ese que ha tenido la lengua tan suelta, y que está llorando el dinero que recibió de los franceses: "Yo vi, podrás decir, a Buoso de Duera,[11] allí donde los pecadores están helados." Si te preguntan por los demás que están aquí, a tu lado tienes al de Beccheria, cuya garganta segó Florencia. Creo que más allá está Gianni de Soldanieri con Ganelón y Tebaldello, el que entregó a Faenza cuando sus habitantes dormían.[12]

Estábamos ya lejos de aquél, cuando vi a otros dos helados en una misma fosa, colocados de tal modo, que

---

[5] Sobrenombre de Vanni del Cancellieri, de Pistoya, del partido Blanco. Le acusaban de haber matado a traición a un pariente.
[6] Siendo tutor de su sobrino, le hizo matar para quedar heredero.
[7] Dio muerte a su hermano Hubertino.
[8] Vendió a los negros de Florencia el castillo de Piantravigne.
[9] El Antenor es la segunda región del Cocito; la Caína es la primera.

[10] Bocca degli Abbati, el traidor de Mantaperti, hirió al que llevaba la enseña de la caballería florentina cortándole la mano para que la dejase caer a tierra. Cuando el ejército florentino vio su enseña abatida huyó en desbandada.
[11] Budro de Duera traicionó a los gibelinos vendiéndose a los franceses.
[12] Tesauro de Beccheria fue acusado por el pueblo de estar en tratos con los gibelinos desterrados; Gianni vendió a su partido para ponerse al frente de un movimiento popular. Ganelón fue quien traicionó a Roldán en Roncesvalles y Tebaldello dei Zambrasi abrió una de las puertas de Faenza a los güelfos de Bolonia por vengar una injuria personal.

la cabeza del uno parecía ser el sombrero del otro. Y como el hambriento en el pan, así el de encima clavó sus dientes al de debajo en el sitio donde el cerebro se une con la nuca. No mordió con más furor Tideo las sienes de Menalipo, que aquél roía el cráneo de su enemigo y las demás inherentes al mismo.

—¡Oh tú, que demuestras, por medio de tan brutal acción, el odio que tienes al que estás devorando! Dime qué es lo que te induce a ello —le pregunté— bajo el pacto de que, si te quejas con razón de él, sabiendo yo qué crimen es el suyo y quiénes sois, te vengaré en el mundo, si mi lengua no llega antes a secarse.

CANTO TRIGESIMOTERCIO

AQUEL pecador apartó su boca de tan horrible alimento, limpiándosela en los pelos de la cabeza cuya parte posterior acababa de roer; y luego empezó a hablar de esta manera:

—Tú quieres que renueve el desesperado dolor que oprime mi corazón, sólo al pensar en él, y aun antes de hablar. Pero si mis palabras deben ser un germen de infamia para el traidor a quien devoro, me verás llorar y hablar a un mismo tiempo. No sé quién eres, ni de qué medios te has valido para llegar hasta aquí: pero al oírte, me pareces efectivamente florentino. Has de saber que yo fui el conde Ugolino, y éste el arzobispo Ruggieri:[1] ahora te diré por qué le trato así. No es necesario manifestarte que por efecto de sus malos pensamientos, y fiándome de él, fui preso y muerto después. Pero te contaré lo que no puedes haber sabido; esto es, lo cruel que fue mi muerte, y comprenderás cuánto me ha ofendido. Un pequeño agujero abierto en la torre, que por mi mal se llama hoy del Hambre, y en la que todavía serán encerrados otros, me había permitido ver por su hendedura ya muchas lunas, cuando tuve el mal sueño que descorrió para mí el velo del porvenir. Ruggieri se me aparecía como señor y caudillo, cazando el lobo y los loboznos en el monte que impide a los pisanos ver la ciudad de Luca. Se había hecho preceder de los Gualandi, de los Sismondi y los Lanfranchi, que iban a la cabeza con perros hambrientos, diligentes y amaestrados. El padre y sus hijuelos me parecieron rendidos después de una corta carrera, y creí ver que aquéllos les desgarraban los costados con sus agudas presas. Cuando desperté antes de la aurora, oí llorar entre sueños a mis hijos, que estaban conmigo, y pedían pan. Bien cruel eres, si no te contristas pensando en lo que aquello anunciaba a mi corazón; y si ahora no lloras, no sé lo que puede excitar tus lágrimas. Estábamos ya despiertos, y se acercaba la hora en que solían traernos nuestro alimento; pero todos dudábamos, porque cada cual había tenido un sueño semejante. Oí que clavaban la puerta de la horrible torre, por lo cual miré al rostro de mis hijos sin decir palabra; yo no podía llorar, porque el dolor me tenía como petrificado: lloraban ellos, y mi Anselmito dijo: "¿Qué tienes, padre, que así nos miras?" Sin embargo, no lloré ni respondí una palabra en todo aquel día, ni en la noche siguiente, hasta que el otro Sol alumbró el mundo. Cuando entró en la dolorosa prisión uno de sus débiles rayos, y consideré en aquellos cuatro rostros el aspecto que debía tener el mío, empecé a morderme las manos

[1] El conde Ugolino della Gherardesca pertenecía a una noble familia gibelina de Pisa. Cuando vio que triunfaban los güelfos en Toscana se pasó a su lado y, de acuerdo con su nieto Nino, llamado Brigata, trató de entregarles el gobierno de Pisa. Falló y fue desterrado. A su regreso fue nombrado podestá y asoció a Brigada a sus funciones. Para romper la coalición formada contra Pisa por Génova, Luca y Florencia, vendió a estas dos últimas algunos castillos pisanos, lo que se le tomó como traición. Hecha la paz con Génova, con el partido gibelino, favorecido por el arzobispo Rugiero, fuese ganando terreno, Ugolino se pasó a su lado. El arzobispo aprovechó la desavenencia surgida entre abuelo y nieto: los expulsó de Pisa por güelfos, pero mientras perseguía a Brigata fingió favorecer secretamente a Ugolino y le llamó a la ciudad para negociar un acuerdo amigable. Lejos de tal acuerdo, le acusó ante el pueblo de traición y fue enviado a prisión con Gaddo y Uguccione, sus dos hijos, y Brigata y Anselmuccio, sus dos nietos. Medio año estuvieron presos y al fin se les dejó morir de hambre. Ugolino fue, pues, traidor a su partido y Rugiero a su compatriota.

80

desesperado; y ellos, creyendo que yo lo hacía obligado por el hambre, se levantaron con presteza y dijeron: "Padre, nuestro dolor será mucho menor, si nos comes a nosotros: tú nos diste estas carnes miserables; despójanos, pues, de ellas." Entonces me calmé para no entristecerlos más; y aquel día y el siguiente permanecimos mudos. ¡Ay, dura tierra! ¿Por qué no te abriste? Cuando llegamos al cuarto día, Gaddo se tendió a mis pies, diciendo: "Padre mío, ¿por qué no me auxilias?" Allí murió; y lo mismo que me estás viendo, vi yo caer los tres, uno a uno, entre el quinto y el sexto día. Ciego ya, fui a tientas buscando a cada cual, llamándolos durante tres días después de estar muertos; hasta que, al fin, pudo en mí más la inedia que el dolor.

Cuando hubo pronunciado estas palabras, torciendo los ojos, volvió a coger el miserable cráneo con los dientes, que royeron el hueso como los de un perro. ¡Ah, Pisa, vituperio de las gentes del hermoso país donde el "si" suena! Ya que tus vecinos son tan morosos en castigarte, muévanse la Capraja y la Gorgona, y formen un dique a la embocadura del Arno, para que sepulte en sus aguas a todos tus habitantes; pues si el conde Ugolino fue acusado de haber vendido tus castillos, no debiste someter a sus hijos a tal suplicio. Su tierna edad patentizaba, ¡oh nueva Tebas!, la inocencia de Ugucción y del Brigata, y la de los otros dos que ya he nombrado.

Seguimos luego más allá, donde el hielo oprime duramente a otros condenados, que no están con el rostro hacia abajo, sino vueltos hacia arriba. Su mismo llanto no les deja llorar; pues las lágrimas, que al salir encuentran otras condensadas, se vuelven adentro, aumentando la angustia; porque las primeras lágrimas forman un dique, y como una visera de cristal, llenan debajo de los párpados toda la cavidad del ojo. Y aunque mi rostro, a causa del gran frío, había perdido toda sensibilidad,

como si estuviera encallecido, me pareció que sentía algún viento, por lo cual dije:

—Maestro, ¿qué causa mueve este viento? ¿No está extinguido aquí todo vapor?

A lo cual me contestó:

—Pronto llegarás a un sitio donde tus ojos te darán la respuesta, viendo la causa de ese viento.

Y uno de los desgraciados de la helada charca nos gritó:

—¡Oh almas tan culpables que habéis sido destinadas al último recinto! Arrancadme de los ojos este duro velo, a fin de que pueda desahogar el dolor que me hincha el corazón, antes que mis lágrimas se hielen de nuevo.

Al oír tales palabras, le dije:

—Si quieres que te alivie, dime quién fuiste; y si no te presto ese consuelo, véame sumergido en el fondo de ese hielo.

Entonces me contestó:

—Yo soy fray Alberigo:[2] soy aquel, cuyo huerto ha producido tan mala fruta, que aquí recibo un dátil por un higo.

—¡Oh! —le dije—; ¿también tú has muerto?

—No sé cómo estará mi cuerpo allá arriba —repuso—; esta Ptolomea[3] tiene el privilegio de que las almas caigan con frecuencia en ella antes de que Atropos[4] mueva los dedos; y para que de mejor grado me arranques las congeladas lágrimas del rostro, sabe que en cuanto un alma comete alguna traición como la que yo cometí, se apodera de su cuerpo un demonio, que después dirige todas sus acciones, hasta que llega el término de su vida. En cuanto al alma, cae en esta cisterna; y por eso tal vez aparezca todavía en el mundo el cuerpo de esa sombra que está de-

[2] Alberigo de Manfredi, señor de Faenza, que ingresó en la orden de los hermanos Gozosos, se había enemistado con sus parientes. Un día, fingiendo reconciliarse con ellos, les invitó a un gran banquete, y en el momento de servirse los postres, les hizo asesinar. De aquí tuvo origen el proverbio italiano: "Ese ha probado la fruta de Alberigo."
[3] Tercera región del Cocito.
[4] La última de las Parcas, que corta el hilo de la vida.

trás de mí en este hielo. Debes conocerle, si es que acabas de llegar al
Infierno: es "ser" Branca d'Oria,[5] el
cual hace ya muchos años que fue
encerrado aquí.

—Yo creo —le dije— que me en-
gañas; porque Branca d'Oria no ha
muerto aún, y come, y bebe, y duerme, y va vestido.

—Aun no había caído Miguel Zanche —repuso aquél— en la fosa de
Malebranche, allí donde hierve continuamente la pez, cuando Branca

d'Oria ya dejaba un diablo haciendo sus veces en su cuerpo y en el de
uno de sus parientes, que fue cómpli-
ce de su traición. Extiende ahora la
mano y ábreme los ojos.

Yo no se los abrí, y creo que fue
una lealtad el ser con él desleal.

¡Ah, genoveses!, ¡hombres diversos de los demás en costumbres, y
llenos de toda iniquidad!, ¿por qué
no sois desterrados del mundo? Junto con el peor espíritu de la Romanía he encontrado uno de vosotros,
que, por sus acciones, tiene el alma
sumergida en el Cocito, mientras que
su cuerpo aparece aún vivo en el
mundo.

---

[5] Caballero genovés, yerno de Miguel Zanche, condenado en la quinta fosa del octavo
círculo. Invitó a su suegro a un banquete
en su fortaleza y le hizo matar.

CANTO TRIGESIMOCUARTO

"Vexilla regis prodeunt inferni"[1] hacia nosotros. Mira adelante —dijo mi Maestro—, a ver si lo distingues.

Como aparece a lo lejos un molino, cuyas aspas hace girar el viento, cuando éste arrastra una espesa niebla, o cuando anochece en nuestro hemisferio, así me pareció ver a gran distancia un artificio semejante; y luego, para resguardarme del viento, a falta de otro abrigo, me encogí detrás de mi Guía. Estaba ya (con pavor lo digo en mis versos) en el sitio donde las sombras se hallaban completamente cubiertas de hielo, y se transparentaban como paja en vidrio. Unas estaban tendidas, otras derechas; aquéllas con la cabeza, éstas con los pies hacia abajo, y otras por fin con la cabeza tocando a los pies como un arco. Cuando mi Guía creyó que habíamos avanzado lo suficiente para enseñarme la criatura que tuvo el más hermoso rostro, me dejó libre el paso, e hizo que me detuviera.

—He ahí a Dite —me dijo—, y he aquí el lugar donde es preciso que te armes de fortaleza.

No me preguntes, lector, si me quedaría entonces helado y yerto; no quiero escribirlo, porque cuanto dijera sería poco. No quedé muerto ni vivo: piensa por ti, si tienes alguna imaginación, lo que me sucedería viéndome así privado de la vida sin estar muerto. El emperador del doloroso reino salía fuera del hielo desde la mitad del pecho: mi estatura era más proporcionada a la de un gigante, que la de uno de éstos a la longitud de los brazos de Lucifer:

juzga, pues, cuál debe ser el todo que a semejante parte corresponda. Si fue tan bello como deforme es hoy, y osó levantar sus ojos contra su Creador, de él debe proceder sin duda todo mal. ¡Oh! ¡Cuánto asombro me causó, al ver que su cabeza tenía tres rostros! Uno por delante, que era de color bermejo: los otros dos de unían a éste sobre el medio de los hombres, y se juntaban por detrás en lo alto de la coronilla, siendo el de la derecha entre blanco y amarillo, según me pareció; el de la izquierda tenía el aspecto de los oriundos del valle del Nilo.[2] Debajo de cada rostro salían dos grandes alas, proporcionadas a la magnitud de tal pájaro; y no he visto jamás velas de buque comparables a ellas: no tenían plumas, pues eran por el estilo de las del murciélago; y se agitaban de manera que producían tres vientos, con los cuales se helaba todo el Cocito. Con seis ojos lloraba Lucifer, y por las tres barbas corrían sus lágrimas, mezcladas de baba sanguinolenta. Con los dientes de cada boca, a modo de agramadera, trituraba un pecador, de suerte que hacía tres desgraciados a un tiempo. Los mordiscos que sufría el de adelante no eran nada en comparación de los rasguños que le causaban las garras de Lucifer, dejándole a veces las espaldas enteramente desolladas.

---

[1] "Los estandartes del rey de los Infiernos avanzan."—Imitación del primer verso del himno que entona la Iglesia ante el estandarte de la Cruz, y que aquí aplica irónicamente Virgilio hablando de Lucifer.

[2] Evidentemente, con esta triplicidad en la unidad, Lucifer es contrapuesto a Dios uno y trino. Pero para algunos los tres rostros simbolizan Ignominia, Odio e Impotencia; para otros Avaricia, Envidia e Ignorancia, o Ira, Avaricia y Envidia. Alguno ha pensado hasta en las tres partes del mundo entonces conocido, o en Roma, Florencia y Francia (!). Si ese Lucifer de las tres caras es la antítesis de la Trinidad divina, siendo ésta Poder, Sabiduría y Amor, los tres rostros figurarán lo contrario: Impotencia, Ignorancia y Odio.

—El alma que está sufriendo la mayor pena allá arriba —dijo el Maestro— es la de Judas Iscariote, que tiene la cabeza dentro de la boca de Lucifer, y agita fuera de ella las piernas. De las otras dos, que tienen la cabeza hacia abajo, la que pende de la boca negra es Bruto; mira cómo se retuerce sin decir una palabra: el otro, que tan membrudo parece, es Casio.[3] Pero se acerca la noche, y es hora ya de partir, pues todo lo hemos visto.

Según le plugo, me abracé a su cuello; aprovechó el momento y el lugar favorable, y cuando las alas estuvieron bien abiertas, agarróse a las velludos costillas de Lucifer, y de pelo en pelo descendió por entre el hirsuto costado y las heladas costras. Cuando llegamos al sitio en que el muslo se desarrolla justamente sobre el grueso de las caderas, mi Guía, con fatiga y con angustia, volvió su cabeza hacia donde aquél tenía las zancas, y se agarró al pelo como un hombre que sube, de modo que creí que volvíamos al Infierno.

—Sostente bien —me dijo jadeando como un hombre cansado—; que por esta escalera es preciso partir de la mansión del dolor.

Después salió fuera por la hendedura de una roca, y me sentó sobre el borde de la misma, poniendo junto a mí su pie prudente. Yo levanté mis ojos, creyendo ver a Lucifer como le había dejado; pero vi que tenía las piernas en alto. Si debí quedar asombrado, júzguelo el vulgo, que no sabe qué punto es aquel por donde yo había pasado.

—Levántate —me dijo el Maestro—; la ruta es larga, el camino malo, y ya el Sol se acerca a la mitad de tercia.

El sitio donde nos encontrábamos no era como la galería de un palacio, sino una caverna de mal piso y escasa de luz.

—Antes que yo salga de este abismo, Maestro mío, —le dije al ponerme en pie—, dime algo que me saque de confusiones. ¿Dónde está el hielo, y cómo es que Lucifer está de ese modo invertido? ¿Cómo es que, en tan pocas horas, ha recorrido el Sol su carrera de la noche a la mañana?

Me contestó:

—¿Te imaginas sin duda que estás aún al otro lado del centro, donde me cogí al pelo de ese miserable gusano que atraviesa el mundo? Allá te encontrabas mientras descendíamos; cuando me volví, pasaste el punto hacia el que converge toda la gravedad de la Tierra; y ahora estás bajo el hemisferio opuesto a aquel que cubre el árido desierto, y bajo cuyo más alto punto fue muerto el Hombre que nació y vivió sin pecado. Tienes los pies sobre una pequeña esfera, que por el otro lado mira a la Judesca.[4] Aquí amanece, cuando allí anochece; y éste de cuyo pelo nos hemos servido como de una escala, permanece aún fijo del mismo modo que antes. Por esta parte cayó del cielo; y la tierra, que antes se mostraba en este lado, aterrorizada al verle, se hizo del mar un velo, y se retiró hacia nuestro hemisferio; y quizá también huyendo de él, dejó aquí este vacío la que aparece por acá formando un elevado monte.

Hay allá abajo una cavidad que se aleja tanto de Lucifer cuanta es la extensión de su tumba; cavidad que no puede reconocerse por la vista, sino por el rumor de un arroyuelo, que desciende por el cauce de un peñasco que ha perforado con su curso sinuoso y poco pendiente. Mi Guía y yo entramos en aquel camino oculto, para volver al mundo luminoso; y sin concedernos el menor descanso, subimos, él delante y yo detrás, hasta que pude ver por una abertura redonda las bellezas que contiene el Cielo, y por allí salimos para volver a ver las estrellas.

---

[3] Al lado de Judas, que traicionó a Jesús, coloca Dante a los asesinos de César, fundador del Imperio romano. Es que para el florentino (*Monarchia* III, 16) los emperadores romanos son los vicarios temporales de Dios y, como tales, tan necesarios como los vicarios espirituales de Cristo para el bien de la sociedad humana.

[4] La Judea o Judesca, última región del Cocito.

PURGATORIO

CANTO PRIMERO

AHORA la navecilla de mi ingenio, que deja en pos de sí un mar tan cruel, desplegará las velas para navegar por mejores aguas; y cantaré aquel segundo reino, donde se purifica el espíritu humano, y se hace digno de subir al Cielo. Resucite aquí, pues, la muerta poesía, ¡oh santas Musás!, pues que soy vuestro; y realce Calíope [1] mi canto, acompañándolo con aquella voz que produjo tal efecto en las desgraciadas Urracas, que desesperaron de alcanzar su perdón.[2]

Un suave color de zafiro oriental, contenido en el sereno aspecto del aire puro hasta el primer cielo, reapareció delicioso a mi vista en cuanto salí de la atmósfera muerta, que me había contristado los ojos y el corazón. El bello planeta que convida a amar [3] hacía sonreír todo el Oriente, desvaneciendo al signo de Piscis, que seguía en pos de él. Me volví a la derecha, y dirigiendo mi espíritu hacia el otro polo, distinguí cuatro estrellas únicamente vistas por los primeros humanos.[4] El cielo parecía gozar con sus resplandores. ¡Oh Septentrión, sitio verdaderamente viudo, pues que te ves privado de admirarlas! Cuando cesé en su contemplación, volvíme un tanto hacia el otro polo, de donde el Carro había desaparecido, y vi cerca de mí un anciano solo, y digno, por su as-

pecto, de tanta veneración que un padre no puede inspirarla mayor a su hijo,[5] Llevaba una larga barba, canosa como sus cabellos, que le caía hasta el pécho, dividida en dos mechones. Los rayos de las cuatro luces santas [6] rodeaban de tal resplandor su rostro, que lo veía como si hubiese tenido el Sol ante mis ojos.

—¿Quiénes sois vosotros que, contra el curso del tenebroso río, habéis huído de la prisión eterna? —dijo el anciano, agitando su barba venerable—. ¿Quién os ha guiado, o quién os ha servido de antorcha para salir de la profunda noche, que hace sea continuamente negro el valle infernal? ¿Así se han quebrantado las leyes del abismo? ¿O se ha dado quizás en el Cielo un nuevo decreto, que os permite, a pesar de estar condenados, venir a mis grùtas?

Entonces mi Guía me indicó, por medio de sus palabras, de sus gestos y sus miradas, que debía mostrarme respetuoso, doblar la rodilla e inclinar la vista. Después le respondió:

—No vine por mi deliberación, sino porque una mujer, descendida del Cielo, me ha rogado que acompañe y ayude- a éste. Pero ya que es tu voluntad que te explique más ampliamente cuál sea nuestra verdadera condición, la mía no puede rehusarte nada. Este no ha visto aún su última noche; pero por su locura estuvo tan cerca de ello, que le quedaba poquísimo tiempo de vida. Así es que, según he dicho, fui enviado a su encuentro para salvarle, y no había otro camino más que este, por

[1] Sería propiamente la de la poesía épica; aquí es invocada como la mayor de ellas, tal como la describe Ovidio, *Metamorfosis* V. 662.
[2] Las nueve hijas de Piero, rey de Tesalia en Macedonia, que habiendo desafiado a las Musas, fueron vencidas y transformadas en urracas. Las mismas Musas son llamadas Piérides.
[3] La estrella de Venus, que pòr entonces se encontraba en el signo de Piscis.
[4] La Cruz del Sur, que Dante podía conocer por los relatos de navegantes.

[5] Catón el joven, que se mató en Utica por no caer en manos de César. También Virgilio le coloca en el Elíseo como legislador de las almas piadosas.
[6] Simbolizan las cuatro virtudes cardinales.

el cual me he aventurado. Hele dado a conocer todos los réprobos, y ahora pretendo mostrarle aquellos espíritus que se purifican bajo tu jurisdicción. Sería largo de referir el modo como le he traído hasta aquí: de lo alto baja la virtud que me ayuda a conducirle para verte y oírte. Dígnate, pues, acoger su llegada benignamente: va buscando la libertad, que es tan amada, como lo sabe el que por ella desprecia la vida. Bien lo sabes tú, que por ella no te pareció amarga la muerte en Utica, donde dejaste tu cuerpo, que tanto brillará en el gran día. No han sido revocados por nosotros los eternos decretos; pues éste vive, y Minos no me tiene en su poder, sino que pertenezco al círculo donde están los castos ojos de tu Marcia,[7] que parece rogarte aún, ¡oh santo corazón!, que la tengas por compañera y por tuya. En nombre, pues, de su amor, accede a nuestra súplica, y déjanos ir por tus siete reinos: le manifestaré mi agradecimiento hacia ti si permites que allá abajo se pronuncie tu nombre.

—Marcia fue tan agradable a mis ojos mientras pertenecí a la Tierra —dijo él entonces—, que obtuvo de mí cuantas gracias quiso; ahora que habita a la otra parte del mal río, no puedo ya conmoverme a causa de la ley que me impuso cuando salí fuera de mi cuerpo. Pero si una mujer del cielo te anima y te dirige, según dices, no tienes necesidad de tan laudatorios ruegos; me basta conque me supliques en su nombre. Ve, pues, y haz que ése se ciña con un junco sin hojas, y lávale el rostro de modo que quede borrada en él toda mancha; porque no conviene que se presente con la vista ofuscada ante el primer ministro, que es de los del

[7] La mujer de Catón.

Paraíso. Esa pequeña isla que ves allá abajo produce, en torno suyo y por donde la combaten las olas, juncos en su tierra blanda y limosa. Ninguna clase de plantas que eche hojas o que se endurezca puede existir ahí, porque le sería imposible doblegarse a los embates de las olas. Después no volváis por esta parte; el sol naciente os indicará el modo de encontrar la más fácil subida del monte.

Al decir esto desapareció. Me levanté sin hablar, me coloqué junto a mi Guía, y fijé en él los ojos. Entonces empezó a hablarme de este modo:

—Hijo mío, sigue mis pasos: volvamos atrás; porque esta llanura va descendiendo siempre hasta su último límite.

El alba vencía ya al aura matutina, que huía delante de ella, y desde lejos pude distinguir las ondulaciones del mar. Ibamos por la llanura solitaria, como el que busca la senda perdida, y cree caminar en vano hasta que logra encontrarla. Cuando llegamos a un sitio en que el rocío resiste al calor del sol, y protegido por la sombra, se desvanece poco a poco, puso mi Maestro suavemente sus dos manos abiertas sobre la fresca hierba; y yo, comprendiendo su intento, le presenté mis mejillas cubiertas aún de lágrimas, y en las que por su mediación apareció de nuevo el color de que las privó el Infierno.

Llegamos después a la playa desierta, que no vio nunca navegar por sus aguas a hombre alguno capaz de salir de ellas. Allí me hizo un cinturón, según la voluntad del otro; y, ¡oh maravilla!, cuando arrancó la humilde planta, volvió otra a renacer súbitamente en el mismo sitio de donde había arrancado aquélla.

CANTO SEGUNDO

YA ESTABA el Sol tocando al horizonte, cuyo círculo meridiano cubre a Jerusalén con su punto más elevado; y ya la noche, formando un arco en oposición a él, salía fuera del Ganges con las Balanzas que se le caen de las manos cuando supera en extensión al día; de modo que allí, donde yo me encontraba, las blancas y sonrosadas mejillas de la bella Aurora, según iba creciendo, se tornaban de color de oro. Estábamos aún en la orilla del mar, como quien piensa en el camino que debe seguir, y anda con el deseo, sin que el cuerpo se mueva. Cuando he aquí que, así como, al amanecer, por efecto de los densos vapores, se ve a Marte enrojecido hacia Poniente sobre las aguas marinas, de igual modo me apareció —¡ojalá pudiese verla otra vez!— una luz, la cual venía tan rápidamente por el mar, que ningún vuelo sería comparable a su celeridad. Un solo momento aparté de ella la vista para interrogar a mi Guía, y al punto volví a verla mucho más voluminosa y brillante; distinguiendo luego a cada lado de la misma una cosa blanca, sin saber lo que era, debajo de la cual descubría poco a poco otro objeto igualmente blanco. Aun no había pronunciado una palabra mi Maestro, cuando se vio que las primeras formas blancas eran alas; y entonces, habiendo conocido bien al gondolero, exclamó:

—Dobla, dobla pronto la rodilla: he aquí el ángel de Dios; une las manos: nunca verás semejantes ministros del Señor. Mira cómo desdeña los medios humanos, pues no necesita remo, ni otras velas que sus alas, entre tan apartadas orillas. Mira cómo las tiene elevadas hacia el cielo, agitando el aire con las eternas plumas, que no se mudan como el cabello de los mortales.

Cuanto más se acercaba a nosotros el ave divina, más brillante aparecía: por lo cual, no pudiendo resistir su resplandor mis ojos, los incliné; y aquél se dirigió hacia la orilla en un esquife airoso y ligero, que apenas se sumergía un poco en el agua. El celestial barquero estaba en la popa, y la bienaventuranza parecía estar escrita en su semblante. Más de cien espíritus, sentados en la barquilla, cantaban a coro: "In exitu Israel de Aegipto" y todo lo demás que sigue de este salmo.[1] El ángel les hizo la señal de la santa cruz, a cuya señal se arrojaron todos a la playa, y él se alejó con la misma velocidad con que había venido. La turba que dejó allí parecía llena de estupor en tal sitio, mirando y remirando en torno suyo, como el que descubre cosas que no ha visto nunca. El Sol, que había arrojado con sus brillantes saetas al signo de Capricornio del centro del cielo, irradiaba por todas partes el día, cuando los recién llegados alzaron la frente hacia nosotros, diciéndonos:

—Si lo sabéis, indicadnos el camino que conduce a la montaña.

Virgilio respondió:

—¿Por ventura creéis que conocemos este sitio? Somos aquí tan nuevos como vosotros, y hemos llegado a él poco antes por otro camino tan rudo y áspero, que el subir esta montaña será para nosotros ahora cosa de juego.

Las almas, que advirtieron, por mi respiración, que yo estaba aún vivo,

---

[1] "Cuando Israel salió de Egipto"; es el comienzo del salmo 114, que se canta en los entierros. Simboliza al alma que sale del pecado.

palidecieron de asombro; y así como
se agolpa la gente en derredor del
mensajero coronado de olivo para oír
sus noticias, sin temor de empujar-
se y pisarse unos a otros, así se agol-
paron en torno mío todas aquellas
almas afortunadas, olvidando casi su
deseo de ir a embellecerse. Vi una de
ellas, que se adelantó para abrazar-
me con tales muestras de afecto, que
me movió a hacer lo mismo con ella;
pero, ¡oh sombras vanas, excepto para la vista! Tres veces quise rodearla
con mis brazos, y otras tantas volvieron éstos a caer solos sobre mi
pecho. Creo que la admiración debió
pintarse en mi rostro; porque la sombra sonrió y se retiró; y yo, siguién-
dola, continué avanzando. Me dijo
con voz suave que me detuviese; conocí entonces quién era, y habiéndole
rogado que se parase un momento
para hablarme, respondióme:

—Lo mismo que te amaba con mi
cuerpo mortal, te amo también desprendido de él; por eso me detengo;
pero tú ¿por qué vienes aquí?

—Casella mío,[2] hago este viaje
para volver al mundo de los vivos,
donde permanezco aún; pero a ti,
¿cómo es que se te ha negado por
tanto tiempo el venir a este sitio?

Me respondió:

—Si aquel que conduce a quien y
cómo le place me ha negado muchas
veces este pasaje, no se ha cometido
conmigo ninguna injusticia; porque
es justa la voluntad a quien obedece.
En verdad, de tres meses a esta parte[3] ha recogido sin oposición a cuantos han querido entrar en su nave:
así es que yo, que me encontraba en
la playa donde el Tíber se mezcla
con las saladas ondas del mar, fui

acogido benignamente por él.[4] A la
embocadura de aquel río dirige ahora su vuelo; pues allí se reúnen siempre los que no descienden hacia el
Aqueronte.

Y yo dije:

—Si alguna nueva ley no te quita
la memoria o el uso de aquellos cantos amorosos, que solían calmar todos mis deseos, dígnate consolar un
poco mi alma, que viniendo aquí con
su cuerpo, se ha angustiado tanto.

"Amor, que dentro de mi mente
habla",[5] empezó él a cantar tan dulcemente, que su dulzura aún resuena
en mi corazón. Mi Maestro, y yo, y
las sombras que allí estaban, pare-
cíamos tan contentos, como si no
tuviéramos otra cosa en que pensar.
Estábamos absortos y atentos a sus
notas, cuando apareció el venerable
anciano exclamando:

—¿Qué es esto, espíritus perezosos? ¿Qué negligencia, qué demora
es ésta? Corred al monte a purifica-
ros de vuestros pecados, que no permiten que Dios se os manifieste.

Del mismo modo que las palomas,
cuando están reunidas en torno a su
alimento, cogiendo el grano y quie-
tas, sin hacer oír sus acostumbrados
arrullos, si acontece algo que las asus-
te, abandonan súbitamente la comi-
da, porque las asalta un cuidado mayor, así vi yo aquellas almas recién
llegadas abandonar el canto y desban-
darse por la costa, como quien corre
sin saber adónde va; y no menos rápidamente huimos también nosotros.

---

[2] Músico y cantor florentino que compuso
música para algunas canciones de Dante.
[3] Desde Navidad de 1299, en que había
comenzado el Jubileo.

[4] Así como las almas de los condenados
se reunían a orillas del Aqueronte, las de
los que van al Purgatorio lo hacen en la
desembocadura del Tíber, donde las esperan
los ángeles. Símbolo del gremio de la Iglesia,
dentro del cual únicamente se puede salvar
el hombre.
[5] Así comienza la canción de Dante, co-
mentada en el tratado III del *Convivio*, para
demostrar que la "donna gentile" en ella ce-
lebrada es la Filosofía. Parece que Casella
le había puesto música.

CANTO TERCERO

Mientras la repentina fuga dispersaba por la campiña aquellas almas, que se volvían hacia la montaña donde la razón divina las aguija, me acerqué a mi fiel compañero; porque, ¿cómo hubiera podido sin él seguir mi viaje?, ¿quién me habría sostenido al subir por la montaña? Me pareció que mi Guía estaba por sí mismo arrepentido de su flaqueza. ¡Oh conciencia digna y pura!, ¡qué amargo roedor es para ti la más pequeña falta! Cuando sus pies cesaron de caminar con aquella precipitación que se aviene mal con la majestad de la persona, mi mente, desechando el pensamiento que la inquietaba, concentró su atención, como deseosa de recibir las nuevas impresiones; y me puse a contemplar el monte más alto de cuantos hacia el Cielo se elevan sobre las aguas. El Sol, que a mis espaldas despedía su rubicunda luz, quedaba interceptado por mi cuerpo, en el que se apoyaban sus rayos; y cuando vi que sólo delante de mí se obscurecía la tierra, volvíme de lado, temeroso de haber sido abandonado. Mi Protector entonces empezó a decirme, vuelto hacia mí:

—¿Por qué desconfías aún? ¿Crees que no estoy contigo, y que ya no te guío? Ahora es ya por la tarde allá donde está sepultado el cuerpo, dentro del cual hacía yo sombra. Nápoles lo posee, porque lo han quitado de Brindis.[1] Si, pues, ninguna sombra se proyecta delante de mí, no debes admirarte de ello más que de ver cómo los cielos no interceptan unos a otros el paso de sus luces. La Virtud divina hace que semejantes cuerpos sean aptos para sufrir tormentos, calor y frío; mas no ha querido revelarnos cómo opera tal maravilla. Insensato es el que espera que nuestra razón pueda recorrer las infinitas vías de que dispone el que es una substancia en tres personas. Seres humanos, contentos con el "quia",[2] pues si os fuera dable verlo todo, no habría sido necesario que pariese María; y habéis visto desearlo en vano a tales hombres, que, a ser posible, hubieran satisfecho ese deseo, el cual forma su eterno suplicio: hablo de Aristóteles, de Platón y otros muchos.

En este punto, inclinó la frente sin decir nada más, y quedó como turbado. Llegamos en tanto al pie del monte, cuyas rocas encontramos tan escarpadas, que las piernas más ágiles nos hubieran sido inútiles. El camino más desierto, el más áspero entre Lerici y Turbía,[3] es, comparado con aquél, una rampa suave y anchurosa.

—¿Quién sabe ahora —dijo mi Maestro deteniendo sus pasos— hacia qué mano es accesible la costa, de modo que pueda subir el que no tiene alas?

Y mientras él tenía los ojos bajos, meditando qué camino seguiríamos, y yo miraba hacia arriba alrededor de las rocas, apareció por la izquier-

---

[1] El cadáver de Virgilio, fue trasladado de Brindis a Nápoles, por voluntad de Augusto.

[2] Según Aristóteles la demostración es de dos clases: una llamada *propter quod*, que es cuando los efectos se deducen de las causas, y otra llamada *quia*, y es cuando las causas se deducen de los efectos por lo cual este período debe interpretarse del modo siguiente: Contentaos, ¡oh humanos!, con las demostraciones que se pueden deducir de los efectos, por los cuales se viene en conocimiento de sus causas, y no pretendáis conocer más de lo que los hechos os demuestran: que en las cosas que son superiores a la inteligencia humana y a la fuerza de la razón, se ejercita la fe.

[3] La ribera ligur, que se extiende entre esos dos lugares.

da una multitud de almas, que se dirigían hacia nosotros, aunque no lo parecía; tanta era la lentitud con que caminaban.

—Levanta los ojos —dije a mi Maestro—; he aquí quien nos podrá aconsejar, si es que no puedes aconsejarte a ti mismo.

Miróme entonces, y con rostro franco respondió:

—Vamos allá, pues ellos vienen muy despacio; y tú no pierdas la esperanza, hijo querido.

Habríamos andado mil pasos, y aún distaba de nosotros aquella muchedumbre tanto espacio cuanto podría recorrer una piedra lanzada por un buen hondero, cuando se arrimaron todos a los duros peñascos de la escarpada orilla, y permanecieron firmes y apretados entre sí, como se detiene a mirar aquel que duda.

—¡Oh muertos en la gracia de Dios, espíritus ya elegidos! —empezó a decir Virgilio—; por aquella paz que, según creo, esperáis todos vosotros, decidme por qué parte declina esta montaña, de modo que sea posible ascender a ella; pues al que mejor conoce el valor del tiempo, le es más desagradable perderlo.

Como las ovejas que salen de su redil una a una, dos a dos y tres y tres, mientras las otras se detienen tímidamente, inclinando hacia la tierra sus ojos y su hocico, y lo mismo que hace la primera hacen las demás, deteniéndose a su lado si se detiene, sencillas y tranquilas, y sin darse cuenta de por qué lo hacen, así vi yo moverse para venir hacia nosotros las primeras almas de aquella temerosa y afortunada grey, de rostro púdico y de honesto continente. Cuando vieron que la luz se interrumpía en el suelo a mi mano derecha, de modo que se proyectaba la sombra desde mí a la gruta, se detuvieron y aun retrocedieron algún tanto, y todos los que venían detrás, sin saber por qué, hicieron lo mismo.

—Sin que me lo preguntéis, os confieso que este que aquí veis es un cuerpo humano; por cuya causa la luz del Sol aparece cortada en el suelo. No os asombréis; pero creed que si pretende trepar esta escarpada costa, lo hace inducido por virtud celestial.

Así habló mi Maestro; y aquella noble multitud nos dijo:

—Pues volveos atrás y caminad delante de nosotros.

Y al mismo tiempo nos hacían señas con el dorso de las manos. Uno de ellos exclamó:

—Quienquiera que seas, andando como vas, vuelve el rostro hacia mí, y procura recordar si me has visto en el mundo alguna vez.

Yo me volví hacia él, y le miré fijamente: era rubio, hermoso y de gentil aspecto; pero tenía la ceja partida de un golpe. Cuando le manifesté humildemente que no le había visto nunca, me dijo:

—¡Mira, pues!

Y enseñóme una herida en la parte superior de su pecho. Después añadió sonriendo:

—Yo soy Manfredo,[4] nieto de la emperatriz Constanza: por lo cual te ruego, que cuando vuelvas a la Tierra, vayas a visitar a mi graciosa hija,[5] madre del honor de Sicilia y de Aragón, y le digas la verdad, si es que se ha dicho lo contrario. Después de tener atravesado mi cuerpo por dos heridas mortales, me volví llorando hacia Aquél, que voluntariamente perdona. Mis pecados fueron horribles; pero la bondad infinita tiene tan largos los brazos, que recibe a todo el que se vuelve hacia ella. Si el Pastor de Cosenza,[6] que fue enviado por Clemente para darme caza, hubiese leído bien en aquella página de Dios, mis huesos estarían aún en la cabeza del puente, cerca de Bene-

4 Hijo del emperador Federico II, que tuvo por madre a Constanza, esposa de Enrique VI. Fue derrotado y muerto en Benevento por el ejército de Carlos de Anjou en 1266.
5 Constanza, esposa de Pedro III de Aragón, de quien nacieron Jaime, qu sucedió a su padre en Aragón y Federico, que fue rey de Sicilia.
6 El obispo Bartolomé Pignatelli, de quien se contaba que había hecho desenterrar, por orden de Clemente IV, los restos de Manfredo que había muerto excomulgado, y los había arrojado fuera del reino de Nápoles.

vento, bajo la salvaguardia de las
pesadas piedras. Ahora los moja la
lluvia; el viento los impele fuera del
reino, casi a la orilla del Verde, donde los hizo transportar con cirios
apagados. Pero por su maldición no
se pierde el amor de Dios de tal modo, que no vuelva nunca, mientras
reverdezca la flor de la esperanza.
Es verdad que el que muere contu-
maz para con la santa Iglesia, por
más que al fin se arrepienta, debe
estar en la parte exterior de esta montaña un espacio de tiempo treinta
veces mayor del que vivió en con-
tumacia, a menos que no se abrevie
la duración de este decreto merced
a eficaces oraciones. Calcula, pues,
lo dichoso que puedes hacerme, revelando a mi buena Constanza cómo
me has visto, y la prohibición que
pesa sobre mí, que puede alzarse por
los ruegos de los que existen allá
arriba.

CANTO CUARTO

CUANDO por efecto del placer o del dolor de que se siente afectada alguna de nuestras facultades, el alma entera se concentra en esa facultad, parece que no atienda a ninguna otra; y esto demuestra el error de los que creen que en nosotros arde un alma sobre otra alma.[1] Por eso mismo, cuando se oye o ve alguna cosa que absorbe fuertemente el alma en su contemplación, el tiempo se desliza sin que el hombre se aperciba de ello; porque una es la facultad que escucha, y otra la que cautiva por completo el alma: ésta está como atada; aquella es libre. Yo adquirí una prueba de esta verdad oyendo y admirando a aquel espíritu; pues había el Sol ascendido cincuenta grados sobre el horizonte, sin que yo lo echase de ver, cuando llegamos a un punto en que las almas exclamaron a una voz: "Aquí está el objeto de vuestra demanda."

Cualquier portillo de los que suele tapar el labriego con un manojo de espinos, cuando maduran las uvas, es mayor que el sendero por donde subimos solos mi Maestro y yo, cuando la multitud de almas se separó de nosotros. Bastan los pies para ir a San Leo, para bajar a Noli, para ascender hasta la elevada cumbre de Bismantua; pero aquí es preciso que el hombre vuele: quiero decir, como volaba yo, conducido por las ligeras alas y por las plumas de un gran deseo, detrás de Aquel que reanimaba mi esperanza y me iluminaba. Íbamos subiendo por el sendero excavado en el peñasco, cuyas quebradas rocas nos estrechaban por ambos lados, y el suelo que pisábamos nos obligaba

[1] Los maniqueos y varios filósofos contemporáneos del poeta que admitían la existencia de dos almas en cada hombre, la vegetativa y la intelectiva.

a ayudarnos con pies y manos. Cuando llegamos a sitio descubierto, sobre el rellano de la alta base del monte, dije:

—Maestro mío, ¿qué camino seguiremos?

Y él me contestó:

—No des ningún paso hacia abajo: prosigue subiendo detrás de mí a la cima de este monte, hasta que se nos aparezca algún experto guía.

La cima era tan alta, que no podía alcanzarla la vista, y la subida mucho más empinada que la línea que divide en dos partes el cuadrante. Yo estaba ya cansado, y entonces exclamé:

—¡Oh amado Padre! Vuélvete, y mira que me quedo aquí solo, si no te detienes.

—Hijo mío, haz por llegar hasta aquel punto —respondió mostrándome una prominencia que rodeaba por aquel lado toda la montaña.

Sus palabras me aguijonearon de tal modo, que me esforcé cuanto pude trepando hasta donde él estaba, tanto que puse mis plantas sobre aquella especie de cornisa. Nos sentamos allí ambos, vueltos hacia Levante, por cuyo lado habíamos subido; pues suele agradar la contemplación del camino que uno ha hecho. Primeramente dirigí los ojos al fondo, después los levanté hacia el Sol, y me admiraba de que éste nos iluminase por la izquierda.

El Poeta observó que me quedaba estupefacto, mirando el carro de la luz que iba a pasar entre nosotros y el Aquilón; por lo cual me dijo:

—Si Cástor y Pólux estuvieran en compañía de aquel espejo, que ilumina al mundo tanto por arriba como por abajo, verías al Zodíaco refulgente girar más próximo aún a las Osas, a no ser que saliese fuera de su antiguo camino.[2] Y si quieres comprender cómo puede suceder esto, reconcentra tu pensamiento, y considera que el monte Sión está situado sobre la Tierra, relativamente a éste, de modo que ambos tienen un mismo horizonte y diferentes hemisferios; por lo cual, si tu inteligencia te permite discernir con claridad, verás cómo el camino que por su mal no supo recorrer Featón, debe ir necesariamente por un lado de este monte, al paso que va por el opuesto lado de aquel otro.

—En verdad, Maestro mío —le contesté—, nunca había visto tan claramente como ahora distingo estas cosas, para cuya comprensión no me parecía bastante apto mi ingenio. Por las razones que me has dado entiendo que el círculo intermedio del primer móvil, llamado Ecuador en alguna ciencia, y que permanece siempre entre el Sol y el invierno, dista de aquí tanto hacia Septentrión, cuanto los Hebreos lo veían hacia la parte cálida. Pero, si te place, quisiera saber cuánto hemos de andar aún; pues que el monte se eleva más de lo que puede alcanzar mi vista.

—Esta montaña es tal —me respondió—, que siempre cuesta trabajo empezar a subirla, y cuanto más va para arriba en menos fatigoso. Cuando te parezca tan suave, que subas ligeramente por ella como van por el agua las naves, entonces habrás llegado al fin de este sendero: espera, pues, a conseguirlo para descansar de tu fatiga. Y no respondo más, pues sólo esto tengo por cierto.

Cuando hubo terminado de decir estas palabras, resonó cerca de nosotros una voz que decía: "Quizá te veas precisado antes a sentarte." Al sonido de aquella voz, volvímonos, y vimos a la izquierda un gran peñasco, en el que no habíamos reparado antes ninguno de los dos. Nos dirigimos hacia allí, donde estaban algunos espíritus reposando a la sombra detrás del peñasco, como quien lo hace por indolencia. Uno de ellos, que me parecía cansado, estaba sentado con las rodillas abrazadas, reposando sobre ellas su cabeza.

—¡Oh amado Señor mío! —dije entonces—: contempla a ése, que se muestra más negligente que si fuese hermano de la pereza.

Entonces se volvió hacia nosotros, y nos examinó, dirigiendo su mirada sobre los muslos, y diciendo:

—Ve, pues, allá arriba, tú que eres tan valiente.

Conocí entonces quién era; y aquella fatiga que agitaba todavía un poco mi respiración, no me impidió acercarme a él. Cuando estuve a su lado, alzó apenas la cabeza, diciendo:

—¿Has comprendido bien por qué el Sol dirige su carro por tu izquierda?

Sus perezosos movimientos y sus lacónicas palabras hicieron asomar una sonrisa a mis labios, y dije:

—Belacqua,[3] ahora ya no me conduelo de ti: pero dime, ¿por qué estás aquí sentado? ¿Esperas algún guía, o es que has vuelto a tus antiguas costumbres?

Contestóme:

—¡Oh, hermano! ¿Para qué he de ir arriba, si no ha de permitirme llegar al sitio de la expiación el Ángel de Dios, que está sentado a su puerta? Antes que yo entre por ella, es necesario que el cielo dé tantas vueltas en torno mío, cuantas dio en el transcurso de mi vida, por haber aplazado los buenos suspiros hasta la hora de mi muerte; a no ser que me auxilie una plegaria, que se eleve de un corazón que viva en la gracia. ¿De qué sirven las demás, si no han de ser oídas en el cielo?

Ya el Poeta subía delante de mí diciendo:

—No te detengas más: mira que el Sol toca al Meridiano, y la Noche cubre ya con su pie la costa de Marruecos.

[2] Quiere decir: Si el sol no estuviese, como está ahora, en Aries, sino en Géminis, situado más al norte, tú, Dante, verías la parte del Zodíaco que aparece enrojecida porque es aquella en la que está el sol ahora, moverse y girar todavía más al norte.

[3] Un florentino, fabricante de instrumentos músicos, con quien debía tener Dante gran familiaridad.

CANTO QUINTO

Me había alejado ya de aquellas sombras, y seguía las huellas de mi Guía, cuando detrás de mí, y señalándome con el dedo, gritó una de ellas:

—Mirad; no se nota que el Sol brille a la izquierda de aquel de más abajo, que marcha al parecer como un vivo.

Al oír estas palabras, volví la cabeza, y vi que las sombras miraban con admiración, no solamente a mí, sino también a la luz interceptada por mi cuerpo.

—¿Por qué se turba tanto tu ánimo —dijo el Maestro—, que así acortas el paso? ¿Qué te importa lo que allí murmuran? Sígueme, y deja que hable esa gente. Sé firme como una torre, cuya cúspide no se doblega jamás al embate de los vientos: el hombre en quien bulle pensamiento sobre pensamiento, siempre aleja de sí el fin que se propone; porque el uno debilita la actividad del otro.

¿Qué otra cosa podría yo contestarle sino: "Ya voy?" Así lo hice, cubierto algún tanto de aquel color que hace a veces al hombre digno de perdón. En tanto, de través por la cuesta venían hacia nosotros algunas almas entonando, versículo a versículo, el "Miserere".[1] Cuando observaron que yo no daba paso al través de mi cuerpo a los rayos solares, cambiaron su canto en un "¡Oh!" ronco y prolongado: y dos de ellas, a guisa de mensajeros, corrieron a nuestro encuentro, diciendo:

—Hacednos sabedores de vuestra condición.

Mi Maestro contestó:

—Podéis iros y referir a los que

[1] El Salmo L, uno de los siete penitenciales, que comienza con esa palabra.

os han enviado, que el cuerpo de éste es de verdadera carne. Si se han detenido, según me figuro, por ver su sombra, bastante tienen con tal respuesta: hónrenle, porque podrá serles grato.

Jamás he visto a prima noche los vapores encendidos, ni a puesta del Sol las exhalaciones de Agosto, hendir el Cielo sereno tan rápidamente como corrieron aquellas almas hacia sus compañeras; y una vez allí, regresaron adonde estábamos, juntas con las demás, como escuadrón que corre a rienda suelta.

—Esa gente que se agolpa hacia nosotros es numerosa —dijo el Poeta—, y vienen a dirigirte alguna súplica: tú, sin embargo, sigue adelante, y escucha mientras andas.

—¡Oh alma, que, para llegar a la felicidad, vas con los miembros con que naciste! —venían gritando—: modera un poco tu paso. Repara si has conocido a alguno de nosotros, de quien puedas llevar allá noticias. ¡Ah! ¿Por qué te vas? ¿Por qué no te detienes? Todos hemos terminado nuestros días por muerte violenta, y fuimos pecadores hasta la última hora: entonces la luz del Cielo iluminó nuestra razón tan bien, que, arrepentidos y perdonados, abandonamos la vida en la gracia de Dios, que nos abrasa por el gran deseo que tenemos de verle.

Yo les contesté:

—Aun cuando no reconozco las desfiguradas facciones de ninguno de vosotros, no obstante, si deseáis de mí algo que sea posible, espíritus bien nacidos, yo lo haré por aquella paz que se me hace buscar de mundo en mundo, siguiendo los pasos de este Guía.

Uno de ellos empezó diciendo:

—Todos confiamos en tu benevolencia sin necesidad de que lo jures, a no ser que la impotencia destruya tu buena voluntad. Yo, que hablo solo antes que los demás, te ruego que si ves alguna vez aquel país que se extiende entre la Romanía y el de Carlos,[2] me concedas en Fano el don de tus preces, a fin de que los buenos rueguen allí por mí, de modo que yo pueda purgar mis graves pecados. De allí fui yo:[3] pero las profundas heridas por donde salió la sangre en la que me asentaba, me fueron hechas en el territorio de los Antenóridas,[4] donde creía encontrarme más seguro. El de Este lo ordenó, porque me odiaba mucho más de lo que le permitía la justicia; pero si yo hubiese huido hacia la Mira, cuando llegué a Oriaco, aún estaría allá donde se respira: corrí al pantano, donde las cañas y el lodo me embarazaron tanto, que caí, y vi formarse en tierra un lago con la sangre de mis venas.

Después me dijo otro:

—¡Ay! Así se cumpla el deseo que te conduce a esta elevada montaña, dígnate auxiliar al mío con obras de piedad. Yo fui de Montefeltro, y soy Buonconte.[5] Ni Juana ni los otros se cuidan de mí; por lo cual voy entre éstos con la cabeza baja.

Le pregunté:

—¿Qué violencia o qué ventura te sacó fuera de Campaldino, que no se supo nunca dónde está tu sepultura?

—¡Oh! —me respondió—; al pie del Casentino corre un río llamado Archiano, que nace en el Apenino encima del Ermo. Allí donde pierde su nombre, llegué yo con el cue-

llo atravesado, huyendo a pie y ensangrentando la llanura. Allí perdí la vista, y mi última palabra fue el nombre de María; allí caí, y no quedó más que mi carne. Te diré la verdad, y tú la referirás entre los vivos: el ángel de Dios me cogió, y el del Infierno gritaba: "¡Oh tú, venido del Cielo! ¿Por qué me lo quitas? Te llevas la parte eterna de éste por una pequeña lágrima que me le arrebata; pero yo trataré de diferente modo la otra parte." Tú sabes bien cómo se condensa en el aire ese húmedo vapor, que se convierte en lluvia en cuanto sube hasta donde le sorprende el frío: pues bien, el demonio, juntando a su entendimiento aquella malevolencia que sólo procura hacer daño, con el poder inherente a su naturaleza, agitó el vapor y el viento. En cuanto se extinguió el día, cubrió de nieblas el valle desde Pratomagno hasta el Apenino, e hizo tan denso aquel cielo, que el espeso aire se convirtió en agua: cayó lluvia, y el agua que la tierra no pudo absorber fue a parar a los barrancos, y uniéndose a la de los torrentes, se precipitó hacia el río real con tal rapidez, que nada podía contenerla. El Archiano furioso encontró mi cuerpo helado en su embocadura, lo arrastró hacia el Arno, y separó mis brazos que había puesto en cruz sobre el pecho cuando me venció el dolor. Después de haberme volteado por sus orillas y su fondo, me cubrió y rodeó con la arena que había hecho desprenderse de los campos.

—¡Ah!, cuando vuelvas al mundo, y hayas descansado de tu largo viaje —continuó un tercer espíritu, luego que hubo acabado de hablar el segundo—, acuérdate de mí, que soy la Pía.[6] Siena me hizo, y las Marismas me deshicieron: bien lo sabe aquél que, siendo ya viuda, me puso en el dedo su anillo enriquecido de piedras preciosas.

[2] La Marca de Ancona, gobernada por Carlos de Anjou.
[3] Habla aquí Jacobo del Cassero, de Fano, que por haber infamado el nombre de Azzo III de Este, marqués de Ferrara, fue asaltado y muerto por los sicarios de éste, en 1298, cuando se dirigía a Milán para ser podestá.
[4] Padua, fundada por Antenor.
[5] Buonconte de Montefeltro, hijo de Guido, a quien Dante encontró en el Canto XXVII del Infierno, entre los que aconsejaron el fraude. Fue capitán de los gibelinos de Arezzo en la batalla de Campaldino, 1289, en la que perdió la vida. Juana era su mujer.
[6] Pía de Tolomei, natural de Siena, casó con Nello o Paganello Pannocchieschi, señor del castillo della Pietra, en la Marisma Toscana, el cual, creyéndola infiel, le dio muerte, en 1295, mandando, según refiere algún comentarista, arrojarla por una ventana.

CANTO SEXTO

CUANDO, acabado el juego de la zara,[1] se desparten los jugadores, el que pierde se queda triste, pensando en las jugadas, y aprendiendo entonces con sentimiento el modo de que debió haberse valido para ganar: con el ganancioso se van los circunstantes; y uno por delante, otro por detrás y otro por el lado procuran hacerse presentes al afortunado; éste no se detiene aunque los escucha a todos, hasta que tiende a uno su mano, que por ello deja de atosigarle, librándose así de los empujones de la multitud. Así estaba yo en medio de aquella compacta muchedumbre de almas, volviendo a uno y otro lado el rostro, hasta que, merced a mis promesas, pude desprenderme de ellas. Allí estaban el Aretino que recibió la muerte de los brazos crueles de Ghin di Tacco,[2] y el otro que se ahogó al darle caza sus enemigos.[3] Allí oraba, con los brazos extendidos, Federico Novello, y aquel de Pisa, que dio ocasión de demostrar la grandeza de su alma al buen Marzucco.[4] Vi al conde Orso,[5] y a aquella alma separada de su cuerpo por hastío y por envidia, como ella misma decía, y no por sus culpas; a Pedro de la Broccia, digo: y bien es menester que provea en ello la princesa de Brabante, mientras esté por acá, si no quiere verse colocada entre peores compañeros.[6]

Cuando me vi libre de todas aquellas sombras, que rogaban para que otros rogasen por ellas, a fin de abreviar el tiempo de su purificación, empecé a decir:

—Parece que me niegas expresamente en algún texto, ¡oh luz que desvaneces mis dudas!, que la oración aplaca los decretos del cielo;[7] y sin embargo, esta gente ruega para conseguirlo. ¿Será, pues, vana su esperanza? ¿O es que no he comprendido bien al sentido de tus palabras?

A lo que me contestó:

—Lo que escribí es muy claro, y la esperanza de ésos no se verá fallida, si se examina con recto sentido. No se menoscaba el alto juicio divino, porque el fuego amoroso de la caridad cumpla en un instante lo que deben satisfacer los que aquí están relegados; y allí, donde senté tal máxima, la oración no tenía la virtud de borrar las faltas, porque el objeto de aquélla estaba alejado de Dios. No te detenga, sin embargo, tan profunda duda, hasta que te la desvanezca aquélla que ha de iluminar tu entendimiento, mostrándole la verdad. No sé si me entiendes: hablo de Beatriz, a quien verás risueña y feliz sobre la cumbre de este monte.

[1] Juego de azar —azar = zara—, que se jugaba con dados.
[2] Benincasa da Laterina, juez que, por haber condenado a muerte a algún 'pariente del famoso mesnadero Gino di Tacco fue asesinado por éste en el tribunal.
[3] Guccio Tarlati, señor de Pietramala, que persiguiendo al enemigo o siendo perseguido por él, después de un combate, se ahogó al pasar el Arno.
[4] Federico Novello, uno de los condes Guidi, que fue muerto al venir en socorro de los Tarlati de Pietramala. El de Pisa era Farinata degli Scornigiani, muerto a traición. Su padre, Marzucco, que había profesado en la Orden de San Francisco, al enterarse de tan fatal nueva reunió a los frailes del convento, les predicó el perdón de las ofensas y, para darles ejemplo, se fue a besar la mano del que había asesinado a su hijo.
[5] De la familia de los Alberti, hijo del conde Napoleón de Mangona, fue muerto por su cuñado, el conde Alberto.
[6] Pedro de la Broccia, médico y favorito de Felipe III de Francia, que le mandó matar por las falsas acusaciones que le imputara la reina María de Brabante.
[7] Dante alude aquí al verso 373 del Libro VI de la *Eneida: Desine fata deum plecti sperare precando,* que no está de acuerdo con la doctrina de las preces por los difuntos.

Yo repuse:

—Mi buen Guía, caminemos más de prisa: pues ya no me canso tanto como antes, y la montaña proyecta su sombra hacia este lado.

—Avanzaremos hoy tanto como podamos —me respondió—; pero el camino es muy diferente de lo que te figuras. Antes que lleguemos arriba, verás volver a aquel que ahora se oculta tras de la cuesta, y cuyos rayos no quiebras en este momento. Pero ve allí un alma que, inmóvil y completamente sola, dirige hacia nosotros sus miradas: ella nos enseñará el camino más corto.

Llegamos junto a ella. ¡Oh alma lombarda, cuán altanera y desdeñosa estabas, y cuán noble y grave era el movimiento de tus ojos! Ella no nos decía nada; pero dejaba que nos aproximásemos, mirando únicamente como el león cuando reposa. Virgilio se le acercó, rogándole que nos enseñase la subida más fácil; pero ella, sin contestar a su pregunta, quiso informarse acerca de nuestro país y de nuestra vida; y al empezar mi Guía a decir: "Mantua...", la sombra, que antes estaba como concentrada en sí misma, corrió hacia él desde el sitio en que se encontraba, diciendo: "¡Oh, mantuano!, yo soy Sordello,[8] de tu tierra." Y se abrazaron mutuamente.

¡Ah Italia esclava, albergue de dolor, nave sin timonel en medio de una gran tempestad, no ya señora de provincias, sino de burdeles! Al dulce nombre de su país natal, aquel alma gentil se apresuró a festejar a su conciudadano; al paso que tus vivos no saben estar sin guerra, y se destrozan entre sí aquellos a quienes guarda una misma muralla y un mismo foso. Busca, desgraciada, en derredor de tus costas, y después contempla en tu seno si alguna parte de ti misma goza de paz. ¿Qué vale que Justiniano[9] te enfrenara, si la silla está vacía? Tu vergüenza sería menor sin ese mismo freno. ¡Ah, gentes que debiérais ser devotas, y dejar al César en su trono, si comprendierais bien lo que Dios ha prescrito![10] Mirad cuán arisca se ha vuelto esa Italia, por no haber sido castigada a tiempo con las espuelas, desde que os apoderásteis de sus riendas. ¡Oh alemán Alberto,[11] que la abandonas, al verla tan indómita y salvaje, cuando debiste oprimir sus ijares! Caiga sobre tu sangre el justo castigo del Cielo, y sea éste tan nuevo y evidente, que sirva también de temeroso escarmiento a tu sucesor, ya que tú y tu padre, alejados de aquí por ambición, habéis tolerado que quede desierto el jardín del imperio. Hombre indolente, ven a ver a los Montecchi y a los Cappelletti, a los Monaldi y Filippeschi, aquéllos ya tristes, y éstos poseídos de amargos recelos. Ven, cruel, ven; y mira la opresión de tus nobles, y remedia sus males, y verás cuán lúgubre está Santaflora.[12] Ven a ver a tu Roma, que llora, viuda y sola,[13] exclamando día y noche: "¡César mío! ¿Por qué no estás en mi compañía?" Ven y contempla cuán grande es el mutuo amor de la gente; y si nada te mueve a compasión de nosotros, ven a avergonzarte de tu fama. Y, séame lícito preguntarte, ¡oh sumo Jove,[14] que fuiste crucificado por nosotros en la tierra! ¿Están vueltos hacia otra parte tus justos ojos? ¿O es que nos vas preparando de ese modo, en lo profundo de tus pensamientos, para recibir algún gran bien que no puede prever nuestra inteligencia?

---

[8] Un mantuano, guerrero y trovador del siglo XIII. En una de sus composiciones por la muerte de Blacas juzgaba severamente a los príncipes de su tiempo, y, en general, en toda su poesía política y civil expresa con absoluta franqueza sus sentimientos personales sobre hechos y personas. Tal vez por eso le atribuya Dante una parte tan notable en este canto y en el siguiente.

[9] El emperador Justiniano compiló las leyes romanas para ordenarlas en un *Corpus*.

[10] En aquellas del Evangelio: "Dad al César lo que es del César y a Dios lo que es de Dios" *(Mat.* XXII, 21).

[11] Alberto I de Austria, hijo de Rodolfo de Habsburgo, emperador de 1289 a 1303, que, demasiado ocupado con sus asuntos de Alemania, se desinteresó de las cosas de Italia.

[12] Los señores gibelinos de Santaflora que debieron ceder a los de Siena parte de sus fortalezas.

[13] Cuando Dante escribía la *Comedia* estaban los papas en Aviñón.

[14] Cristo.

Porque la tierra de Italia está llena de tiranos; y el hombre más ruin, al ingresar en un partido, se convierte en un Marcelo.[15]

Florencia mía, [16] bien puedes estar satisfecha de esta digresión, que no habla contigo, merced a tu pueblo que tanto se ingenia. Hay muchos que tienen la justicia en el corazón, pero son tardíos en aplicarla, porque temen disparar el arco imprudentemente; mas tu pueblo la tiene en la punta de sus labios. Muchos rehúsan los cargos públicos; pero tu pueblo responde solícito, sin que le llamen, y grita: "Yo los acepto." Alégrate, pues, que motivo tienes para ello. Eres rica, disfrutas tranquilidad, tie-

nes prudencia. Si digo la verdad, claramente lo demuestran los hechos. Atenas y Lacedemonia, que hicieron las antiguas leyes y fueron tan civilizadas, dieron un débil ejemplo de vivir bien, comparadas contigo; pues dictas tan sutiles decretos, que los que expides en octubre no llegan a mediados de noviembre. ¿Cuántas veces, en el tiempo a que alcanza la memoria, has cambiado de leyes, de monedas, de oficios y de costumbres, y renovado tus habitantes?[17] Y si quieres recordarlo y ver la luz, conocerás que eres semejante a aquella enferma, que no encuentra posición que le cuadre sobre la pluma, y procura hacer más llevadero su dolor dando continuas vueltas.

---

[15] Es un enemigo del Imperio como lo fue C. Claudio Marcelo, adversario de César.
[16] Todo lo que sigue es una amarga ironía.

[17] A causa de los frecuentes destierros.

CANTO SEPTIMO

Después de haber cambiado entre sí tres o cuatro veces corteses y halagüeños saludos, Sordello se hizo un poco atrás, y dijo:

—¿Quiénes sois?

—Mis huesos fueron sepultados por mandato de Octavio, antes que se hubiesen dirigido hacia esta montaña las almas dignas de subir hasta Dios. Yo soy Virgilio, que perdí el Cielo por no tener fe, y no por otra culpa.

Así respondió mi Guía. Como el que de improviso ve una cosa que le asombra, y a la que no sabe si dar o no crédito, diciendo: "es, no es", así se quedó aquél: después bajó los ojos, se adelantó humildemente hacia él, y le abrazó en el sitio del cuerpo donde alcanza el pequeño.

—¡Oh gloria de los latinos —dijo—, por quien nuestra lengua demostró cuánto podía! ¡Honor eterno del lugar donde nací! ¿Qué mérito o qué gracia permite que yo te vea? Si es que soy digno de oír tus palabras, dime si vienes del Infierno, y de qué recinto.

—He llegado hasta aquí pasando por todos los círculos del reino del llanto —respondióle—; la virtud del cielo me guía, y con ella vengo. No por lo que he hecho, sino por lo que no he hecho, he perdido la facultad de contemplar el alto Sol que tú deseas, y que conocí demasiado tarde. Allá abajo hay un lugar triste, no por los martirios, sino por las tinieblas, donde en vez de lamentos como gritos, sólo resuenan suspiros. Allí estoy yo con los inocentes párvulos, mordidos por los dientes de la muerte antes de que fueran lavados del pecado original. Allí estoy yo con aquellos que no se cubrieron con las tres virtudes santas,[1] aunque, exentos de vicios, conocieron y observaron las demás. Pero danos algún indicio, si es que puedes y sabes, a fin de que lleguemos más pronto al sitio donde tiene verdadero principio el Purgatorio.

Sordello respondió:

—Aquí no tenemos designado un punto fijo, y a mí me es lícito subir andando alrededor por la montaña: te serviré de guía por todos los parajes hasta donde puedo llegar. Pero advierte que ya declina el día; y no siendo posible ir arriba de noche, convendrá que pensemos en buscar un buen abrigo. Algo lejos de aquí, a la derecha, hay algunas almas: si quieres, te conduciré adonde están, seguro de que te agradará conocerlas.

—¿Cómo es eso? —le contestó—. Quien quisiera subir de noche, ¿se vería detenido por alguien? ¿O es acaso que no podría subir?

El buen Sordello pasó su dedo por el suelo, diciendo:

—¿Ves esta sola línea? Pues no la atravesarás después de haberse ocultado el Sol; no por otro causa, sino porque lo impedirán las tinieblas nocturnas; las cuales, con la impotencia que originan, contrarrestan la voluntad. Con ellas, podríase muy bien volver abajo y recorrer la cuesta vagando en torno, mientras el día esté bajo el horizonte.

Entonces mi Señor, como asombrado, repuso:

—Condúcenos adonde dices que puede ser agradable permanecer.

Nos habíamos alejado un poco de allí, cuando eché de ver que el mon-

---

[1] Las tres virtudes teologales: fe, esperanza y caridad, en oposición a las virtudes naturales a que se refiere a continuación.

101

te estaba hendido como los valles que hay en nuestro hemisferio.

—Iremos —dijo aquella sombra— allá donde la cuesta forma una cavidad, y esperaremos en ella el nuevo día.

Un sendero tortuoso, entre pendiente y llano, nos condujo a un lado de aquella cavidad, en donde las orillas que la circundan descienden más de la mitad de su altura. El oro y la plata fina, la púrpura, el albayalde, el añil azul y brillante, y las esmeraldas recientemente talladas en el momento en que se desprenden sus trozos, serían vencidos en brillantez por las hierbas y las flores de aquella cavidad, como lo menor es vencido por lo mayor. La naturaleza no había ostentado solamente allí sus adornos, sino que con la suavidad de mil aromas había formado un olor indistinto y desconocido para nosotros. Allí vi sentadas sobre la verdura y entre las flores algunas almas, que desde fuera no podían distinguirse, por ocultarlas las laderas del valle, las cuales estaban cantando el "Salve Regina". El Mantuano, que nos había conducido por el tortuoso sendero, nos dijo:

—No pretendáis que os guíe hasta donde están ésos, antes de que se oculte el poco Sol que queda. Desde esta altura veréis las acciones y los rostros de todos, mejor que si estuvierais entre ellos en el mismo valle. Aquel que está sentado en el puesto más alto, que en su actitud parece haberse descuidado de hacer lo que debía, y cuya boca no se mueve para cantar con los demás, fue el emperador Rodolfo,[2] que pudo curar las heridas que han dado muerte a Italia, de tal modo, que tarde le vendrá de otro el remedio. El que con su presencia conforta al primero, gobernó la tierra donde nace el agua que el Moldava conduce al Elba, y el Elba al mar. Llamóse Ottokar,[3] y ya en la infancia fue mucho mejor príncipe que su hijo Wenceslao cuando barbado a quien enervaron el ocio y la lujuria. Y aquel romo,[4] que parece consultar con tanta intimidad al otro de benigno aspecto, murió huyendo y marchitando la flor de lis: mirad cómo se golpea el pecho; y ved cómo el otro,[5] suspirando, apoya su mejilla en la palma de la mano. Padre y suegro son del mal de Francia: saben que su vida es grosera y viciosa, y de ahí proviene el dolor que les aflige. Aquel que parece tan corpulento,[6] y que canta acorde con el nariguado,[7] llevó ceñida la cuerda de toda virtud; y si después de él hubiera reinado más tiempo el jovencito que a su espalda se sienta,[8] bien habría pasado el valor de padre a hijo; lo cual no se puede decir de sus otros herederos. Jaime y Federico conservan los reinos; pero ninguno de ellos posee la mejor herencia. Raras veces renace por las ramas la humana probidad; pues así lo quiere Aquel que nos la da, para que se la pidamos. No menos se dirigen mis palabras al nariguado, que al otro, a Pedro, que canta con él; pues de su descendencia se lamentan ya la Pulla y la Provenza. La planta es inferior a su semilla tanto, cuanto más que Beatriz y Margarita se gloría Constanza aún de su marido.[9] Ved ahí al rey de sencilla vida, sentado aparte y solo, a Enrique de Inglaterra:[10] éste ha producido mejores vástagos.

[2] Rodolfo de Habsburgo, emperador de 1273 a 1291, que jamás ejerció su soberanía en Italia.

[3] Rey de Bohemia, 1253-1278; es el gran adversario del emperador Rodolfo.

[4] Felipe III de Francia, hijo de San Luis y padre de Felipe el Hermoso. Murió al regreso de una expedición contra Pedro III de Aragón.

[5] Enrique I de Navarra, suegro de Felipe el Hermoso.

[6] Pedro III de Aragón.

[7] Carlos I de Anjou, conde de Provenza y rey de Nápoles.

[8] Alfonso III, primogénito de Pedro de Aragón, que sucedió a su padre, y sólo reinó seis años, muriendo en 1291.

[9] La planta (Carlos II de Anjou) es tanto inferior a su semilla (Carlos I), cuanto Constanza, que fue esposa de Pedro III, se vanagloria ahora de su marido, más que Beatriz y Margarita, primera y segunda esposa de Carlos de Anjou pueden vanagloriarse de los suyos, o lo que es lo mismo: el hijo de Carlos I es tan inferior al padre, cuanto Carlos I mismo fue inferior a Pedro III.

[10] Enrique III de Inglaterra (1216-1272), hijo de Juan sin Tierra; bondadoso, pero de cortos alcances y poco carácter. Le sucedió su hijo Eduardo I, (1273-1307), sabio legislador.

Aquel que está en el suelo más abajo que los otros, mirando hacia arriba, es el marqués Guillermo,[11] por quien Alejandría y sus guerreros hacen llorar hoy al Monferrato y al Canavés.

[11] Guillermo VII, Espada-Larga, marqués de Monferrato, cuya muerte a causa de la sublevación de Alejandría (1292), ocasionó una larga y desastrosa guerra a sus vasallos.

CANTO OCTAVO

Era ya la hora en que se enternece el corazón de los navegantes, y renace su deseo de abrazar a los caros amigos, de quienes el mismo día se han despedido, y en que el novel viajero se compunge de amor, si oye a lo lejos alguna campana, que parezca plañir al moribundo día; cuando dejé de oír, y comencé a mirar a una de aquellas almas, que, puesta en pie, hacía señas con la mano en ademán de que las otras la escuchasen. Unió y levantó ambas palmas, dirigiendo sus ojos hacia Oriente, como si dijese a Dios: "Sólo en ti pienso"; y salió de su boca tan devotamente y con tan dulces notas el "Te lucis ante",[1] que el placer me hizo salir fuera de mí. Aguza bien aquí la vista, ¡oh lector!, para descubrir la verdad; porque el velo es ahora tan sutil, que te será en efecto sumamente fácil atravesarlo.

Vi luego a aquèl ejército gentil, pálido y humilde, que en silencio contempla el cielo, como esperando algo; y vi salir de las alturas y descender al valle dos ángeles con dos espadas flamígeras, truncadas y privadas de sus puntas. Verdes como las tiernas hojas que acaban de brotar eran sus vestiduras, y agitadas por las plumas de sus alas, verdes también, flotaban por detrás a merced del viento. El uno se posó algo más arriba de donde estábamos; el otro descendió hacia el lado opuesto; de suerte que las almas quedaron entre ellos. Se distinguía perfectamente su blonda cabellera; pero al querer mirar sus facciones, se ofuscaba la vista, como se ofusca toda

facultad, por la excesiva fuerza de las impresiones.

—Ambos vienen del seno de María —dijo Sordello— para guardar el valle contra la serpiente, que acudirá a él en breve.

Y yo, que no sabía por qué sitio había de venir, miré en torno mío, y helado de terror, me arrimé cuanto pude a las fieles espaldas. Sordello continuó:

—Ahora descendamos hacia donde están esas grandes sombras, y hablaremos con ellas: les será muy grato veros.

Sólo había descendido tres pasos, según creo, cuando ya me encontré abajo, y vi uno que me miraba como si hubiera querido conocerme. El aire iba ya obscureciéndose, pero no tanto que entre sus ojos y los míos no permitiese ver lo que antes por la distancia se ocultaba. Vino hacia mí, y yo me adelanté hacia él. ¡Noble juez! ¡Oh, Nino![2] ¡Con cuánto placer vi que no estabas entre los condenados! No hubo amistoso saludo que no nos dirigiésemos; después me preguntó:

—¿Cuánto tiempo hace que has llegado al pie de este monte a través de las lejanas aguas?

—¡Ah! —le dije—; esta mañana he llegado pasando por tristes lugares, y estoy aún en la primera vida; aunque al hacer este viaje, voy preparándome para la otra.

Apenas oyeron mi respuesta, cuando Sordello y él retrocedieron como hombres poseídos de un repentino

---

[1] *Te lucis ante terminum:* Primer verso de un himno de San Ambrosio de Milán, que se reza en las Completas del Oficio Divino.

[2] Ugolino o Nino Visconti, hijo de Juan Visconti y de una hija del conde Ugolino de la Gherardesca que aparece en el Canto XXXIII del *Infierno*. Fue juez de Galura, en Cerdeña. Participó con su suegro en el gobierno de Pisa y fue el alma de la liga güelfa que hizo la guerra a esa ciudad.

espanto. El primero se volvió hacia Virgilio, y el otro hacia uno que estaba sentado, gritando: "Ven, Conrado, ven a ver lo que Dios por su gracia permite." Después, dirigiéndose a mí, exclamó:

—Por la singular gratitud que debes a Aquél que oculta de tal modo su primitivo origen, que no es posible penetrarlo, cuando estés más allá de las anchurosas aguas, di a mi Juana,[3] que pida por mí allí donde se oyen los ruegos de los inocentes. No creo que su madre no ame ya, pues ha dejado las blancas tocas, que la desventurada echará de menos algún día.[4] Por ella se comprende fácilmente cuánto dura en una mujer el fuego del amor, si la vista o el íntimo trato no lo alimenta. La víbora que campea en las armas del Milanés no le proporcionará tan hermosa sepultura como se la hubiera dado el gallo de Gallura.[5]

Así decía, y en todo su aspecto se veía impreso el sello de aquel recto celo que arde con mesura en el corazón. Entretanto, mis ojos se dirigían ávidos hacia la parte del cielo donde es más lento el curso de las estrellas, como sucede en los puntos de una rueda más próximos al eje. Mi Guía me preguntó:

—Hijo mío, ¿qué miras allá arriba?

Y yo le contesté:

—Aquellas tres antorchas,[6] en cuya luz arde todo el polo hacia esta parte.

Y él repuso:

—Las cuatro estrellas brillantes que viste esta mañana, han descendido por aquel lado, y éstas han subido donde estaban aquéllas.

Mientras él hablaba, Sordello se le acercó, diciendo: "He ahí a nuestro adversario"; y extendió el dedo para que mirásemos hacia el sitio que indicaba. En la parte donde queda indefenso el pequeño valle, había una serpiente, que quizá era la que dio a Eva el amargo manjar. Se adelantaba el maligno reptil por entre la hierba y las flores, volviendo de vez en cuando la cabeza, y lamiéndose el lomo como un animal que se alisa la piel. No puedo decir cómo se movieron los azores celestiales, pues no me fue posible distinguirlo; pero sí vi a entrambos en movimiento. Sintiendo que sus verdes alas hendían el aire, huyó la serpiente, y los ángeles se volvieron a su puesto con vuelo igual. La sombra que se acercó al juez, cuando éste la llamó, no dejó un momento de mirarme durante todo aquel asalto.

—Que la antorcha que te conduce hacia arriba encuentre en tu voluntad tanta cera cuanta se necesita para llegar al sumo esmalte —empezó a decir—; si sabes alguna noticia positiva del Val di Magra o de su tierra circunvecina, dímela, pues yo era señor de aquel país: fui llamado Conrado Malaspina,[7] no el antiguo, sino descendiente suyo, y tuvo a los míos un amor que aquí se purifica.

—¡Oh! —le contesté—; no estuve nunca en vuestro país; pero ¿a qué parte de Europa no habrá llegado su fama? La gloria que honra vuestra casa da tal renombre a sus señores y a la comarca entera, que tiene noticia de ella aun aquel que no la ha visitado. Y os juro, así pueda llegar a lo alto de este monte, que vuestra honrosa estirpe no pierde la prez que le han conquistado su bolsa y su espada. Sus buenas costumbres y excelente carácter la colocan en tan pri-

---

[3] La única hija de Nino, que tenía entonces —1300— nueve años.

[4] Beatriz de Este, la mujer de Nino, se había casado ya en segundas nupcias con Galeazzo di Mateo Visconti, señor de Milán.

[5] No será tan honrosa su sepultura cuando muera enlazada a la casa de los Visconti de Milán, como lo sería si hubiera guardado fidelidad a la de los Visconti de Gallura. Los primeros tenían una víbora en su escudo; los segundos un gallo.

[6] Tres estrellas del polo antártico, simbolizadoras de las tres virtudes teologales, propias de la vida contemplativa. Las "cuatro estrellas brillantes", que ellas reemplazaron —las cuatro virtudes cardinales—, no se encuentran en la noche sino en el día y simbolizan la vida activa.

[7] Hijo de Federico I, marqués de Villafranca y nieto de Conrado I, marqués de Mulazzo, cabeza de los Malaspina de Cunigiana. Dante estaba en Lunigiana en 1306, donde el 6 de octubre los marqueses de Malaspina en cuyo castillo se hospedaba, le nombraron su procurador para concertar la paz con el obispo de Luni.

vilegiado puesto, que aunque el perverso jefe [8] aparte al mundo del verdadero camino, ella va por el recto sendero despreciando el torcido.

El replicó:

—Ve, pues; que antes de que el

[8] Bonifacio VIII, a quien Dante casi consideraba como enemigo personal.

Sol entre siete veces en el espacio que Aries con sus cuatro patas cubre y abarca, esa opinión cortés te será clavada en medio de la cabeza con clavos mayores que lo pueden ser las palabras de otro, si no se cambia el curso de lo dispuesto por la Providencia.

CANTO NONO

LA CONCUBINA del viejo Titón, desprendida de los brazos de su dulce amigo, alboreaba ya en los linderos orientales, reluciendo su frente de rica pedrería colocada en la forma del frío animal que sacude a la gente con la cola;[1] y ya por el lugar donde nos hallábamos había dado la Noche dos de los pasos con que asciende, y el tercero inclinaba hacia abajo su vuelo, cuando yo, que tenía conmigo la flaqueza de Adán, vencido del sueño, me tendí en la hierba sobre que estábamos sentados los cinco.

A la hora del amanecer, cuando la golondrina empieza sus tristes endechas, quizá en memoria de sus primeros ayes,[2] y cuando nuestro espíritu, más libre de los lazos de la carne y menos asediado de pensamientos, es casi divino en sus visiones, parecióme ver entre sueños un águila con plumas de oro suspendida del cielo, con alas abiertas y preparada a bajar, y creía estar allí donde Ganimedes abandonó a los suyos, cuando fue arrebatado a la celestial asamblea.[3] Yo pensaba entre mí: "Quizá esta águila tenga la costumbre de cazar aquí solamente, y puede ser que en otro sitio se desdeñe de levantar en alto la presa con sus garras." Después me pareció que, dando algunas vueltas, bajaba, terrible como un rayo, y me arrebataba hasta la esfera del fuego, donde parecía que ardiésemos los dos; y de tal modo me quemaba aquel incendio ima-

ginario, que se interrumpió súbitamente mi sueño. No de otra suerte se sobresaltó Aquiles revolviendo en torno suyo sus ojos desvelados y sin saber donde se encontraba, cuando su madre, robándolo a Quirón, le transportó dormido en sus brazos a la isla de Scyros, de donde le sacaron después los griegos, como me sobresalté yo, apenas huyó el sueño de mi rostro; y me puse pálido como el hombre a quien hiela el espanto. A mi lado estaba únicamente mi Protector; el Sol había salido hacía ya más de dos horas, y yo me hallaba con la cara vuelta hacia el mar.

—No temas —dijo mi Señor—; tranquilízate, que estamos en buen lugar. Da rienda suelta a tu vigor, lejos de reprimirlo, pues has llegado ya junto al Purgatorio; mira allí el muro que le cerca en derredor; y mira la entrada en aquel sitio donde parece estar roto. Durante el alba que precede al día, cuando tu alma dormía dentro del cuerpo sobre las flores que allá abajo adornan el suelo, vino una dama y dijo: "Yo soy Lucía:[4] déjame coger a ese que duerme, y haré que recorra más ágilmente su camino." Sordello se quedó con las otras nobles sombras; ella te cogió, y cuando fue de día, se vino hacia arriba y yo seguí sus huellas: aquí te dejo, habiéndome antes designado con sus bellos ojos aquella entrada abierta; y después, ella y tu sueño desaparecieron al mismo tiempo.

Me quedé como el hombre que ve sus dudas convertidas en certidumbre, y cuyo miedo se trueca en fortaleza, cuando le han descubierto la verdad; y viéndome tranquilo mi

[1] La esposa de Titón es la Aurora, y su frente aparecía coronada con las estrellas que forman el signo de Piscis, o de Escorpión.
[2] Su metamorfosis de mujer en golondrina. Alude a la fábula de Procne y Filomela.
[3] En el monte Ida de donde Ganimedes fue raptado por Júpiter, metamorfoseado en águila para que sirviese de copero en la asamblea de los dioses.

[4] La virgen y mártir siracusana, símbolo de la gracia iluminante.

Guía, empezó a subir por la calzada, y yo seguí tras él hacia lo alto.

Lector: bien ves cómo ensalzo el objeto de mis cantos: no te admire, pues, si procuro sostenerlo cada vez con más arte. Nos aproximamos hasta llegar al sitio que antes me había parecido ser una rotura, semejante a la brecha que divide un muro; y vi una puerta a la cual se subía por tres gradas de diferentes colores, y un portero que aún no había proferido ninguna palabra. Y como yo abriese cada vez más los ojos, le vi sentado sobre la grada superior, con tan luminoso rostro, que no podía fijar en él mi vista. Tenía en la mano una espada desnuda, que reflejaba sus rayos hacia nosotros de tal modo, que en vano intentó fijar en ella mis miradas.

—Decidme desde ahí: ¿qué queréis? —empezó a decir—. ¿Dónde está el que os acompaña? Cuidad que vuestra llegada no os sea funesta.

—Una dama del Cielo, enterada de estas cosas —le respondió mi Maestro—, nos ha dicho hace poco: "Id allí: aquella es la puerta."

—Ella guía felizmente vuestros pasos —replicó el cortés portero—. Llegad, pues, y subid nuestras gradas.

Nos adelantamos: el primer escalón era de mármol, tan bruñido y terso, que me reflejé en él tal como soy: el segundo, más obscuro que el color turquí, era de una piedra calcinada y áspera, resquebrajada a lo largo y de través: el tercero, que gravita sobre los demás, me parecía de un pórfido tan rojo como la sangre que brota de las venas. Sobre este último tenía ambas plantas el Angel de Dios, el cual estaba sentado en el umbral, que me pareció formado de diamante. Mi Guía me condujo de buen grado por los tres escalones, diciendo:

—Pide humildemente que se abra la cerradura.

Me postré devotamente a los pies santos: le pedí por misericordia que abriese, pero antes me di tres golpes en el pecho. Con la punta de su espada me trazó siete veces en la frente la letra P,[5] y dijo:

—Procura lavar estas manchas cuando estés dentro.

En seguida sacó de debajo de sus vestiduras, que eran del color de la ceniza o de la tierra seca, dos llaves, una de las cuales era de oro y la otra de plata: primero con la blanca, y luego con la amarilla, hizo en la puerta lo que yo deseaba.

—Cuando una de estas llaves falsea, y no gira con regularidad por la cerradura —nos dijo—, esta entrada no se abre. Una de ellas es más preciosa; pero la otra requiere más arte e inteligencia antes de abrir, porque es la que mueve el resorte. Pedro me las dio, previniéndome que más bien me equivocara en abrir la puerta, que en tenerla cerrada, siempre que los pecadores se prosternen a mis pies.

Después empujó la puerta hacia el sagrado recinto, diciendo:

—Entrad; mas debo advertiros que quien mira hacia atrás vuelve a salir.

Entonces giraron en sus quicios los espigones de la sacra puerta, que son de metal, macizos y sonoros; y no produjo tanto fragor, ni se mostró tan resistente la de la roca Tarpeya, cuando fue arrojado de ésta el buen Metelo,[6] por el cual quedó luego vacía. Yo me volví atento al primer ruido, y me pareció oír voces que cantaban al son de dulces acordes: "Te Deum laudamus." [7] Tal impresión hizo en mí aquello que oía, como la que ordinariamente se recibe cuando se oye el canto acompañado del órgano, que tan pronto se perciben como dejan de percibirse las palabras.

[5] Símbolo de los siete pecados capitales.
[6] A C. Cecilio Metelo le estaba confiada la custodia del tesoro público que se conservaba sobre la roca Tarpeya. Cuando César, pasado el Rubicón entró en Roma y quiso apoderarse del tesoro le trató de oponerse el valiente Metelo pero César le expulsó violentamente y despojó la roca. que según cuenta Lucano, produjo un gran ruido en aquel momento.
[7] El conocido himno de alabanza y de acción de gracias de Nicetas de Ramesana.

CANTO DECIMO

Cuando hubimos traspasado el umbral de la puerta que se abre pocas veces, porque la mala inclinación de las pasiones lo impide, haciendo aparecer recta la vía tortuosa, conocí por el ruido que acababa de cerrarse; y si yo hubiese vuelto mis ojos hacia ella, ¿qué excusa hubiera sido digna de tal falta? Subíamos por la hendedura de una roca, la cual ondulaba tortuosamente, semejante a la ola que va y viene.

—Aquí —dijo mi Guía—, es preciso que tengamos alguna precaución, acercándonos, ya por un lado, o por otro, a las ondulaciones de esta hendedura.

Y este cuidado hizo tan lentos nuestros pasos, que la Luna llegó a su lecho para acurrucarse, antes que nosotros saliésemos de aquel angosto camino. Mas cuando estuvimos arriba, libres y al descubierto, en el paraje donde se interna el monte, nos encontramos, yo fatigado, y ambos inciertos de la dirección que debíamos seguir, en un rellano más solitario que sendero a través del desierto. Desde el borde exterior hasta el pie del alto tajo que se alza en la parte interior, aquel rellano sólo tendría de anchura tres veces un cuerpo humano; y hasta donde mis ojos alcanzaban, tanto por la izquierda como por la derecha, parecíame siempre igual esta especie de cornisa. Aun no habíamos dado un paso por aquella vía, cuando observé que el tajo interior y escueto, por el cual no se podía subir, era de mármol blanco, y adornado de tan preciosas entalladuras, que no ya Policleto,[1] sino la Naturaleza en presencia de ellas habría sido superada y vencida. El ángel[2] que bajó a la Tierra con el decreto de la paz por tantos años suspirada, y abrió las puertas del Cielo después de su prolongada clausura, se ofreció a nuestra vista con tanta verdad, y en tan dulce actitud esculpido, que no parecía una figura silenciosa. Hubiérase jurado que hablaba diciendo: "Ave"; porque también estaba allí representada la que dio vuelta a la llave para abrir al Amor supremo. En su actitud se veían impresas estas palabras: "Ecce ancilla Dei", tan propiamente como aparece una figura sellada en la cera.

—No fijes tu atención en un solo punto, me dijo el querido Maestro, que me tenía cerca de sí en el lado que los hombres tienen el corazón.

Volví el rostro, y hacia la parte donde se encontraba el que movía mis pasos, vi después de María otra historia esculpida en la roca; y para examinarla mejor, pasé al otro lado de Virgilio, y me aproximé a ella. Estaban tallados en el mismo mármol el carro y los bueyes conduciendo el Arca santa, por la cual es temible desempeñar un cargo que Dios no ha confiado. Delante de ella veíase alguna gente, dividida en siete coros, que a dos de mis sentidos hacía decir: a uno, "sí canta", y a otro, "no canta". En igual discordancia ponía a mi vista y a mi olfato el humo del incienso que estaba allí representado. El humilde Salmista,[3] danzando y saltando, precedía al vaso bendito; y en aquella ocasión era más y menos que rey. Desde lo alto de un gran palacio que había enfrente, Micol[4]

[1] El famoso escultor griego del siglo v.

[2] El arcángel San Gabriel.
[3] El rey David.
[4] Hija del rey Saúl y primera esposa de David a quien pareció mal aquella humilde acción de su marido, por lo que se vio castigada con la esterilidad.

lo contemplaba como mujer despechada y mohína. Moví mis pies más allá del sitio en que me encontraba, para examinar de cerca otra historia que resaltaba después de Micol. Allí estaba escrita en piedra la alta gloria del príncipe romano, cuya insigne virtud movió a Gregorio para alcanzar su gran victoria: hablo del emperador Trajano.[5] Asida al freno de su caballo se veía a una viuda, penetrada de dolor y deshecha en lágrimas: en torno suyo aparecía una considerable multitud de caballeros, sobre cuyas cabezas se movían al viento las águilas de oro. La desventurada, metida entre todos ellos, parecía decir: "Señor, véngame de la muerte de mi hijo, que me ha traspasado el corazón"; y él responderle: "Espérate a que yo vuelva"; y ella replicar, como persona a quien impacienta su mismo dolor: "Señor mío, ¿y si no vuelves?" Y él: "Quien ocupe mi lugar te vengará." Y ella: "¿Qué te importa el bien que pueda hacer otro, si te olvidas del que puedes hacer tú?" Y él por último: "Tranquilízate; preciso es que cumpla con mi deber antes de ponerme en marcha: la justicia lo quiere, y la piedad me detiene." Aquel que no vio jamás cosa nueva produjo este hablar visible, nuevo para nosotros, porque no se encuentra en la Tierra nada parecido. Mientras yo me deleitaba contemplando aquellas imágenes de tanta humildad, más que por su belleza, gratas a la vista, por ser quien era su Artífice, el poeta murmuraba:

—Mira cuántas almas se dirigen hacia acá con paso lento: ellas nos conducirán a las gradas superiores.

Mis ojos atentos a mirar para ver

las novedades de que se mostraban tan ávidos, no fueron tardos en volverse hacia él. No quiero, ¡oh lector!, que te apartes de tus buenas disposiciones, oyendo cómo Dios quiere que se paguen las deudas. No prestén atención a la forma de estas penas, sino a lo que en pos de ellas vendrá: piensa que, en el último y peor resultado, no pueden prolongarse más allá de la gran sentencia. Yo empecé a decir:

—Maestro, lo que veo dirigirse hacia nosotros no me parecen personas, ni sé lo que es; pues se desvanece a mi vista.

Me contestó:

—La abrumadora condición de sus tormentos les hace inclinarse de tal modo hacia el suelo, que aun mis ojos dudaron al principio; pero mira allí fijamente, descubre con tu vista lo que viene debajo de aquellas peñas, y podrás juzgar cuál es el tormento de cada uno de ellos.

¡Oh cristianos soberbios, miserables y débiles, que enfermos de la vista del entendimiento, os fiáis en vuestros pasos retrógrados! ¿No observáis que somos gusanos nacidos para formar la angelical mariposa, que dirige su vuelo sin impedimento hacia la justicia de Dios? ¿Por qué se engríe soberbio vuestro ánimo, cuando sólo sois defectuosos insectos, como crisálidas que no llegan a desarrollarse? Así como, para sostener un piso o un techo, se ve a veces por ménsula una figura cuyas rodillas se doblan hasta el pecho, la cual, con ser fingido su esfuerzo, produce verdadera aflicción en quien la mira, del mismo modo vi yo a aquellas almas cuando las examiné con cuidado. Es cierto que estaban más o menos contraídas, según era mayor o menor el peso que soportaban; pero aun la que más paciente y aliviada se mostraba en sus movimientos parecía decir llorando: "No puedo más."

[5] Según una leyenda el pontífice Gregorio I el Grande (siglo VI), había obtenido de Dios que el alma de Trajano retornase momentáneamente al cuerpo, para que fuese bautizado y se salvase. Eso como recompensa al heroico acto de humildad que aquí se narra, basado en una anécdota que transmite Dión Casio.

CANTO UNDECIMO

"Oh padre nuestro, que estás en los cielos, aunque no circunscrito a ellos, sino por el mayor amor que arriba sientes hacia los primeros efectos! Alabados sean tu nombre y tu poder por las criaturas, así como se deben dar gracias a las dulces emanaciones de tu bondad. Venga a nos la paz de tu reino, a la que no podemos llegar por nosotros mismos, a pesar de toda nuestra inteligencia, si ella no se dirige hacia nosotros. Así como los ángeles te sacrifican su voluntad entonando Hosanna, deben sacrificarte la suya los hombres. Danos hoy el pan cotidiano, sin el cual retrocede por este áspero desierto aquel que más se afana por avanzar. Y así como nosotros perdonamos a cada cual el mal que nos ha hecho padecer, perdónanos tú benigno, sin mirar a nuestros méritos. No pongas a prueba nuestra virtud, que tan fácilmente se abate, contra el antiguo adversario, sino líbranos de él, que la instiga de tantos modos. No hacemos, ¡oh Señor amado!, esta última súplica por nosotros, pues ya no tenemos necesidad de ella, sino por los que tras de nosotros quedan." [1]

De esta suerte, pidiendo para ellas y para nosotros un feliz viaje, iban aquellas almas soportando su carga, semejante a la que a veces cree uno llevar cuando sueña. Desigualmente cargadas y desfallecidas caminaban alrededor del primer círculo, a fin de purificarse de las vanidades del mundo. Si desde allí siempre se ruega por nosotros, ¿qué no podrán decir y hacer por ellas desde aquí los que a su voluntad reúnen la gracia divina? Es preciso ayudarles a lavarse las manchas que del mundo llevaron, para que puedan llegar, limpias y ágiles, hasta las estrelladas esferas.

—¡Ah! Que la justicia y la piedad os alivien pronto de vuestro peso, de modo que podáis desplegar las alas y elevaros según vuestro deseo: mostradnos por qué lado se va más pronto hacia la escala; y si hay más de un camino, enseñadnos cuál es el menos pendiente, pues este que viene conmigo es muy tardo en subir, a causa de la carne de Adán de que va revestido.

No pudimos averiguar de quién procedían las palabras que respondieron a estas que había proferido aquel a quien yo seguía; pero contestaron:

—Venid con nosotros, a mano derecha, por la orilla, y encontraréis un sendero por donde puede subir una persona viva. Y si no me lo impidiera este peñasco, que doma mi soberbia cerviz, y me obliga a llevar la cabeza baja, miraría a ese que vive aún y no se nombra, para ver si le conozco, y para excitar su piedad por mi suplicio. Yo fui latino e hijo de un gran toscano: mi padre fue Guillermo Aldobrandeschi;[2] no sé si habréis oído alguna vez su nombre. La antigua nobleza y las brillantes acciones de mis antepasados me hicieron tan arrogante, que no pensando en nuestra madre común, tuve tanto desprecio hacia los demás hombres, que este desprecio causó

---

[1] En vez del *Padre Nuestro* puro y simple, como lo enseñara Jesucristo, pone Dante en boca de las almas del Purgatorio una paráfrasis del mismo, cediendo al gusto medieval, que había hecho del parafrasear las oraciones más conocidas un género literario entre doctrinal y retórico.

[2] Los Aldobrandeschi eran una poderosa familia gibelina. Guillermo fue señor de Grosseto y tuvo guerras con Siena. Quien aquí habla es Humberto, su hijo, que pereció luchando bravamente en 1259.

mi muerte, como saben los sieneses, y como sabe en Campagnatico todo el que habla. Yo soy Umberto; y no es a mí solo a quien ha perjudicado el orgullo, sino que también ha acarreado la desgracia de todos mis parientes. Por mis pecados me veo en la precisión de soportar aquí este peso, hasta dejar a Dios satisfecho: ya que no lo hice entre los vivos, debo hacerlo entre los muertos.

Al oírle, bajé la cabeza; y uno de ellos, que no era el que hablaba, se volvió bajo el peso que lo agobiaba: me vio, conocióme, y me llamó, teniendo los ojos fijos con gran trabajo en mí, que caminaba inclinado junto a ellos.

—¡Oh! —le dije—: ¿no eres tú Oderisi,[3] honor de Gubio y de aquel arte que llaman de iluminar en París?

—Hermano —me dijo—: más agradan los dibujos que ilumina Franco Bolognese:[4] ahora todo el honor es suyo, si bien yo participo de él. No hubiera yo sido en vida tan generoso, a causa del gran deseo de sobresalir en mi arte que dominaba mi corazón. De tal soberbia aquí se paga la pena; y estoy aquí, gracias a que, cuando aún podía pecar, volví mi alma a Dios. ¡Oh vanagloria del ingenio humano! ¡Cuán poco dura tu lozano verdor, cuando no alcanza épocas de ignorancia! Creía Cimabue ser árbitro en el campo de la pintura, y ahora es Giotto[5] al que se aclama, de modo que ha quedado obscurecida la fama de aquél: de igual suerte un Guido ha despojado

a otro de la gloria de la lengua,[6] y acaso ha nacido ya quien arroje a los dos de su nido.[7] El rumor del mundo no es más que un soplo, que tan pronto viene de un lado, como de otro, y cambia de nombres por lo mismo que cambia de sitios. ¡Qué mayor fama será la tuya de aquí a mil años, separando de ti tu cuerpo envejecido, que si hubieses muerto antes de dejar el "pappo" y el "dindi"![8] Ese espacio de tiempo, comparado con la eternidad, es mucho más corto que un abrir y cerrar de ojos respecto al círculo que más lentamente se mueva en el cielo. En toda la Toscana resonó el nombre del que camina paso a paso delante de mí, y ahora apenas se le menciona en Siena, de donde era Señor cuando fue destruida la ira florentina, que en aquel tiempo era tan altanera, como prostituta es ahora. Vuestra fama es semejante al color de la hierba, que viene y va; y el que la decolora es el mismo que hace brotar sus tiernos tallos.

Le contesté:

—Tus verídicas palabras infunden en mi corazón una buena humildad, y abaten mi hinchazón; pero ¿quién es ese del cual hablabas ahora?

—Es —me respondió— Provenzano Salvani; está aquí, porque tuvo la presunción de reunir en su mano todo el gobierno de Siena. Ha marchado y continúa marchando sin reposo desde que murió; pues en tal

---

[3] El umbro Oderisi fue un célebre miniaturista de la segunda mitad del siglo XIII, que minió muchos libros de la Biblioteca del palacio pontificio.

[4] No tenemos referencias ciertas de Franco de Bolonia, quien vivió en el siglo XIII y el XIV. Vassari asegura que fue mucho mejor maestro que Oderisi y que trabajó para el mismo papa a la misma biblioteca.

[5] Juan Cimabue, segunda mitad del siglo XIII, gozó de enorme fama como pintor entre sus contemporáneos, pero la eclipsó la de Giotto, que es apenas una generación posterior (1266-13337). Giotto, florentino también, fue el más célebre artista de la época de Dante y gran amigo suyo, que le pintó en un fresco de la sacristía de la Santa Cruz.

[6] Guido Guinicelli, poeta de Bolonia, y Guido Cavalcanti, otro célebre poeta florentino, hijo de Cavalcante: éste hizo olvidar la fama del primero; murió en 1301. Según otros se trataría de Cavalcanti y Guido de Arezzo.

[7] Muchos ven aquí una alusión a la gloria de Dante. Pero no deja de causar extrañeza que el poeta peque de inmodestia precisamente donde está contemplando cómo se castiga el pecado del orgullo.

[8] Voces con las que designaban los niños al pan y al dinero. Quiere decir: Al cabo de mil años, que son nada comparados con la eternidad, tu fama no será mayor si mueres viejo, que si hubieses muerto en la infancia.

[9] Provenzano Salvani, de Siena, hombre muy poderoso en su ciudad después de la victoria de Montaperti. Pero cuando los florentinos derrotaron a los de Siena en Colle di Valdelsa, en 1269. Provenzano fue hecho prisionero y decapitado.

moneda paga quien allá se ha mostrado demasiado audaz.

Le repliqué:

—Si un espíritu que, para arrepentirse, aguarda llegar al límite de la vida, permanece en la parte inferior de la montaña, y a no ser que le ayude una ferviente oración, no sube a este sitio hasta haber transcurrido un espacio de tiempo igual al que vivió, ¿cómo es que se le ha permitido a ése venir aquí?

—Cuando vivía en medio de su mayor gloria —dijo—, se presentó en la plaza de Siena deponiendo toda vanidad, y allí, para librar a un amigo suyo [10] del cautiverio que sufría en la prisión de Carlos, se portó de modo que temblaban todas sus venas. No te diré más: sé que te hablo en términos obscuros; pero no transcurrirá mucho tiempo sin que tus conciudadanos obren de modo que te permitirán penetrar el sentido de mis palabras. Esta acción le ha valido traspasar los límites del Purgatorio.

[10] Para librar a un amigo suyo, Mino dei Mini, que sólo mediante la suma de diez mil florines de oro podía salir de la cárcel, donde lo tenía Carlos I, rey de Pulla, se presentó en la plaza de Siena a pedir limosna. Por este acto de humildad, venciendo su natural altanería, le perdonó Dios la estancia en el Antepurgatorio.

CANTO DUODECIMO

Unidos, como bueyes bajo el yugo, íbamos aquella alma cargada y yo, mientras lo permitió mi amado pedagogo; pero cuando dijo: "Déjale, y sigue, que aquí conviene que cada cual dé cuanto impulso pueda a su barca con la vela y con los remos." erguí mi cuerpo como debe andar el hombre, por más que mis pensamientos continuaran siendo humildes y sencillos. Ya estaba yo en marcha, siguiendo gustoso los pasos de mi Maestro, y ambos hacíamos alarde de nuestra agilidad, cuando él me dijo:

—Mira hacia abajo; pues para que sea menos penoso el camino, te convendrá ver el suelo en que se asientan tus plantas.

Del modo que las sepulturas tienen esculpido en signos emblemáticos lo que fueron los muertos enterrados en ellas, para perpetuar su memoria, por lo cual muchas veces arranca lágrimas allí el aguijón del recuerdo, que sólo punza a las almas piadosas, de igual suerte, pero con más propiedad y perfecto artificio, vi yo cubierto de figuras todo el plano de aquella vía que avanza fuera del monte. Veía, por una parte, a aquel que fue creado más noble que las demás criaturas, cayendo desde el cielo como un rayo.[1] Veía en otro lado a Briareo, herido por el dardo celestial, yaciendo en el suelo y oprimiéndolo con el peso de su helado cuerpo. Veía a Timbreo,[2] a Palas y a Marte, armados aún y en derredor de su padre, contemplando los esparcidos miembros de los Gigantes. Veía a Nemrod[3] al pie de su gran obra,

mirando con ojos extraviados a los que fueron en Senaar soberbios como él. ¡Oh Níobe,[4] con cuán desolados ojos te veía representada en el camino entre tus siete y siete hijos exánimes! ¡Oh Saúl, cómo te me aparecías allí, atravesado con tu propia espada y muerto en Gelboé, que desde entonces no volvió a recibir la lluvia ni el rocío! Con igual evidencia te veía, ¡oh loca Aracnea!,[5] ya medio convertida en araña, y triste sobre los rotos pedazos de la obra que labraste por desgracia tuya. ¡Oh Roboam![6] Allí no estabas ya representado con aspecto amenazador, sino lleno de espanto y conducido en un carro, huyendo antes que otros te expulsasen de tu reino. Mostrábase además en aquel duro pavimento de qué modo Alcmeón[7] hizo pagar caro a su madre el desastroso adorno; cómo los hijos de Sennaquerib[8] se arrojaron sobre su padre

---

[1] Luzbel, cabeza de los ángeles rebeldes.
[2] Sobrenombre de Apolo, hijo de Júpiter como Marte y Palas.
[3] Constructor de la Torre de Babel en la llanura de Senaar.

[4] Mujer de Anfión, rey de Tebas, que ensoberbecida por su numerosa prole —siete hijos y siete hijas— pretendía que los tebanos le hiciesen sacrificios a ella y no a Latona, madre de sólo dos hijos. Latona se vengó haciendo que sus dos vástagos, Apolo y Diana, matasen a flechazos a la numerosa prole de su antagonista. Níobe, enmudecida por el dolor, fue convertida en estatua.
[5] Soberbia tejedora de Lidia que se atrevió a desafiar a Minerva en su arte; vencida fue convertida en araña.
[6] Sucesor de Salomón; cuando los israelitas se quejasen del duro yugo impuesto por su padre, él les amenazó soberbiamente con imponerles otro más pesado. Diez de las doce tribus se le rebelaron y hubo de huir a Jerusalén.
[7] Amfiarao, como adivino que era, sabía que había de morir en la guerra de Tebas y se escondió en un lugar que sólo su esposa Erifile conocía. Polinice halagó la vanidad de esta mujer regalándole un collar, e hizo que le descubriese el escondite. Anfiarao fue a la guerra y sucumbió, pero su hijo Alcméon vengó al padre dando muerte a la madre.
[8] Este soberbio rey de Asiria declaró la guerra orgullosamente al rey Ezequías de Judá, pero un ángel exterminó su ejército. Senaquerib regresó avergonzado a Nínive, donde pereció a manos de sus hijos, mientras adoraba en el templo.

dentro del templo, dejándole allí muerto; la destrucción y el cruel estrago que hizo Tamiris, cuando dijo a Ciro: "Tuviste sed de sangre; pues bien, yo te harto de ella";[9] y la derrota de los asirios, después de la muerte de Holofernes,[10] y el destrozo de sus restos fugitivos. Veíase a Troya convertida en cenizas y en ruinas. ¡Oh Ilión!, ¡cuán abatida y despreciable te representaba la escultura que allí se distinguía! ¿Quién fue el maestro, cuyo pincel o buril trazó tales sombras y actitudes, que causarían admiración al más agudo ingenio? Allí los muertos parecían muertos, y los vivos realmente vivos. El que presenció los hechos no vio mejor que yo la verdad de cuanto fui pisando mientras anduve inclinado. Así, pues, hijos de Eva, ensoberbeceos; marchad con la mirada altiva, y no inclinéis el rostro de modo que podáis ver el mal sendero.

Habíamos dado ya una gran vuelta por el monte, y el Sol estaba mucho más adelantado en su camino de lo que nuestro absorto espíritu creyera, cuando aquel que siempre andaba cuidadoso, empezó a decir:

—Levanta la cabeza: no es tiempo de ir tan pensativo. He allí un ángel, que se prepara a venir hacia nosotros, y ve también que se retira del servicio del día la sexta esclava.[11] Reviste de reverencia tu rostro y tu actitud, a fin de que le plazca conducirnos más arriba; piensa en que este día no volverá jamás a lucir.

Estaba yo tan acostumbrado por sus amonestaciones a no desperdiciar el tiempo, que su lenguaje, con respecto a este punto, no podía parecerme obscuro. La hermosa criatura venía en nuestra dirección, vestida de blanco, y centelleando su

rostro como la estrella matutina. Abrió los brazos y después las alas, diciendo:

—Venid; cerca de aquí están las gradas, y puede subirse fácilmente por ellas. ¡Qué pocos acuden a esta invitación! ¡Oh raza humana, nacida para remontar el vuelo!, ¿por qué el menor soplo de viento te hace caer?

Nos condujo hacia donde la roca estaba cortada; y allí agitó sus alas sobre mi frente,[12] permitiéndome luego seguir con seguridad mi camino. Así como, para subir al monte donde está la iglesia que, a mano derecha y más arriba del Rubaconte, domina a la bien gobernada ciudad,[13] se modera la rápida pendiente por medio de las escaleras hechas en otro tiempo, cuando estaban seguros los registros y las marcas oficiales, así también aquí, de un modo semejante, se templa la aspereza de la escarpada cuesta que desciende casi a plomo desde el otro círculo; pero es preciso pasar rasando por ambos lados con las altas rocas. Mientras nos internábamos en aquella angostura, oímos voces que cantaban "Beati pauperes spiritu", de tal manera, que no podía expresarse con palabras.[14] ¡Ah! ¡Cuán diferentes de los del Infierno son estos desfiladeros! Aquí se entra oyendo cánticos, y allá horribles lamentos. Subíamos ya por la escalera santa, y me parecía ir más ligero por ella, que antes iba por el camino llano; lo que me obligó a exclamar:

—Maestro, dime: ¿de qué peso me han aliviado, pues ando sin sentir apenas cansancio alguno?

Respondióme:

---

9 Tamiris, reina de los escitas Masagetas, airada contra el rey de los persas Ciro, que había dado muerte a su hijo sin hacer caso de sus súplicas, le hizo cortar la cabeza, cuando cayó en sus manos, y sumergiéndola en un odre lleno de sangre humana exclamaba: "¡Sáciate ahora de esa sangre de la que tanta sed tuviste en vida!"

10 El soberbio general asirio, muerto por Judit mientras asediaba Betulia, la ciudad judía.

11 La hora sexta; es mediodía.

12 Para borrar la primera P., la del orgullo. A la salida de cada una de las seis terrazas siguientes, el ángel de la virtud opuesto al pecado allí expiado y perdonado, irá borrando cada vez de la frente de Dante la P. correspondiente.

13 Florencia, llamada irónicamente, "la bien gobernada". El puente a que se refiere subsiste todavía hoy y es el Puente de las Gracias; entonces se llamaba de Rubaconte, por el podestá que había puesto la primera piedra en 1237. El templo es el de San Miniato, el más antiguo de Florencia.

14 "Bienaventurados los pobres de espíritu", una de las bienaventuranzas pronunciadas por el Señor en el Sermón del Monte, Mat. V, 3.

—Cuando las P, que aún quedan en tu frente casi borradas, hayan desaparecido enteramente, como una de ellas, tus pies obedecerán tan sumisos a tu voluntad, que lejos de sentir el menor cansancio, tendrán un placer en moverse.

Al oír esto, hice como los que llevan algo en la cabeza y no lo saben, pero lo sospechan por los ademanes de otros; que procuran acertarlo con ayuda de la mano, la cual busca y encuentra, y desempeña el oficio que no es posible encomendar a la vista: extendiendo los dedos de la mano derecha, sólo encontré seis de las letras que el Angel de las llaves había grabado en mi frente; y al ver lo que yo hacía, se sonrió mi Maestro.

CANTO DECIMOTERCIO

HABÍAMOS llegado a lo alto de la escala, donde por segunda vez se adelgaza la montaña destinada a la purificación de los que suben por ella. También allí la ciñe en derredor un rellano como el primero, sólo que el arco de su circunferencia se repliega más pronto: en él no hay esculturas ni nada parecido, y así el ribazo interior, como el camino presentan al desnudo el color lívido de la piedra.

—Si esperamos aquí a alguien para preguntarle hacia qué lado hemos de seguir —decía el Poeta—, temo que tardaremos mucho en decidirnos.

Dirigió luego la vista fijamente hacia el Sol; afirmó en el pie derecho el centro de rotación, e hizo girar su costado izquierdo.

—¡Oh dulce luz, en quien confío al entrar por el nuevo camino! Condúcenos —decía— como conviene ser conducido por este lugar. Tú das calor al mundo, tú le iluminas: tus rayos, pues, deben servir siempre de guía, a menos que otra razón disponga lo contrario.

Ya habíamos recorrido en poco tiempo y merced a nuestra activa voluntad, un trayecto como el que acá se cuenta por una milla, cuando sentimos volar hacia nosotros, pero sin verlos, algunos espíritus que, hablando, invitaban cortésmente a tomar asiento en la mesa de amor. La primera voz que pasó volando decía distintamente: "Vinum non habent"[1] y se alejó, repitiéndolo por detrás de nosotros. Antes que dejara de percibirse enteramente a causa de la distancia, pasó otra gritando: "Yo soy Orestes";[2] y tampoco se detuvo.

—¡Oh Padre! —dije yo—; ¿qué voces son esas?

Y mientras esto preguntaba, oímos una tercera que decía: "Amad a los que os han hecho daño:"[3] El buen Maestro me contestó:

—En este círculo se castiga la culpa de la envidia; pero las cuerdas del azote son movidas por el amor. El freno de ese pecado debe producir diferente sonido; y creo que lo oirás, según me parece, antes de que llegues al paso del perdón. Pero fija bien tus miradas a través del aire, y verás algunas almas sentadas delante de nosotros, apoyándose todas a lo largo de la roca.

Entonces abrí los ojos más que antes; miré hacia delante, y vi sombras con mantos, cuyo color no era diferente del de la piedra. Y luego que hubimos avanzado algo más, oí exclamar: "¡María, ruega por nosotros!" "¡Miguel, y Pedro, y todos los santos, rogad!" No creo que hoy exista en la Tierra un hombre tan duro, que no se sintiese movido de compasión hacia lo que vi en seguida; pues cuando llegué junto a las almas, y pude observar sus actos claramente, brotó de mis ojos un gran dolor. Me parecían cubiertas de vil cilicio; cada cual sostenía a otra con la espalda, y todas lo estaban a su vez por la roca, como los ciegos, a quienes falta la subsistencia, se colocan en los Perdones,[4] y solicitan el

---

[1] Son las palabras que dijera María a Cristo en las bodas de Caná de Galilea para inducirlo a realizar el milagro de convertir el agua en vino.

[2] Es proverbial la fraternal amistad entre Orestes y Pílades. Cuando éste último fue confundido con Orestes en Tauride y quiso morir en su lugar, aquel se adelantó y gritó: "Yo soy Orestes", entablándose entre los dos amigos una generosa porfía.
[3] Evangelio de San *Mateo* V, 44.
[4] A las puertas de las iglesias en los días de fiesta o de indulgencia solemne; tales solemnidades se llamaban vulgarmente *perdones*.

socorro de sus necesidades, apoyando cada uno su cabeza sobre la del otro, para excitar más pronto la compasión, no por medio de sus palabras, sino con su aspecto que no contrista menos. Y del mismo modo que el Sol no llega hasta los ciegos, así también la luz del Cielo no quiere mostrarse a las sombras de que hablo; pues todas tienen sus párpados atravesados y cosidos por un alambre, como se hace con los gavilanes salvajes para domesticarlos.

Mientras iba andando, me parecía inferir una ofensa, viendo a otros sin ser visto de ellos; por lo cual me volví hacia mi prudente Consejero. Bien sabía él lo que quería significar mi silencio; así es que no esperó mi pregunta, sino que me dijo:

—Habla, y sé breve y sensato.

Virgilio caminaba a mi lado por aquella parte de la calzada desde donde se podía caer, pues no estaba resguardada por ningún pretil: hacia mi otro lado estaban las devotas sombras, las cuales lanzaban con tanta fuerza las lágrimas a través de su horrible costura, que bañaban con ellas sus mejillas. Me dirigí a ellas y les dije:

—¡Oh gente segura de ver la más alta luz del Cielo, único fin a que aspira vuestro deseo! Así la gracia disipe pronto las impurezas de vuestra conciencia, de tal suerte que descienda por ella puro y claro el río de vuestra mente, decidme (que me será muy dulce y grato) si entre vosotras hay algún alma que sea latina, a quien quizá podrá serle útil que yo la conozca.

—¡Oh hermano mío!, todas nosotras somos ciudadanas de una verdadera ciudad; pero tú querrás decir si hay alguna que haya peregrinado en vida por Italia.

Estas palabras creí percibir en respuesta a las mías, algo más adelante del sitio en que me encontraba; por lo cual me hice oír de nuevo más allá. Entre las demás sombras vi una que parecía estar a la expectativa; y si alguien pregunta cómo podía insinuarse, le diré que levantando en alto la barba, como hacen los ciegos.

—Espíritu —le dije—, que te abates para subir, si eres aquel que me ha respondido, dame cuenta de tu país y de tu nombre.

—Yo fui sienesa —respondió—, y estoy aquí con estos otros purificando mi vida culpable, y suplicando con lágrimas a Aquél que debe concedérsenos. No fui sabia, por más que me llamaran "Sapia", y me alegraron más los males ajenos que mis propias venturas.[5] Y porque no creas que te engaño, oye si fui tan necia como te digo. Descendía ya por la pendiente de mis años, cuando mis conciudadanos se encontraron cerca de Colle a la vista de sus adversarios, y yo rogaba a Dios lo mismo que Él quería. Fueron destrozados, y reducidos en aquel sitio al paso amargo de la fuga; y al ver aquella caza, tuve tal contento, que ningún otro puede igualársele. Mientras tanto elevaba al Cielo mi atrevida faz gritando a Dios: "Ahora ya no te temo", como hizo el mirlo engañado en invierno por algunos días apacibles. Hacia el fin de mi vida quise reconciliarme con Dios; y aún no habría comenzado a pagar mi deuda por medio de la penitencia, si no fuera porque me tuvo presente en sus santas oraciones Pedro Pettinagno, que se apiadó de mí, movido de su caridad. Pero ¿quién eres tú, que vas informándote de esa suerte de nuestra condición, con los ojos libres, según creo, y que hablas respirando?

—También estarán mis ojos cosidos aquí —le dije—, pero por poco tiempo; pues el delito que cometí mirando con ellos envidiosamente ha sido pequeño. Mucho más miedo infunde a mi alma el castigo de abajo; pues ya siento gravitar sobre mí el

[5] Tía de Provenzano Salvani y esposa de Ghinibaldo Saracini, señor de Castigloncello. Colle de Valdelsa es el lugar en que los florentinos derrotaron en junio de 1269 a los sieneses y demás gibelinos capitaneados por Provenzano. Pedro Pettinagno, así llamado porque tenía en Siena una tienda de peines fue un humilde terciario franciscano que murió en olor de santidad en 1289.

peso de que van cargados los que allí están.

Ella me preguntó:

—¿Quién te ha conducido, pues, aquí arriba entre nosotros, si crees volver abajo?

Contestéle:

—Ese que está conmigo y no pronuncia una palabra. Vivo estoy; por lo cual dime, espíritu elegido, si quieres que allá mueva en tu favor aún los pies mortales.

—¡Oh!, eso sí que es una cosa nunca oída —repuso—, y una gran señal de que Dios te ama; ruégote, por tanto, que me auxilies con tus oraciones; y te suplico por aquello que más desees, que si vuelves a pisar la tierra de Toscana, me pongas en buen lugar con mis parientes. Los verás entre aquella gente vana,[6] que confía en Talamón; y esa esperanza, más descabellada que la de encontrar la Diana,[7] los perderá; pero los almirantes perderán más aún.[8]

[6] Los sieneses, que habiendo adquirido a chorro de florines el lugar de Talamón esperaban vanamente, según el poeta, hacer de él un gran puerto.

[7] Río subterráneo que opinaban fluía bajo territorio de Siena, y en cuya localización hicieron inútilmente cuantiosos gastos.

[8] Los que esperaban ser almirantes o directores de los trabajos del puerto de Talamón.

CANTO DECIMOCUARTO

¿QUIÉN es ese que gira en torno de nuestro monte, antes de que la muerte le haya hecho emprender su vuelo, y abre y cierra los ojos según su voluntad?

—Ignoro quién sea; pero sé que no va solo: pregúntale tú que estás más próximo a él, y acógele con dulzura, de modo que le hagas hablar.

Así razonaban a mi derecha dos espíritus,[1] apoyado uno contra otro: después levantaron la cabeza para dirigirme la palabra, y dijo uno de ellos:

—¡Oh alma que, encerrada aún en tu cuerpo, te encaminas hacia el Cielo! Consuélanos por caridad, y dinos de dónde vienes y quién eres; pues la gracia que de Dios has recibido nos causa el asombro que produce una cosa que no ha existido jamás.

Yo les contesté:

—Por en medio de la Toscana serpentea un riachuelo, que nace en Falterona, y al que no le bastan cien millas de curso: a orillas de este río he recibido mi persona: deciros quién soy yo, sería hablar en vano, porque mi nombre aún no es muy conocido.

—Si he penetrado bien tu entendimiento con el mío —me respondió el que me había preguntado—, hablas del Arno.

Y el otro le dijo:

—¿Por qué oculta el nombre de aquel río, como se hace con una cosa horrible?

Y la sombra a quien le preguntaban esto respondió como debía:

—No lo sé; pero es muy digno de desaparecer el nombre de tal valle; porque desde su origen (donde la alpestre cordillera de que está desprendido el Peloro es tan copiosa de aguas, que en pocos sitios lo será más) hasta el punto en que restituye lo que el Cielo ha sacado del mar, a quien deben los ríos el caudal que va con ellos, todos sus pobladores, enemistados con la virtud, la persiguen como a una serpiente, ya sea por desventura del país, o ya por una mala costumbre que los arrastra; por lo cual tienen los habitantes de aquel mísero valle tan pervertida su naturaleza, que parece que Circe los haya apacentado.[2] Aquel río lleva primero su débil curso por entre sucios puercos, más dignos de bellotas que de otro alimento condimentado para uso de los hombres. Llegando abajo, encuentra viles gozquecillos, más rabiosos de lo que permite su fuerza, y a quienes tuerce con desdén el hocico. Va descendiendo, y cuanto más acrecienta su caudal, tanto más encuentra los perros convertidos en lobos la maldecida y desdichada fosa: bajando luego por entre profundas gargantas, tropieza con las engañosas zorras, que no temen lazo que pueda cogerlas. No he de dejar de decirlo, aunque haya quien me oiga; y le convendrá a ése, con tal que se acuerde de lo que un espíritu de verdad me revela. Veo a tu sobrino, que se convierte en cazador cruel de aquellos lobos sobre la orilla del feroz río, y a todos los atemoriza. Vende por dinero su carne, aun estando viva: después los mata

---

[1] De estos dos espíritus que así dialogan, el que pregunta a Dante es Guido del Duca, de noble familia ravenense, señor de Bertinoro. Poco sabemos de su vida, fuera de que desempeñó diversos cargos judiciales. El otro, que apenas habla, es Riniero de Calboli, varias veces podestá en Parma. Fue expulsado de Forlí por motivos políticos; quiso regresar y fue asesinado en 1296.

[2] Circe es la encantadora que cambió en puercos a los compañeros de Ulises.

como si fuesen bueyes viejos, y quita a muchos la vida y a sí mismo el honor. Ensangrentado sale de la triste selva, dejándola de tal modo, que de aquí a mil años no volverá a su estado primitivo.[3]

Como al anuncio de futuros males se turba el rostro del que lo escucha, venga de donde quiera el peligro que le amenace, así vi yo turbarse y entristecerse a la otra alma, que estaba vuelta escuchando, apenas hubo recapacitado aquellas palabras. El lenguaje de la una y el rostro de la otra excitaban en mí el deseo de saber sus nombres: híceles entre ruegos esta pregunta; por lo cual, el espíritu que antes me había hablado repuso:

—Quieres que yo condescienda en hacer por ti lo que tú no quieres hacer por mí; pero pues Dios permite que se trasluzca tanto su gracia en ti, no dejaré de satisfacer tus deseos. Sabe, pues, que yo soy Guido del Duca: de tal modo abrasó la envidia mi sangre, que cuando veía un hombre feliz, hubieras podido contemplar la lividez de mi rostro. Por eso ahora siego la mies de mi simiente.

—¡Oh raza humana!, ¿por qué pones tu corazón en lo que requiere una posesión exclusiva? Este es Rinieri, honra y prez de la casa de Calboli, la cual no ha tenido después ningún heredero de sus virtudes. Y no es sólo su descendencia la que, entre el Pó y los montes, el mar y el Reno, se encuentra hoy despojada de los bienes que entrañan la verdad y subliman el ánimo; pues dentro de esos límites todo el terreno está cubierto de plantas venenosas, de tal modo que tarde podrá volvérsele a meter en cultivo. ¿Dónde está el buen Licio y Enrique Manardi, Pedro Traversaro y Guido de Carpigna?[4] ¡Oh, ro-

mañoles, raza bastardeada! ¿Cuándo nacerá en Bolonia un nuevo Fabbro? ¿Cuándo en Faenza echará raíces otro Bernardino de Fosco, hermoso tronco salido de una insignificante semilla? No te asombres, Toscano, si ves que lloro al recordar a Guido de Prata, y a Ugolino de Azzo, que vivió entre nosotros; a Federico Tignoso y a todos los suyos; a la familia Traversara y los Anastagi, casas ambas que están hoy desheredadas de la virtud de sus mayores: no te asombre mi duelo al recordar las damas y los caballeros, los afanes y agasajos que inspiraban amor y cortesía, allí donde han llegado a ser tan depravados los corazones. ¡Oh Brettinoro! ¿Por qué no desapareciste cuando tu antigua familia y muchos de tus habitantes huyeron por no ser culpables? Bien hace Bagnacaval en no reproducirse; y por el contrario, hace mal Castrocaro y peor Conio, que se empeña en procrear tales condes. Los Pagani se portarán bien cuando huya el Demonio; pero no tanto que consigan dejar de sí un recuerdo puro. ¡Oh Ugolino de Fantoli!, tu nombre está bien seguro; pues no es de esperar que haya quien, degenerando, pueda obscurecerlo. Pero dejadme, ¡oh Toscano!; que ahora me son más gratas las lágrimas que las palabras: tanto es lo que me ha oprimido la mente nuestra conversación.

Sabíamos que aquellas almas queridas nos oían andar; y pues que callaban, debíamos estar seguros del camino que seguíamos. Luego que andando nos encontramos solos, llegó directamente a nosotros una voz, que hendió el aire como un rayo, diciendo: "El que me encuentre debe darme muerte";[5] y huyó como el

---

[3] En los puercos, perros, lobos y zorras de que habla en este párrafo ha simbolizado Dante respectivamente a los casentinos, aretinos, güelfos florentinos y pisanos. El cazador a que se alude es Fulcieri de Calboli, que, siendo en 1302 podestá de Florencia, fue inducido por los Negros a perseguir a los Blancos, a muchos de los cuales puso por dinero en manos de sus enemigos.

[4] Licio, señor de Valbona, cortés caballero güelfo al servicio de Guido Novelo, po-

destá de Florencia. Enrique Manardi íntimo amigo de Guido del Duca, era otro caballero sabio y generoso. Pedro Traverzaro, gibelino contemporáneo del emperador Federico II, y Guido de Carpigna, de los condes de Miratoyo, fueron también hombres generosos y hospitalarios. Siguen a continuación diversos nombres de personas o familias que descollaron por esas mismas virtudes o por su carencia.

[5] Palabras de Caín a Dios, después del asesinato de su hermano Abel.

trueno que se aleja, cuando de pronto se desgarra la nube. Apenas cesamos de oírla, percibimos otra, la cual retumbó con gran estrépito, semejante al trueno que sigue inmediatamente al relámpago: "Yo soy Aglauro,[6] que me convertí en piedra." Entonces, para unirme más al Poeta, di un paso hacia atrás y no hacia adelante. Ya se había calmado

[6] Hija de Cécrope, rey de Atenas, que se oponía a los amores de una hermana suya con Mercurio y fue convertida en una roca por ese dios.

el aire por todas partes, cuando él me dijo:

—Aquél fue el duro freno que debería contener al hombre en sus límites; pero mordéis tan fácilmente el cebo, que os atrae con su anzuelo el antiguo adversario, sirviéndoos de poco el freno o el reclamo. El Cielo os llama y gira en torno vuestro mostrándoos sus eternas bellezas, y sin embargo, vuestras miradas se dirijen hacia la Tierra; por lo cual os castiga Aquél que lo ve todo.

CANTO DECIMOQUINTO

Caminando ya el Sol hacia la noche, parecía quedarle por recorrer tanto espacio como el que media entre el principio del día y el punto donde aquel señala el término de la hora de tercia en la esfera, que, cual niño inquieto, se mueve continuamente: allí era ya la tarde, y aquí medianoche. Los rayos solares nos herían de lleno en el rostro, porque habíamos dado tal vuelta en derredor de la montaña, que íbamos directamente hacia el Ocaso; cuando sentí que el resplandor deslumbraba mis ojos mucho más que antes; y siéndome desconocida la causa, me quedé estupefacto: levanté las manos, y me formé con ellas una sombrilla encima de las cejas, que es el preservativo contra el exceso de luz. Como cuando en el agua o en un espejo rebota el rayo luminoso, elevándose al lado opuesto de idéntica manera que desciende, y desviándose por ambas partes a igual distancia de la caída de la piedra, según demuestran la experiencia y el arte, así me pareció ser herido por una luz que delante de mí se reflejaba; por lo cual aparté de ella presurosamente los ojos.

—¿Qué es aquello, amado Padre, de que no puedo, por más que haga, resguardar mi vista —dije—, y que parece venir hacia nosotros?

—No te asombres si la familia del Cielo te deslumbra todavía —me respondió—: es un mensajero que viene a invitar a un hombre a que suba. En breve, no sólo podrás contemplar estas cosas sin molestia, sino que te serán tanto más deleitables, cuanto más dispuesta se halle tu naturaleza a sentirlas.

Luego que llegamos cerca del Ángel bendito, con agradable voz nos dijo: "Entrad por aquí a una escalera, que es menos empinada que las otras." Subíamos ya, dejando en pos de nosotros aquel círculo, cuando oímos cantar a nuestra espalda: "Beati misericordes" [1] y "Regocíjate tú que vences".[2] Mi Maestro y yo ascendíamos solos, y yo pensaba entretanto sacar provecho de sus palabras; por lo que, dirigiéndome a él, le pregunté:

—¿Qué quiso decir el espíritu de la Romanía [3] al hablar de lo que requiere una posesión exclusiva?

Respondióme:

—Ahora conoce el daño que causa su principal pecado: así, pues, no debes admirarte si le condena, a fin de que haya menos que llorar por él; porque si vuestros deseos se cifran en bienes que puedan disminuirse dando a otros participación en ellos, la envidia excita vuestros pulmones a suspirar; pero si el amor de la suprema esfera dirigiese hacia el Cielo vuestros deseos, no abrigaríais tal temor en vuestro corazón; pues cuanto más se dice allí "lo nuestro", tanto mayor es el bien que posee cada cual, y mayor caridad arde en aquel recinto.

—Menos contento estoy si me hubiese callado —dije—; y ahora ofuscan más dudas mi mente. ¿Cómo puede ser que un bien distribuido entre muchos haga más ricos a sus poseedores, que poseyéndolo unos pocos?

---

[1] Es la quinta de las bienaventuranzas. La misericordia se opone a la envidia, castigada en la segunda terraza.

[2] Tal es el colofón de las ocho bienaventuranzas: "Alegraos y regocijaos, porque grande es vuestra recompensa en el cielo."

[3] Guido del Duca, el del canto precedente.

A lo que me contestó:

—Por fijar siempre tu pensamiento en las cosas terrenales deduces obscuridad y error de las claras verdades que te demuestro. Aquel bien infinito e inefable que está arriba, se lanza hacia el amor, como un rayo de luz a un cuerpo fúlgido, comunicándose tanto más cuanto mayor es el ardor que encuentra; de modo que la eterna virtud crece sobre la caridad a medida que ésta se aumenta; por lo cual, cuanto mayor número de almas se dirigen a él, tanto más amor hay allá arriba, y más allí se ama, reflejándose este amor de una a otra alma como la luz entre dos espejos. Si no te satisfacen mis razones, ya verás a Beatriz, y ella acallará por completo ese deseo y cualquier otro que tengas. Avanza, pues, para que pronto desaparezcan, como ya han desaparecido dos, esas cinco señales,[4] que sólo se borran por medio de lágrimas.

Cuando iba a decir: "Me has dejado satisfecho", observé que habíamos llegado al otro círculo; por lo cual, ocupado en pasear por él mis anhelantes miradas, guardé silencio. Allí me pareció que era súbitamente arrebatado en éxtasis, y que veía un templo con muchas personas, y una mujer a la entrada exclamando, en la dulce actitud de una madre: "Hijo mío, ¿por qué has obrado así con nosotros? Tu Padre y yo te buscábamos angustiados."[5] Cuando se calló, desapareció lo que antes se me había aparecido. Después se ofreció a mi vista otra,[6] por cuyas mejillas se deslizaba aquel agua que destila el dolor, cuando procede de un gran despecho contra otro; ésta decía: "Si eres señor de la ciudad cuyo nombre originó tanta contienda entre los dio-

ses, y en la que toda ciencia destella, véngate de los atrevidos brazos que abrazaron a nuestra hija, ¡oh Pisístrato!" Y este señor bondadoso y clemente le respondía con rostro sereno: "¿Qué haremos con el que nos quiere mal, si condenamos al que nos ama?" Después vi a varios hombres abrasados por la ira, matando a pedradas a un joven,[7] y diciéndose a grandes gritos unos a otros: "¡Martirízale, martirízale!" Y le contemplaba encorvado hacia el suelo bajo el peso de la muerte que ya le derribaba; pero haciendo de sus ojos puertas para llegar al cielo, y rogando al Señor en medio de tal martirio y con aquel aspecto que excita a la piedad, que perdonase a sus perseguidores. Cuando mi alma volvió de fuera a las cosas que fuera de ella son verdaderas, reconocí mis errores que, sin embargo, no eran falsos. Mi Guía, que me veía hacer lo que un hombre que sale de un sueño, me dijo:

—¿Qué tienes, que no puedes sostenerte? Has andado más de media legua con los ojos cerrados y con paso vacilante, como el que está dominado por el vino o por el sueño.

—¡Oh amado Padre mío! —dije yo—; si me prestas atención, te diré lo que se me ha aparecido cuando mis piernas vacilaban.

Y él a su vez:

—Aunque tuvieras cien máscaras que ocultaran tu rostro, adivinaría yo hasta tus menores pensamientos. Lo que has visto te ha sido revelado para que no te excuses de abrir el corazón al agua de la paz, que mana de la fuente eterna. Te he preguntado "¿qué tienes?", no porque me dijeras lo que hace el que tiene los ojos entornados cuando se ha apoderado algún sopor de su cuerpo, sino para que tus pies recobrasen fuerzas: es preciso estimular así a los perezosos, demasiado lentos en emplear el tiempo de sus vigilias, cuando, una vez despiertos, recobran el imperio de su voluntad.

---

[4] Las cinco P., señales del pecado, que quedan.

[5] Palabras de la Santísima Virgen a su Hijo, cuando le encontró en el Templo disputando con los doctores. *Lucas* II, 41 ss.

[6] La mujer de Pisístrato, tirano de Atenas. El hecho lo cuenta Valerio Máximo, y añade que el tirano, no sólo no hizo caso a su mujer y perdonó al impertinente joven, sino que le entregó su hija por esposa. Atenas es la ciudad por cuyo nombre trabaron gran contienda Neptuno y Minerva.

[7] El protomártir San Esteban, lapidado por los fariseos.

Seguíamos nuestro camino, cuando ya obscurecía, mirando atentamente lo más allá que podían nuestros ojos por entre los luminosos rayos vespertinos, cuando vimos adelantarse poco a poco hacia nosotros una humareda obscura como la noche, sin que hubiese por allí un sitio donde guarecerse de ella, y que nos privó del uso de la vista y del aire puro.

CANTO DECIMOSEXTO

La obscuridad del Infierno, y la de la noche privada de todo planeta bajo un mezquino cielo, entenebrecido por las nubes hasta lo sumo, no echarían sobre mi vista un velo tan denso como aquel humo que allí nos envolvió; siendo tal la sensación de su punzante aspereza, que no podían los ojos permanecer abiertos; por lo cual, mi sabio y fiel Acompañante se acercó a mí, ofreciéndome su hombro. Como va el ciego detrás de su lazarillo para no extraviarse, ni tropezar en algo que le ofenda o acaso le origine la muerte, así caminaba yo a través de aquel aire fosco y acre, atento a la voz de mi Guía, que únicamente iba diciendo: "Cuida de no separarte de mí." Oía yo voces, cada una de las cuales parecía rogar a fin de obtener paz y misericordia del Cordero de Dios, que quita los pecados. El principio de su oración era solamente "Agnus Dei"; todos pronunciaban estas palabras a un mismo tiempo y con tan igual tono, que parecía existir entre ellos una perfecta concordia.

—Maestro —dije—; ¿son espíritus esos que oigo?

—Lo has acertado —contestó—; van desatando el nudo de la ira.

—¿Quién eres tú, que hiendes nuestro humo, y hablas de nosotros como si contaras aún el tiempo por calendas?[1]

De esta suerte habló una voz; por lo cual el Maestro me dijo:

Responde, y pregúntale si por aquí se va arriba.

Entonces dije yo:

—¡Oh criatura, que te purificas para volver a presentarte hermosa ante Aquel que te hizo! Oirás cosas maravillosas si quieres seguirme.

—Te seguiré cuanto me está permitido —me contestó—; y si el humo impide que nos veamos, el oído nos aproximará a falta de la vista.

Empecé, pues, de esta manera:

—Me dirijo hacia arriba con la forma que la muerte desvanece, y he llegado hasta aquí a través de las penas del Infierno. Y si Dios me ha acogido en su gracia de tal modo, que quiere que yo vea su corte por un medio tan distinto de lo usual, no me ocultes quién fuiste antes de morir, sino dímelo: dime también si voy bien por aquí hacia la subida, y tus palabras nos servirán de guía.

—Fui lombardo, y me llamé Marco: conocí el mundo; y amé aquella virtud hacia la cual nadie dirige hoy su mira. Para llegar a lo alto, sigue en derechura por donde vas.

Así respondió, añadiendo después:

—Te suplico que ruegues por mí cuando estés arriba.

A lo que le contesté:

—Por mi fe te prometo que haré lo que me pides; pero me veo envuelto en una duda, que no me es dado aclarar. Primeramente era sencilla, mas ahora se ha duplicado con tus palabras, que unidas a las que he oído en otra parte, me certifican un mismo hecho. El mundo está, pues, exhausto de toda virtud, como me indicas, y sembrado y cubierto de maldad; pero te ruego que me digas la causa, de modo que yo pueda verla y mostrarla a los demás; pues unos la hacen depender del cielo, y otros de aquí abajo.

Antes de cantestar exhaló un pro-

---

[1] Como si tú contases todavía el tiempo por meses, como se hace en el mundo.

[2] Marco de Venecia, llamado el Lombardo, porque frecuentaba mucho las cortes de Lombardía, era un hombre juicioso y ponderado.

fundo suspiro, que terminó en un ¡ay! doloroso, y después dijo:

—Hermano, el mundo es ciego, y se conoce que tú vienes de él. Vosotros los vivos hacéis estribar toda causa en el cielo, como si él imprimiera por necesidad su movimiento a todas las cosas. Si así fuese, quedaría destruido en vosotros el libre albedrío, y no sería justo que se retribuyera el bien con goces y alegrías, y el mal con llanto y luto. El cielo inicia vuestros movimientos,[3] no quiero decir todos; pero, aunque así lo dijese, os ha dado luz para distinguir el bien y el mal. Os ha dado también el libre albedrío, que aun cuando se fatigue luchando en los primeros combates con el cielo, después lo vence todo, si persevera en el buen propósito. A mayor fuerza y a naturaleza mejor estáis sometidos, sin dejar de ser libres; y ella crea vuestro espíritu, que no está bajo el dominio del cielo. Así pues, si el mundo se aparta del verdadero camino, vuestra es la culpa; que en vosotros debe buscarse, y ahora te lo probaré con toda veracidad. Sale el alma de manos de su Creador, que la acaricia antes de que exista, semejante al niño que entre el llanto y la risa balbucea; y es entonces una simplecilla, que nada sabe, y solamente movida por el instinto de la felicidad, se inclina gustosa hacia lo que la contenta y regocija. Desde luego siente placer en los bienes más mezquinos; pero en esto se engaña, y corre tras ellos, si no tiene guía o freno que tuerza su inclinación. Por eso es necesario establecer leyes que sirvan de freno, y tener un rey que sepa discernir al menos la torre de la verdadera ciudad. Las leyes existen; pero ¿quién se cuida en su cumplimiento? Nadie; porque el pastor que precede a las almas[4] puede rumiar, pero no tiene la pezuña hendida,[5] por

lo cual, viendo todo el rebaño a su pastor cebarse únicamente en aquellos bienes de que él es tan codicioso, se apacienta de lo mismo y no pide más. Bien puedes ver, por esto, que en el mal gobierno estriba la causa de que el mundo sea culpable, y no en que vuestra naturaleza esté corrompida. Roma, que hizo bueno al mundo, solía tener dos soles, que hacían ver uno y otro camino, el del mundo y el de Dios.[6] Uno de los dos soles ha obscurecido al otro, y la espada se ha unido al báculo pastoral: así juntos, por fuerza deben ir las cosas de mala manera; porque estando unidos, no se temen mutuamente. Si no me prestas crédito, pon mientes en la espiga; pues toda hierba se conoce por su semilla. En el país que bañan el Po y el Adigio solía encontrarse valor y cortesía, antes de que Federico tuviese contiendas.[7] Hoy, todo aquel que dejara de acercarse a aquellas provincias por vergüenza de hablar con hombres probos, puede pasar por ellas, seguro de que no hallará ninguno. Bien es verdad que aún existen allí tres ancianos[8] en quienes la edad antigua reprende a la moderna, y les parece que Dios tarda en llamarlos a mejor vida: son éstos Conrado de Palazzo, el buen Gerardo, y Guido de Castel, a quien mejor le llaman al estilo francés el lombardo sencillo. En el día la Iglesia de Roma, para confundir en sí dos gobiernos, cae en el lodo ensuciándose a sí misma y a su carga.—

—¡Oh Marco mío! —dijo yo—; razonas bien: y ahora comprendo por qué fueron excluidos de heredar los hijos de Leví. Pero ¿qué Gerardo es ése a quien tienes por un sabio,

---

[3] Tal enseñaba la astrología de su tiempo y Dante lo admitía en parte como se ve.
[4] El papa.
[5] La expresión está tomada de una prescripción de la ley Judía, en la que se prohibía comer animales no rumiantes o que no tuviesen la pezuña hendida.

[6] Roma, cuando guiaba a los hombres al verdadero bien, tenía dos soles: el temporal, que era el emperador, y el espiritual, que era el papa.
[7] Antes de que comenzasen las luchas entre Federico II y los papas eran habituales la cortesía y el valor en Lombardía.
[8] Conrado III de los condes de Palazzo, Gherardo da Camino, capitán general de Treviso en 1283 y Guido de Castello, de los Roberti de Regio: tres hombres valientes y corteses, dos de los cuales son también alabados por Dante en el *Convivio* VI, 14 y 16.

ese resto de una raza extinguida, que es un reproche para este siglo salvaje?

—O tus palabras me engañan, o me tientan —respondióme—, porque, a pesar de hablarme en toscano, parece que no sepas nada del buen Gerardo. Yo no le conozco nin-gún sobrenombre, a no ser que lo tome de su hija Gaya. Dios sea con vosotros, que no puedo seguiros más. Mira el albor que ya clarea, brillando a través del humo: me es preciso partir antes de que aparezca el ángel que está allí.

Así dijo, y no quiso escuchar más.

CANTO DECIMOSEPTIMO

LECTOR, si alguna vez te ha sorprendido la niebla en los Alpes, de modo que no vieses a través de ella sino como el topo a través de la membrana que cubre sus ojos, recuerda cuán débilmente penetra el globo solar por entre los húmedos y densos vapores, cuando éstos empiezan a enrarecerse, y tu imaginación podrá fácilmente figurarse cómo volví yo a ver el Sol, que estaba ya próximo a su ocaso. Así pues, caminando al igual de mi fiel Maestro, salimos fuera de la nube de humo a los rayos luminosos, que ya se había extinguido en la falda de la montaña.

¡Oh fantasía, que de tal modo nos arrebatas a veces fuera de nosotros mismos, que nada siente el hombre aunque suenen mil trompetas en torno suyo! ¿Quién te anima cuando no recibes impresión alguna de los sentidos? sin duda te anima una luz que se forma en el cielo, y que desciende por sí misma, o por la voluntad divina que nos la envía. En mi imaginación aparecieron las huellas de la impiedad de aquélla, que se transformó en el pájaro que más se deleita cantando.[1] Entonces mi espíritu se reconcentró tanto en sí mismo, que no llegaba hasta él ninguna cosa exterior. Después descendió a mi exaltada fantasía la imagen desdeñosa y fiera de un crucificado,[2] a quien veía morir de aquel modo. Junto a él estaban el grande Asuero, Esther su esposa, y el justo Mardoqueo, que fue tan recto en sus obras y en sus palabras. Cuando se desvaneció por sí misma aquella visión, como una burbuja a la que falta el agua de que

estaba formada, surgió a mi imaginación una doncella[3] que, llorando desconsolada, decía: "¡Oh Reina!, ¿por qué tu cólera te redujo a la nada? Te has dado muerte por no perder a Lavinia: sin embargo, me has perdido; y yo soy la que lloro, madre, tu pérdida antes que la de otro."[4]

Así como se interrumpe el sueño, cuando una nueva luz hiere de improviso nuestros ojos cerrados, y aunque interrumpido se agita antes de morir enteramente, así terminaron mis visiones tan pronto como me dio en el rostro una claridad mucho mayor de la que estamos acostumbrados a ver. Me volví a uno y otro lado para examinar el sitio en que me encontraba, cuando oí una voz que decía: "Por aquí se sube." Aquella voz hizo que me olvidase de todo, y despertó en mí tan vivo deseo de mirar quién era el que hablaba, que no habría descansado hasta averiguarlo; pero me faltó allí la facultad de ver, como sucede cuando el Sol nos deslumbra y se vela a nuestros ojos con el esplendor de sus rayos.

—Este —me dijo mi Maestro— es un espíritu divino,[5] que se oculta en su propia luz, y que nos indica la vía para ir arriba, sin que se lo roguemos. Hace con nosotros lo que el hombre consigo mismo; pues el que ve una necesidad, y aguarda que le supliquen, ya se prepara malignamente a rehusar todo socorro. Ahora nuestros pies deben aprestarse a obe-

---

[1] Procne, encendida en odio contra su marido Tereo mató a su hijo Itis y se lo dio a comer; fue convertida en ruiseñor.
[2] Amán, poderoso ministro del rey Asuero.

[3] Lavinia, hija de Latino y de Amata, que después de haber sido prometida de Turno, rey de los Rutulos, se convirtió en esposa de Eneas.
[4] Amata la madre de Lavinia, creyendo que Turno había sido ya muerto por Eneas, se quitó lo vida en un acceso de furor por no ver a su hija esposa de éste.
[5] El ángel de la paz.

decer tan cortés invitación: apresuré-
monos, pues, a subir antes que obscurezca, porque después no podríamos hacerlo hasta la nueva aurora.

Así dijo mi Guía, y ambos dirigimos nuestros pasos hacia una escalera: en cuanto estuve en la primera grada, sentí junto a mí como
un movimiento de alas, que aventaba
mi rostro, y oí decir: "Beati Pacifi-
ci",[6] que carecen de pecaminosa ira.
Estaban ya tan elevados sobre nosotros los últimos rayos a quienes sigue
la noche, que las estrellas aparecían
por muchas partes. "¡Oh valor mío!,
¿por qué así me abandonas?", decía
yo entre mí, sintiendo que me fla-
queaban las piernas. Nos encontrábamos donde concluía la escalera, y
estábamos parados, como la nave que
llega a la playa: escuché un momento por si oía algo en el nuevo círculo; y después, dirigiéndome hacia mi
Maestro, le dije:

—Dulce Padre mío, ¿qué ofensa
se purifica en el círculo en que estamos? Ya que se detienen nuestros
pies, no detengas tus palabras.

Me contestó:

—El amor del bien, que no ha
cumplido su deber, aquí se reintegra:
aquí se castiga al tardo remero. Para que lo entiendas más claramente,
dirige tu pensamiento hacia mí, y
recogerás algún buen fruto de nuestra detención. Hijo mío —empezó a
decir—, ni el Creador, ni criatura alguna carecieron jamás de amor, bien
sea natural o racional, según te consta. El natural no se equivocó nunca:
el otro puede errar, por dirigirse a un
mal objeto, por exceso o por falta
de fervor. Mientras se dirige a los
principales bienes, y se modera en su
afecto a los secundarios, no puede
ser causa de censurable deleite; pero
cuando se inclina al mal, o se lanza
al bien con mayor o menor solicitud

de la que debe, entonces la criatura
se vuelve contra su Creador. De aquí
puedes deducir que el amor es en
vosotros la semilla de toda virtud, y
de toda acción que merezca castigo.
Ahora bien, como el amor no puede
nunca renunciar a la dicha del sujeto en quien reside, todas las cosas
están preservadas de su propio odio;
y como no se concibe que ningún ser
creado puede existir por sí solo, ni
separado del Sér primero, es imposible todo sentimiento que tienda a
odiar a éste. Resulta, pues, si mi deducción es lógica, que el mal que se
desea es contra el prójimo; y este
amor nace de tres modos en vuestro
frágil barro. Hay quien espera elevarse sobre la ruina de su vecino, y
sólo por esto desea que se derrumbe
desde la altura de su grandeza; hay
quien teme perder mando, gracia, honor y fama ante la elevación de otro,
y esto le causa tal disgusto, que anhela lo contrario; y en fin, hay quien,
por haber recibido alguna injuria, se
irrita de tal suerte, que arde en sed
de venganza, y únicamente piensa
en hacer daño a su contrario. Este
triforme amor es el que hemos visto llorar en los círculos inferiores.
Ahora quiero que conozcas el otro
amor que corre al bien sin orden ni
medida. Cada cual concibe confusa-
mente y desea un bien en el que se
recrea el alma; y por eso se esfuer-
zan todos para alcanzarlo. Si vuestro
amor es lento en dirigirse o en adquirir aquel bien, este círculo os da
el debido castigo, aun después de
vuestro arrepentimiento en vida.
Existe otro bien que no hace al hombre dichoso: no es la felicidad, no
es la buena esencia, el fruto y la
raíz de todo bien. El amor que se
entrega demasiado a ese bien, se castiga en los tres círculos superiores a
éste; pero no te diré el modo cómo
está hecha esta división, a fin de que
tú lo averigües.

---

6 Otra de las bienaventuranzas, que recomienda la paz como remedio de la ira.

CANTO VIGESIMOCTAVO

EL GRAN doctor había terminado su razonamiento, y miraba atentamente a mis ojos para ver si me dejaba satisfecho; y yo, que me sentía excitado por una nueva sed, callaba exteriormente, pero decía en mi interior: "Quizá le cansen mis numerosas preguntas." Mas aquel Padre veraz, que adivinó el tímido deseo que no me atrevía a descubrir, hablando, me dio aliento para hablar; por lo que le dije:

—Maestro, mi vista se aviva de tal modo con tu luz, que discierne claramente cuanto tu razón abarca o describe: por eso te ruego, dulce y querido Padre, que me definas el Amor al que atribuyes toda buena y mala acción.

—Dirige hacia mí —me dijo— las penetrantes miradas de tu inteligencia y te será manifiesto el error de los ciegos que se convierten en guías. El alma, que ha sido creada con predisposición al amor, se lanza hacia todo lo agradable, tan pronto como es incitada por el placer a ponerse en acción. Vuestra facultad aprehensiva recibe la imagen o la especie de un objeto exterior, y la desenvuelve dentro de vosotros, de tal modo que induce a vuestro ánimo a dirigirse hacia dicho objeto; y si al hacerlo se abandona a él, ese abandono es amor, y ese amor es la naturaleza que de nuevo se une a vosotros, por efecto del placer. Después, así como el fuego se dirige hacia lo alto, a causa de su forma, que ha sido hecha para subir allá donde más se conserva en su materia primitiva, así también el alma apasionada se entrega al deseo, que es el movimiento espiritual, y no sosiega hasta que goza de la cosa amada. Por lo dicho puedes comprender cuánto se oculta la verdad a los que afirman que todo amor tiene en sí algo de laudable, quizá porque creen que su materia es siempre buena; pero no todos los sellos estampados en cera son buenos, por más que la cera lo sea.

—Tus palabras y mi inteligencia que las ha seguido —le respondí—, me han descubierto lo que es el amor: pero eso mismo me ha llenado de nuevas dudas; porque si el amor nace en nosotros por efecto de las cosas exteriores, sin que el alma proceda de otro modo, ésta no tendrá ningún mérito en seguir un camino recto o tortuoso.

Respondiome:

—Puedo decirte todo cuanto en ello ve nuestra razón: respecto a lo demás, espera llegar hasta Beatriz, porque esto es materia de fe.[1] Toda forma substancial, que es distinta de la materia, y que sin embargo está unida a ella, contiene una virtud que le es particular; la cual, sin las obras, no se siente, ni se demuestra sino por los efectos, como la vida de donde proceden el conocimiento de las ideas primarias y el afecto a las cosas que primeramente apetece, los cuales existen en vosotros como en las abejas la inclinación a fabricar miel; en estos primeros deseos no cabe alabanza ni censura. Mas por cuanto a ellos se agregan todos los demás deseos, es innata en vosotros la virtud que aconseja, y que debe custodiar los umbrales del consentimiento. Ella es el principio de donde sacáis la ocasión de contraer méritos, según que acoge o rechaza los buenos o los malos amores. Los que razonando llegaron al fondo de las cosas, han reconocido esa libertad innata, y han dejado al mundo doctrinas morales. Supongamos, pues, que nazca por fuer-

[1] Pertenece a la doctrina revelada, simbolizada en Beatriz.

131

za necesaria todo amor que se enciende en vosotros; siempre tenéis la potestad de contenerlo. Esa noble virtud es lo que Beatriz entiende por libre albedrío; y debes procurar tenerlo presente, si acaso te habla de la gracia.

La Luna, que salió tarde y casi a media noche, hacía que nos parecieran más escasas las estrellas: semejante a un caldero encendido, corría contra el cielo por aquel camino que inflama el Sol cuando el habitante de Roma le ve caer entre Córcega y Cerdeña; y la Sombra gentil, por quien Piétola [2] goza de más fama que la ciudad de Mantua, se hallaba descargada del peso de mis preguntas: por lo cual yo, que había recibido claras y sólidas razones con respecto a todas ellas, estaba como el hombre que sorprendido por el sueño no piensa en nada. Pero esta soñolencia me fue desvanecida de improviso por mucha gente que avanzaba ya detrás de nosotros; y así como en otro tiempo el Ismeno y el Asopo [3] vieron correr de noche por sus orillas una muchedumbre furiosa de tebanos para tener propicio a Baco, así avanzaban por aquel círculo, según pude ver, los que eran estimulados por una buena voluntad y un justo amor. En breve llegaron hasta nosotros; porque toda aquella gran turba venía corriendo, y los dos de delante gritaban llorando: "María se dirigió con suma celeridad a la montaña; [4] y César, por subyugar a Lérida, voló a Marsella, y después pasó a España." [5] "Pronto, pronto, exclamaban otros en pos de ellos; que el tiempo no se pierda por poco amor, a fin de que el anhelo de las buenas obras haga reverdecer ello.

—¡Oh almas, en quienes un fervor ardiente compensa ahora quizá la negligencia y la tardanza, que por tibieza empleasteis para el bien! Este,

que vive aún (y no os engaño), quiere ir allá arriba en cuanto el Sol brille de nuevo: decidnos, pues, dónde está la subida.

Tales fueron las palabras de mi Guía; y uno de aquellos espíritus dijo:

—Ven tras de nosotros, y la encontrarás. Estamos tan deseosos de avanzar, que no podemos detenernos: perdona, pues, si lo que hacemos por justo castigo te parece una descortesía. Yo fui abad en San Zenón de Verona, durante el imperio del buen Barbarroja, de quien todavía se lamenta Milán. [6] Hay quien tiene ya un pie en la fosa, [7] que pronto llorará por aquel monasterio, entristeciéndole el poder que allí tuvo; porque en lugar de su verdadero pastor, ha puesto en él a un hijo suyo, malo de cuerpo, peor aún del espíritu, y nacido de mal consorcio.

No sé si dijo más, o si se calló; tan lejos se encontraba ya de nosotros; pero esto es lo que oí, y me pareció bien retenerlo en la memoria. Y aquél que era el socorro de todas mis necesidades dijo:

—Vuélvete hacia aquí; mira dos que vienen mordiendo a la Pereza.

Estos iban diciendo detrás de todos: "La gente por quien se abrió el mar, murió antes de que sus descendientes viesen el Jordán; [8] y aquella otra que no quiso compartir hasta el fin las fatigas del hijo de Anquises, se ofreció por sí misma a una vida sin gloria." [9]

En seguida, cuando aquellas sombras se alejaron tanto de nosotros, que ya no podíamos verlas, me asaltó una nueva idea, de la que nacieron otras varias; y mi imaginación empezó a divagar de tal modo de una a otra, que por alucinación cerré los ojos, y mi pensamiento se trocó pronto en sueño.

[2] Aldea en la orilla izquierda del Mincio, que algunos identifican con el Andes antiguo, donde nació Virgilio.
[3] Ríos de Tebas, en Beocia.
[4] A visitar a su prima Santa Isabel.
[5] Dejando a Bruto asediando a Marsella corrió hacia España para derrotar cerca de Lérida a los lugartenientes de Pompeyo Afranio y Petreyo.

[6] Milán había sido destruida por Barbarroja en 1162.
[7] Alberto della Scala, señor de Verona, muerto en 1301; por la ascendencia que tenía sobre aquel monasterio había colocado como abad del mismo a un hijo bastardo suyo.
[8] El pueblo hebreo.
[9] Los troyanos que no tuvieron el valor de seguir a Eneas hasta Italia.

CANTO DECIMONONO

A LA HORA en que el calor del día, vencido por la tierra y por Saturno acaso, no puede ya templar el frío de la Luna; cuando los geománticos ven, antes del alba, elevarse en Oriente "su mayor fortuna" [1] por aquel camino que para ella permanece poco tiempo obscuro, se me apareció en sueños una mujer tartamuda, bizca, con los pies torcidos, manca y de amarillento color.[2] Yo la miraba; y así como el Sol reanima los miembros entorpecidos por el frío de la noche, de igual suerte mi mirada hacía expedita su lengua, y erguía su cuerpo en poco tiempo, colorándole el marchito rostro, como requiere el amor. Cuando tuvo la lengua suelta, empezó a cantar de tal modo, que con trabajo hubiera podido separar mi atención de ella. "Yo soy, cantaba, yo soy dulce Sirena, que distraigo a los marineros en medio del mar; tanto es el placer que hago sentir. Con mi canto aparté a Ulises de su camino inseguro; y el que conmigo se aviene, rara vez se va; de tal modo le fascino." Aun no se había cerrado su boca, cuando apareció a mi lado una mujer santa, pronta a confundirla: "¡Oh Virgilio, Virgilio! ¿Quién es ésa?", decía con altivez; y él se acercaba con los ojos fijos solamente en aquella honesta mujer. Cogió a la otra, y desgarrando sus vestiduras, la descubrió por delante y me mostró su vientre. La pestilencia que de él salía me despertó.

Volví los ojos y el buen Virgilio me dijo:

—Lo menos te he llamado tres veces: levántate y ven; busquemos la abertura por donde has de entrar.

Me levanté: todos los círculos del sagrado monte estaban ya inundados por la luz del día, y continuamos caminando teniendo el Sol a nuestra espalda. Mientras le seguía, llevaba yo la frente como aquel a quien abruman los pensamientos, que de sí mismo hace un arco de puente, cuando oí decir: "Venid, por aquí se pasa." Estas palabras fueron pronunciadas con un tono suave y benigno, como no se oye en esta región mortal. Con las alas abiertas, que parecían de cisne, el que nos había hablado así [3] nos dirigió hacia arriba por entre las dos laderas del áspero peñasco. Movió después sus plumas, y aventó mi frente, afirmando que son bienaventurados "qui lugent", porque sus almas serán ricas de consuelo.[4]

—¿Qué tienes, que sólo miras hacia el suelo? —me preguntó mi Guía, cuando estuvimos poco más arriba del Angel.

Y yo le contesté:

—Me hace ir de este modo, suspenso y caviloso, una visión reciente, la cual me atrae hacia sí, de suerte que no puedo eximirme de pensar en ella.

—¿Has visto —me dijo— la antigua hechicera, causante única del llanto que más arriba de donde estamos se vierte? ¿Has visto cómo el hombre puede desprenderse de ella? Bástete, pues, eso, y apresura el paso; vuelve tus ojos al reclamo de las

[1] Los *geománticos* solían trazar figuras de puntos hechos a la ventura, y cuando resultaba una parecida a la de las estrellas que forman lo último del signo Acuario y el principio del de Piscis, la llamaban su mayor fortuna.

[2] Símbolo de la avaricia, de la gula y de la lujuria pecados de los que se purifican las almas en las tres terrazas superiores del Purgatorio.

[3] El ángel de la solicitud.

[4] "Bienaventurados los que lloran, porque ellos serán consolados", reza otra de las bienaventuranzas.

magníficas esferas, que hace girar el Rey eterno.

Como el halcón, que, mirando primero a sus pies, acude al grito del cazador y tiende el vuelo, atraído por el deseo de la presa, lo mismo hice yo, recorriendo la hendedura de la roca destinada a dar paso a los que suben, sin detenerme hasta llegar al punto donde se camina en redondo. Cuando hube salido al quinto círculo, vi algunas almas, que lloraban tendidas en el suelo boca abajo; y las oí exclamar con tan fuertes suspiros, que apenas se entendían las palabras: "Adhaesit pavimento anima mea." [5]

—¡Oh elegidos de Dios, cuyos padecimientos son suavizados por la resignación y la esperanza! Dirigidnos hacia las altas gradas.

—Si venís libres de yacer aquí con nosotros, y queréis encontrar más pronto la subida, caminad siempre llevando vuestra derecha hacia fuera del círculo.

Tal fue la súplica del Poeta, y tal la contestación que le dieron algo más adelante de nosotros; pudiendo yo conocer por el sonido de las palabras cuál era el que había hablado: volví entonces los ojos hacia mi Señor, quien con un gesto complaciente consintió en lo que pedía la expresión de mi deseo. Cuando pude obrar a mi gusto, me acerqué a aquella criatura, que había llamado mi atención con sus palabras, diciéndole:

—Espíritu, en quien el llanto madura la expiación, sin la cual no se puede llegar hasta Dios, suspende un momento por mí tu mayor cuidado. Dime quién fuiste, y por qué tenéis todos la espalda vuelta hacia arriba, y si quieres que pida por ti alguna cosa en el mundo de donde salí vivo.

Me respondió:

—Sabrás por qué ordena el Cielo que tengamos la espalda vuelta hacia él; pero antes "scias quod ego fui

successor Petri." [6] Entre Sesti y Chiavari se interna un hermoso río,[7] de cuyo nombre toma origen el título de mi sangre. Un mes y poco más pude experimentar cuán pesado es el gran manto al que lo preserva del lodo; pues cualquier otra carga parece pluma. Mi conversión ¡ay de mí! fue tardía; pero cuando fui elegido Pastor romano, conocí lo engañosa que es la vida. Vi que ni aun allí reposaba el corazón, no siendo posible subir a más altura en aquella vida mortal: así es que me inflamó el amor de la eterna. Hasta entonces fui una alma miserable, alejada de Dios, y completamente avara, por lo cual sufro el castigo que ves. Lo que hace la avaricia, se manifiesta aquí con la pena que sufren las almas echadas boca abajo; pena más amarga que ninguna otra. Así como nuestros ojos, fijos en las cosas terrenales, no miraron nunca hacia arriba, del mismo modo la justicia los sumerge aquí en el suelo. Así como la avaricia extinguió en nosotros el amor hacia todo verdadero bien, por lo cual fueron vanas nuestras obras, así también la justicia nos tiene aquí oprimidos, atados de pies y manos, e inmóviles y extendidos mientras plazca al justo Señor.

Yo me había arrodillado, y quise hablar; pero cuando empezaba, el espíritu advirtió con sólo escuchar, este acto de reverencia, y me dijo:

—¿Por qué te inclinas al suelo de ese modo?

Le contesté:

—Mi recta conciencia me obliga a respetar vuestra dignidad.

—Endereza tus piernas, y levántate, hermano —repuso—; no te engañes: como tú y los demás, soy servidor de la misma potestad. Si has podido comprender aquellas palabras evangélicas que dicen "neque nubent", bien puedes ver por qué hablo

---

[5] "Mi alma está pegada al suelo"; palabras del salmo CXVIII, con las que aquellas almas expresan el apego que tuvieron a las cosas terrenas.

[6] "Sabe que yo fui sucesor de Pedro." Este es Ottobon de Fieschi, conde de Lavagna, pontífice con el nombre de Adriano V, que reinó un mes y nueve días: murió en 1276.

[7] El Lavagna, río que de los Apeninos corre al mar.

así.[8] Vete ya: no quiero que te detengas por más tiempo; que tu permanencia aquí da treguas a mi llanto, con el que acelero lo que tú has dicho antes. Tengo allá abajo una sobrina, que se llama Alagia,[9] naturalmente buena, a no ser que nuestra casa la haya pervertido con su ejemplo. Ella sola me queda ya en el mundo.

[8] Palabras de Cristo a los Saduceos: "Después de la resurrección ya no se casarán los hombres, sino que serán como ángeles de Dios en el cielo". Así en el otro mundo un papa no tiene otro título que el de "esposo de la Iglesia", ni tiene derecho a honores especiales; es un alma como todas las demás.

[9] Alagia dei Fieschi, esposa de Moroello Malaspina, en cuya corte vivió Dante algún tiempo.

CANTO VIGESIMO

MAL RESISTE un deseo contra otro mejor: por esto, para complacer a aquel espíritu, retiré del agua, contra mi gusto, la esponja de la curiosidad no saturada. Púseme en marcha, y mi Guía se encaminó por los únicos parajes que había expeditos a lo largo de la escarpa del monte, andando como quien va por una muralla pegado a los merlones; porque aquellas almas que vierten gota a gota por sus ojos el mal que se apodera del mundo entero, se acercan demasiado de la otra parte hacia fuera. ¡Maldita seas, antigua loba, que con tu hambre profunda e insaciable haces más presas que todas las demás fieras! ¡Oh Cielo, en cuyas revoluciones ven algunos la causa de los cambios que sufren las cosas y las condiciones humanas!, ¿cuándo vendrá el que haga huir a esa loba?

Ibamos caminando con pasos lentos y contados, y yo ponía toda mi atención en las sombras, escuchándolas piadosamente llorar y lamentarse; cuando por ventura oí exclamar con dolorida voz, semejante a la de una mujer próxima a su alumbramiento: "¡Dulce María!" Y en seguida: "Fuiste tan pobre como se puede ver por aquel establo donde depusiste tu santo fruto." A continuación oí: "¡Oh buen Fabricio!, preferiste ser pobre y virtuoso, antes que poseer grandes riquezas cayendo en el vicio." Estas palabras me eran tan agradables, que me adelanté para conocer el espíritu de quien al parecer procedían. Este seguía hablando de los donativos que hizo Nicolás a las doncellas para conducir su juventud por la senda del honor.[1]

—¡Oh alma, que recuerdas tan benéficas acciones! Dime quién fuiste —le pregunté—, y por qué eres la única que reitera esas dignas alabanzas. Tus palabras no quedarán sin recompensa, si vuelvo al mundo para concluir el corto camino de aquella vida que vuela a su término.

—Te lo diré —me contestó—, no porque espere consuelo alguno que proceda de allá, sino porque brilla en ti tanta gracia antes de haber muerto. Yo fui raíz de la mala planta que arroja hoy sobre toda la tierra cristiana tan nociva sombra que apenas se coge en ella ningún fruto bueno.[2] Pero si Douay, Gante, Lilla, y Brujas pudieran, pronto tomarían venganza,[3] y yo se la pido a Aquél que lo juzga todo. En el mundo me llamé Hugo Capeto: de mí descienden los Felipes y los Luises, que en estos últimos tiempos rigen la Francia. Hijo fui de un carnicero de París. Cuando faltaron los antiguos reyes, salvo uno que se revistió de paños grises,[4] empuñé las riendas del

[1] Dante ha escuchado tres ejemplos de la virtud opuesta a la avaricia: 1º María, que, pobre, dio a luz en un portal; 2º el cónsul romano C. Fabricius Luscinus, que en 282 antes de Cristo rehusó los presentes de los Samnitas y en 280 los de Pirro. Murió tan pobre que hubo de hacerse cargo del Estado de su sepultura y del cuidado de sus hijos. El 3er. ejemplo es el de San Nicolás de Bari, obispo de Mira, del que se cuenta que, no pudiendo un conciudadano suyo dotar a sus tres hijas para casarlas y estando dispuesto a permitir que se prostituyésen, le arrojó por la ventana al interior de la casa la dote de las tres.

[2] Habla Hugo el Grande, fundador de la dinastía de los Capetos, reinante entonces a través de príncipes de ella salidos, en el condado de Provenza, en Nápoles y en Hungría.

[3] Alude a las guerras entre Felipe el Hermoso y los flamencos y, sobre todo, el modo indigno con que Felipe y su hermano Carlos de Valois traicionaron en 1299 al conde de Flandes.

[4] Haciéndose religioso. El último de los carolingios fue Carlos, duque de Lorena, que murió en la prisión; aquí le ha confundido Dante con el último de los Merovingios, que murió en el claustro.

gobierno del reino, y en mi nueva posición adquirí tal poder y tantos amigos, que la corona vacante fue colocada en la cabeza de mi hijo, en quien comienza la estirpe consagrada de los nuevos reyes. Mientras la gran adquisición de los Estados provenzales [5] no quitó la vergüenza a mi familia, ésta valió poco, mas en cambio no hizo daño; pero allí dio principio a sus rapiñas,[6] empleando la fuerza y la mentira: luego, para enmendarse, usurpó el Ponthieu, la Normandía y la Gascuña. Carlos fue a Italia, y para enmendarse, hizo una víctima de Conradino, y después envió al Cielo a Tomás, también para enmendarse.[7] Veo un tiempo, no muy lejano, en que saldrá de Francia otro Carlos, para darse a conocer mejor a sí mismo y a los suyos.[8] Sale de ella sin armas, y sólo con la lanza con que luchó Judas;[9] y la maneja de modo que abre con ella y vacía el vientre de Florencia. En esta ocasión no adquirirá comarcas, sino pecados y oprobio, tanto más gravosos para él, cuanto más leve le parezca semejante daño. Veo al otro que ya salió, y cayó prisionero en un bajel, vender a su hija regateando el precio, como hacen los corsarios con sus esclavas.[10] ¡Oh avaricia! ¿Qué más puedes hacer, cuando te has apoderado de mi estirpe, tanto que no se cuida de su propia carne? Y a fin de que parezca menor el mal futuro y el pasado, veo a la flor de Lis entrar en Anagni, y a Cristo prisionero en la persona de su vicario, véole

otra vez entregado al ludibrio, veo renovar la hiel y vinagre, y le veo morir entre otros dos ladrones.[11] Veo tan cruel al nuevo Pilatos, que no le basta eso, y sin dictar sentencia, lleva hasta el templo sus codiciosos deseos.[12] ¡Oh Señor mío! ¿Cuándo tendré la dicha de contemplar la venganza que, oculta en tus arcanos, te hace agradable tu ira? En cuanto a lo que yo decía de la única Esposa del Espíritu Santo,[13] lo cual hizo que te volvieses hacia mí para obtener alguna explicación, te diré que esto forma parte de nuestras oraciones durante el día; mas luego que anochece, recitamos en su lugar ejemplos contrarios. Entonces recordamos a Pigmalión, a quien su pasión por el oro hizo traidor, ladrón y parricida; y la miseria del avaro Midas, consecuencia de su petición desmesurada, que será siempre motivo de burla.[14] Recuérdese también al insensato Acham, y cómo robó los despojos del enemigo, de suerte que aun aquí parece que le persiga la ira de Josué.[15] Después acusamos a Safira y a su marido; alabamos los pies que pisotearon a Eliodoro, y por todo el monte circula infamado el nombre de Polinéstor, que mató a Polidoro. Por último, gritamos: "¡Oh Craso! Dinos, pues no lo ignoras, qué sabor tiene el oro."[16] A veces hablamos

[5] Carlos I de Anjou heredó la Provenza por haberse casado con Beatriz, la hija del conde Raimundo.
[6] Se refiere a las violentas y fraudulentas conquistas hechas por Felipe III el Atrevido y por Felipe IV el Hermoso.
[7] Carlos de Anjou conquistó las dos Sicilias, hizo matar a Conradino, y según una falsa tradición, seguida aquí por Dante, hizo envenenar a Santo Tomás de Aquino cuando éste se dirigía al Concilio de Lyon.
[8] Carlos de Valois. El destierro de Dante provino principalmente de la ida de este príncipe a Florencia, enviado por el papa Bonifacio VIII en calidad de mediador entre los dos partidos en que estaba dividida la ciudad.
[9] Con la traición.
[10] Carlos II de Anjou fue hecho prisionero y libertado por los aragoneses. Casó por dinero a una hija suya con Azzo VIII de Este, que tenía ya 42 años.
[11] En 1303 el papa Bonifacio VIII fue reducido a prisión por orden de Felipe el Hermoso y ultrajado en Aragni por sus esbirros Nogaret y Sciarra Colonna.
[12] El mismo Felipe suprimió la orden del Temple y confiscó sus bienes sin proceso regular.
[13] La Virgen María.
[14] Pigmalión, rey de Tiro, mató a traición a su tío y cuñado para robarle sus tesoros. Midas es el rey fabuloso que, habiendo obtenido de los dioses la prerrogativa de cambiar en oro todo lo que tocase, se vio privado del sustento.
[15] El guerrero judío Acham, desobedeciendo las órdenes de Josué, escondió una parte del botín después de la toma de Jericó; fue apedreado por ello. Ananías y Safira quisieron apropiarse una parte del dinero que debía ser entregado a la comunidad y cayeron muertos. Heliodoro, enviado del rey Selenco de Siria, entró en el Templo de Jerusalén para robar, pero fue arrojado a golpes por un misterioso caballero y por su caballo. Polimnestor, rey de Tracia, mató a Polidoro, pariente suyo, para apoderarse de sus tesoros.
[16] M. Licinio Craso, famoso en toda Roma por sus riquezas, murió peleando contra los

unos en alta voz, otros en voz baja, según la afección que a ello nos estimula con más o menos fuerza. Por lo demás, no era yo sólo quien antes recordaba los buenos ejemplos de que nos ocupamos durante el día; pero no había cerca de aquí otro que levantara la voz.

Nos habíamos separado ya de aquel espíritu, y procurábamos avanzar por el camino cuanto nos era posible, cuando sentí retemblar el monte como si se hundiera; por lo cual me sobrecogió un frío, sólo comparable al que siente aquel que va a morir. No se estremeció en verdad tan fuertemente Delos, antes que Latona anidase en ella para dar a luz dos de los ojos del Cielo.[17] Después resonó por todos los ámbitos de la montaña

partos, y cuenta la leyenda que después de cortarle la cabeza, introdujeron en su boca oro líquido, mientras le decían: "Tuviste sed de oro: bebe, pues."

[17] Cuéntase que la isla de Delos, en el Archipiélago, temblaba y se movía, hasta que Latona, refugiándose en ella, dio a luz a Apolo y Diana, representados por la Mitología en el Sol y la Luna, que Dante llama aquí los dos ojos del Cielo.

tal grito, que el Maestro se acercó a mí diciendo:

—No vaciles, mientras yo te guíe.

"Gloria in excelsis Deo",[18] decían todos, según comprendí por las voces que salían de los puntos cercanos, desde donde era posible oírlas. Nos quedamos inmóviles y suspensos, como los pastores que por primera vez oyeron aquel canto, hasta que cesó el temblor, y acabó el himno. Emprendimos nuevamente nuestro santo camino, mirando las sombras que yacían por el suelo vueltas boca abajo y exhalando su acostumbrado llanto. Si la memoria no me es infiel, jamás la ignorancia de una cosa incitó con tanto empeño mi deseo de saber, como entonces, pensando en lo ocurrido: y como, por la premura de nuestra marcha, no me atreví a preguntar, ni por mí mismo podía comprender nada, caminaba tímido y pensativo.

[18] Las almas del Purgatorio, al igual que los ángeles en el Nacimiento de Cristo, cantaban el "Gloria in excelsis Deo". La razón la dará el propio Dante en el siguiente canto.

CANTO VIGESIMOPRIMERO

ME ATORMENTABA la sed natural, que no se sacia nunca sino con aquella agua que pidió como gracia la joven samaritana;[1] excitábame la prisa de seguir a mi jefe por el obstruido sendero, y me afligía el espectáculo del justo castigo. En esto, según refiere Lucas que se apareció Cristo a dos hombres en el camino, después de haber salido del sepulcro, así se nos apareció una sombra, que venía en pos de nosotros mirando a sus plantas las almas tendidas: aún no habíamos reparado en ella, cuando nos dirigió la palabra diciéndonos:

—Hermanos míos, la paz de Dios sea con vosotros.

Nos volvimos presurosamente, y Virgilio le hizo la demostración que convenía a aquel saludo. Después le dijo:

—¡Que en el concilio bienaventurado te admita en paz el tribunal de verdad que me relega a un destierro perpetuo!

—¡Cómo! —exclamó el espíritu—; ¿pues por qué vais con tanta prisa, si sois sombras que Dios no se digna admitir allá arriba? ¿Quién os ha guiado hasta aquí por su escala?

Mi Doctor contestó:

—Si miras las señales que lleva éste y traza el Angel, podrás ver que tiene el derecho de reinar con los buenos; pero como aquella que hila de noche y de día [2] no había terminado aún la husada que le corresponde, y que Cloto prepara e impone a cada uno de nosotros, su alma, que es hermana tuya y mía, viniendo aquí, no podía venir sola, porque no puede ver como nosotros. Por esta razón fui yo sacado de la vasta garganta del Infierno para enseñarle el camino, y se lo enseñaré hasta donde mi ciencia pueda guiarle. Pero dime, si es que lo sabes, ¿por qué dio antes el monte tales sacudidas, y por qué hasta en sus húmedos fundamentos parecían gritar a la vez todas las almas?

Haciendo esta pregunta, Virgilio acertó como en una aguja con el ojo de mi deseo, de tal suerte, que bastó la esperanza para mitigar mi sed de saber. Aquél empezó de esta manera:

—Nada sucede en la religiosa montaña, que esté fuera del orden o del uso establecido. Este sitio está libre de toda conmoción; y la que habéis sentido sólo puede proceder de aquello que el Cielo recibe digno de sí mismo, y no de otra causa. Porque no llueve, ni graniza, ni nieva, ni cae escarcha ni rocío más acá de la puerta de las tres pequeñas gradas. No aparecen nubes densas ni enrarecidas, ni se ven relámpagos, ni a la hija de Taumante,[3] que allá abajo cambia con frecuencia de sitio. No hay seco vapor, que se eleve a mayor altura de la de aquellas tres gradas de que he hablado, donde tiene sus plantas el vicario de Pedro.[4] Quizá temblará el monte poco o mucho más abajo de allí; pero por más viento que se esconda en la tierra, no sé en, qué consiste que aquí no ha temblado nunca. Unicamente se estremece cuando algún alma, sintiéndose purificada, se levanta o se mueve para subir, acompañándola aquel cántico. La prueba de la purificación es la voluntad que excita al alma, libre ya, a mudar de sitio, ayudándole en su mismo deseo. No por

---

[1] Con aquella agua de que Cristo dice a la Samaritana. *Juan* IV, 5., que quitaba la sed para siempre.
[2] Láquensis, la segunda de las Parcas.

[3] El arco iris.
[4] El ángel guardián de la puerta del Purgatorio.

eso deja de sentir antes de tiempo el anhelo ineficaz de subir al Cielo, pero sin que tampoco la abandone el de satisfacer a la justicia divina, pues ésta le impone por el castigo el mismo afán que tuvo por el pecado. Yo, que he yacido en esta mansión de dolor más de quinientos años, no he tenido hasta este momento la libre voluntad de pasar a otra mejor: por eso has sentido el terremoto, y a los piadosos espíritus alabando por la montaña a aquel Señor, que los admitirá pronto en su seno.

Así habló; y como el hombre goza tanto más en beber, cuanta mayor sed tiene, no sabré decir el contento que me dio. Mi sabio Guía le dijo:

—Ahora veo la red en que estáis prendidos, y de qué manera os libráis de ella; la causa del temblor del monte y la de que os congratuléis. Hazme saber ahora, si lo tienes a bien, quién fuiste, y por qué has estado tendido durante tantos siglos: permíteme que lo deduzca de tus palabras.

—En aquel tiempo en que el buen Tito,[5] con la ayuda del supremo Rey, vengó las heridas por donde salió la sangre que había vendido Judas —respondió aquel espíritu—, estaba yo allá abajo llevando el nombre que más dura y honra más, bastante famoso, pero todavía sin fe. Fue tan dulce mi canto, que, a pesar de ser tolosano, me atrajo a sí Roma, donde merecí que coronaran de mirto mis sienes. Aun me llama Estacio[6] la gente que allí vive: canté a Tebas, y después al gran Aquiles; pero caí en el camino llevando mi segunda carga. Encendieron mi ardor las chispas de la divina llama que han inflamado a más de mil. Hablo de la *Eneida,* la cual fue mi madre y mi nodriza en poesía: nada escribí sin ella que tuviera el menor peso; y pasaría gustoso un año más en este destierro, con tal de haber vivido en el mundo cuando vivió Virgilio.

Estas palabras hicieron que Virgilio se volviera hacia mí, con un ademán, que tácitamente decía: "Cállate"; pero la voluntad no lo puede todo; porque la risa y el llanto siguen de tal modo a la pasión de que proceden, que en los hombres más sinceros se manifiestan sin querer: así es que yo me sonreí, como quien muestra estar en inteligencia con otro; por lo cual la sombra se calló, y me miró a los ojos, que es donde más se refleja el pensamiento.

—¡Ah! ¡Ojalá puedas llevar a buen término tu grande obra! —dijo—; mas ¿por qué tu rostro me ha mostrado ahora ese relámpago de sonrisa?

—Vime entonces apurado entre ambos: el uno me obliga a callar, el otro me pedía que hablase; por lo cual suspiré, y fui comprendido.

—Puedes hablar sin temor —me dijo mi Maestro—; habla y dile lo que pregunta con tanto empeño.

Contesté, pues:

—Quizá te asombres, antiguo espíritu, de mi sonrisa; pero quiero causarte mayor admiración. Este, que guía mis ojos hacia arriba, es aquel Virgilio, de quien aprendiste a cantar en sublimes versos los actos de los hombres y de los dioses. Si creíste que mi sonrisa tenía otra causa, deséchala como errónea, que sólo procedía de las palabras que pronunciaste con respecto a él.

Estacio se inclinaba ya para abrazar las rodillas de mi Señor; pero éste le dijo:

—Hermano, no lo hagas; que tú eres sombra, y ves ante ti a otra sombra.

Y él, levantándose, contestó:

—Tú puedes comprender ahora la magnitud del amor que por ti me inflama, cuando olvido nuestra vanidad, tratando a una sombra como a un cuerpo sólido.

---

[5] Tito, hijo del emperador Vespasiano, fue el que tomó y destruyó Jerusalén el año 70 de nuestra Era.

[6] Publio Papinio Estacio (c. 45-c. 96 d. C.), hijo de un gramático y poeta homónimo, fue napolitano, pero Dante y sus contemporáneos, que no conocían su obra *Silvas* donde eso consta, le confundían con el retórico tolosano Lucio Estacio Ursolo, que vivió en tiempos de Nerón. Estacio, poeta de la época de plata de la literatura latina fue muy leído y admirado en la Edad Media. Además de la obra citada, colección de poesías diversas en cinco libros, escribió la *Tebaida,* poema épico en doce libros y la *Aquileida,* otro poema épico interrumpido a la mitad del segundo libro.

CANTO VIGESIMOSEGUNDO

YA EL ÁNGEL se había quedado detrás de nosotros; el ángel que nos dirigió hacia el sexto círculo, después de haber borrado una de las manchas de mi frente; y nos había dicho que son bienaventurados los que cifran sus deseos en la justicia, pero su voz expresó esta sentencia con la palabra "sitiunt" sin pronunciar la otra.[1] Yo andaba por allí más ligero que por las otras aberturas, de modo que sin ningún trabajo seguía hacia arriba a los veloces espíritus. Entonces Virgilio empezó a decir:

—El amor que nace de la virtud inflama siempre otros amores, con tal que su llama se dé a conocer. Desde la hora en que Juvenal[2] bajó entre nosotros al Limbo del Infierno, y me manifestó tu afecto hacia mí, mi benevolencia para contigo fue la mayor que sentirse puede por una persona a quien no se la ha visto nunca: así es que ahora me parecen cortas estas escaleras. Pero dime, y, como amigo perdona si la demasiada confianza afloja el freno de mi lengua, en el concepto de que también deseo que como amigo me hables: ¿cómo pudo encontrar la avaricia un lugar en tu corazón, a pesar del recto sentido que con tu diligencia y estudio llegaste a poseer en tanto grado?

Estas palabras hicieron sonreír desde luego a Estacio; después respondió:

—Todo cuanto me digas es para mí una prueba de cariño. Muchas veces, en efecto, aparecen las cosas de manera, que dan motivo a falsas presunciones, porque las verdaderas causas están ocultas. Tú crees, según me prueba tu pregunta, que yo fui avaro en la otra vida, quizá por haberme visto en el círculo en que me encontraba. Sabe, pues, que la avaricia estuvo muy lejos de mí, y que mis excesos en contrario han sido castigados por millares de lunas. Y si no hubiera sido porque me apliqué el oportuno remedio, cuando medité los versos en que exclamas, casi irritado contra la humana naturaleza "¡Oh execrable hambre del oro!, ¿adónde no conduces al insaciable apetito de los mortales?",[3] me vería dando vueltas por el círculo donde se lanzan pesos. Entonces calculé que, por abrir demasiado las alas, podían llegar a gastarse mis manos, y me arrepentí tanto de aquél como de los otros males. ¡Cuántos resucitarán con los cabellos rapados, por la ignorancia en que están de que la prodigalidad sea un pecado, y que les impide arrepentirse, ya durante su vida, ya en el término de ella! Y sabe que la culpa diametralmente opuesta a cada pecado se expía aquí juntamente con el mismo pecado: así es que si he permanecido purificándome entre los que lloran su avaricia, ha sido precisamente por el vicio contrario.

El Cantor de las *Bucólicas* dijo entonces:

—Cuando cantaste las crueles contiendas[4] de la doble tristeza de Yocasta, no creo, a juzgar por los acen-

[1] Este ángel pronuncia tan sólo una palabra de la cuarta bienaventuranza, que reza así: *Beati qui esuriunt et sitiunt justitiam* (bienaventurados los que tienen hambre y sed de la justicia); la otra palabra la deja para el ángel de la terraza siguiente.

[2] Décimo Junio Juvenal, el célebre satírico latino, muerto el 130 d. C.

[3]. Aquí mal interpreta Dante con toda deliberación una famosa frase de la *Eneida* de Virgilio.

[4] La guerra de Tebas causada por la enemistad de los perversos hijos de Yocasta, Eteocles y Polinice.

tos en que Clío [5] te hizo prorrumpir, que te contase entre los suyos la Fe, sin la cual no basta obrar bien. Si así es, ¿qué sol o qué luz ha disipado tus tinieblas de tal modo, que te permitiera elevar tus velas hacia el Pescador?[6]

Y el otro contestó:

—Tú me enviaste primero a beber en las grutas del Parnaso, y luego me iluminaste para que conociese al verdadero Dios. Hiciste como el que camina de noche llevando tras de sí una luz, que a él no le sirve, pero alumbra a las personas que le siguen, cuando dijiste: "El siglo se renueva, vuelve la justicia con los primeros tiempos del género humano, y una nueva progenie desciende del cielo."[7] Por ti fui poeta, por ti cristiano;[8] mas para que veas mejor lo que te pinto, extenderé las manos a fin de darle más colorido. Ya estaba el mundo lleno de la verdadera creencia, sembrada por los mensajeros del eterno reino,[9] y tus palabras, antes citadas, concordaban con la doctrina de los nuevos apóstoles; por lo cual yo me acostumbré a visitarlos: después me parecieron rodeados de tal santidad, que cuando Domiciano los persiguió,[10] corrieron mis lágrimas mezcladas con las suyas. Mientras viví, les socorrí; sus rectas costumbres me hicieron despreciar todas las otras sectas, y antes que, en mi poema, condujese a los griegos ante los ríos de Tebas,[11] había recibido el bautismo; pero por miedo fui cristiano en secreto, y durante largo tiempo me mostré pagano. Esta timidez me ha hecho recorrer el cuarto círculo durante más de cuatro siglos. Y ahora,

pues tenemos más tiempo del que necesitamos para subir por nuestro camino, dime tú, que has descorrido el velo que me ocultaba el soberano bien, dónde están nuestros antiguos Terencio, Cecilio, Plauto y Vario [12] si es que lo sabes. Dime si están condenados y en qué círculo.

—Todos esos, y Persio,[13] y yo, y otros muchos —respondió mi Guía— estamos en el primer círculo de la ciega prisión con aquel griego [14] a quien lactaron las Musas más que a otro alguno: muchas veces hablamos del monte donde se encuentran siempre nuestras nodrizas. Allí están con nosotros Eurípides, Antifón, Simónides, Agatón,[15] otros muchos griegos que vieron ya sus frentes coronadas de laurel. De los que tú cantaste, se ve allí a Antígona, a Deifila, Argía e Ismene,[16] tan triste como antes. Está también la que enseñó la Langía,[17] la hija de Tiresias,[18] y Tetis,[19] y Deidamia con sus hermanas.[20]

Los dos poetas habían guardado silencio, mirando de nuevo con atención en torno suyo, por haber terminado la escala y sus paredes: ya las cuatro esclavas del día habían quedado atrás,[21] y la quinta estaba en

[5] La musa de la historia, invocada por Estacio, al comienzo de la Tebaida.
[6] Hacia San Pedro.
[7] Son versos de la Égloga IV, en la que se pretendía ver una profecía del nacimiento de Cristo.
[8] Esto del cristianismo de Estacio es una mera ficción poética de Dante, a la cual pudieron moverle muy diversas razones.
[9] Los apóstoles de Cristo, mensajeros del Reino de Dios.
[10] Tito Flavio Domiciano, emperador del 81 al 96. Según antiguos historiadores eclesiásticos habría perseguido cruelmente a los cristianos.
[11] Antes de que escribiese aquel episodio del poema, en el que llegan los griegos a los ríos Ismeno y Asopo de Tebas, que está en el libro IX de la Tebaida.

[12] Poetas cómicos latinos de los siglos III y II a. C., los tres primeros. Vario (y no Varrón como leen algunos) fue un poeta trágico contemporáneo de Virgilio.
[13] Aulo Persio Flacco poeta satírico latino (34-62 d. C.) del que nos quedan seis sátiras.
[14] Homero, el discípulo predilecto de las Musas.
[15] Eurípides, el célebre trágico griego cruelmente satirizado por Aristófanes; Antifón, otro trágico griego, a quien hizo morir Dionisio el Tirano. Simónides, poeta lírico del siglo VI a. C., y Agatón, poeta trágico, también griego, contemporáneo de Sófocles y de Sócrates, de quien no se ha conservado obra alguna.
[16] Cuatro heroínas de la Tebaida.
[17] Hisípila, que mostró a los caudillos que peleaban contra Tebas la puerta Langia cerca de Nemea.
[18] Es la hechicera Manto, a la que ya encontramos, entre los adivinos en el Canto XX del Infierno. ¿Cómo conciliar esta contradicción entre los dos pasajes de la Comedia?
[19] La Nereida Tetis, diosa del mar, esposa de Peleo y madre de Aquiles.
[20] Hija de Licomedes, rey de Sciros, amada de Aquiles. Cfr. Infierno XXVI. De Tetis así como de Deidamia y de sus hermanas habla Estacio en la Aquileida.
[21] Las cuatro primeras horas del día, que según el modo de contar de los antiguos, eran de las seis a las diez de la mañana.

el timón del carro solar, dirigiendo
hacia arriba su luminosa punta, cuando mi Guía dijo:

—Creo conveniente que volvamos
nuestro hombro derecho hacia la orilla del círculo, para dar la vuelta a
la montaña, según acostumbramos
hacer.

Esta constumbre fue nuestra guía,
y emprendimos el camino sin titubear, una vez que a ello asintió la
otra alma virtuosa. Ellos iban delante y yo detrás, solo, escuchando sus
palabras, que me comunicaban la inteligencia de la poesía. Pero pronto
interrumpió tan dulce coloquio la
vista de un árbol, que encontramos
en medio del camino, cargado de
manzanas olorosas; y así como el
abeto, elevándose hacia el cielo, va
disminuyendo de rama en rama,
aquél iba disminuyendo por su parte inferior, con objeto, según creo,
de que nadie suba a él. Por el lado
en que estaba cerrado nuestro camino, caía de la alta roca un agua
cristalina, que se esparcía por las
hojas superiores.

Los dos Poetas se acercaron al árbol, cuando exclamó una voz entre
el follaje: "Os puede costar caro tocar
este manjar." Después dijo: "María
pensaba más en que las bodas fuesen
honrosas y cumplidas, que en su boca
que ahora intercede por vosotros.
Las antiguas romanas se contentaron
con el agua por toda bebida, y Daniel [22] despreció los manjares y adquirió la ciencia. El primer siglo fue
tan bello como el oro; el hambre hacía más sabrosas las bellotas, y la
sed convertía en néctar cualquier
arroyuelo. En miel y langostas consistió el alimento del Bautista en el
Desierto: esto le da más gloria, y le
hace tan grande como lo patentiza el
Evangelio."

[22] El profeta Daniel rehusó los manjares
del rey Nabucodonosor de Babilonia y se con-
tentó con legumbres y agua.

CANTO VIGESIMOTERCIO

Mientras tenía mi vista fija en el verde follaje, como suele hacer quien pierde el tiempo detrás de un pájaro, el que era para mí más que un padre, decía:

—Hijo mío, ven ahora, porque el tiempo que se nos concede debe emplearse más útilmente.

Volví el rostro con ligereza y con no menos mis pasos hacia los Sabios, los cuales hablaban tan bien, que escuchándolos no sentía en el andar cansancio alguno; cuando se oyó cantar llorando: "Labia mea, Dómine",[1] de un modo que hizo nacer en mí placer y dolor.

—¡Oh dulce Padre!, ¿qué es lo que oigo? —empecé a decir.

Y él dijo:

—Son las sombras, que van quizá deshaciendo el nudo de sus deudas.

Cual peregrinos pensativos, que al encontrar en su camino gente a quien no conocen, se vuelven hacia ella sin detenerse, así venía tras de nosotros, pero con paso más rápido, una turba de espíritus, callados y piadosos, que pasaban adelante mirándonos. Todos ellos tenían los ojos hundidos y apagados, la faz pálida, y tan demacrada, que a través de la piel se notaba la forma de los huesos. No creo que Erisictón[2] se viese reducido a una piel tan seca cuando más tuvo que temer el hambre. Yo decía, pensando entre mí: "He aquí cómo debía estar la nación que perdió a Jerusalén, cuando María llegó a devorar a su propio hijo."[3] Sus ojos parecían anillos sin piedras; los que en el rostro del hombre leen Homo, hubieran conocido allí con facilidad la M.[4] ¿Quién creería, ignorando la causa, que el olor de una fruta y aquel salto de agua, excitando su deseo, pudiera reducirlos a tal extremo? Yo estaba asombrado al verles tan hambrientos, porque aún no conocía la causa de su demacración y de su triste aridez; cuando desde la profunda cavidad de su cabeza dirigió hacia mí sus ojos una sombra, y me miró fijamente; después de lo cual exclamó en alta voz:

—¿Qué gracia es ésta que se me concede?

Nunca le hubiera conocido por su rostro; pero su voz me recordó todo lo que sus facciones habían absorbido en sí mismas; esta chispa encendió en mí el completo conocimiento de aquel rostro cambiado, y reconocí el de Forese.[5]

—¡Ah! —me dijo—; no fijes tu atención en esta lepra árida, que me decolora la piel, ni en la carne que me falta. Pero dime la verdad con respecto a ti, y dime quiénes son esas dos almas que te guían; no pararé hasta que me lo digas.

—Tu rostro, que ya muerto me hizo llorar, excita ahora en mí nuevos deseos de llanto —le respondí

---

[1] "Domine labia mea aperies et os meum annuntiabit landem tuam" es el versículo 17 del Salmo 50, Miserere.
[2] Hijo de Triopa, rey de Tesalia que por haber derribado una encina de un bosque consagrado a Ceres fue castigado con un hambre insaciable. Primero consumió todas sus posesiones, tuvo después que vender a su hija y finalmente se vio obligado a devorarse a sí mismo.
[3] Los judíos, durante el asedio de Jerusalén por Tito, sufrieron tal hambre que una madre, llamada María, dio muerte a su propio hijo para comer su carne, según cuenta Flavio Josefo.
[4] Era creencia popular en el Medievo que en el rostro humano se podía leer la palabra OMO. La M estaba formada por la nariz, las cejas y los lados de la órbita y las dos O, por el globo de los ojos.
[5] Forese Donati, hijo de Simón y hermano del famoso Corso, jefe de los negros florentinos, y de Piccarda; poeta también y gran amigo y pariente lejano de Dante. Murió en 1296.

viéndole tan desfigurado—; pero dime, por Dios, qué es lo que os demacra tanto; y no me hagas hablar de otra cosa mientras dura mi asombro, porque mal puede hablar el que está poseído de otro deseo.

Me contestó:

—Desde el eterno tribunal desciende una virtud sobre el agua y la planta que hemos dejado más atrás; virtud que me extenúa de esta suerte. Todos esos que cantan llorando por haberse entregado desenfrenadamente al vicio de la gula, deben santificarse aquí por medio del hambre y de la sed. El olor que se exhala de la fruta y el agua que se extiende sobre ese follaje, excitan en nosotros el deseo de comer y beber, y más de una vez se repite nuestra pena mientras damos la vuelta a este círculo: he dicho pena, debiendo decir consuelo; porque el deseo que nos conduce hacia ese árbol es el mismo que condujo a Jesucristo a decir lleno de gozo: "Eli", cuando nos redimió con la sangre de sus venas.

—Forese —repliqué—, desde el día en que dejaste el mundo por mejor vida, no han trancurrido aún cinco años. Si la facultad de pecar concluyó en ti antes de que sobreviniera la hora del saludable dolor que nos reconcilia con Dios, ¿cómo es que has venido aquí arriba? Creía encontrarte abajo, donde el tiempo con el tiempo se repara.

Respondiome:

—Mi Nella es la que, con sus ruegos asiduos, me ha conducido a beber el dulce ajenjo del dolor. Con sus devotas oraciones y sus suspiros me ha sacado del lugar donde se espera, y me ha librado de los otros círculos. Mi viudita, a quien amé mucho, es tanto más querida y agradable a Dios, cuanto más sola es en obrar bien; pues la Barbagia de Cerdeña [6] tiene mujeres mucho más pú-

dicas que la Barbagia donde la he dejado. ¡Oh caro hermano!, ¿qué quieres que te diga? Ante mi vista se presenta un tiempo futuro, del que no dista mucho el presente, en el cual se prohibirá desde el púlpito a las descaradas florentinas ir enseñando los pechos. ¿Qué mujeres bárbaras ni sarracenas ha habido jamás, contra las que se debiera apelar a penas espirituales o a otras restricciones para obligarlas a ir cubiertas? Pero si las impúdicas estuvieron seguras de lo que el Cielo les prepara pronto, tendría ya la boca abierta para aullar; porque si mi previsión no me engaña, serán entristecidas antes de que salga el bozo al niño que ahora se consuela con la "nana". ¡Ah, hermano!, no te me ocultes más: estás viendo que, no sólo yo, sino todas estas almas, miran el sitio dónde interceptas la luz del Sol.

Entonces le dije:

—Si recuerdas lo que tú y yo fuimos,[7] aun el mencionarlo ahora deberá serte doloroso. De aquella vida me sacó el otro día ese que va delante de mí, cuando se ostentaba redonda la hermana de aquel (y le designé al Sol). Ese sabio me ha guiado a través de la profunda noche por entre los verdaderos muertos, y con mi verdadera carne que le sigue. Su auxilio me ha sostenido hasta aquí en las cuestas y recodos del monte, que hace que seáis rectos vosotros a quienes tan torcidos hizo el mundo. Me ha dicho que me acompañaría hasta dejarme donde está Beatriz: allí es preciso que me quede sin él. Virgilio es ese que me habló así (y se lo indiqué con el dedo); el otro es aquella sombra por quien hubo hace poco sacudimientos en todos los ámbitos de vuestro monte, que de sí la despide.

---

[6] Región montañosa de la Cerdeña central, de cuyos habitantes ya San Gregorio —en cuyo tiempo se habían convertido al cristia-

nismo— había dicho que vivían como animales insensatos. Florencia donde la ha dejado es una nueva Barbagia por la desvergüenza femenina.

[7] Alude a la disoluta conducta que llevaron entrambos en su juventud.

CANTO VIGESIMOCUARTO

Ni la conversación detenía nuestra marcha ni ésta a aquélla, sino que, a pesar de ir hablando, caminábamos de prisa, como la nave impelida por un viento favorable. Las sombras, que parecían cosas doblemente muertas, noticiosas de que yo estaba vivo, mostraban su admiración por las hondas cavidades de sus ojos. Continuando yo mi discurso, dije:

—Esa sombra,[1] quizá por causa del otro, se dirige arriba más lentamente de lo que lo haría. Pero dime, si acaso lo sabes, dónde está Piccarda,[2] y si entre esta gente que así me mira veo alguna persona digna de llamar mi atención.

—Mi hermana, que no sé lo que fue más, si hermosa o buena, ostenta ya su triunfal corona en el alto Olimpo.

Esto dijo primero, luego añadió:

—Aquí no está prohibido nombrar a nadie, atendida la prontitud con que es alterado nuestro semblante por la dieta. Ese (y lo señaló con el dedo) es Buonaggiunta, Buonaggiunta el de Luca;[3] y aquel de más allá, más apergaminado que los otros, tuvo en sus brazos la Santa Iglésia:[4] fue natural de Tours, y ahora expía con el ayuno las anguilas del Bolsena y la garnacha.

Otros muchos me fue citando uno a uno, y todos parecían contentos de que se les nombrase; pues no reparé en ellos ningún gesto de desagrado. Vi mover las mandíbulas, mascando en vacío por efecto del hambre, a Ubaldino de la Pila,[5] y a Bonifacio, que apacentó a muchos revestido con el roquete.[6] Vi a meser Marchese, que habiendo tenido tiempo para beber en Forlí con menos sed, fue tal que nunca se sintió saciado.[7] Pero, como aquel que mira, y después simpatiza más con uno que con otro, así me pasó con el de Luca, que parecía querer decirme algo. Murmuraba entre dientes; y yo le oía no sé qué de Gentucca[8] donde él sentía el castigo que tanto le devoraba.

—¡Oh alma, le dije, que tan deseosa pareces de hablar conmigo! Haz de modo que yo te entienda, y satisfácenos a los dos con tu conversación.

El empezó a decir:

—Existe una mujer que no lleva el velo todavía, la cual hará que te agrade mi ciudad, aunque alguno hable mal de ella. Tú irás allá con esta predicción, y si acaso no has entendido bien lo que murmuro, ya te lo pondrá en claro la realidad de los hechos. Pero dime: ¿no estoy viendo al que ha dado a luz las nuevas ri-

---

[1] La de Estacio
[2] La hermana de Foresi y de Corso Donati. Profesó de monja en el convento de Santa Clara de Monticelli, de donde fue sacada a la fuerza por Corso para que se casara. La encontraremos otra vez en el Canto III del *Purgatorio*.
[3] Bonagiunta Orbicciani, cuyas poesías nos lo muestran servil imitador de los provenzales y torpe en su lengua y estilo.
[4] El papa Martín IV, natural de Tours. Fue hombre de bien, y muy amigo de la casa de Francia. Dado a la gula, hacía morir las anguilas del lago de Bolsena, ahogándolas en vino generoso y dulce *(garnacha)*, y después de bien guisadas, las comía con afán.

[5] Hermano del cardenal Octaviano, a quien encontramos en el *Infierno* entre los "epicúreos" y padre del arzobispo Ruggiero, el gran enemigo del conde Ugolino. cfr. *Infierno*, XXXIII.
[6] Bonifacio de Fies hi, conde de Lavagna y arzobispo de Raven
[7] Un día preguntó a su escudero qué se decía de él, a lo que éste respondió: "Señor, se dice que no hacéis más que beber", y el caballero replicó riendo: "¿Y por qué no se dice nunca que yo siempre tengo sed?"
[8] Gentucca Morla, de Luca, de la que parece haberse enamorado platónicamente Dante cuando se encontraba en aquella ciudad en 1314.

mas, que comienzàn así: "Donne, ch'avete intelleto d'Amore."[9]

Le contesté:

—Yo soy uno que voy notando lo que Amor inspira, y luego lo expreso tal como él me dicta dentro del alma.

—¡Oh, hermano! —exclamó—. Ahora veo el nudo que al Notario, a Guittone[10] y a mí nos impidió llegar al dulce y nuevo estilo que oigo. Bien veo que vuestras plumas siguen fielmente al que les dicta, lo cual no han hecho en verdad las nuestras; y que quien se propone remontarse a mayor altura, no ve la diferencia del uno al otro estilo.

Dichas estas palabras, se calló como si estuviese satisfecho.

Así como las grullas que pasan el invierno a orillas del Nilo forman a veces una bandada en el aire, y luego vuelan rápidamente marchando en hilera, de igual suerte todas las almas que allí estaban, volviendo el rostro, aceleraron el paso, ligeras por su demacración y por su deseo: y al modo que un hombre cansado de correr deja ir delante a sus compañeros, y sigue lentamente hasta que cesa la agitación de su pecho, así Forese dejó pasar a la grey santa, y continuó conmigo su camino diciéndome:

—¿Cuándo te volveré a ver?

—No sé cuánto he de vivir —respondí—; pero no será tan pronto mi regreso, qe antes no llegue yo con el deseo a la orilla; porque el sitio donde fui colocado para vivir se despoja de día en día y cada vez más del bien, y parece destinado a una triste ruina.

—Ve, pues —repuso—; que ya estoy viendo al que tiene la mayor culpa de esa ruina, arrastrado a la cola de un animal hacia el valle donde nadie se excusa de sus faltas.[11] El ani-

mal a cada paso va más rápido, aumentando siempre su celeridad, hasta que lo arroja, y abandona el cuerpo vilmente destrozado. Esas esferas no darán muchas vueltas (y dirigió sus ojos al cielo) sin que sea claro para ti lo que mis palabras no pueden ampliar más. Ahora te dejo; porque el tiempo es caro en este reino, y yo pierdo mucho caminando a tu lado.

Cual jinete que se adelanta al galope de entre el escuadrón que avanza, a fin de alcanzar el honor del primer choque, del mismo modo y con mayores pasos se apartó de nosotros aquel espíritu, y yo quedé en el camino con aquellos dos que fueron tan grandes generales del mundo. Cuando estuvo tan retirado de nosotros, que mis ojos no podían seguirle, así como tampoco podía mi mente alcanzar el sentido de sus palabras, observé no muy lejos las ramas frescas y cargadas de frutas de otro manzano, por haberme vuelto entonces hacia aquel lado. Y vi debajo de él muchas almas que alzaban las manos y gritaban no sé qué en dirección del follaje, como los niños que, codiciando impotentes alguna cosa, la piden sin que aquel a quien ruegan les responda, y antes al contrario, para excitar más sus deseos, tiene elevado y sin ocultar lo que causa su anhelo. Después se marcharon como desengañadas, y nosotros nos acercamos entonces al gran árbol, que rechaza tantos ruegos y tantas lágrimas.

"Pasad adelante sin aproximaros: más arriba existe otro árbol, cuyo fruto fue mordido por Eva, y éste es un retoño de aquél." Así decía no sé quién entre las ramas; por lo cual Virgilio, Estacio y yo seguimos adelante, estrechándonos cuanto pudimos hacia el lado en que se eleva el monte. "Acordaos, decía la voz, de los malditos formados en las nubes, que, repletos, combatieron a Teseo con sus dobles pechos.[12] Acordaos de

---

[9] Así empieza una bellísima canción de Dante, que puede verse en *La Vida Nueva*.
[10] El Notario por antonomasia, era llamado el siciliano Jacobo de Lentino, uno de los más conspicuos rimadores al estilo provenzal en la primera mitad del siglo XIII. Guiton de Arezzo, jefe de la escuela poético-doctrinal toscana entre 1250 y 1294.
[11] Corso Donati, hermano del mismo Forese, jefe de los Negros, y principal causante de los males de Florencia. Forese no nombra a Corso, porque es su hermano.

[12] Los Centauros, engendrados por el consorcio de Ixión con una nube, llenos de vino, intentaron robar la esposa de Piritóo en medio del convite nupcial, por lo cual Teseo los mató. Combatieron con sus dobles pechos, de hombre y de caballo.

los hebreos,[13] que mostraron al beber su molicie, por lo que Gedeón no los quiso por compañeros cuando descendió de las colinas cerca de Madián." De este modo, arrimados a una de las orillas, pasamos adelante, oyendo diferentes ejemplos del pecado de la gula, seguidos de las miserables consecuencias de aquel vicio. Después, entrando nuevamente en medio del camino desierto, nos adelantamos mil pasos y aun más, reflexionando cada cual y sin hablar. "¿Qué vais pensando vosotros tres solos?", dijo de improviso una voz, que me hizo estremecer, como sucede a los animales tímidos y asustadizos. Levanté la cabeza para ver quién fuese, y jamás se vieron en un horno

vidrios o metales tan luminosos y rojos como lo estaba uno que decía: "Si queréis llegar hasta arriba, es preciso que deis aquí la vuelta: por aquí va el que quiere ir en paz." Su aspecto me había deslumbrado la vista; por lo cual me volví, siguiendo a mis Doctores a la manera de quien se guía por lo que escucha. Y sentí que me daba en medio de la frente un viento, como sopla y embalsama el ambiente la brisa de mayo, mensajera del alba, impregnada con el aroma de las plantas y flores; y bien sentí moverse la pluma, que me hizo percibir el perfume de la ambrosía, oyendo d e c i r: "Bienaventurados aquellos a quienes ilumina tanta gracia, que la inclinación a comer no enciende en sus corazones desmesurados deseos, y sólo tienen el hambre que es razonable."

---

[13] Los que habiéndose arrodillado para beber con más comodidad fueron rechazados por Gedeón, *Jueces* VII, 8.

CANTO VIGESIMOQUINTO

Era la hora en que no debía demorarse nuestra subida, pues el sol había dejado el círculo meridional al Tauro, y la noche al Escorpión: por lo cual, así como el hombre a quien estimula el aguijón de la necesidad, no se detiene por nada que encuentre, sino que sigue su camino, de igual suerte entramos nosotros por la abertura del peñasco, uno delante de otro, tomando la escalera, que por su angostura obliga a separarse a los que la suben. Y como la joven cigüeña que extiende sus alas deseosa de volar, y no atreviéndose a abandonar el nido, las pliega nuevamente, lo mismo hacía yo llevando de un ardiente deseo de preguntar, que se inflamaba y se extinguía, hasta que llegué a hacer el ademán del que se prepara a hablar. A pesar de lo rápido de nuestra marcha, mi amado Padre no dejó de decirme:

—Dispara el arco de la palabra, que tienes tirante hasta el hierro.

Entonces abrí la boca con seguridad, y empecé a decir:

—¿Cómo es posible enflaquecer donde no hay necesidad de alimentarse?

—Si te acordaras de cómo se consumió Meleagro [1] al consumirse un tizón —respondió—, no te sería ahora tan difícil comprender esto; y si considerases cómo, al moveros, se mueve vuestra imagen dentro del espejo, te parecería blando lo que te parece duro. Mas para que tu deseo quede satisfecho, aquí tienes a Estacio, a quien pido y suplico que sea el médico de tus heridas.

—Si estando tú presente, le descubro los arcanos de la eterna justicia —respondió Estacio—, sírvame de disculpa el no poder negarte nada.

Luego empezó diciendo:

—Hijo, si tu mente recibe y guarda mis palabras, ellas te darán luz sobre el punto de que hablas. La sangre más pura, [2] que nunca es absorbida por las sedientas venas y que sobra, como el resto de los alimentos que se retiran de la mesa, adquiere en el corazón una virtud tan apta para formar todos los miembros humanos, como la que tiene para transformarse en ellos la que va por las venas. Todavía más depurada, desciende a un punto que es mejor callar que nombrar, de donde se destila después sobre la sangre de otro ser en vaso natural. Aquí se mezclan las dos, la una dispuesta a recibir la impresión, la otra a producirla por efecto de la perfección del lugar de que procede; y apenas están juntas, la sangre viril empieza desde luego a operar, coagulando primero, y vivificando en seguida lo que ha hecho unírsele como materia propia. Convertida la virtud activa en alma, como la de una planta, pero con la diferencia de que aquélla está en vías de formación, mientras que la otra ha llegado ya a su término, continúa obrando de tal modo, que luego se mueve y siente como la esponja marina, y en seguida emprende la organización de las potencias, de la cual es el germen. Hijo mío, la virtud que procede del corazón del padre, y desde la cual atiende la naturaleza a todos los miembros, ora se ensancha, y ora se prolonga; mas no

---

[1] Como narra Ovidio, *Metamorfosis* VIII, 260, Meleagro tenía condicionada su existencia a la de un tizón, y se fue consumiendo a medida que aquel se quemaba.

[2] La exposición fisiológica que sigue está tomada de la *Suma Teológica* III, 31, 5, de Santo Tomás de Aquino, quien a su vez se inspira en Aristóteles.

ves todavía cómo el feto, de animal pasa a ser racional: este punto es tal, que uno más sabio que tú [3] incurrió con su doctrina en el error de separar del alma el intelecto posible, porque no vio que éste tuviese ningún órgano especial adecuado a sus funciones. Abre tu corazón a la verdad que te presento, y sabe que, en cuanto está concluido el organismo del cerebro del feto, el Primer Motor se dirige placentero hacia aquella obra maestra de la naturaleza, y le infunde un nuevo espíritu, lleno de virtud, que atrae a su substancia lo que allí encuentra de activo, y se convierte en un alma sola, que vive, y siente, y se refleja sobre sí misma: a fin de que te causen menos admiración mis palabras, considera el calor del Sol, que se transforma en vino, uniéndose al humor que sale de la vid. Cuando Láquesis [4] no tiene ya lino, el alma se separa del cuerpo, llevándose virtualmente consigo sus potencias divinas y humanas: todas las facultades sensitivas quedan como mudas; pero la memoria, el entendimiento y la voluntad son en su acción mucho más sutiles que antes. Sin detenerse, el alma llega maravillosamente por sí misma a una de las orillas, donde conoce el camino que le está reservado. En cuanto se encuentra circunscrita en él, la virtud informativa irradia en torno, del mismo modo que cuando vivía en sus miembros; y así como el aire, cuando el tiempo está lluvioso, se presenta adornado de distintos colores por los rayos del Sol que en él se reflejan, de igual suerte el aire de alrededor toma la forma que le imprime virtualmente el alma que está allí detenida; y semejante después a la llama que sigue en todos sus movimientos al fuego, la nueva forma va siguiendo al espíritu. Por fin, como el alma toma de esto su apariencia, se le llama sombra, y en esa for-

ma organiza luego cada uno de sus sentidos, hasta el de la vista. En virtud de este cuerpo aéreo hablamos, reímos, derramamos lágrimas y suspiramos, como habrás podido observar por el monte. Según como los deseos y los demás afectos nos impresionan, la sombra toma diferentes figuras: tal es la causa de lo que te admira.

Habíamos llegado ya al círculo de la última tortura, y nos dirigíamos hacia la derecha, cuando llamó nuestra atención otro cuidado. Allí la ladera de la montaña lanza llamas con ímpetu hacia el exterior, y la orilla opuesta del camino da paso a un viento que, dirigiéndose hacia arriba, la rechaza y aleja de sí. Por esta razón nos era preciso caminar de uno en uno por el lado descubierto del camino, de modo que si, por una parte, me causaba temor el fuego, por otra temía despeñarme. Mi Jefe decía:

—En este sitio es preciso refrenar bien los ojos, porque muy poco sería más que suficiente para dar un mal paso.

Entonces oí cantar en el seno de aquel gran ardor: "Summae Deus clementiae";[5] lo cual excitó en mí un deseo no menos ardiente de volverme, y vi a varios espíritus andando por la llama: yo les miraba, pero fijando alternativamente la vista, ya en sus pasos, ya en los míos. Después de la última estrofa de aquel himno, gritaron en voz alta: "Virúm non cognosco";[6] y en seguida volvieron a entonarlo en voz baja. Terminado el himno, gritaron aún: "Diana corrió al bosque, y arrojó de él a Hélice,[7] que había gustado el ve-

---

[3] El filósofo árabe Averroes, por quien Dante siente gran estimación puesto que le coloca entre los "grandes espíritus" del Limbo: *Infierno* IV, 144.

[4] La segunda de las Parcas; la que mide el curso de la vida humana.

[5] Principio del himno que la Iglesia recita en los maitines del Sábado, y que cantan las almas que se purifican del vicio de la lujuria, porque en él se pide a Dios la pureza.

[6] Palabras dichas por María al arcángel San Gabriel. Dante continúa haciendo citar a las almas ejemplos contrarios a los vicios de que se purifican. Enumeran los ejemplos en alta voz, porque con ellos las almas se reprenden a sí mismas: el himno lo cantan en voz baja, como una oración que dirigen a Dios.

[7] Hélice o Calisto, ninfa de la comitiva de Diana, fue expulsada por ésta por haberse dejado seducir de Júpiter; Juno la transformó en osa y Júpiter la colocó en el cielo como Osa Mayor.

neno de Venus." Repetían su canto, y citaban después ejemplos de mujeres y maridos que fueron castos, como lo exigen la virtud y el matrimonio. Y de este modo, según creo, continuarán durante todo el tiempo que los abrase el fuego; pues con tal remedio y tales ejercicios ha de cicatrizarse la última llaga.

CANTO VIGESIMOSEXTO

MIENTRAS que uno tras otro íbamos por el borde del camino, el buen Maestro decía muchas veces: "Mira, y ten cuidado, pues ya estás advertido." Daba en mi hombro derecho el Sol, que irradiando por todo el Occidente, cambiaba en blanco su color azulado. Con mi sombra hacía parecer más roja la llama, y aquí también vi muchas almas que, andando, fijaban su atención en tal indicio. Con este motivo se pusieron a hablar de mí, y empezaron a decir: "Parece que éste no tenga un cuerpo ficticio." Después se cercioraron, aproximándose a mí cuanto podían, pero siempre con el cuidado de no salir adonde no ardieran.

—¡Oh tú, que vas en pos de los otros, no por ser el más lento, sino quizá por respeto!, respóndeme a mí, a quien abrasan la sed y el fuego. No soy yo el único que necesita tu respuesta, pues todos éstos tienen mayor sed, que deseo de agua fresca el Indio y el Etíope. Dinos: ¿cómo es que formas con tu cuerpo un muro que se antepone al Sol, cual si no hubieras caído aún en las redes de la muerte?

Así me hablaba una de aquellas sombras, y yo me habría explicado en el acto, si no hubiese atraído mi atención otra novedad que apareció entonces. Por el centro del camino inflamado venía una multitud de almas con el rostro vuelto hacia las primeras, lo cual me hizo contemplarlas asombrado. Por ambas partes vi apresurarse todas las sombras, y besarse unas a otras, sin detenerse, y contentándose con breve agasajo; semejantes a las hormigas, que en medio de sus pardas hileras, van a encontrarse cara a cara, quizá para darse noticias de su viaje o de su bo-

tín. Una vez terminado el amistoso saludo, y antes de dar el primer paso, cada una de ellas se ponía a gritar con todas sus fuerzas, las recién llegadas: "Sodoma y Gomorra",[1] y las otras: "En la vaca entró Pasifae, para que el toro acudiera a su lujuria.[2] Después, como grullas que dirigiesen su vuelo, parte hacia los montes Rifeos,[3] y parte hacia las ardientes arenas, huyendo éstas del hielo, y aquéllas del Sol, así unas almas se iban y otras venían, volviendo a entonar entre lágrimas sus primeros cantos, y a decir a gritos lo que más necesitaban. Como anteriormente, se acercaron a mí las mismas almas que me habían preguntado, atentas y prontas a escucharme. Yo, que dos veces había visto su deseo, empecé a decir:

—¡Oh almas seguras de llegar algún día al estado de paz! Mis miembros no han quedado allá verdes ni maduros, sino que están aquí conmigo, con su sangre y con sus coyunturas. De este modo voy arriba, a fin de no ser ciego nunca más: sobre nosotros existe una mujer, que alcanza para mí esta gracia por la cual llevo por vuestro mundo mi cuerpo mortal. Pero decidme, ¡así se logre en breve vuestro mayor deseo, y os acoja el cielo que está más lleno de amor y por más ancho espacio se dilata! Decidme, a fin de que yo pueda ponerlo por escrito, ¿quiénes sois, y quién es aquella turba que se va en dirección contraria a la vuestra? No de otra suerte se turba estupe-

[1] Dos ciudades palestinas destruidas por el fuego por haber pecado sus habitantes contra la naturaleza. *Génesis* XVIII y XIX.
[2] Pasifae, hija de Apolo y de la ninfa Perseida, esposa de Minos y madre del Minotauro.
[3] En el extremo septentrional conocido por los antiguos.

facto el montañés, y enmudece absorto, cuando, rudo y salvaje, entra en una ciudad, de como pareció turbarse cada una de aquellas sombras: pero repuestas de su estupor, el cual se calma pronto en los corazones elevados, empezó a decirme la que anteriormente me había preguntado:

—¡Dichoso tú, que sacas de nuestra actual mansión experiencia para vivir mejor! Las almas que no vienen con nosotros cometieron el pecado por el que César, en medio de su triunfo, oyó que se burlaban de él y le llamaban reina.[4] Por esto se alejan gritando "Sodoma"; y reprendiéndose a sí mismos, como has oído, añaden al fuego que les abrasa el que les produce su vergüenza. Nuestro pecado fue hermafrodita; pero no habiendo observado la ley humana, y sí seguido nuestro apetito al modo de las bestias, por eso, al separarnos de los otros, gritamos para oprobio nuestro el nombre de aquélla, que se bestializó en una envoltura bestial. Ya conoces nuestras acciones y el delito que cometimos: si por nuestros nombres quieres conocer quiénes somos, ni sabré decírtelos, ni tengo tiempo para ello. Satisfaré, sin embargo, tu deseo diciéndote el mío: soy Guido Guinicelli,[5] que me purifico ya por haberme arrepentido antes de mi última hora.

Como corrieron hacia su madre los dos hijos al encontrarla bajo las tristes iras de Licurgo,[6] así me lancé yo, pero sin atreverme a tanto, cuando escuché nombrarse a sí mismo a mi padre, y al mejor de todos los míos que jamás hicieron rimas de amor dulces y floridas; y sin oír hablar, anduve pensativo largo trecho, contemplándole, aunque sin poder acercarme más a causa del fuego. Cuando me harté de mirarle, me ofrecí de todo corazón a su servicio con aquellos juramentos que hacen creer en las promesas. Me contestó:

—Dejas en mí, por lo que oigo, una huella tan profunda y clara, que el Leteo no puede borrarla ni obscurecerla: pero si tus palabras han jurado la verdad, dime, ¿cuál es la causa del cariño que me demuestras en tus frases y en tus miradas?

Le contesté:

—Vuestras dulces rimas, que harán preciosos los manuscritos que las contienen, tanto como dure el lenguaje moderno.

—¡Oh hermano! —replicó—; éste que te señalo con el dedo [7] (e indicó un espíritu que iba delante de él), fue mejor obrero en su lengua materna. Sobrepujó a todos en sus versos amorosos y en la prosa de sus novelas; y deja hablar a los necios, que creen que el Lemosín [8] es mejor que él; prestan más atención al ruido que a la verdad, y así forman su juicio antes de dar oídos al arte o la razón. Lo mismo hicieron muchos de los antiguos con respecto a Guittone, colocándole, merced a sus gritos, en el primer lugar, hasta que lo ha vencido la verdad con los méritos adquiridos por otras personas. Ahora, si tienes el alto privilegio de poder penetrar en el claustro donde Cristo es abad del colegio, dile por mí del "Padre nuestro" todo lo que necesitamos nosotros los habitantes de este mundo, en el que ya no tenemos el poder de pecar.

Luego, tal vez para hacer sitio a

---

[4] Suetonio, *Vida de Julio César*, 49: "El día de su triunfo sobre las Galias, los soldados, entre los versos con que acostumbraban celebrar la marcha del triunfador, cantaron los conocidísimos: César sometió las Galias; Nicomedes a César. He aquí a César que triunfa porque sometió las Galias, mientras Nicomedes que sometió a César no triunfa." Aludían a la torpe intimidad de César con Nicomedes, rey de Bitinia. Dante confunde en uno dos hechos, basándose probablemente en las *Magnae Derivationes* de Uguiccione de Pisa, donde se narra que "reina de Bitinia" fue el apóstrofe que le dirigió en medio de una gran concurrencia un tal Octavio.

[5] Célebre poeta boloñés, precursor de la escuela del "stil novo". Murió en 1276.

[6] Hipsipila, que había sido la causa de la muerte de un hijo de Licurgo, rey de Nemea, fue ella misma condenada a morir, pero fue liberada por sus hijos, Toante y Euneo, que la reconocieron y abrazaron.

[7] Arnaldo Daniel, célebre poeta provenzal del siglo XII, celebrado por Petrarca como gran maestro de amor y como el primer poeta en lengua vulgar. Se complacía en lo complicado y difícil.

[8] Gerardo Bornell, poeta provenzal de origen lemosín. Gozó de gran renombre y le llamaban "maestro de trovadores".

otro que venía en pos de él, desapareció entre el fuego, como desaparece el pez en el fondo del agua. Yo me adelanté un poco hacia el que me había designado, y le dije que mi deseo preparaba a su nombre una grata acogida: él empezó a decir donosamente:

"—Me complace tanto vuestra cortés pregunta, que ni puedo ni quiero ocultarme a vos: yo soy Arnaldo, que lloro y voy cantando: veo, triste, mis pasadas locuras, y veo, contento, el día que en adelante me espera. Ahora os ruego, por esa virtud que os conduce a lo más alto de la escala, que os acordéis de endulzar mi dolor."

Después se ocultó en el fuego que los purifica.

CANTO VIGESIMOSEPTIMO

EL SOL estaba ya en aquel punto desde donde lanza sus primeros rayos sobre la ciudad en que se derramó la sangre de su Hacedor: el Ebro caía bajo el alto signo de Libra, y las ondas del Ganges eran caldeadas al empezar la hora de nona; de modo que donde estábamos terminaba el día, cuando nos divisó placentero el Angel de Dios, que apartado de la llama se puso en la orilla a cantar: "Beati mundo corde",[1] en voz bastante más viva que la nuestra. Después dijo:

—No se sigue adelante, almas santas, si el fuego no os muerde antes: entrad en él, y no os hagáis sordas al cántico que llegará hasta vosotras.

Así habló cuando estuvimos cerca de él, por lo que me quedé al oírle como aquel que es metido en la fosa. Elevé mis manos entrelazadas mirando al fuego, y se representaron vivamente en mi imaginación los cuerpos humanos que había visto arder. Mis buenos Guías se volvieron hacia mí, y Virgilio me dijo:

—Hijo mío, aquí puedes encontrar un tormento; pero no la muerte. Acuérdate, acuérdate... y si te guié sano y salvo sobre Gerión, ¿qué no haré ahora que estoy más cerca de Dios? Ten por cierto que, aunque estuvieras mil años en medio de esa llama, no perderías un solo cabello; y si acaso crees que te engaño, ponte cerca de ella, y como prueba, aproxima con tus manos al fuego la orla de tu ropaje. Depón, pues, depón todo temor; vuélvete hacia aquí, y pasa adelante con seguridad.

Yo, sin embargo, permanecí inmóvil aun en contra de mi conciencia. Cuando vio que me estaba quieto y reacio, repuso algo turbado:

—Hijo mío, repara en que entre Beatriz y tú sólo existe ese obstáculo.

Así como al oír el nombre de Tisbe,[2] Píramo, cercano a la muerte, abrió los ojos y la contempló bajo la morera, que desde entonces echó frutos rojos, así yo, vencida mi obstinación, me dirigí hacia mi sabio Guía, al oír el nombre que siempre está en mi mente. Entonces él, moviendo la cabeza, dijo:

—¡Cómo! ¿Queremos permanecer aquí?

Y se sonrió, como se sonríe al niño a quien se conquista con una fruta. Después se metió en el fuego el primero, rogando a Estacio, que durante todo el camino se había interpuesto entre ambos, que viniese detrás de mí. Cuando estuve dentro, habríame arrojado, para refrescarme, en medio del vidrio hirviendo; tan desmesurado era el ardor que allí se sentía. Mi dulce Padre, para animarme, continuaba hablando de Beatriz y diciendo: "Ya me parece ver sus ojos." Nos guiaba una voz que cantaba al otro lado; y nosotros, atentos solamente a ella, salimos del fuego por el sitio donde está la subida.

—"Venite, benedicti Patris mei"[3] —se oyó en medio de una luz que allí había, tan resplandeciente que me ofuscó y no la pude mirar—. El Sol se va —añadió—, y viene la noche; no os detengáis, sino acelerad el paso antes que obscurezca.

[1] La sexta bienaventuranza evangélica: "Bienaventurados los limpios de corazón, porque ellos verán a Dios."

[2] Píramo, creyendo muerta a su amada Tisbe, se hirió mortalmente; Tisbe, que no había muerto, se acercó a él y le llamó y al no obtener respuesta se suicidó: la morera que estaba a su lado comenzó desde aquel día a dar frutos morados.

[3] "Venid, benditos de mi Padre": palabras que Cristo dirigirá a los elegidos el día del Juicio final, Mateo XXV, 34.

El sendero subía recto a través de la peña hacia el Oriente, y yo interrumpía delante de mí los rayos del Sol, que ya estaba muy bajo. Habíamos subido pocos escalones, cuando mis sabios Guías y yo, por mi sombra que se desvanecía, observamos que tras de nosotros se ocultaba el Sol; y antes de que en toda su inmensa extensión tomara el horizonte el mismo aspecto, y de que la noche se esparciera por todas partes, cada uno de nosotros hizo de un escalón su lecho; porque la naturaleza del monte, más bien que nuestro deseo, nos impedía subir. Como las cabras que antes de haber satisfecho su apetito van veloces y atrevidas por los picos de los montes, y una vez saciado éste, se quedan rumiando tranquilas a la sombra, mientras el Sol quema, guardadas por el pastor, que, apoyado en su cayado, cuida de ellas; y como el pastor que se queda fuera y pernocta cerca de su rebaño, para preservarlo de que lo disperse alguna bestia feroz, así estábamos entonces nosotros tres, yo como cabra, y ellos como pastores, estrechados por los dos lados de aquella abertura. Poco alcanzaba nuestra vista de las cosas que había fuera de allí; pero por aquel reducido espacio veía yo las estrellas más claras y mayores de lo acostumbrado. Rumiando de esta suerte y contemplándolas me sorprendió el sueño; el sueño que muchas veces predice lo que ha de sobrevenir. En la hora, según creo, en que Citerea,[4] que parece siempre abrasada por el fuego del amor, lanzaba desde Oriente sus primeros rayos sobre la montaña, me parecía ver entre sueños una mujer joven y bella, que iba cogiendo flores por una pradera, y decía cantando: "Sepa todo aquel que preguntó mi nombre, que yo soy Lía,[5] y voy extendiendo en torno mis bellas manos para formarme una guirnalda. Para agradarme delante del espejo, me

adorno aquí; pero mi hermana Raquel no se separa jamás del suyo, y permanece todo el día sentada ante él. A ella le gusta contemplar sus hermosos ojos, como a mí adornarme con mis propias manos: ella se satisface con mirar, yo con obrar." Ya, ante los esplendores que preceden al día, tanto más gratos a los peregrinos, cuanto más cerca de su patria se albergan al volver a ella, huían por todas partes las tinieblas, y con ellas mi sueño; por lo cual me levanté, y vi a mis grandes Maestros levantados también.

La dulce fruta que por tantas ramas va buscando la solicitud de los mortales, hoy calmará tu hambre.

Tales fueron las palabras que me dirigió Virgilio; palabras que me causaron un placer como no lo ha causado jamás regalo alguno. Acrecentóse tanto en mí el deseo de llegar a la cima del monte, que a cada paso que daba sentía crecer alas para mi vuelo. Cuando, recorrida toda la escalera, estuvimos en la última grada, Virgilio fijó en mí sus ojos y dijo:

—Has visto el fuego temporal y el eterno, hijo mío, y has llegado a un sitio donde no puedo ver nada más por mí mismo. Con ingenio y con arte te he conducido hasta aquí: en adelante sírvate de guía tu voluntad; fuera estás de los caminos escarpados y de las estrechuras; mira el Sol que brilla en tu frente; mira la hierba, las flores, los arbustos, que se producen solamente en esta tierra. Mientras no vengan radiantes de alegría los hermosos ojos que, entre lágrimas, me hicieron acudir en tu socorro,[6] puedes sentarte, y puedes pasear entre esas flores. No esperes ya mis palabras, ni mis consejos: tu albedrío es ya libre, recto y sano, y sería una falta no obrar según lo que él te dicte. Así, pues, ensalzándote sobre ti mismo, te corono y te mitro.[7]

---

[4] Venus, estrella de la tarde.
[5] Lía, la primera mujer de Jacob, símbolo de la vida activa. Raquel, su segunda mujer, simboliza la vida contemplativa.

[6] Los de Beatriz.
[7] Tu albedrío es ya libre; recto y sano, por el esclarecimiento de tu razón y el dominio de tus pasiones: por lo tanto te hago señor de ti mismo, en lo tocante a la dirección civil (*corona*), y a la espiritual (*mitra*).

CANTO VIGESIMOCTAVO

Deseoso ya de observar en su interior y en sus contornos la divina floresta espesa y viva, que amortiguaba la luz del nuevo día, dejé sin esperar más el borde del monte y marché lentamente a través del campo, cuyo suelo por todas partes despedía gratos aromas. Un aura blanda e invariable me oreaba la frente con no mayor fuerza que la de un viento suave: a su impulso, todas las verdes frondas se inclinaban trémulas hacia el lado a que proyecta su primera sombra el sagrado monte; pero sin separarse tanto de su derechura, que las avecillas dejaran por esta causa de ejercitar su arte sobre las copas de los árboles, pues antes bien, llenas de alegría, saludaban a las primeras auras, cantando entre las hojas, que acompañaban a sus ritmos haciendo el bajo, con un susurro semejante al que de rama en rama va creciendo en los pinares del llano de Chiassi, cuando Eolo deja escapar el Sirocco.[1]

Ya me habían transportado mis lentos pasos tan adentro de la antigua selva, que no podía distinguir el sitio por donde había entrado, cuando vi interceptado mi camino por un riachuelo,[2] que corriendo hacia la izquierda, doblegaba bajo el peso de pequeñas linfas las hierbas que brotaban en sus orillas. Las aguas que en la tierra se tienen por más puras, parecían turbias comparadas con aquellas, que no ocultan nada, aunque corran obscurecidas bajo una

[1] Eolo es el rey de los vientos que los tiene encerrados en una gruta y los suelta cuando le viene en gana. El siroco es un viento del sudeste. El lugar es un pinar, todavía hoy famoso, que se extiende a orillas del Adriático cerca de Ravena; el pinar se llama actualmente de Classe y en la antigüedad Classis, del nombre de una estación naval, ya existente en tiempos del Imperio romano.

[2] Otra vez el Leteo, río del olvido.

perpetua sombra, que no da paso nunca a los rayos del Sol ni de la Luna. Detuve mis pasos, y atravesé con la vista aquel riachuelo, para admirar la gran variedad de sus frescas arboledas, cuando se me apareció, como aparece súbitamente una cosa maravillosa que desvía de nuestra mente todo otro pensamiento, una mujer sola, que iba cantando y cogiendo flores de las muchas de que estaba esmaltado todo su camino.

—¡Ah!, hermosa Dama,[3] que te

[3] ¿Cuál es el significado simbólico de la otra hermosa dama, que Dante no nombrará hasta el Canto XXXIII? Y ¿quién era la persona real que el poeta elevó al grado de símbolo? Innumerables interpretaciones se han dado a estas dos cuestiones; recogeremos las más verosímiles. Si Lía, la del sueño del Canto anterior, simboliza la vida activa y es, evidentemente, pronunciadora de la "bella donna", también ésta será personificación de tal vida. Y no cabe ninguna duda: activa se nos muestra desde su primera aparición hasta que su figura se desvanece. Es, pues, la vida activa personificada, la vida activa perfecta, la que llevaron nuestros primeros padres en el Paraíso Terrenal, donde ahora vive, sola, la hermosa dama. Resulta esta mujer en la *Comedia* un personaje intermedio entre Virgilio y Estacio, presentes pero pasivos y mudos, y Beatriz. Por lo que toca a la identificación de la mujer humana elevada a la categoría de símbolo, debemos confesar que ninguna de las opiniones emitidas satisfacen plenamente. Más adelante sabremos que se llama Matilde, este nombre ha hecho pensar desde muy antiguo en la condesa Matilde de Canosa, piadosa princesa del siglo XI, valiosísimo auxiliar del pontificado en la disputa de las investiduras, que legó a la Santa Sede la soberanía de Florencia y de toda la Toscana. Pero hay otras Matildes que han disputado el puesto, entre ellas la monja Matilde de Hackeborn, contemporánea de Dante y autora de un libro en el que se narran visiones que bien pudieron inspirar al vate. Algunos, basándose en el hecho de que es una persona bien conocida de Beatriz, pretenden ver en ella alguna de las damas de la *Vita Nova*. Pero brota una objeción irrefutable de la misión misma que desempeña Matilde en el Paraíso terrenal. Si ella es la guardiana del Edén —como Catón lo era del Antepurgatorio— es lógico que debía estar allí desde el día en que la primera alma purificada salió del Purgatorio para entrar en el Paraíso terrenal. Esto impide aceptar ninguna de las mujeres históricas en que se ha pensado. Queda

abrasas en los rayos de Amor, si he de dar crédito al semblante que suele ser testimonio del corazón; dígnate adelantarte —le dije— hacia este riachuelo, lo bastante para que pueda comprender qué es lo que cantas. Tú traes a mi memoria el sitio donde estaba Proserpina,[4] y cómo era cuando la perdió su madre, y ella perdió sus lozanas flores.

Así como bailando se vuelve una mujer, con los pies juntos y arrimados al suelo, poniendo apenas uno delante de otro, de igual suerte se volvió aquélla hacia mí sobre las florecillas rojas y amarillas, semejante a una virgen que inclina sus modestos ojos, y satisfizo mis súplicas aproximándose tanto, que llegaba hasta mí la dulce armonía de su canto, y sus palabras claras y distintas. Luego que se detuvo en el sitio donde las hierbas son bañadas por las ondas del lindo riachuelo, me concedió el favor de levantar sus ojos. No creo que saliera tal resplandor bajo las cejas de Venus, cuando su hijo la hirió inconsideradamente.[5] Ella se sonreía desde la orilla derecha, cogiendo mientras tanto las flores que aquella elevada tierra produce sin necesidad de simiente. El río nos separaba a la distancia de tres pasos; pero el Helesponto por donde pasó Jerjes, cuyo ejemplo sirve aún de freno a todo orgullo humano, no fue tan odioso a Leandro, por el impetuoso movimiento de sus aguas entre Sestos y Abydos,[6] como lo era aquél para mí por no abrirme paso.

—Sois recién llegados —dijo ella—; y quizá porque me sonrío en este sitio escogido para nido de la humana naturaleza, os causo asombro y hasta alguna sospecha; pero el salmo "Delectasti" esparce una luz que puede disipar las nubes de vuestro entendimiento.[7] Y tú, que vas delante y me has rogado que hable, dime si quieres oír otra cosa, que yo responderé con presteza a todas tus preguntas hasta dejarte satisfecho.

—El agua —le dije— y el rumor de la floresta impugnan en mi interior una nueva creencia sobre una cosa que he oído y que es contraria a esta.

A lo que ella contestó:

—Te diré cómo procede de su causa eso que te admira, y disiparé la nube que te ciega. El Sumo Bien, que se complace sólo en sí mismo, hizo al hombre bueno y apto para el bien, y le dio este sitio como arras en señal de eterna paz. El hombre, por sus culpas, permaneció aquí poco tiempo: por sus culpas cambió su honesta risa y su dulce pasatiempo en llanto y en tristeza. A fin de que todas las conmociones producidas más abajo por las exhalaciones del agua y de la tierra, que se dirigen cuando pueden tras del calor, no molestasen al hombre, se elevó este monte hacia el cielo tanto como has visto, y está libre de todas ellas desde el punto donde se cierra su puerta. Ahora bien, como el aire gira en torno de la tierra con la primera bóveda movible del cielo, si el círculo no es interrumpido por algún punto, un movimiento semejantes viene a repercutir en esta altura, que está libre de toda perturbación en medio del aire puro, produciendo este ruido en la selva, porque es espesa; y la planta sacudida comunica su propia virtud generativa al aire, el cual girando en torno deposita dicha virtud en el suelo; y la otra tierra, según que es apta po sí misma o por

la solución de que Matilde no sea más que un mero símbolo, inventado por el poeta, pero esto resulta contrario a su costumbre de sacar todos sus símbolos de personajes reales o, por lo menos, legendarios. Tenemos que concluir, pues, que el problema de identificar a Matilde con un ser real está todavía por resolver satisfactoriamente.

[4] Estando Proserpina, la hermosa hija de Ceres, cogiendo flores en campos de Sicilia fue raptada por Plutón, que la llevó al Infierno en su propio carro.

[5] Venus, herida sin querer por su hijo Cupido, se sintió presa de amor por Adonis.

[6] El Estrecho de los Dardanelos, por donde pasó Jerjes, rey de Persia, en 480 a. C., con un gran ejército para someter a Grecia. Leandro, joven griego de Abydos, atravesaba todas las noches a nado el Helesponto para visitar a su amante Hero, que vivía en Sestos, en la orilla opuesta.

[7] El salmo 91, en el que el salmista declara que goza en admirar las cosas bellas creadas por Dios. Ellas son las que hacen sonreír a Matilde.

su cielo, concibe y produce diversos árboles de diferentes especies. Una vez oído esto, no te parecerá ya maravilloso que haya plantas que broten sin semillas aparentes. Debes saber, además, que la santa campiña en que te encuentras está llena de toda clase de semillas, y encierra frutos que allá abajo no se cogen. El agua que ves no brota de ninguna vena que sea renovada por los vapores que el frío del Cielo convierte en lluvia, como un río que adquiere o pierde caudal, sino que sale de una fuente invariable y segura, que recibe de la voluntad de Dios cuanto derrama por dos partes. Por esta desciende con una virtud que borra la memoria del pecado; por la otra renueva la de toda buena acción. Aquí se llama Leteo; en el otro lado, Eunoe;[8] y no produce sus efectos si no se bebe aquí primero que allí: su sabor supera a todos los demás. Aunque tu sed esté ya bastante mitigada sin necesidad de más explicaciones mías, por una gracia especial, aún te daré un corolario; y no creo que mis palabras te sean menos gratas, si por ti exceden a mis promesas. Los que antiguamente fingieron la edad de oro y su estado feliz, quizá soñaron en el **Parnaso este sitio.**[9] Aquí fue inocente el origen de la raza humana; aquí la primavera y los frutos son eternos: este es el verdadero néctar de que todos hablan.

Entonces me volví completamente hacia mis Poetas y vi que habían acogido con una sonrisa esta última explicación: después dirigí de nuevo mis ojos hacia la bella Dama.

---

[8] Leteo, se ha dicho, es el río del olvido;

Eunoe —literalmente buena mente, memoria— es el del recuerdo del bien.

[9] Monte de la Fócida, consagrado a Apolo y a las musas.

CANTO VIGESIMONONO

Después de aquellas últimas palabras, continuó cantando cual mujer enamorada: "Beati quorum tecta sunt peccata":[1] y a la manera de las ninfas, que andaban solas por las umbrías selvas, complaciéndose unas en huir del Sol, y otras en verle, púsose a caminar por la orilla contra la corriente del río; y yo al igual de ella, seguí sus cortos pasos con los míos. Entre los dos no habíamos aún adelantado ciento, cuando las dos riberas equidistantes presentaron una curva, de tal modo que me encontré vuelto hacia Oriente. A poco de andar así, volviose la Dama enteramente a mí, diciendo: "Hermano mío, mira y escucha." Y he aquí que por todas partes iluminó la selva un resplandor tan súbito, que dudé si había sido un relámpago; mas como éste desaparece en cuanto brilla, y aquél duraba cada vez más resplandeciente, decía yo entre mí: "¿Qué será esto?" Circulaba por el luminoso aire una dulce melodía, por lo cual mi buen celo me hizo censurar el atrevimiento de Eva; pues que allí, donde obedecían la tierra y el Cielo, una mujer sola y apenas formada, no pudo sufrir el permanecer bajo ningún velo; cuando si hubiera permanecido resignado bajo él, habría yo gozado más pronto, y luego eternamente aquellas inefables delicias.

Mientras iba yo enteramente absorto en la contemplación de tantas primicias del placer eterno, y deseoso todavía de más dichas, el aire, semejante a un gran fuego, apareció ante nosotros inflamado bajo las verdes ramas, y la dulce armonía que habíamos percibido se convirtió en un canto claro y distinto. ¡Oh sacrosantas Vírgenes![2] Si alguna vez he soportado por vosotras el hambre, el frío y las vigilias, prestadme en cambio la ayuda, que la necesidad me obliga a demandaros. Es preciso que Helicón derrame para mí sus aguas, y que el coro de Urania me ayude a poner en versos cosas apenas concebibles.[3]

Parecióme ver algo más allá siete árboles de oro,[4] engañado por la gran distancia que todavía mediaba entre nosotros y ellos; mas cuando me hube aproximado tanto, que la semejanza engañadora del sentido no perdía ya por la distancia ninguno de sus rasgos distintivos, la facultad que prepara la materia al raciocinio me hizo conocer que eran candelabros, y que las voces cantaban "Hosanna". Los hermosos muebles llameaban en su parte superior despidiendo una luz mucho más clara que la Luna a media noche y a la mitad de su mes. Me volví lleno de admiración al buen Virgilio, y él me respondió con una mirada no menos llena de asombro. Después fijé de nuevo mi atención en los altos candelabros, los cuales avanzaban en nuestra dirección tan lentamente que una recién desposada los habría vencido en celeridad. La Dama me gritó:

—¿Por qué contemplas con tanto ardor esas vívidas luces, y no reparas en lo que viene tras de ellas?

---

[1] *Beati, quorum remissae sunt iniquitates, et quorum tecta sunt peccata:* palabras del segundo Salmo penitencial, con las cuales la Dama congratula a Dante por verle limpio de las manchas de los siete pecados. Esta Dama representa, según algunos comentadores, a la Iglesia católica.

[2] Las nueve Musas.

[3] Monte de Beocia, sede de las Musas, donde brotaban las dos fuentes Hipocrene y Aganipe. Urania es la musa que simboliza la ciencia de las cosas celestes.

[4] Según unos comentadores, los siete dones del Espíritu Santo: según otros, los siete sacramentos.

Entonces vi venir detrás de las luces, y como guiadas por éstas, muchos personajes,[5] vestidos de un blanco tan puro como no ha brillado jamás en el mundo. A la izquierda resplandecía el agua, y reflejaba la parte izquierda de mi cuerpo; así es que me miraba en ella como en un espejo. Cuando desde mi orilla llegué a un punto en que únicamente el río me separaba de aquéllos, me detuve para mirar mejor, y vi las llamas caminando hacia adelante, dejando tras de sí pintado el aire con rasgos semejantes a banderolas extendidas; de modo que sobre ellas se veían claramente siete listas formadas de los colores de que el Sol hace su arco y Delia su cinturón.[6] Aquellas listas se extendían por el cielo más allá de lo que alcanzaba mi vista, y según me pareció, las de los extremos distaban entre sí diez pasos una de otra.[7] Bajo el hermoso cielo que describo, se adelantaban de dos en dos veinticuatro ancianos coronados de azucenas.[8] Todos cantaban. "Bendita tú eres entre las hijas de Adán, y benditas sean eternamente tus bellezas."[9] Después que las flores y las frescas hierbecillas que había en la otra ribera frente a mí se vieron libres de aquellos espíritus elegidos, así como en el cielo siguen unas a otras las estrellas, en pos de los ancianos vinieron cuatro animales, con ellos coronados de verdes hojas.[10] Cada uno tenía seis alas, con las plumas llenas de ojos, como serían los de Argos si viviese.[11] Lector, no empleo mis rimas en describir las formas de estos animales, pues me contiene tanto el gesto futuro, que no puedo ser ahora pródigo; pero puedes leer a Ezequiel, que las pinta tales como los vio acudir de las frías regiones, con el viento, con las nubes y con el fuego; y del mismo modo que los encontrarás en sus libros, así se presentaban aquí si se exceptúa que, en cuanto a las alas, Juan está conmigo y se separa de él. El espacio que quedaba entre los cuatro lo ocupaba un carro triunfal sobre dos ruedas, que iba tirado por un Grifo.[12] Este extendía sus alas entre la lista de en medio y las tres de ambos lados, sin que interceptara ninguna de ellas al hender el espacio entre las mismas comprendido. Se elevaban tanto, que se las perdía de vista: la parte de su cuerpo que era ave tenía los miembros de oro, y los de la otra parte eran blancos manchados de rojo. Ni Escipión el Africano,[13] ni aun Augusto, hicieron jamás recrearse a Roma en la contemplación de un carro tan bello, y aun comparado con él, sería pobre aquel carro del Sol, que desviándose de su camino, fue abrasado, por los ruegos de la Tierra suplicante, cuando Júpiter fue misteriosamente justo.[14]

Tres mujeres venían danzando en redondo al lado de la rueda derecha; una de ellas tan roja, que apenas se la hubiera distinguido dentro del fuego: la otra era como si su carne y sus huesos fuesen de esmeralda: la tercera parecía nieve recién caída.[15] Tan pronto iba a la cabeza la blan-

[5] Los patriarcas, profetas y otros santos varones, que creyeron en la venida de Jesucristo.
[6] Delia, sobrenombre de Diana, porque nació en Delos; se identifica con la Luna.
[7] Estos diez pasos figuran, según todos los comentadores, los diez mandamientos.
[8] Símbolos de los libros del Antiguo Testamento.
[9] Son las palabras de saludo del arcángel Gabriel y de Santa Isabel a María, (Lucas I, 28 y 42), a las cuales añade Dante una alabanza de la divina belleza.
[10] Símbolos de los cuatro Evangelistas.
[11] Las alas son símbolo de la prontitud con que el Evangelio recorrió el mundo. Los ojos, semejantes a los de Argos, lo son de la vigilancia que es necesaria para mantener pura la verdad evangélica contra los sofismas de que se valen las pasiones. Argos era el custodio de Io, lleno de ojos, a quien Mercu-

rio adormeció contándole fábulas y después le cortó la cabeza.
[12] Símbolo de la Iglesia militante: en las dos ruedas suelen verse simbolizados los dos Testamentos, o, mejor, la Vida activa y la contemplativa; en el grifo, león y águila ya veía San Isidro un símbolo de Cristo, en quien hay dos naturalezas, la humana y la divina, unidas en la persona de aquel que conduce la Iglesia.
[13] El vencedor de Aníbal.
[14] Viendo que el carro del Sol, conducido por Faetón, iba a abrasar al mundo, la Tierra suplicó a Júpiter que desviase aquel peligro y su ruego fue atendido por el padre de los dioses.
[15] Las tres virtudes teologales: la Fe, color de nieve; la Esperanza, color de esmeralda, y la Caridad, color de fuego.

ca, como la roja; y según el canto de ésta, así las demás ajustaban el paso, avanzando lentas o rápidas. Hacia la izquierda del carro venían gozosas otras cuatro vestidas de púrpura ajustando sus movimientos al de una de ellas, que tenía tres ojos en la cabeza.[16] En pos de estos grupos de que acabo de hablar, vi dos ancianos con diferentes vestiduras; pero iguales en su actitud, venerable y reposada. Uno de ellos parecía ser de los discípulos de aquel gran Hipócrates, a quien hizo la naturaleza en favor de los seres animados que le son más queridos; el otro demostraba un cuidado contrario, con una espada tan reluciente y aguda, que

a través del río me causó miedo.[17] Después vi otros cuatro de humilde apariencia; [18] y detrás de todos venía un anciano solo y durmiendo, pero con la faz inspirada.[19] Estos siete estaban vestidos como los veinticuatro primeros; pero no iban coronados de azucenas, sino de rosas y de otras flores coloradas; quien los hubiese visto desde algo lejos, habría jurado que ardía una llama sobre sus sienes. Cuando el carro estuvo frente a mí, se oyó un trueno; y aquellos dignos personajes, como si se les hubiera prohibido seguir adelante, se detuvieron allí al mismo tiempo que los candelabros.

[16] Las cuatro Virtudes cardinales: Prudencia, Justicia, Fortaleza y Templanza. Se suponen tres ojos a la Prudencia: con uno mira al pasado, para sacar un recuerdo provechoso; con el otro al presente, para no equivocarse al tomar una determinación; y con el otro al porvenir, para evitar a tiempo el mal y prepararse al bien.

[17] Estos ancianos personifican el uno *Los Hechos de los Apóstoles* cuyo autor, San Lucas, era médico, y el otro las *Epístolas* de San Pablo, de quien es atributo la espada con que fue decapitado.

[18] Los apóstoles Santiago, Pedro, Juan y Judas, escritores de las Epístolas católicas; y dice de humilde apariencia, porque sus escritos son breves.

[19] San Juan Apóstol, que cuando escribió el *Apocalipsis*, estaba cercano a los noventa años.

CANTO TRIGESIMO

CUANDO se detuvo el septentrión del primer Cielo,[1] que no conoció nunca orto ni ocaso, ni más niebla que el velo qe sobre él corrió el pecado, y que allí enseñaba a cada cual su deber, como el septentrión más bajo lo enseña al que dirige el timón para llegar al puerto, los veraces personajes que iban entre el Grifo y los siete candelabros se volvieron hacia el carro, como hacia el fin de sus deseos; y uno de ellos como enviado del Cielo, exclamó tres veces cantando: "Veni, sponsa, de Libano",[2] y todos los demás cantaron lo mismo después de él. Así como los bienaventurados, cuando llegue la hora del juicio final, se levantarán con presteza de sus tumbas, cantando "Aleluya" con su voz recobrada por fin, del mismo modo se elevaron sobre el carro divino, "ad vocem tanti senis",[3] cien ministros y mensajeros de la vida eterna. Todos decían: "Benedictus qui venis", y después, esparciendo flores por encima y alrededor, añadían: "Manibus o date lilia plenis." [4]

Yo he visto, al romper el día, la parte oriental enteramente sonrosada, el resto del cielo adornado de una hermosa serenidad, y la faz del Sol naciente cubierta de sombras, de suerte que a través de los vapores que amortiguaban su resplandor, podía contemplarla el ojo por largo tiempo: del mismo modo, a través de una nube de flores que salía de manos angelicales y caía sobre el carro y en torno suyo, se me apareció una dama coronada de oliva sobre un velo blanco, cubierta de un verde manto, y vestida del color de una vívida llama.[5] Mi espíritu, que hacía largo tiempo [6] no había quedado abatido, temblando de estupor en su presencia, sin que mis ojos la reconocieran, sintió no obstante el gran poder del antiguo amor, a causa de la oculta influencia que de ella emanaba. En cuanto hirió mis ojos la alta virtud que me había avasallado antes de que yo saliera de la infancia,[7] me volví hacia la izquierda, con el mismo respeto con que corre el niño hacia su madre, cuando tiene miedo, o cuando está afligido, para decir a Virgilio: "No ha quedado en mi cuerpo una sola gota de sangre que no tiemble; reconozco las señales de mi antigua llama."[8] Pero Virgilio nos había privado de sí; Virgilio, el dulcísimo padre, Virgilio, que me había sido enviado

---

[1] El Septentrión —literalmente "siete bueyes"— designa en la cosmografía latina las siete estrellas de la Osa Mayor y Menor y particularmente la Osa Menor. Pero Dante, en una metáfora audaz, aplica aquí este nombre a los siete candelabros, a los Siete Espíritus de Dios. También estos Siete Dones, que no conocen otro ocaso, ni otra niebla que la del pecado, tienden naturalmente al Primer ciclo.

[2] Uno de los ancianos representa al libro del *Cantar de los Cantares*, al cual pertenecen esas palabras: "ven del Líbano, esposa". La esposa aquí invocada no es otra que Beatriz.

[3] "A la voz de tan gran anciano"; el que había gritado: "Veni, sponsa, de Libano."

[4] Las primeras son las palabras con que los judíos recibieron en triunfo a Cristo cuando entró en Jerusalén el Domingo de Ramos. (*Mateo* XXI, 9.) Las otras —"Esparced lirios a manos llenas"— son las que Virgilio pone en boca de Anquises, cuando habla en honor del joven Marcelo. (*Eneida* VI, 883.)

[5] Por fin aparece Beatriz en su personalidad real y en su personalidad simbólica. El velo blanco, el manto verde y el vestido color de fuego, que adornan a Beatriz, simbolizan las tres Virtudes teologales: la corona de olivo indica la Sabiduría y la Paz.

[6] Diez años, ya que Beatriz había muerto en 1290.

[7] "Yo la encontré a fines de mi noveno año", dice Dante en su *Vita Nova*.

[8] *"Adgnosco veteris vestigia flamae"*; con estas palabras de la *Eneida* IV, 23, revela Dido a su hermana Ana que vuelve a sentir en el nuevo amor por Eneas el ardor que sintió cuando amaba a Siqueo.

por aquélla para mi salvación. Ni aun todo lo que perdió la antigua madre pudo impedir que mis mejillas enjutas se bañaran en triste llanto.

—¡Dante, no llores todavía; no llores todavía porque Virgilio se vaya, pues es preciso que llores por otra herida!

Como el almirante que va de popa a proa examinando la gente que monta los otros buques, y la anima a portarse bien, del mismo modo sobre el borde izquierdo del carro, vi yo, cuando me volví al oír mi nombre, que aquí se consigna por necesidad, a la Dama que se me apareció anteriormente velada por los halagos angelicales, dirigiendo sus ojos hacia mí de la parte acá del río. Aunque el velo que descendía de su cabeza, rodeado de las hojas de Minerva, no permitiese que se distinguieran sus facciones, con su actitud regia y altiva continuó de esta suerte, como aquel que al hablar reserva las palabras más calurosas para lo último:

—Mírame bien, soy yo; soy en efecto Beatriz. ¿Cómo te has dignado subir a este monte? ¿No sabías que el hombre es aquí dichoso?

Mis ojos se inclinaron hacia las limpias ondas; pero viéndome reflejado en ellas, los dirigí hacia la hierba: tanta fue la vergüenza que abatió mi frente. Parecióme Beatriz tan terrible como una madre irritada a su hijo, porque amarga el sabor de la piedad acerba. Ella guardó silencio, y los ángeles cantaron de improviso: "In te Domine speravi"; pero no pasaron de "pedes meos".[9] Así como la nieve se congela y endurece al soplo de los vientos de Esclavonia, entre los árboles que crecen sobre el dorso de Italia; y luego se licúa por sí misma, en cuanto la tierra que pierde la sombra[10] envía su aliento, semejante al fuego que derrite una vela; así me quedé sin lágrimas ni

suspiros antes que cantasen aquéllos cuyas notas responden siempre a la armonía de las esferas celestiales: mas cuando comprendí por sus dulces palabras que se compadecían de mí más que si hubiesen dicho: "Mujer, ¿por qué así le maltratas?", el hielo que oprimía mi corazón se deshizo en suspiros y agua, y junto con mi angustia, salió del pecho por la boca y por los ojos. Estando Ella, sin embargo, inmóvil sobre el costado izquierdo del carro, dirigió de este modo sus palabras a las compasivas substancias:

—Vosotros veláis en el eterno día, de modo que ni la noche ni el sueño os roban ninguno de los pasos que da el siglo en su camino: así pues, responderé con más cuidado, a fin de que me comprenda el que allí llora, y sienta un dolor proporcionado a su falta. No solamente por influencia de las grandes esferas que dirigen cada semilla hacia algún fin, según la virtud de la estrella que la acompaña, sino también por la abundancia de la gracia divina (cuya lluvia desciende de tan altos vapores, que no puede alcanzarlos nuestra vista), fue tal ése en su edad temprana por natural disposición, que todos los buenos hábitos habrían producido en él admirables efectos; pero el terreno mal sembrado e inculto se hace tanto más maligno y salvaje, cuanto mayor vigor terrestre hay en él. Por algún tiempo le sostuve con mi presencia: mostrándole mis ojos juveniles, le llevaba conmigo en dirección del camino recto; pero tan pronto como estuve en el umbral de la segunda edad,[11] y cambié de vida, ése se separó de mí y se entregó a otros amores. Cuando subí desde la carne al espíritu, y hube crecido en belleza y virtud, fui para él menos querida y menos agradable. Encaminó sus pasos por una vía falsa, siguiendo tras engañosas imágenes del bien, que no cumplen totalmente ninguna

9 El *Salmo* XXX, en sus nueve primeros versículos —hasta *pedes meos*— expresa vivamente la esperanza del hombre en Dios.
10 Es propiamente Africa.

11 La segunda edad, o juventud, comienza a los 25 años, según Dante. Beatriz "cambió de vida" —murió— en junio de 1290, cuando iba a cumplir esa edad.

promesa: ni siquiera me ha valido .
impetrar para él inspiraciones, por
medio de las cuales le llamaba en
sueños o de otros modos, según el
poco caso que de ellas ha hecho. Tan
abajo cayó, que todos mis medios
eran ya insuficientes para salvarle,
si no le mostraba las razas condenadas. Por él he visitado el umbral de
los muertos, y dirigí mis ruegos y mis
lágrimas al que le ha conducido hasta aquí. Se hubiera violado el alto decreto de Dios, si pasara el Leteo y
gustara tales manjares sin haber pa-
gado alguna parte de la penitencia
que hace verter lágrimas.

CANTO TRIGESIMOPRIMERO

¡OH TÚ, que estás a la otra parte del sagrado río! —Empezó de nuevo a decir, continuando sin demora, y dirigiéndome de punta sus palabras, que aun de filo me habían parecido tan acerbas—; di, di si esto es verdad; a tal acusación es preciso que tu confesión corresponda.

Estaba yo tan confuso, que mi voz conmovida se extinguió antes de salir de sus órganos. Ella esperó un momento, y después dijo:

—¿En qué piensas? Respóndeme, pues todavía las aguas del Leteo no han borrado tus tristes recuerdos.

La confusión y el miedo reunidos me arrancaron de la boca un "sí" tan débil, que fue menester el auxilio de la vista para entenderlo. Así como se rompe una ballesta por estar demasiado tirantes la cuerda y el arco, de modo que la flecha da con menos fuerza en el blanco, así yo, quebrantado bajo el peso de tan grave cargo, prorrumpí en lágrimas y suspiros, y la voz enflaquecida vino a expirar entre mis labios. Entonces Ella me dijo:

—En medio de los saludables deseos procedentes de mí, que te impulsaban a amar el bien, más allá del cual no hay nada a que aspirar, ¿qué fosos insuperables o qué cadenas has encontrado para perder de tal modo la esperanza de pasar **adelante**? ¿Y qué ventajas o atractivos descubriste en el aspecto de los otros bienes, para que debieras rondar en torno de ellos?

Después de haber exhalado un amargo suspiro, apenas tuve bastante voz para responder; voz que mis labios formaron con trabajo. Llorando dije:

—Las cosas presentes con sus falsos placeres desviaron mis pasos, apenas se me ocultó vuestro rostro.

Ella me respondió:

—Aunque callases o negases lo mismo que ahora confiesas, no por eso tu falta sería menos conocida: ¡tal es el juez que la sabe! Pero cuando la confesión del pecado sale de la propia boca del pecador, la rueda se vuelve en nuestro tribunal contra el filo de la espada. Sin embargo, para que más te aproveche la vergüenza de tu error, y para que otra vez seas más fuerte al oír las sirenas, depón la causa de tu llanto y escucha: de este modo sabrás que mi carne sepultada debía encaminarte en una dirección totalmente contraria. El arte o la naturaleza no te presentaron jamás una cosa tan agradable como los bellos miembros en que estuve contenida, miembros que ahora son polvo de la tierra. Y si el sumo placer de verme te faltó por mi muerte, ¿qué cosa mortal debía excitar después tus deseos? A la primera herida que te causaron las cosas falaces del mundo, debiste elevar tus ojos al cielo, siguiéndome a mí, que no era ya como ellas. No debían abatirse tus alas para esperar allí nuevos golpes, o bien alguna doncellita u otra cualquiera vanidad de tan corta duración. El tierno pajarillo cae en dos o tres asechanzas; pero ante los ojos de los ya cubiertos de pluma en vano se despliegan las redes, en vano se lanzan flechas.

Yo estaba como los niños que, mudos de vergüenza y con los ojos fijos en el suelo, escuchan en pie, reconociendo sus faltas, y arrepentidos. Ella continuó:

—Ya que te muestras tan contrito por lo que has oído, alza la barba, y sentirás más dolor mirándome.

Con menos resistencia se desarraiga la robusta encina, bien al embate de los vientos boreales, o bien al de aquel que viene del país de Jarba,[1] de la que, al oír su orden, opuse yo para levantar la cabeza; y cuando dio el nombre de barba a mi rostro, bien conocí el veneno que encerraban sus palabras. Por fin, cuando alcé la faz, advertí que las primeras criaturas habían cesado de esparcir flores, y mis miradas, poco seguras aún, vieron a Beatriz vuelta hacia la fiera[2] que es una sola persona con dos naturalezas. Cubierta con su velo, y al otro lado de la verde orilla, parecióme que se vencía a sí misma en su primitiva belleza, mucho más de lo que vencía a las demás mujeres cuando vivía en el mundo. La ortiga del arrepentimiento me punzó tanto, que de todas las cosas mortales la que más me desvió de su amor me fue la más odiosa: el remordimiento me oprimió el corazón de tal modo, que caí desmayado. Lo que me sucedió entonces lo sabe aquella que fue la causa de ello. Cuando el corazón me restituyó la facultad de percibir las cosas exteriores, vi por encima de mí a la Dama que antes había encontrado sola, y la oí decir:

—¡Agárrate, agárrate a mí!

Habíame sumergido en el río hasta la garganta, e impeliéndome tras ella, iba caminando sobre el agua con la ligereza de una lanzadera. Cuando estuve cerca de la dichosa orilla, oí tan dulcemente "Asperges me",[3] que no sabría recordarlo, cuanto menos escribirlo. La hermosa Dama abrió sus brazos, rodeó con ellos mi cabeza, y me sumergió de modo que hube de beber el agua. Después me sacó fuera, y mojado como estaba me presentó a las cuatro bellas bailarinas,[4] cada una de las cuales extendió sobre mí su brazo.

—Aquí somos ninfas, y en el Cielo estrellas: antes de que Beatriz descendiese al mundo fuimos designadas como siervas suyas. Te conduciremos ante sus ojos; pero las tres del otro lado,[5] que ven más al fondo, aguzarán los tuyos para que percibas la plácida luz que hay dentro de ellos.

Así me dijeron cantando; y después me llevaron hacia el pecho del Grifo, donde estaba Beatriz vuelta hacia nosotros. En seguida añadieron:

—No economices tus miradas: te hemos puesto delante de las esmeraldas, desde donde Amor te lanzó un día sus dardos.

Mil deseos más ardorosos que la llama atrajeron mis ojos hacia aquellos ojos brillantes, que aún estaban fijos en el Grifo. Como el Sol en un espacio, la doble fiera se reflejaba en ello, ya de un modo, ya de otro. Piensa, lector, si yo estaría maravillado al ver tal objeto permanecer inalterable en sí mismo, y transformándose en su imagen reflejada. Mientras que, llena de estupor y gozosa, mi alma gustaba de aquel alimento que, satisfaciéndola, la hacía más deseosa de el, aquellas tres, que demostraban en su actitud ser de una jerarquía más elevada, se adelantaron danzando al compás de sus angélicos cantares.

—Vuelve, Beatriz, vuelve tus ojos santos (tal era su canción) hacia tu fiel amigo, que ha dado tantos pasos para verte. Por gracia, haznos la gracia de descubrirle tu faz, de modo que contemple la nueva belleza que le ocultas.

¡Oh esplendor de viva luz eterna! ¿Quién es el que habiendo palidecido a la sombra del Parnaso, o bebido en su frente, no tendría la mente ofuscada, al intentar representarte tal cual apareciste allí donde el cielo te circundaba, resonando con su acostumbrada armonía, cuando al aire libre te descubriste?

---

[1] La Libia, de donde era rey Jarbas en tiempo de Dido.
[2] El Grifo, símbolo del Hombre-Dios.
[3] Versículo 9 del *Salmo 50*, que se recita cuando el sacerdote rocía con agua bendita al pecador arrepentido.
[4] Las cuatro virtudes cardinales; se ha visto en cantos anteriores que están representadas en el cielo austral por la constelación de la Cruz del Sur.

[5] Las virtudes teologales, con las que el hombre penetra la revelación.

CANTO TRIGESIMOSEGUNDO

Estaban mis ojos tan fijos y atentos para calmar su sed de diez años, que tenía embotados los otros sentidos, encontrando además aquéllos por todas partes obstáculos que no les permitían cuidarse de ninguna otra cosa; así es que la santa sonrisa los atraía con sus antiguas redes. Pero por fuerza me obligaron aquellas diosas a volver la cabeza hacia la izquierda, porque les oía decir: "Mira demasiado fijamente"; y la disposición en que se encuentran los ojos cuando acaban de ser heridos por los rayos del Sol, me dejó por algún tiempo sin vista; mas cuando se repusieron los míos ante otro pequeño resplandor (y digo pequeño, comparándolo con la gran luz de que me había separado forzosamente), vi que el glorioso ejército se había vuelto hacia la derecha, recibiendo en el rostro los rayos del Sol y los de las siete llamas. Así como para salvarse una cohorte, se retira cobijada bajo los escudos, y se vuelve con su estandarte antes de que haya terminado por completo su evolución, así la milicia del reino celestial que precedía al carro desfiló toda antes de que éste hubiera vuelto su lanza. En seguida las mujeres se volvieron a colocar cerca de las ruedas, y el Grifo puso en movimiento el carro bendito, de tal modo que no se agitó ninguna de sus plumas. La hermosa Dama[1] que me hizo vadear el río, Estacio y yo seguíamos a la rueda que describió al girar el arco menor. Caminando de esta suerte a través de la alta selva deshabitada por culpa de aquella que creyó a la serpiente, ajustaba mis pasos al cántico de los ángeles. Una flecha

despedida del arco recorre quizá en tres veces el espacio que habíamos avanzado, cuando bajó Beatriz. Oí que todos murmuraban: "¡Adán!" En seguida rodearon un árbol enteramente despojado de hojas y flores en todas sus ramas. Su copa, que se extendía a medida que el árbol se elevaba, sería, a causa de su altura, admirada por los indios en sus selvas.

—¡Bendito seas, oh Grifo, que con tu pico no arrancaste nada de este tronco al gusto, después que, por haberlo probado, se inclinó al mal el apetito humano!

Así exclamaron todos en derredor del árbol robusto; y el animal de doble naturaleza respondió:

—De ese modo se conserva la semilla de toda justicia.

Y volviéndose al timón de que había tirado, lo condujo al pie de la planta viuda de sus hojas, y dejó atado a ella el carro que era de ella. Así como nuestras plantas se ponen turgentes cuando la gran luz desciende mezclada con aquella que irradia detrás de los celestes Peces,[2] y luego se reviste cada una con su propio color antes que el Sol guíe sus caballos bajo otra estrella, de igual modo se renovó el árbol cuyas ramas estaban antes tan desnudas, adquiriendo colores menos vivos que los de la rosa, pero más que los de la violeta. Yo no pude entender, ni aquí abajo se canta, el himno que aquella gente entonó entonces, ni tampoco pude oír todo el canto hasta el fin. Si me fuera posible describir cómo se adormecieron aquellos despiadados ojos

---

[1] Siempre Matilde.

[2] La "gran luz" es la del Sol. La que "irradia detrás de los celestes Peces", es la de Aries, bajo cuya constelación empieza la primavera.

que tan cara pagaron su excesiva vigilancia, oyendo las aventuras de Siringa,[3] representaría, como un pintor que copia un modelo, el modo como me dormí; pero hágalo quienquiera que sepa figurar bien el sueño.

Paso, pues, al momento en que me desperté, y digo que un resplandor desgarró el velo de mi sueño, al mismo tiempo que me gritaba una voz: "Levántate; ¿qué haces?" Como Pedro, Juan y Santiago,[4] conducidos a ver las florecitas del manzano, que hace a los ángeles codiciosos de su fruta y perpetuas las bodas en el cielo; y aterrados por el esplendor divino, volvieron en sí al oír la palabra que ha interrumpido sueños mayores, y vieron su compañía mermada por la ausencia de Moisés y Elías, y cambiada la túnica de su Maestro, así desperté yo, viendo inclinada sobre mí a aquella compasiva mujer que había guiado anteriormente mis pasos por el río; lleno de inquietud dije:

—¿Dónde está Beatriz?

A lo que me contestó:

—Mírala sentada sobre las raíces y bajo el nuevo follaje de ese árbol.[5] Mira la compañía que la rodea:[6] los otros [7] se van hacia arriba tras el Grifo, entonando cánticos más dulces y más profundos.

Ignoro si fue más difusa su respuesta; porque se hallaba otra vez ante mis ojos aquella que me impedía fijar la atención en ninguna otra cosa. Estaba sentada ella sola en la tierra verdadera, como dejada allí para custodiar el carro que vi atar a la biforme fiera. En torno suyo formaban un círculo las siete Ninfas, teniendo en las manos aquellas

luces que no puede apagar el Aquilón ni el Austro.

—Poco tiempo habitarás esta selva, y serás eternamente conmigo ciudadano de aquella Roma donde Cristo es romano.[8] Por lo tanto, fija tus ojos en este carro para bien del mundo que vive mal, y cuando vuelvas a él, escribe lo que has visto.

Así habló Beatriz; y yo, enteramente sumiso a sus órdenes, puse mi mente y mis ojos donde ella quiso. Nunca tan velozmente partió el rayo de condensada nube, cuando cae del más remoto confín del aire, como vi yo al ave de Júpiter precipitarse y bajar por el árbol, rompiendo su corteza, ya que no las flores y hojas nuevas: y con toda su fuerza hirió al carro, y le hizo vacilar, como nave combatida por la tempestad, que las olas derriban, ora a babor, ora a estribor.[9] Vi luego introducirse en el carro triunfal una zorra, que parecía no haber tomado jamás ningún buen alimento: pero reprendiéndole mi Dama sus feas culpas, la obligó a huir tan precipitadamente como lo permitieron sus descarnados huesos.[10] En seguida, por donde mismo había venido antes, vi al águila [11] descender a la caja del carro, y dejarla cubierta de sus plumas: y semejante a la voz que sale de un corazón contristado, salió del cielo una voz que dijo: "¡Ay, navecilla mía, cuán mal cargada estás!" Después me pareció que se abría la tierra entre las dos ruedas, y vi salir un dragón [12] que hincó su maligna cola en el carro, y retirándola luego como la avispa su aguijón, se llevó consigo una parte del fondo, y se alejó

[3] Para dormir a Argos, que cuidaba a Io, no encontró Mercurio recurso mejor que el de contarle los amores de Pan y de Siringa.
[4] Son los apóstoles que Jesucristo llevó consigo cuando la Transfiguración. Toda la comparación resulta un tanto enrevesada.
[5] Beatriz, que representa la autoridad espiritual de la Iglesia, está sentada sobre las raíces del árbol del Imperio, es decir, en Roma.
[6] Las siete virtudes, teniendo en sus manos los siete candelabros.
[7] Los treinta y un ancianos y los cuatro animales.

[8] La Roma celestial, el Paraíso.
[9] El águila, símbolo de las persecuciones, que dañaron más al Imperio romano que a la joven Iglesia.
[10] La zorra figura a la herejía, cuyos ataques fueron confutados por los Padres de la Iglesia. Más particularmente a la herejía de Arrio.
[11] Aquí el águila es figura del emperador y más precisamente de Constantino, que donó lo que debía ser suyo (las plumas): sus territorios y su autoridad política.
[12] Representa la obra de Satanás, que priva a la Iglesia del espíritu de pobreza y de humildad. Otros piensan en Mahoma o en el cisma de oriente.

muy contento. Lo que quedó del carro, como la tierra fértil que se cubre de grama, se cubrió de la pluma ofrecida por el águila quizá con intención casta y benigna,[13] y de ella se cubrieron una' y otra rueda y la lanza en menos tiempo del que mantiene un suspiro la boca abierta. Transformado de esta suerte el edificio santo, salieron de' sus diversas partes varias cabezas, tres de ellas sobre la lanza, y las restantes, una en cada ángulo. Las primeras tenían cuernos como los bueyes; pero las otras sólo tenían un cuerno por frente: jamás se han visto semejantes monstruos.[14]

[13] Constantino estaba animado de buenas intenciones cuando hizo su donación a la Iglesia, pero los resultados fueron funestos.

[14] El carro de la Iglesia toma así la figura de la Bestia del *Apocalipsis* XVII, 1-18. Las siete cabezas son los siete pecados capitales; los tres primeros —Soberbia, Envidia, ira— llevan dos cuernos porque ofenden a

Tan segura como una fortaleza sobre una alta montaña, vi sentada en el carro a una prostituta desenvuelta, paseando sus miradas en torno suyo.[15] Y como para impedir que se la quitaran, vi un gigante colocado en pie junto a ella, y ambos se besaban de vez en cuando; mas habiendo ella vuelto hacia mí sus ojos codiciosos y errantes, el feroz amante la azotó desde la cabeza a los pies. Después, lleno de suspicacia y de cruel ira, desató el monstruoso carro, y lo arrastró tan lejos por la selva,[16] que tras de ella se ocultaron a mi vista la prostituta y la nueva fiera.

Dios y al prójimo, mientras que los otros cuatro están dirigidos contra Dios solamente.

[15] Figura de la Curia Romana en aquellos tiempos. El gigante sería Felipe el Hermoso —alto, como todos los Capetos—. El simbolismo restante requeriría una minuciosa y no siempre satisfactoria explicación.

[16] Alude al traslado de la sede pontificia de Roma a Aviñón, en 1305.

CANTO TRIGESIMOTERCIO

LAS MUJERES comenzaron llorosas una dulce salmodia, cantando alternativamente, ya las tres, ya las cuatro: "Deus, venerunt gentes." [1] Y Beatriz, suspirando compasiva, las escuchaba tan abatida, que poco más lo estuvo María al pie de la Cruz. Pero cuando las otras vírgenes le dieron ocasión de hablar, poniéndose en pie, respondió encendida como el fuego:

—"Modicum, et non videbitis me; et iterum", mis queridas hermanas, "modicum, et vos videbitis me".[2]

Después reunió ante sí a todas siete, y con sólo un ademán, nos hizo marchar tras ellas a mí, a la Dama, y al sabio que quedó en nuestra compañía. Así se alejaba, y no creo que hubiese dado diez pasos, cuando hirió mis ojos con sus ojos, y con aspecto tranquilo me dijo:

—Ven más de prisa, de modo que si hablo contigo, estés dispuesto a escucharme.

Cuando estuve cerca de ella, como debía, añadió:

—Hermano, ¿por qué, viniendo conmigo, no te atreves a preguntarme algo?

Me sucedió lo que a aquellos que, por excesiva reverencia, al hablar con sus superiores, no pueden hacer salir con viveza las palabras de entre sus dientes, y contesté balbuceando:

—Señora, vos conocéis mis necesidades y lo que les conviene.

Contestóme:

—Quiero que en adelante te despojes de ese temor y esa vergüenza, para que no hables como hombre que sueña. Sabe que el vaso que rompió el dragón fue y no es,[3] pero crea el culpable [4] que la venganza de Dios no se vence con sortilegios. El águila que dejó sus plumas en el carro, convirtiéndolo en un monstruo y después en una presa, no estará siempre sin herederos;[5] pues veo ciertamente, y por eso lo refiero, algunas estrellas ya cercanas a un tiempo seguro de todo obstáculo y de todo impedimento, en el cual un quinientos diez y cinco,[6] enviado por Dios, des-

---

[1] Cantan, alternando, los versículos del *Salmo* LXXVIII, que el poeta aplica en este lugar a las desventuras de la Iglesia cristiana.

[2] "Dentro de poco no me veréis: pero dentro de otro poco me veréis." Palabras de Jesús, en el Evangelio de San Juan, prediciendo su próxima muerte y su resurrección.

[3] Para Dante la sede papal en Aviñón no era la Cátedra de Pedro.

[4] El gigante del Canto precedente: Felipe el Hermoso.

[5] El Imperio no estará siempre vacante. Dante le consideró tal desde la muerte de Federico II hasta la elección de Enrique VII.

[6] Esta manera de profetizar la venida de un héroe está tomada del *Apocalipsis* XIII, 18, donde San Juan designa a Nerón por la cifra 666, obtenida por la adición cabalística de los números representados por las letras hebreas equivalente a *Nero Caesar*. Pero, ¿cómo interpretar aquí esta enigmática cifra "quinientos diez y cinco"? De nuevo comienzan las discrepancias. Algunos se limitan a leer una cifra y obtienen un dato: 515. Una fecha futura, profética, cercana al año 1300, en que Beatriz hace este solemne anuncio del salvador de la Iglesia. Para determinar el punto de partida de estos 515 años, puesto que debe ser un heredero del águila, un emperador, parece lógico, dicen los partidarios de esta interpretación, que se los comience a contar a partir de la fundación del Imperio romano de la Edad Media, es decir, desde el año 800, en que fue coronado Carlomagno. 800+515=1315. En 1315 no había emperador, pero sí Beatriz pronuncia su vaticinio en la primavera de 1300, Dante escribe el Purgatorio en 1312. 1315 parece, pues, ser la fecha aproximada del tiempo en que Dante confía ver realizadas sus esperanzas de salvación de la Iglesia por los días de 1312. Debe tratarse de un emperador, en cuya persona tenía puestas Dante sus esperanzas en el año 1312. Ahora bien, en 1312 el emperador era Enrique VII, conde de Luxemburgo, que dos años antes había anunciado su intención de ir a consagrarse a Roma y que en 1311 se hizo ceñir la corona de hierro de los reyes lombardos en Milán, acontecimiento que desbordó el entusiasmo de Dante y le hizo concebir arrolladoras esperanzas. hasta el punto de anunciar una total renovación de la Iglesia para 1315. Ya sabemos como

truirá a la ramera, y a aquel gigante que con ella delinque. Y quizá mi predicción obscura, como los oráculos de Temis y de la Esfinge,[7] no te persuade, porque, como ellos, ofusca el entendimiento; pero en breve los hechos serán las Náyades [8] que resuelvan este difícil enigma, sin temor por los ganados y los trigos. Anota estas palabras, y tales como salen de mis labios enséñaselas a los que viven con aquella vida que no es más que una rápida carrera hacia la muerte: acuérdate además, cuando las escribas, de no ocultar cómo has visto la planta, que ha sido robada dos veces. Quien la despoja o la rompe ofende con una blasfemia de hecho a Dios, que la hizo santa sólo para su uso. Por haber mordido su fruto, la primera alma aguardó en el dolor y en el deseo durante cinco mil años y más al que en sí mismo castigó aquel bocado. Tu espíritu está adormecido, no comprende que sólo por una causa singular es aquel árbol tan alto, y tan

se desarrollaron los hechos: Enrique VII no pudo llegar a esa fecha, ya que falleció en Siena en el verano de 1313, dejando fama de príncipe valiente y honrado y sin poder realizar nada de lo que Dante esperaba. Pero queda en su honor, la atribución de esta profecía de Dante, según esos intérpretes.
Porque otros comentaristas comienzan por reducir a números romanos la cifra 515, lo que da DXV. Tenemos ahora letras, en vez de números. Por regla general, si las cambia de orden y se obtiene la palabra latina DVX, que significa jefe. Ahora a buscar ese jefe, ese dux. Y mientras que unos lo encontraron en la persona del Can Grande della Scala, señor de Verona y protector de Dante, a quien éste dedicó el *Paraíso*, otros han proseguido la búsqueda en diversas direcciones, hasta llegar alguno —Fernand Hayward— a identificarle —*risum teneatis*— con el Duce por excelencia, Benito Mussolini.
Otros, en fin, dejando a un lado la palabra dux, han visto en DXV las iniciales de tres palabras simbólicas y han leído: *Dante Xristi Vertagus* o *Domini Xristi Vertagus* (Veltro) o simplemente *Domini Xristi Vicarius*, entendiendo un papa. La "oscura predicción" de Dante sigue sin resolverse.
[7] Temis, hija del cielo y de la Tierra, considerada por los antiguos como la personificación de la Justicia, revelaba el porvenir. La Esfinge era el monstruo con busto de mujer, que asolaba los alrededores de Tebas en tiempo de Edipo, devorando a los viajeros que no acertaban a resolver los enigmas que proponía.
[8] Debe leerse *Layades*, porque Edipo, que resolvió el enigma, era hijo de Layo. Dante en su texto de Ovidio debió leer *Náyades*, que es la lección errónea que contienen muchos manuscritos de las *Metamorfosis*.

anchurosa su copa; y si los vanos pensamientos no hubiesen sido alrededor de tu mente como las aguas del Elsa,[9] y el placer que te causaron no la hubiera manchado como Píramo [10] manchó la mora, sólo por tantas circunstancias reconocerías moralmente la justicia de Dios en la prohibición de tocar aquel árbol. Mas como veo tu inteligencia petrificada y tan obscurecida por el pecado, que te deslumbra el brillo de mis palabras, quiero que te las lleves, si no escritas, al menos estampadas en ti mismo, por aquel motivo que el peregrino lleva el bordón rodeado de palmas.

Le contesté:

—Así como la cera conserva inalterable la imagen que en ella imprime el sello, del mismo modo la vuestra ha quedado grabada en mi cerebro. Pero ¿por qué vuestra deseada palabra se eleva tanto sobre mi entendimiento, que cuanto más procura comprenderla menos lo consigue?

—Para que conozcas —dijo— aquella escuela que has seguido,[11] y cómo ha de poder su doctrina seguir a mis palabras; y veas que vuestro camino se separa tanto del divino, cuanto de la Tierra dista el Cielo que gira más velozmente a la mayor altura.

Entonces le respondí:

—No recuerdo haberme alejado jamás de vos, ni me remuerde por ello la conciencia.

—Es que tú no puedes recordarlo —me dijo sonriéndose—; acuérdate de que has bebido las aguas del Leteo; y si del humo se deduce el fuego, de ese olvido se infiere claramente que tu voluntad, ocupada en otras cosas, era culpable. Pero en adelante serán mis palabras tan desnudas cuanto es preciso descubrirlas a tu rudo entendimiento.

El Sol, más resplandeciente y con

[9] Afluente del Arno, que, rico en carbonato de cal, tiene propiedades petrificantes.
[10] Véase la nota del Canto XXVII.
[11] La filosofía racional, contrapuesta a la doctrina revelada.

pasos más lentos, atravesaba el círculo del Meridiano, que cambia de posición según de donde se mira, cuando al extremo de una opaca umbría, semejante a las que se ven bajo las verdes hojas y las negruzcas ramas por donde llevan los Alpes sus fríos riachuelos, se detuvieron las siete mujeres, como se detiene la tropa que va de avanzada, si encuentra alguna novedad en su camino. Ante ellas me pareció ver salir el Tigris y el Eufrates de un mismo manantial, y como amigos separarse lentamente.

—¡Oh luz!, ¡oh gloria de la raza humana! ¿Qué agua es esta que mana de una misma fuente, y dividida, se aleja una de otra?

A tal pregunta se me contestó:

—Ruega a Matilde que te lo diga.

Y la hermosa Dama respondió como aquel que se disculpa:

—Ya le he dicho esta y otras cosas; y estoy segura de que el agua del Leteo no se las ha hecho olvidar.

Beatriz añadió:

—Quizá un interés mayor, de esos que muchas veces quitan la memoria, ha obscurecido su mente con respecto a los demás objetos. Pero mira el Eunoe, que por allí se desliza; condúcele hacia él, y según acostumbras, reanima su amortecida virtud.

Como una alma gentil que de nada se excusa, sino que adapta su voluntad a la de los otros en cuanto se la dan a conocer por medio de alguna seña, de igual suerte se puso en marcha la bella Dama en cuanto estuve a su lado, y dijo a Estacio con su gracia femenil:

—Ven con él.

Lector, si dispusiera de mayor espacio para escribir, cantaría en parte la dulzura de las aguas de que no me habría saciado nunca; pero como están ya llenos todos los papeles dispuestos para este segundo cántico, el freno del arte no me deja ir más allá.[12]

Volví de aquellas sacrosantas ondas tan reanimado como las plantas nuevas, renovadas con nuevas hojas, purificado y dispuesto para subir a las estrellas.

[12] En la *Comedia* guarda Dante con mucho cuidado las leyes de la simetría y de la proporción, así como la de los números místicos. Cada libro no puede tener más que 33 cantos, número perfecto; el Canto I del *Infierno*, que se les antepone es, en realidad el proemio general a la obra. Consta, pues, en total de 100 Cantos. Por otro lado, cada una de las tres partes tiene casi el mismo número de versos: 4,720 el *Infierno*. 4,755 el *Purgatorio* y 4758 el *Paraíso*. También la extensión de cada Canto es marcadamente semejante.

PARAISO

CANTO PRIMERO

La gloria de Aquel que todo lo mueve se difunde por el universo, y resplandece en unas partes más y en otras menos. Yo estuve en el cielo que recibe mayor suma de su luz, y vi tales cosas que ni sabe ni puede referirlas el que desciende de allá arriba; porque nuestra inteligencia, al acercarse al fin de sus deseos, profundiza tanto, que la memoria no puede volver atrás. Sin embargo, todo cuanto mi mente haya podido atesorar de lo concerniente al reino santo, será después objeto de mi cántico.

¡Oh buen Apolo! Haz de mí para este último trabajo un vaso lleno de tu valor, tal como lo exiges para conceder tu laurel amado; pues si hasta aquí tuve bastante con una cima del Parnaso, ahora necesito las dos para entrar en el resto de mi carrera.[1] Entra en mi seno, e inspírame el aliento de que estabas poseído cuando sacaste los miembros de Marsias fuera de su piel.[2]

¡Oh divina virtud! Si te prestas a mí, de modo que yo pueda poner de manifiesto la sombra del reino bienaventurado estampada en mi cabeza, me verás acudir a tu árbol querido y coronarme entonces de aquellas hojas; pues el asunto de mi canto y tu favor me harán digno de ello.

Tan pocas veces, ¡oh Padre!, se recoge el lauro del triunfo, ya como César, ya como poeta (por culpa y vergüenza de la humana voluntad), que cuando alguno arde en deseos de alcanzarlo, el follaje penéico debería difundir la alegría en la feliz deidad délfica.[3] A una pequeña chispa sigue una gran llama: quizá después de mí habrá quien ruegue con mejor voz para que responda Cirra.

La lámpara del mundo se presenta a los mortales por diferentes aberturas; pero cuando se deja ver por aquella en que se unen cuatro círculos formando tres cruces, entonces sale con mejor curso y con mejor estrella, y modela y sella más a su modo la cera de nuestro mundo. Por aquella abertura se había hecho allí de día, y aquí de noche: casi todo aquel hemisferio estaba ya blanco, y la otra parte negra, cuando vi a Beatriz vuelta hacia el lado izquierdo, mirando al Sol; jamás lo ha mirado un águila con tanta fijeza. Y así como un segundo rayo sale del primero, y se remonta a lo alto, semejante al peregrino que quiere volverse, así la acción de Beatriz, penetrando por mis ojos en mi imaginación, originó la mía, y fijé los ojos en el Sol contra nuestra costumbre. Muchas cosas son allí permitidas a nuestras facultades, que no lo son aquí, por ser aquel lugar creado para residencia propia de la especie humana. Me fue imposible mirar por mucho tiempo al Sol; pero no tan poco, que no le viera centellear en torno suyo, como el hierro que sale candente del fuego; y de pronto me pareció que un nuevo día se unía al día, como si Aquel que puede hubiese adornado el Cielo con otro Sol.

Beatriz miraba fijamente las eternas esferas, y yo fijé mis ojos en

---

[1] El monte Parnaso tenía dos cimas: Nisa y Cirra: una consagrada a las Musas y otra a Apolo. Dante las toma aquí como símbolos de la ciencia humana y de la divina.

[2] Marsias, sátiro de Frigia desafió a Apolo en el arte de tocar la flauta y el dios, después de vencerle, le desolló.

[3] El follaje del laurel (llamado penéico porque Dafnis, convertida en laurel por escapar al amor de Apolo, era hija del río Peneo) debería, cuando alguno lo desea y lo procura, alegrar al dios de Delfos. Apolo, ya alegre por naturaleza.

ella, desviándolos de allá arriba: contemplándola, me transformé interiormente, como Glauco al gustar la hierba que le hizo en el mar compañero de los otros Dioses.[4] No es posible significar con palabras el acto de pasar a un grado superior la naturaleza humana; pero baste el citado ejemplo a quien la gracia divina reserve tal experiencia.

¡Oh Amor, que gobiernas el cielo! Tú, que me elevaste con tu luz, sabes si yo era entonces solamente aquella parte de mí que primero creaste. Cuando la rotación de los cielos, que eternizas por el deseo que estos tienen de poseerte, atrajo mi atención con su armonía, que regularizas y distribuyes, me pareció que entonces se encendía con la llama del Sol tanto espacio del cielo, que ni las lluvias ni los ríos han ocasionado jamás tan extenso lago. La novedad de los sonidos y tan gran resplandor me abrasaron de tal modo en el deseo de conocer su causa, que jamás he sentido tan punzante aguijón. Así es que Ella, que veía mi interior como yo mismo, abrió su boca para calmar mi excitado ánimo, antes que yo la abriera para preguntarle, y empezó a decir:

—Tú mismo te atontas con tus falsas ideas, de tal modo que no ves lo que verías si las hubieras desechado. No estás ya en la Tierra, según te figuras: el rayo, huyendo de la región donde se forma, no corre tan velozmente como tú asciendes hacia ella.

Si vi desvanecida mi primera duda, gracias a sus palabras sonrientes y breves, me vi en cambio más envuelto en otra nueva, y dije:

—Ya me contemplo con placer libre de mi primitiva admiración; mas ahora me asombra cómo es que puedo atravesar por entre estos cuerpos leves.

Por lo cual Beatriz, lanzando un piadoso suspiro, dirigió hacia mí sus ojos con aquel aspecto de que se reviste la madre al oír un desvarío de su hijo, y repuso:

—Todas las cosas guardan un orden entre sí; y este orden es la forma, que hace al universo semejante a Dios. Aquí ven las altas criaturas el signo de la eterna sabiduría, que es el fin para que se ha creado el orden antedicho. En el de que hablo, todas las naturalezas propenden y, según su diversa esencia, se aproximan más o menos a su principio. Así es que se dirigen a diferentes puertos por el gran mar del ser, y cada una con el instinto que se le concedió para que la lleve al suyo. Este instinto es el que conduce al fuego hacia la Luna; el que promueve los primeros movimientos del corazón de los mortales, y el que concentra y hace compacta a la Tierra. Y este arco se dispara, no tan sólo contra las criaturas desprovistas de inteligencia, sino contra las que tienen inteligencia y amor. La Providencia, que todo lo ordena, hace con su luz que esté tranquilo el cielo en el que gira aquel que tiene mayor velocidad: allí es donde ahora, como a sitio designado, nos lleva la virtud de la cuerda de aquel arco[5] que dirige todo cuanto despide hacia un objeto agradable. Bien es verdad que, así como la forma no guarda muchas veces armonía con las intenciones del arte, porque la materia es sorda para contestar, así de esta dirección se desvía tal vez la criatura, que tiene el poder de inclinarse hacia otro lado, por más que esté impulsada de aquel modo, y cae (como se puede ver caer el fuego desde una nube), si su primer impulso la tuerce hacia la Tierra por un falso placer. No debes, pues, a lo que pienso, admirarte más de tu ascensión, que de ver a un río descender desde lo alto de una montaña hasta su base. Lo maravilloso en ti sería que, libre de todo obstáculo, te hubieras sentado abajo, como lo sería el que la viva llama permaneciese quieta y apegada a la Tierra.

Dicho esto, elevó sus ojos al Cielo.

---

[4] Glauco, pescador de Beocia, que se convirtió en dios marino después de comer cierta yerba.

[5] El instinto natural de la felicidad.

CANTO SEGUNDO

¡OH VOSOTROS, que, deseosos de escucharme, habéis seguido en una pequeña barca tras de mi bajel que navega cantando; virad para ver de nuevo vuestras playas! No os internéis en el piélago, porque quizá, perdiéndome yo, quedaríais perdidos. El agua por donde sigo no fue jamás recorrida; Minerva sopla en mi vela. Apolo me conduce y las nueve Musas me enseñan las Osas. Y vosotros los que, en corto número, levantasteis ha tiempo las miradas hacia el pan de los ángeles,[1] del cual se vive aquí pero sin que nadie quede harto, bien podéis dirigir vuestra nave por el alta mar, siguiendo mi estela sobre el agua que se reúne en breve. Aquellos gloriosos héroes[2] que pasaron a Colcos no se admiraron cuando vieron a Jasón convertido en boyero, como os admiraréis ahora vosotros. La innata y perpetua sed del deiforme reino nos hacía ir tan veloces como veloz vais al mismo cielo. Beatriz miraba hacia arriba, y yo la miraba a ella; y quizá en menos tiempo del en que se coloca un dardo, y se despide del arco y vuela, me vi llegado a un punto donde una cosa admirable atrajo mis miradas; por lo cual, Aquélla para quien no podían estar ocultos mis sentimientos, vuelta hacia mí tan agradable como bella, me dijo:

—Eleva tu agradecida mente hacia Dios, que nos ha transportado a la primera estrella.[3]

Parecíame que se extendiese sobre nosotros una nube lúcida, densa, sólida y bruñida, como un diamante herido por los rayos del Sol. La eterna margarita nos recibió dentro de sí, como el agua que, permaneciendo unida, recibe un rayo de luz. Si yo era cuerpo, y si en la Tierra no se concibe cómo una dimensión[4] pueda admitir a otra, según debe suceder si un cuerpo penetra en otro, debería abrasarnos mucho más el deseo de contemplar aquella esencia, en que se ve cómo Dios y nuestra naturaleza se unieron.[5] Allí se verá esto que creemos por la fe; pero sin demostración alguna, pues será conocido por sí mismo, como la primera verdad en que el hombre cree.

Yo respondí:

—Señora, con tanto reconocimiento como cabe en mí, doy gracias a Aquel que me ha alejado del mundo mortal. Pero decidme: ¿qué son las obscuras señales de este cuerpo, que allá abajo en la Tierra dan ocasión a algunos para inventar patrañas sobre Caín?[6]

Sonriose un poco, y me dijo:

—Si la opinión de los mortales se extravía donde la llave de los sentidos no puede abrir, no deberían en verdad punzarte desde ahora las flechas de la admiración; pues ves que, si la razón sigue a los sentidos, debe tener muy cortas las alas; pero dime qué es lo que tú piensas con respecto a esto.

Le contesté:

—Lo que aquí arriba me parece de diferente forma, creo que debe ser producido por cuerpos enrarecidos y por cuerpos densos.

[1] La Sabiduría; más particularmente, la ciencia divina o Teología.
[2] Los Argonautas que siguiendo a Jasón en su empresa de conquistar el vellocino de oro le vieron arar el campo con dos toros que respiraban fuego.
[3] La luna, a la que denominará enseguida "margarita".

[4] Cómo un cuerpo, (la luna), puede, conservando sus dimensiones, ser penetrado por otro cuerpo, (el mío).
[5] El misterio de la Encarnación divina.
[6] Las manchas de la Luna, que, según el vulgo, eran Caín con un haz de leña.

Ella repuso:

—Verás de un modo cierto que tu creencia está basada en una idea falsa, si escuchas bien el argumento que voy a oponerte. La octava esfera os muestra muchas luces, las cuales puede verse que presentan aspectos diferentes así en calidad como en cantidad. Si esto fuera efecto solamente del enrarecimiento y la densidad, en todas ellas habría una sola e idéntica virtud, aunque distribuida en más o menos abundancia y proporcionalmente a sus respectivas masas. Siendo diversas las virtudes, necesariamente han de ser fruto de principios formales; y éstos, menos uno, quedarían destruidos por tu raciocinio. Además, si el enrarecimiento fuese la causa de aquellas manchas acerca de las cuales me preguntas, entonces o el planeta estaría en algunos puntos privado de su materia de parte a parte, o bien del modo que en un cuerpo alternan lo graso y magro, así el volumen de éste se compondría de hojas diferentes. Si fuese cierto lo primero, se manifestaría en los eclipses de Sol, porque la luz dé éste pasaría a través de la Luna, como atraviesa por cualquier cuerpo enrarecido. Esto no es así: por lo tanto hemos de examinar el otro supuesto; y si llego también a anularlo, verás demostrado lo falso de tu opinión. Si ese cuerpo enrarecido no llega de un lado a otro de la Luna, es preciso que termine en algún punto donde su contrario no deje pasar la luz, y que el otro rayo reverbere desde allí, como el color se refleja en un cristal que está forrado de estaño. Pero tú dirás que el rayo aparece aquí más obscuro que en otras partes, porque se refracta desde mayor profundidad. De esta réplica puede librarte la experiencia, si haces uso de ella alguna vez, por ser la fuente de donde manan los arroyos de vuestras artes. Toma tres espejos: coloca dos de ellos delante de ti a igual distancia, y el otro un poco más lejos: después fija tus ojos entre los dos primeros. Vuelto así hacia ellos, dispón que a tu espalda se eleve una luz que ilumine los tres espejos, y vuelva a ti reflejada por todos: entonces, aun cuando la luz reflejada sea menos intensa en el más distante, verás que resplandece igualmente en los tres. Desvanecido ya el primer error de tu entendimiento, como a impulso de los cálidos rayos se desvanecen el color y el frío primitivos de la nieve, quiero mostrarte ahora una luz tan viva, que apenas aparezca sentirás sus destellos. Dentro del Cielo de la divina paz[7] se mueve un cuerpo, en cuya virtud reside el ser de todo su contenido. El Cielo siguiente,[8] que tiene tantas estrellas, distribuye aquel ser entre diversas esencias, distintas de él y que en él están contenidas. Los demás cielos,[9] por varios y diferentes modos, disponen para sus fines aquellas cosas distintas que hay en cada uno, y sus influencias. Estos órganos del mundo van así descendiendo de grado en grado, como ahora ves, de suerte que adquieren del superior la virtud que comunican al inferior. Repara bien cómo voy por este camino hacia la verdad que deseas, a fin de que después sepas por ti solo vencer toda dificultad. El movimiento y la virtud de las sagradas esferas deben proceder de los bienaventurados motores[10] como del artífice procede la obra del martillo. Aquel cielo, al que tantas luces hermosean, recibe forma y virtud de la inteligencia profunda que lo mueve, y se transforma en su sello. Y así como el alma dentro de vuestro polvo se extiende a los diferentes miembros, aptos para distintas facultades, así la inteligencia[11] despliega por las estrellas su bondad multiplicada, girando sobre su unidad. Cada virtud se une

[7] El Empíreo, dentro del cual se mueve el Primer Móvil, que influye en todo lo que en él se contiene, esto es, en los cielos inferiores.

[8] El Cielo cristalino o de las estrellas fijas.

[9] Los siete cielos inferiores; los de los planetas.

[10] Los ángeles encargados del gobierno de cada uno de los orbes.

[11] La mente angélica.

de distinto modo con el precioso
cuerpo [12] a quien vivifica, y en el
cual se infunde como en vosotros la
vida. Por la plácida naturaleza de
donde se deriva,[13] esa virtud mezcla-

da a los cuerpos celestes brilla en
ellos, como la alegría en una pupila
ardiente. De ella procede la diferencia que se observa de luz a luz,
y no de los cuerpos densos y enrarecidos; ella es el principio formal
que produce lo obscuro y lo claro,
según su bondad.

[12] Cuerpo celeste, estrella; precioso porque es incorruptible.
[13] De Dios, que es felicidad por esencia.

CANTO TERCERO

AQUEL SOL que primeramente abrasó de amor mi corazón [1] me había descubierto, con sus pruebas y refutaciones, el dulce aspecto de una hermosa verdad; y yo, para confesarme desengañado y persuadido, levanté la cabeza, tanto como era necesario a fin de declararlo resueltamente. Pero apareció una visión, la cual haciéndose perceptible me atrajo de tal modo hacia sí, que ya no me acordé de mi confesión. Así como a través de cristales tersos y transparentes o de aguas nítidas y tranquilas, aunque no tan profundas que se obscurezca el fondo, llegan a nuestra vista las imágenes tan debilitadas, que una perla en una frente blanca no la distinguirían más débilmente nuestros ojos, así vi yo muchos rostros prontos a hablarme; por lo cual caí en el error contrario a aquel que inflamó el amor entre un hombre y una fuente. [2] En cuanto las distinguí, creyendo que fuesen imágenes reflejadas en un espejo, [3] volví los ojos para ver los cuerpos a que correspondían; y como nada vi, los dirigí de nuevo hacia delante, fijándolos en mi dulce Guía, que sonriéndose despedía vívidos destellos de sus santos ojos.

—No te asombres porque me sonría de tu pueril pensamiento —me dijo—; pues no se apoya todavía tu pie sobre la verdad, y como de costumbre, te inclina a las ilusiones. Esas que ves son verdaderas substancias, [4] relegadas aquí por haber faltado a sus votos. Por consiguiente, habla con ellas, y oye y cree lo que te digan; pues la verdadera luz que las regocija no permite que se tuerzan sus pasos.

Y yo me dirigí a la sombra que parecía más dispuesta a hablar, y empecé a decirle, como hombre a quien su mismo deseo le quita el valor.

—¡Oh espíritu bien creado, que bajo los rayos de la vida eterna sientes la dulzura que no se comprende nunca si no se ha gustado! Me será muy grato que te dignes decirme tu nombre y cuál es vuestra suerte.

A lo que contestó pronta y con risueños ojos:

—Nuestra caridad nunca cierra sus puertas a un deseo justo, siendo como aquella que quiere que se le asemeje toda su corte. [5] Yo fui en el mundo una virgen religiosa; y si tu mente me contempla bien, no me ocultará a tus recuerdos el ser hoy la más bella, sino que reconocerás que yo soy Piccarda: [6] colocada aquí con estos otros bienaventurados, soy como ellos bienaventurada en la esfera más lenta. Nuestros afectos a quienes sólo inflama el amor del Espíritu Santo, se regocijan en el orden de-

---

[1] Beatriz.
[2] Alude a la fábula de Narciso, que se enamoró de sí mismo, creyendo que era una persona real su imagen reflejada en el agua.
[3] Es en el cielo de la Luna donde Dante percibirá todavía y por última vez apariencia humana aunque tenue y pálida a las almas de los bienaventurados. En los cielos superiores ya no verá más que llamas.

[4] Seres reales. Aparecen aquí, aunque tengan su sede, en el Empíreo, como todos los bienaventurados. El por qué lo sabremos más adelante (*Paraíso* IV, 28 ss.). Dante coloca en la Luna aquellas almas que no tuvieron constancia, porque de la Luna proviene, según la astrología, la mutabilidad que el hombre experimenta en sus deseos.
[5] La caridad de Dios, a quien todos los bienaventurados deben asemejarse.
[6] Hija de Simón y hermana de Forese y de Corso Donati, de quien ha hablado ya en el Canto XXIV del *Purgatorio*. Monja en el convento de Santa Clara de Monticelli, su hermano Corso, que había prometido su mano al caballero florentino Rossellino de la Tosa, la sacó del claustro no obstante la oposición de Piccarda, de la abadesa y de todas las religiosas.

signado por él, y nos ha cabido en suerte este sitio que parece tan bajo, porque descuidamos nuestros votos, y en parte no fueron observados.

A lo que le contesté:

—En vuestros admirables rostros resplandece no sé qué de divino, que cambia el primer aspecto que de vosotras se ha conservado. Por eso no fui más presto en recordar; pero ahora viene en mi ayuda lo que tú me dices, de suerte que me es más fácil reconocerte. Mas dime: vosotras que sois aquí felices ¿deseáis estar en otro lugar más elevado para ver más o para haceros más amigas?

Sonrióse un poco mirando a las otras sombras, y en seguida me respondió tan placentera, que parecía arder en el primer fuego del amor:

—Hermano, la virtud de la caridad calma nuestra voluntad, y esa virtud nos hace querer solamente lo que tenemos, y no apetecer nada más. Si deseáramos estar más elevadas, nuestro anhelo estaría en desacuerdo con la voluntad de Aquel que nos reúne aquí; desacuerdo que no admiten las esferas celestiales, como verás si consideras bien que aquí es condición necesaria estar unidas a Dios por medio de la caridad, y la naturaleza de esta misma caridad. También es esencial a nuestra existencia bienaventurada uniformar la propia voluntad a la de Dios, de modo que nuestras mismas voluntades se refundan en una. Así es que al estar como estamos distribuidas de grado en grado por este reino, place a todo él, porque place al Rey cuya voluntad forma la nuestra. En su voluntad está nuestra paz; ella es el mar adonde va a parar todo lo que ha creado, o lo que hace la naturaleza.

Entonces comprendí claramente por qué en el Cielo todo es Paraíso, por más que la gracia del Supremo Bien no llueva en todas partes por igual. Pero, así como suele suceder que un manjar nos sacie, y que sintamos aún apetito por otro, de suerte que pedimos éste y rechazamos aquél, así hice yo con el gesto y la palabra para saber por ella cuál fue

el tejido cuya lanzadera no continuó manejando hasta el fin.

—Una virtud perfecta, un mérito eminente colocan en un cielo más alto a una mujer [7] —me dijo—, según cuya regla se lleva allá abajo en vuestro mundo el hábito y el velo monacal, a fin de que hasta la muerte se viva noche y día con aquel esposo, a quien es grato todo voto que la caridad hace conforme a su deseo. Por seguirla, hui del mundo jovencita aún, y me encerré en su hábito, y prometí observar la regla de su orden. Posteriormente, algunos hombres, más habituados al mal que al bien, me arrebataron de la dulce clausura. ¡Dios sabe cuál fue después mi vida![8] Lo que digo de mí, entiende que lo digo asimismo de esta otra alma esplendente que te se muestra a mi derecha, y en quien brilla toda la luz de nuestra esfera: monja fue, y también le arrebataron de la cabeza la sombra de las sagradas tocas; pero cuando volvió al mundo, contra su gesto y contra ley, no se despojó jamás del velo de su corazón. Esa es la luz de la gran Constanza, que del segundo príncipe poderoso de la casa de Suabia engendró al tercero, última potencia de esta raza.[9]

Así me habló y empezó después a cantar "Ave María", y cantando desapareció, como una cosa pesada a través del agua profunda. Mi vista, que la siguió tanto cuanto le fue posible, después que la perdió, se volvió hacia el objeto de su mayor deseo, y se fijó enteramente en Beatriz; pero ésta lanzó tales fulgores sobre mi mirada, que no los pude sufrir en el primer momento, por cuya causa tardé más en preguntarle.

[7] Santa Clara de Asís, a cuya orden pertenecía Piccarda.
[8] Quiere la tradición que Piccarda enfermase, por especial favor de Dios, poco después de su matrimonio y que falleciese muy pronto.
[9] Dante sigue la leyenda de que Constanza, 1154-1198, hija póstuma de Roger I, último rey normando de Nápoles, fue sacada de un convento de la ciudad de Palermo por voluntad del arzobispo de aquella ciudad y casada con Enrique VI de Suabia, con el que tuvo a Federico II, último emperador de aquella casa.

CANTO CUARTO

Un hombre libre de elegir entre dos manjares igualmente distantes de él y que exciten del mismo modo su apetito, moriría de hambre antes de llevarse a la boca uno de ambos. De igual suerte permanecería inmóvil un cordero entre dos hambrientos lobos, temiéndoles igualmente, o un perro entre dos gamos. Por esta razón no me culpo ni me alabo de haber callado, teniéndome en suspenso igualmente dos dudas; pues mi silencio era necesario. Yo callaba; pero tenía pintado en el rostro mi deseo, y en él aparecía más clara mi pregunta que si la hubiera expresado por medio de palabras. Beatriz hizo lo que Daniel [1] al librar a Nabucodonosor de aquella cólera que le había hecho cruel injustamente, y me dijo:

—Bien veo cómo te atrae uno y otro deseo, de modo que tu curiosidad se liga a sí misma de tal suerte, que no se manifiesta con palabras. Tú raciocinas así: si la buena voluntad persevera, ¿por qué razón la violencia ajena ha de disminuir la medida de mi mérito? También te ofrece motivo de duda, el que las almas al parecer vuelvan a las estrellas, según la sentencia de Platón.[2] Tales son las cuesiones que pesan igualmente sobre tu voluntad; pero antes me ocuparé en lo que tiene más hiel.[3] El serafín que más goce de Dios, Moisés, Samuel, cualquiera de los dos Juanes [4] que quieras escoger, María misma, no tienen su asiento en un cielo distinto de aquel donde moran esos espíritus que aquí te han aparecido, ni su estado de beatitud tiene fijada más ni menos duración, sino que todos embellecen el primer círculo, y gozan de una vida diferentemente feliz, según que sienten más o menos el Espíritu eterno. Aquí se te aparecieron, no porque les haya tocado en suerte esta esfera, sino para significar que ocupan en la celestial la parte menos elevada. Así es preciso hablar a vuestro espíritu, porque sólo comprende por medio de los sentidos lo que hace después digno de la inteligencia. Por eso la Escritura, atemperándose a vuestras facultades, atribuye a Dios pies y manos, mientras que ella lo ve de otro modo; y la Santa Iglesia os representa bajo formas humanas a Gabriel y a Miguel y al que sanó a Tobías.[5] Lo que *Timeo* dice acerca de las almas no es figurado, como aquí se ve, pues parece que siente lo que afirma. Dice que el alma vuelve a su estrella, creyendo que se desprendió de ella cuando la naturaleza la unió a su forma. Tal vez su opinión sea diferente de lo que expresan sus palabras, y es posible que la intención de éstas no sea irrisoria. Si quiere decir que la influencia operada por las estrellas se convierte en honor o en vituperio de las mismas, quizá haya dado su flecha en el blanco de una verdad. Este principio, mal comprendido, extravió a casi todo el mundo, haciendo que corriese a invocar a Júpiter, a Mercurio y a Marte. La otra duda

---

[1] Interpretando el sueño del rey de Babilonia que encolerizado, quería dar muerte a sus sabios porque no habían sabido descifrarlo.
[2] Opina Platón en el *Timeo* que las almas preexistían ya en las estrellas antes de encarnarse en los cuerpos y que retornan a ellas después de la muerte.
[3] La teoría de Platón, porque se opone a la doctrina cristiana de la creación de las almas.

[4] El Bautista o el Evangelista.
[5] El arcángel Rafael, que devolvió la vista al anciano Tobías.

que te agita tiene menos veneno, porque su malignidad no te podría alejar de mí. Que nuestra justicia parezca injusta a los ojos de los mortales, es un argumento de fe y no de herética malicia; pero como puede vuestro discernimiento penetrar bien esta verdad, te dejaré satisfecho' según deseas. Si hay verdadera violencia cuando el que la sufre no se adhiere en nada a aquel que la comete, aquellas almas no pueden servirse de ella como excusa; porque la voluntad, si no quiere, no se aquieta, sino que hace lo que naturalmente hace el fuego, aunque la tuerzan mil veces con violencia. Por lo cual, si la voluntad se doblega poco o mucho, sigue a la fuerza; y así hicieron aquéllas, pues pudieron haber vuelto al sagrado lugar. Si su voluntad hubiera sido firme, como lo fue la de Lorenzo sobre las parrillas,[6] y como la de Mucio al ser tan severo con su mano,[7] ella misma las habría vuelto al camino de donde las habían separado, en cuanto se vieron libres; pero una voluntad tan sólida es muy rara. Por estas palabras, si es que las has recogido como debes, queda destruido el argumento que te hubiera importunado aún muchas veces. Pero se atraviesa otra dificultad ante tus ojos, y tal que por ti mismo no sabrías salir de ella; antes bien te rendirías fatigado. He dado como cierto a tu mente que el alma bienaventurada no podía mentir, porque está siempre próxima a la primera Verdad; y luego habrás podido oír por Piccarda, que Constanza había guardado su inclinación al velo, de manera que parece contradecirme. Muchas veces, hermano, sucede que

por huir de un peligro, se hace con repugnancia aquello que no debería hacerse; como Alcmeón, que, a instancias de su padre, mató a su propia madre, y por no faltar a la piedad, se hizo desapiadado.[8] Con respecto a este punto, quiero que sepas que, si la fuerza y la voluntad obran de acuerdo, resulta que no pueden excusarse las faltas. La voluntad en absoluto no consiente el daño; pero lo consiente en cuanto teme caer en mayor pena oponiéndose a él. Cuando Piccarda, pues, se expresa como lo ha hecho, entiende que habla de la voluntad absoluta, y yo de la otra;[9] de suerte que ambas decíamos la verdad.

Tales fueron las ondulaciones del santo arroyo que salía de la fuente de donde fluye toda verdad, y que aquietaron todos mis deseos.

—¡Oh amada del primer Amante!, ¡oh divina —dije en seguida—, cuyas palabras me inundan comunicándome tal calor que me reaniman cada vez más! No es tan profunda mi afección, que baste a devolveros gracia por gracia; pero que responda por mí Aquél que todo lo ve y lo puede. Bien veo que nuestra inteligencia no queda nunca satisfecha, si no la ilumina aquella Verdad, fuera de la cual no se difunde ninguna otra. En cuanto ha podido alcanzarla, descansa en ella como la fiera en su cubil; y puede indudablemente conseguirla; de lo contrario, todos nuestros deseos serían vanos. De este deseo de saber nace, como un retoño, la duda al pie de la verdad; siendo esto un impulso de la naturaleza que guía de grado en grado nuestra inteligencia al conocimiento de Dios. Esto mismo me invita, esto mismo me anima, Señora, a pediros reverentemente que me aclaréis otra verdad que encuentro

[6] ᵤan Lorenzo mártir, diácono de Roma, sufrió el martirio en tiempo de Valeriano (258). Demandado por el prefecto de la ciudad para que le enseñase el tesoro de la Iglesia, Lorenzo le mostró a los pobres y desvalidos diciendo que ellos eran su tesoro. Después de ser golpeado y azotado fue colocado sobre una ardiente parrilla, desde la que burlonamente pedía al verdugo que le diese la vuelta para que la otra parte de su cuerpo fuese igualmente tostada.
[7] C. Mucio Cordo Scévola, el joven romano que metió al fuego aquella mano que había errado el golpe cuando trató de matar a Porsenna.

[8] A su regreso de la expedición contra Tebas, dio muerte a la madre Erifile por obedecer a su padre Amfiarao. cfr. *Purgatorio* XII, 49 ss.
[9] La voluntad relativa, que no consiente absolutamente al mal, sino sólo en parte, para evitar un mal que cree mayor.

obscura. Quiero saber si el hombre puede satisfaceros, con respecto a los votos quebrantados, por medio de otras buenas acciones que no sean pocas en vuestra balanza.

Beatriz me miró con los ojos llenos de amorosos destellos, y tan divinos, que sintiendo mi fuerza vencida, me volví y quedé como anonadado con los ojos bajos.

CANTO QUINTO

Si te parezco más radiante en el fuego de este amor de lo que suele verse en la tierra, hasta el punto de superar la fuerza de tus ojos, no debes asombrarte, porque esto procede de una vista perfecta, que, distinguiendo bien los objetos, se dirige con más rapidez hacia el bien. Veo claramente cómo resplandece ya en tu inteligencia la eterna luz, que contemplada una sola vez enciende un perpetuo amor. Y si otra cosa seduce el vuestro, sólo es un vestigio mal conocido del resplandor que aquí brilla. Tú quieres saber si con otras buenas acciones puede satisfacerse el voto no cumplido, de modo que el alma esté segura de todo debate con la justicia divina.

Así empezó Beatriz este canto, y como hombre que no interrumpe su razonamiento, continuó de este modo su santa enseñanza:

—El mayor don que Dios, en su liberalidad, nos hizo al crearnos, como más conforme a su bondad, y el que más aprecia, fue el del libre albedrío de que estuvieron y están dotadas únicamente las criaturas inteligentes. Ahora conocerás, si raciocinas según este principio, el alto valor del voto, si éste es tal que Dios consienta cuando tú consientes; porque al cerrarse el pacto entre Dios y el hombre, se le sacrifica ese tesoro de que hablo, y se le sacrifica por su propio acto. Así, pues, ¿qué se podrá dar en cambio de esto? Si crees que puedes hacer buen uso de lo que ya has ofrecido, es como si quisieras hacer una buena obra con una cosa mal adquirida. Ya conoces, pues, la importancia del punto principal: pero como la Santa Iglesia da sobre esto sus dispensas, lo cual parece contrario a la verdad que te he descubierto, es preciso que continúes sentado un poco a la mesa, porque el pesado alimento que has tomado requiere alguna ayuda para ser digerido. Abre el espíritu a lo que te presento y enciérralo en ti mismo, pues no proporciona ciencia alguna el oír sin retener. Dos cosas son necesarias en la esencia de este sacrificio: una es la materia del voto, y otra el pacto que se forma con Dios. Este último no se borra jamás, si no es observado, y acerca de ello te he hablado antes en términos precisos. Por esta causa fue necesario que los Hebreos continuasen ofreciendo, aunque alguna de sus ofrendas fuese permutada, como debes saber. Respecto a la que te he dado a conocer como materia del voto, puede ser tal que no se cometa yerro alguno al cambiarla en otra materia: pero que ninguno por su propia autoridad mude el fardo de su espalda, sin la vuelta de la llave blanca y de la llave amarilla:[1] crea que todo cambio es insensato, si la cosa abandonada no se contiene en la elegida, como el cuatro está contenido en el seis. Todo lo que pese tanto por su valor, que incline hacia su lado la balanza, no puede reemplazarse con otra cosa. Que los mortales no tomen a broma el voto. Sed fieles, y al comprometeros no seáis ciegos como lo fue Jephté[2] en su primera ofrenda, porque más le valiera haber dicho: "Hice mal", que hacer

[1] Que nadie cambie a su arbitrio la materia del voto, sino sólo con la autorización del sacerdote. La autoridad sacerdotal está expresada aquí con la vuelta de las dos llaves, una de plata y otra de oro, que ya habíamos encontrado en *Purgatorio* IX.

[2] Juez de Israel que prometió alocadamente a Dios sacrificarle, si regresaba vencedor, el primer ser de su casa que le saliese al encuentro: fue precisamente su hija.

187

otra cosa peor al cumplir su voto: tan insensato como a él puedes suponer al gran jefe de los Griegos,[3] quien obligó a Ifigenia a llorar su hermoso rostro, e hizo llorar por ella a sabios e ignorantes, cuando oyeron hablar de tal sacrificio. Cristianos, sed más pausados en vuestras acciones; no seáis como la pluma a todo viento, ni creáis que toda agua pueda lavaros. Tenéis el Antiguo y el Nuevo Testamento, y el Pastor de la Iglesia que os guía: baste esto para vuestra salvación. Si os dice otra cosa el espíritu del mal, sed hombres, y no locas ovejas, de suerte que el judío no se ría de vosotros entre vosotros. No hagáis como el cordero, que deja la leche de su madre, y sencillo y alegre, combate a su placer consigo mismo.

Así me habló Beatriz, según lo escribo: después se volvió anhelante hacia aquella parte donde el mundo es más vivo. Su silencio y la mudanza de su semblante impusieron silencio a mi ávido espíritu, que tenía ya preparadas nuevas preguntas. Y como la saeta que da en el blanco antes de que haya quedado en reposo la cuerda, así corríamos hacia el segundo reino.[4] Allí vi yo tan contenta a mi Dama cuando penetró en la luz de aquel cielo, que el planeta se volvió más resplandeciente. Y si la estrella se transformó y rió, ¿cuánto más alegre estaría yo, que por mi naturaleza soy en todos sentidos transmutable? Así como en un vivero, que está tranquilo y puro, acuden solícitos los peces al objeto procedente del exterior, por creerlo su pasto, así vi yo más de mil almas esplendorosas acudir hacia nosotros, y a

cada cual de ellas se oía exclamar: "¡He ahí quien acrecentará nuestros amores!" Y tan pronto como cada una se nos acercaba, conocíase su júbilo por el claro fulgor que de ella salía. Piensa, lector, cuál sería tu impaciente anhelo de saber, si lo que aquí empieza no siguiese adelante, y por ti comprenderás cuánto sería mi deseo de conocer la condición de estas almas, en cuanto se presentaron a mi vista.

—¡Oh bien nacido, a quien está concedida la gracia de ver los tronos del triunfo eterno, antes de haber abandonado la milicia de los vivos! Nosotros nos abrasamos en el fuego que se extiende por todo el cielo: así, pues, si deseas que te iluminemos acerca de nuestra suerte, puedes saciarte según tu deseo.

Así me dijo uno de aquellos espíritus piadosos, y Beatriz añadió:

—Di, di con toda confianza, y créeles como a Dioses.

—Veo bien cómo anidas en tu propia luz, y que la despides por tus ojos, para que resplandezcan cuando ríes; pero no sé quién eres, ni por qué ocupas, ¡oh alma digna!, el grado de la esfera que se oculta a los mortales con los rayos de otro.[5]

Esto dije dirigiéndome al alma resplandeciente que me había hablado; por lo cual se volvió más luminosa de lo que antes era. Lo mismo que el Sol, que a sí mismo se oculta por su excesiva luz, cuando el calor ha destruido los densos vapores que la amortiguaban, así aquella santa figura se ocultó a causa de su alegría en su mismo fulgor, y encerrada de aquel modo me contestó como se verá en el canto siguiente.

---

[3] Agamenón.
[4] El segundo de los cielos de la cosmografía de Ptolomeo es el de Mercurio.

[5] Mercurio se oculta la mayor parte del tiempo a nuestra vista por su proximidad al Sol.

CANTO SEXTO

DESPUÉS que Constantino volvió el águila contra el curso del Cielo que antes siguiera tras el antiguo esposo de Lavinia,[1] cien y cien años y más permaneció el ave de Dios [2] en el extremo de Europa, próxima a los montes de que primitivamente había salido; y bajo la sombra de las sagradas plumas gobernó allí el mundo pasando de mano en mano, hasta que en estos cambios llegó a las mías. César fui; soy Justiniano,[3] que por voluntad del primer Amor, de que ahora disfruto en el cielo, suprimí de las leyes lo superfluo y lo inútil: antes de haberme dedicado a esta obra, creí que había en Cristo una sola naturaleza y no más, y estaba contento con tal creencia; pero el bendito Agapito, que fue Sumo Pastor, me encaminó con sus palabras a la verdadera fe;[4] yo le creí, y ahora veo claramente cuanto él me decía, así como tú ves en toda contradicción una parte falsa y otra verdadera. En cuanto caminé al par de la Iglesia, plugo a Dios por su gracia inspirarme la grande obra, y me dediqué completamente a ella: confié las armas a mi Belisario, a quien se unió de tal modo la diestra del cielo, que ésta fue para mí una señal de que debía descansar en él. Aquí termina, pues, mi respuesta a tu primera pregunta; pero su condición me obliga a añadir algunas explicaciones. Para que veas con cuán poca razón se levantan contra la sacrosanta enseña los que se la apropian y los que se le oponen, considera cuántas virtudes la han hecho digna de reverencia, desde el día en que Palanto[5] murió para darle el imperio. Tú sabes que aquel signo fijó su mansión en Alba [6] por más de trescientos años, hasta el día en que por él combatieron tres contra tres.[7] Sabes lo que hizo bajo siete reyes, desde el robo de las Sabinas hasta el dolor de Lucrecia, conquistando los países circunvecinos. Sabes lo que hizo llevado por los egregios romanos contra Breno, contra Pirro, contra otros príncipes solos y coligados, por lo cual Torcuato, y Quintio que recibió un sobrenombre por su descuidada cabellera,[8] los Decios y los Fabios, conquistaron un renombre que me complazco en admirar. El abatió el orgullo de los árabes que tras de Aníbal pasaron las rocas alpestres de donde tú, Po, te desprendes. A su sombra triunfaron, siendo aún muy jóvenes, Escipión y Pom-

---

[1] Constantino el Grande, al trasladar la capital del Imperio a Constantinopla en el 330, había vuelto el águila romana al lugar de donde partiera Eneas, fundador del pueblo latino.

[2] El águila, enseña de aquel Imperio, querido por Dios y que de El sólo depende.

[3] El primero de ese nombre (482-565), célebre por sus afortunadas campañas contra Vándalos y Ostrogodos, pero más célebre todavía por el ordenamiento de todos los elementos del derecho romano, realizado por encargo suyo por un grupo de juristas presidido por Triboniano. No entramos en los motivos por los que Dante le exalta un tanto excesivamente.

[4] Aunque Justiniano fue muy influenciado por su esposa Teodora, celosa eutiquiana, él jamás profesó la herejía monofisita, que atribuía a Jesucristo una sola naturaleza: la divina. Mal, pues, pudo el papa San Agapito, —que falleciera en Constantinopla adonde se había dirigido para concertar la paz entre Justiniano y el rey de los ostrogodos— encaminarle a una fe de la que nunca había salido. Pero ciertos errores históricos como éste estaban muy difundidos en la Edad Media.

[5] Hijo de Evandro y aliado de Eneas, que murió combatiendo contra Turno. *Eneida* X, 487.

[6] En Albalonga, fundada por Ascanio, hijo de Eneas.

[7] Alude al combate de los Horacios y los Curiacios, en que éstos fueron vencidos por aquéllos, quedando Alba sujeta al dominio romano.

[8] Cincinato.

peyo; y su dominio pareció amargo a aquella colina bajo la cual naciste.[9] Después, cerca del tiempo en que todo el cielo quiso reducir el mundo al estado sereno de que es modelo, César tomó aquel signo por la voluntad del pueblo romano; y lo que hizo desde el Var hasta el Rhin, lo vieron el Iser y el Loira, y lo vio el Sena, y todos los ríos que afluyen al Ródano. Lo que hizo cuando César salió de Ravena y pasó el Rubicón fue con tan levantado vuelo, que no lo podrían seguir la lengua ni la pluma. Hacia España dirigió sus tropas, después hacia Durazzo, y a Farsalia hirió de tal modo, que hasta en las cálidas orillas del Nilo se sintió el dolor. Volvió a ver a Antandro y al Simois de donde había salido, y el sitio donde reposa Héctor; después se alejó de nuevo, con detrimento de Tolomeo. Desde allí cayó como un rayo sobre Juba, y luego se dirigió hacia vuestra Occidente, donde oía la trompa pompeyana. Lo que aquel signo hizo en manos del que lo llevó en seguida lo ladran Bruto y Casio en el Infierno; y de ello se lamentan Módena y Perusa. También llora la triste Cleopatra, que, huyendo ante él, recibió de un áspid muerte cruel y súbita. Con él corrió en seguida al mar Rojo; con él estableció en el mundo paz tan grande que se cerró el templo de Jano. Pero lo que el signo de que hablo había hecho antes, y lo que debía hacer después por el reino mortal que le está sometido, es en la apariencia poco y obscuro, si con mirada clara y con efecto puro se le considera después en manos del tercer César; porque la viva justicia que me inspira le concedió, puesto en manos de aquel a quien me refiero, la gloria de vengar la cólera divina.[10] Admírate, pues, ante lo que voy a repetirte. Con Tito corrió en seguida a tomar venganza de la venganza del pecado antiguo.[11] Cuando el diente lombardo mordió a la Santa Iglesia, venciendo Carlo Magno bajo sus alas, acudió a socorrerla. En adelante puedes juzgar a los que he acusado más arriba y sus faltas, que son la causa de todos vuestros males. El uno opone a la enseña común las amarillas lises,[12] y el otro se la apropia, no pensando más que en su partido,[13] de suerte que es difícil comprender cuál comete mayor falta. Lleven los gibelinos, lleven a cabo sus empresas bajo otra enseña; que mal sigue ésta a los que ponen un obstáculo entre ella y la justicia; y que este nuevo Carlos[14] no la abata con sus güelfos, pues debe temer las garras que a más feroces leones arrancaron la piel. Muchas veces han tenido que llorar los hijos las faltas de los padres; y no se crea que Dios cambie sus armas por las lises.[15] Esta pequeña estrella está poblada de buenos espíritus, que fueron activos en la Tierra, para dejar en ella memoria de su honor y su fama; y cuando los deseos se elevan hacia tales objetos desviándose del Cielo, es preciso que los rayos del verdadero amor se eleven también con menos viveza; pero nuestra beatitud consiste en la medida de las recompensas con nuestros méritos, porque no la vemos mayor ni menor que éstos. La viva justicia endulza, pues, de tal modo en nosotros el deseo, que nunca puede dirigirse éste a ninguna malicia. Diversas voces despiden dulce armonía; así también los diversos grados de gloria de nuestra vida producen una dulce armonía entre estas esferas. Dentro de la pre-

[9] Alude a la destrucción de Fiésole, ocasionada por haber dado asilo esta ciudad a Catalina. En su lugar fue edificada Florencia, donde nació Dante.
[10] Tiberio, bajo cuyo imperio la Justicia Divina, es decir, Dios, en la persona del Verbo encarnado, vengó el pecado de nuestros primeros padres.
[11] A destruir a Jerusalén, cuyos habitantes habían hecho morir a Jesucristo.
[12] El partido güelfo, cuyo principal apoyo en aquellos días era la dinastía angevina de Nápoles, procedente de los Capetos; oponía, pues, las lises de Francia a la "enseña común" del Imperio.
[13] Los gibelinos quieren utilizar "la enseña común" sólo para los intereses de su partido.
[14] Carlos II de Anjou, rey de Nápoles.
[15] El águila, ave de Dios, será siempre la enseña del Imperio universal querido por Dios y no puede ser suplantada por las lises de la Casa de Francia.

sente margarita fulgura la luz de
Romeo,[16] cuya hermosa y grande
obra fue tan mal agradecida. Pero
los Provenzales que se declararon en
contra suya no se han reído por mucho tiempo; porque mal camina
quien convierte en desgracia propia
los beneficios que ha recibido de
otro. Raimundo Berenguer tuvo cuatro hijas; todas fueron reinas, y esto
lo hizo Romeo, persona humilde y
errante peregrino; pero después algunas palabras envidiosas movieron
a aquél a pedir cuentas a este justo,
que le dio siete y cinco por diez,
por lo cual partió pobre y anciano;
y si el mundo hubiera sabido cuál
era su corazón al mendigar pedazo
a pedazo su vida, le ensalzaría más
de lo que ahora le ensalza.[17]

[16] Es la leyenda de Romeo de Villanueva,
hombre de oscuro nacimiento, que al volver
de su peregrinación a Santiago de Galicia,
llegó a Provenza y se acomodó en casa del
conde Raimundo Berenguer. Administrando
los bienes de éste, los acrecentó de tal modo
que lo que valía diez valió después doce, lo
que fue causa de que cuatro hijas del Conde se casaran con cuatro reyes. Romeo, mal-
quistado con Raimundo por algunos barones
envidiosos, se separó de él, y fue mendigando
su vida. La historia es muy otra.

[17] Estas últimas palabras nos hacen pensar en las propias vicisitudes de Dante en
el destierro.

CANTO SEPTIMO

"GLORIA A TI, Santo Dios de los Ejércitos, que esparces tu claridad sobre los felices fuegos, esto es, sobre las almas dichosas de este reino." Así oí que cantaba, volviéndose hacia su esfera, aquella substancia, sobre la cual resplandece su doble fulgor. Ella y las otras emprendieron su danza, y cual centellas velocísimas se me ocultaron con su repentino alejamiento. Yo dudaba y decía entre mí: "Dile, dile a mi Dama que calme mi sed con sus dulces palabras." Pero aquel respeto que se apodera completamente de mí tan sólo al oír B o ICE,[1] me hacía inclinar la cabeza como un hombre que dormita. Beatriz no consintió que yo estuviese así mucho tiempo; e irradiando sobre mí una sonrisa que haría feliz a un hombre en el fuego, empezó a decirme:

—Según mi parecer infalible, estás pensando cómo fue justamente castigada la justa venganza; pero yo despejaré en breve tu espíritu: escucha, pues, que mis palabras te ofrecerán el don de una gran verdad. Por no haber soportado un útil freno a su voluntad aquel hombre que no nació,[2] al condenarse, condenó a toda su descendencia; por lo cual la especie humana yació enferma por muchos siglos en medio de un grande error, hasta que el Verbo de Dios se dignó descender adonde, por un sólo acto de su eterno amor, unió a sí en persona la naturaleza, que se había alejado de su Hacedor. Ahora mira atentamente lo que digo: Esta naturaleza unida a su Hacedor, tal cual fue creada, era sincera y buena; pero por sí misma fue desterrada del Paraíso, porque se salió del camino de la verdad y de su vida. La pena, pues, que la Cruz hizo sufrir a la naturaleza humana de Jesucristo, si se mide por esa misma naturaleza, fue más justa que otra cualquiera; pero tampoco hubo otra tan injusta, si se atiende a la Persona divina que la sufrió, y a la que estaba unida aquella naturaleza. Por lo tanto, aquel hecho produjo efectos diferentes; porque la misma muerte fue grata a Dios y a los Judíos; por ella tembló la Tierra, y por ella se abrió el Cielo. No te debe ya parecer tan incomprensible cuando te digan que un tribunal justo ha castigado una justa venganza. Mas ahora veo tu mente comprimida, de idea en idea, en un nudo, del que espera con ansia verse libre. Tú dices: "Comprendo bien lo que oigo; pero no veo bien por qué Dios quisiera valerse de este medio para nuestra redención." Este decreto, hermano, está velado a los ojos de todo aquel cuyo espíritu no haya crecido en la llama de la caridad. Y en efecto, como se examina mucho este punto, y se le comprende poco, te diré por qué fue elegido aquel medio como el más digno. La divina bondad, que rechaza de sí todo rencor, ardiendo en sí misma centellea de tal modo, que hace brotar las bellezas eternas. Lo que procede inmediatamente de ella sin otra cooperación no tiene fin; porque nada hace cambiar su sello una vez impreso. Lo que sin cooperación procede de ella es completamente libre, porque no está sujeto a la influencia de las cosas secundarias; y cuanto más se le asemeja, más le place, pues

[1] *Bice*, diminutivo de Beatriz. Significa que la reverencia que le causaba sólo el oír pronunciar una sílaba de aquel nombre, le tenía con la cabeza baja y sin atreverse a hablar.
[2] Adán, que no tuvo padre, sino que salió de las manos de Dios.

el amor divino que irradia sobre todo, se manifiesta con mayor brillo en lo que se le parece más. La criatura humana disfruta la ventaja de todos estos dones;[3] pero si le falta uno solo, es preciso que decaiga su nobleza. Sólo el pecado es el que le arrebata su libertad y su semejanza con el Sumo Bien; por lo cual refleja muy poco su luz, y no vuelve a adquirir su dignidad, si no llena de nuevo el vacío que dejó la culpa, expiando sus malos placeres por medio de justas penas. Cuando vuestra naturaleza entera pecó en su germen, se vio despojada de estas dignidades y lanzada del Paraíso, y no hubiera podido recobrarlas (si lo examinas sutilmente) por ningún camino, sin pasar por uno de estos vados: o porque Dios, en su bondad, perdonara el pecado, o porque el hombre por sí mismo redimiera su falta. Fija ahora tus miradas en el abismo del Consejo eterno, y está tan atento como puedas a mis palabras. El hombre no podía jamás, en sus límites naturales, dar satisfacción, por no poder después humillarse con su obediencia tanto cuanto pretendió elevarse con su desobediencia; y esta es la causa porque el hombre fue exceptuado de poder dar satisfacción por sí mismo. Era preciso, pues, que Dios condujera al hombre a la vida sempiterna por sus propias vías, bien por una, o bien por ambas. Pero, como la obra es tanto más grata al obrero, cuanto más representa la bondad del corazón de donde ha salido, la divina bondad, que imprime al mundo su imagen, se regocijó de proce-

[3] Tres fueron las prerrogativas del hombre cuando salió de las manos del Creador: la inmortalidad, la libertad y la semejanza con Dios.

der por todas sus vías para elevaros hasta ella. Entre el primer día y la última noche no hubo ni habrá jamás un procedimiento tan sublime y magnífico, de cualquier modo que se le considere; porque al entregarse Dios a sí mismo, haciendo al hombre apto para levantarse de su caída, fue más liberal que si le hubiese perdonado por su clemencia; y todos los demás medios eran insuficientes ante la justicia, si el Hijo de Dios no se hubiera humillado hasta encarnarse. Ahora, para colmar bien todos tus deseos, vuelvo atrás, a fin de aclararte algún punto de modo que lo veas como yo. Tú dices: "Yo veo el aire, veo el fuego, el agua, la tierra y todas sus mezclas llegar a corromperse y durar poco; y estas cosas, sin embargo, fueron creadas: ahora bien, si lo que has dicho es cierto, deberían estar al abrigo de la corrupción." Los ángeles, hermano, y el país libre y puro en que estás, pueden decirse creados tales como son, en su eterno ser; pero los elementos que has nombrado, y aquellas cosas que de ellos se componen, tienen su forma de una potencia creada. Creada fue la materia de que están hechos: creada fue la virtud generatriz de las formas en estas estrellas que giran en torno suyo. El rayo y el movimiento de las santas luces sacan de la complexión potencial el alma de todos los brutos y plantas; pero vuestra vida aspira directamente la divina bondad, la cual la enamora de sí de modo que siempre la desea. De aquí puedes deducir aún vuestra resurrección, si reflexionas cómo fue creada la carne humana, cuando fueron creados los primeros padres.

CANTO OCTAVO

SOLÍA creer el mundo en su peligro, que de los rayos de la bella Ciprina,[1] que gira en el tercer epiciclo, emanaba el loco amor: por esto las naciones antiguas, en su antiguo error, no solamente la honraban por medio de sacrificios y de ruegos votivos, sino que también honraban a Dione y a Cupido, a aquélla como madre, y a éste como hijo suyo, de quien decían que estaba sentado en el regazo de Dido.[2] Y de ésta que he citado al empezar mi canto dieron nombre a la estrella que el Sol mira placentero, ya contemplando sus pestañas, ya su cabellera.[3]

Yo no advertí mi ascensión a ella; pero me cercioré de que estaba en su interior, cuando vi a mi Dama adquirir más hermosura. Y así como se ve la chispa en la llama, y se distinguen dos voces entre sí, cuando la una sostiene una nota y la otra ejecuta varias modulaciones, del mismo modo vi en aquella luz otros resplandores que se movían en círculo más o menos ágiles, con arreglo, según creo, a sus dichosas visiones eternas. De fría nube no salieron jamás, visibles o invisibles, vientos tan veloces, que no parecieran entorpecidos y lentos a quien hubiese visto llegar hasta nosotros aquellos divinos fulgores, dejando la órbita comenzada antes en el Cielo de los serafines. Y dentro de los que se nos aparecieron delante resonaba "Hosanna", tan dulce que nunca me ha abandonado el deseo de volverlo a oír. Entonces se acercó uno de ellos a nosotros, y empezó a decir solo:

—Todos estamos prontos en tu obsequio, para que te regocijes en nosotros. Todos giramos con los príncipes celestiales dentro de la misma órbita, con el mismo movimiento circular y con idéntico deseo que aquellos de quienes has dicho ya en el mundo: "Vosotros que movéis el tercer cielo con vuesta inteligencia",[4] y estamos tan llenos de amor, que por agradarte, no nos será menos dulce un momento de reposo.

Después que mis ojos se fijaron reverentes en mi Dama, y que ella les dio la seguridad de su contentamiento, los volví hacia la resplandeciente alma que tanto se me había ofrecido, y:

—Di, ¿quién fuiste? —fue mi respuesta, impregnada del mayor afecto.

—¡Oh, cuánto más brillante y bella se volvió cuando le hablé, a causa del nuevo gozo que acrecentó sus alegrías! Embellecida así, me dijo:

—Poco tiempo me tuvo allá abajo el mundo:[5] si yo hubiera permanecido más en él, no habrían sucedido muchos de los males que allí suceden. La alegría que despide en torno mío estos fulgores, me cubre como al gusano su capullo, y me oculta a tus ojos. Tú me has amado mucho, y tuviste motivo para ello; porque si yo hubiera estado allá abajo más tiempo, te habría dado en prueba de mi amor algo más que las hojas. Aquella ribera izquierda, que baña el Ródano después de haberse unido con el Sorgues, me esperaba, andando el tiempo, para recibirme por

---

[1] Venus, nacida en Chipre.
[2] Cuéntase en la *Eneida*, cómo Cupido, bajo la forma del infante Ascanio, hijo de Eneas, sentado en el regazo de Dido la inflamaba en el amor por su padre.
[3] Ya cuando va tras de él y se llama *Espero*, ya cuando va delante y se llama *Lucifero*, de cuya palabra hemos hecho nosotros *lucero*.

[4] Así comienza una canción de Dante en el *Convite*.
[5] Esta es el alma de Carlos Martel, muerto en 1295, hijo de Carlos II.

su señor; así como también aquella punta de la Ausonia que comprende los pueblos de Bari, Gaeta y Crotona, desde donde el Tronto y el Verde desembocan en el mar.[6] Brillaba ya en mi frente la corona de aquella tierra que riega el Danubio después de abandonar las riberas tudescas;[7] y la bella Trinacria, que entre los promontorios Pachino y Peloro, sobre el golfo que el Euro azota con más violencia, se cubre de humo caliginoso, no a causa de Tifeo,[9] sino por el azufre que se exhala de su suelo, habría esperado aún sus reyes nacidos por mí de Carlos y de Rodolfo,[10] si el mal gobierno que rebela siempre a los pueblos sumisos, no hubiese excitado a Palermo a gritar: "¡Muera! ¡muera!"[11] y si mi hermano[12] hubiera previsto esto, huiría ya la avara pobreza de Cataluña para no ofender a aquellos pueblos. Necesita, en verdad, proveer por sí mismo o por otros, a fin de que su barca no tenga más carga de la que pueda soportar. Su índole, que de liberal se ha hecho avara, necesitaría ministros que no se cuidasen sólo de llenar sus arcas.

—El gran contento que me infunden tus palabras, ¡oh señor mío!, me es mucho más grato al considerar que aquí, donde está el principio y fin de todo bien, lo ves como yo lo veo; y también gozo pensando que en presencia de Dios conoces mi felicidad. Ya que me has dado esta alegría, aclárame (pues hablando me has hecho dudar) cómo de una semilla dulce puede salir un fruto amargo.[13]

[6] La Provenza meridional y Nápoles.
[7] Hungría.
[8] Antiguo nombre dado a Sicilia por su forma triangular.
[9] Gigante sepultado en el Etna.
[10] Los reyes, mis hijos, que a través de mí descienden de Carlos I de Anjou, mi abuelo y del emperador Rodolfo de Habsburgo, padre de Clemencia, mi mujer.
[11] Las Vísperas Sicilianas, por las que Sicilia se separó del reino de Nápoles y se pasó a los aragoneses.
[12] Roberto de Anjou, que le sucedió en el reino de Nápoles. Había sido prisionero de los aragoneses y regresó a Nápoles rodeado de catalanes a los que confió altos puestos que les sirvieron para explotar al pueblo.
[13] Cómo de un padre bueno (Carlos II) puede salir un hijo mediocre (Roberto).

Esto le dije, y él me contestó:
—Si puedo demostrarte una verdad, volverás el rostro a lo que preguntas, como ahora le vuelves la espalda. El Bien que da movimiento y alegría a todo el reino por donde asciendes, hace que su providencia sea virtud influyente de estos grandes cuerpos; y en la Mente perfecta por sí misma, no sólo se ha provisto a la naturaleza de cada cosa, sino también a la conservación y estabilidad de todas juntas: por lo cual, todo cuanto desciende disparando de este arco, va dispuesto hacia un fin determinado, como la flecha se dirige al blanco. Si esto no fuese así, el cielo sobre que caminas produciría sus efectos de tal modo, que no serían obras de arte, sino ruinas; y eso no puede ser, a no admitir que son defectuosas las inteligencias que mueven estos astros, y defectuoso también el Ser primero, que no las hizo perfectas. ¿Quieres que te aclare más esta verdad?

—No es menester —contesté—; pues considero imposible que la naturaleza llegue a faltar en aquello que es necesario.

El Alma continuó:
—Dime, pues: ¿sería peor la existencia del hombre en la Tierra, si no viviera en sociedad?

—Sí —repuse—; y no pregunto la razón de esto.

—¿Y puede ser tal cosa, si allá abajo no vive cada cual de diferente modo por la diversidad de oficios? No puede ser, si vuestro maestro escribió la verdad.[14]

Así, procediendo de una en otra deducción, llegó a ésta; y después concluyó:

—Luego es preciso que sean diversas las raíces de vuestras aptitudes; por lo cual uno nace Solón y otro Jerjes, uno Melquisedec y otro aquel que perdió a su hijo, al volar éste por el aire.[15] La influencia de los

[14] Aristóteles, el "maestro de la humana razón", que demuestra en la *Etica* y en la *Política* la necesidad de los diversos oficios para la sociedad humana.
[15] Uno nace, como Solón, a propósito para dar leyes a los pueblos; otro, como Jer-

círculos celestes, que imprime su sello a la cera mortal, hace bien su oficio; pero no distingue una morada de otra. De aquí proviene que Esaú se aparte de Jacob desde el vientre materno, y que Quirino descienda de un padre tan vil, que se atribuye su origen a Marte. La naturaleza engendrada sería siempre semejante a la naturaleza que engendra, si la Providencia divina no predominase.

jes, para regir imperios; otro, como Melquisedec, para el sacerdocio, y otro, como Dédalo, para la industria. Estas diferentes aptitudes con que nacen los hombres las infunden los influjes celestes, según el poeta, pero sin distinguir de clases ni de jerarquías.

Ahora tienes ya delante lo que antes detrás; mas para que sepas que me complazco en instruirte, quiero proveerte aún de un corolario. La naturaleza es siempre estéril, si la fortuna le es contraria, como toda simiente esparcida fuera del clima que le conviene. Y si el mundo allá abajo se apoyara en los cimientos que pone la naturaleza, habría por cierto mejores habitantes en él; pero vosotros destináis para el templo al que nació para ceñir la espada, y hacéis rey al que debía ser predicador: así es que vuestros pasos se separan siempre del camino recto.

CANTO NONO

Cuando tu Carlos, hermosa Clemencia,[1] hubo aclarado mis dudas, me refirió los fraudes de que había de ser víctima su descendencia, pero añadió: "Calla, y deja transcurrir los años." Así es que yo no puedo decir más, sino que tras de vuestros daños vendrá el llanto originado por un justo castigo.

La santa y viva luz se había vuelto ya hacia el Sol que la inunda, como hacia el bien que a todo alcanza. ¡Oh almas engañadas, locas e impías, que apartáis vuestros corazones de semejante bien, dirigiendo hacia la vanidad vuestros pensamientos! He aquí que otro de aquellos esplendores se dirigió hacia mí, expresando, con la claridad que esparcía, su deseo de complacerme. Los ojos de Beatriz, que estaban fijos en mí, como antes, me aseguraron del dulce asentimiento que daba a mi deseo.

—¡Oh espíritu bienaventurado! —dije—; satisface cuanto antes mi anhelo, y pruébame que lo que pienso puede reflejarse en ti.

Entonces la luz, a quien aún no conocía, desde lo interior donde antes cantaba, respondió a mis palabras como quien se complace en ser cortés con otro:

—En aquella parte de la depravada tierra de Italia que está situada entre Rialto y las fuentes del Brenta y del Piava, se eleva una colina no muy alta, de donde descendió una llamarada que causó gran desastre en toda la comarca.[2] Ella y yo salimos de la misma raíz: Cunizza[3] fui llamada; y aquí brillo, porque me venció la luz de esta estrella; pero con alegría me perdono a mí misma la causa de mi muerte, y no me pesa, lo cual quizá parecerá difícil de comprender a vuestro vulgo. Esta alma próxima a mí, que es una espléndida y preciosa joya de nuestro cielo,[4] dejó en la Tierra una gran fama; y antes que su gloria se pierda, este centésimo año se quintuplicará. Ya ves si el hombre debe hacerse ilustre a fin de que su primera vida deje sobre la tierra una segunda. Esto es lo que no piensa la turba presente que habita entre el Tagliamento y el Adigio, sin que le sirvan de escarmiento los males de que es víctima. Pero pronto sucederá que Padua y sus habitantes, por ser obstinados contra el deber, enrojecerán el agua de la laguna que baña a Vicenza, y allí donde el Sile y el Cagnano se unen hay quien domina y va con la cabeza erguida,[5] cuando ya se componen las redes que han de cogerle. También llorará Feltro la felonía de su impío pastor,[6] que será tal, que ninguno por otra semejante ha sido encerrado en Malta.[7] Será necesario un recipiente muy ancho para reci-

---

[1] La hija de Carlos Martel, que casó en 1315 con Luis X de Francia y murió en 1328, y no su esposa, que habría fallecido en agosto de 1295.
[2] La Marca de Treviso. Cuéntase que la madre de Ezzelino III da Romano, poco antes del parto soñó que iba a dar a luz una tea ardiendo que quemaría toda la Marca.
[3] Hija de Ezzelino, libertina mujer, a quien Dante coloca en el Paraíso, porque se convirtió a mejor vida ya en edad avanzada. Murió en 1279.
[4] Trátase de Folco de Marsella, que no va a tardar mucho en hablar. Fue un trovador provenzal que floreció en la segunda mitad del siglo XII. Después de una vida mundana se hizo monje y fue consagrado obispo de Tolosa en 1205. Persiguió severamente a los herejes albigenses.
[5] Ricardo de Cammino, que fue muerto traidoramente por instigación de Altiniero dei Calzoni.
[6] Alejandro Novello, obispo de Feltro en 1314 consignó a Pino della Tosa, comisario pontificio un buen número de desterrados ferrarenses, que fueron condenados a muerte.
[7] Nombre de una célebre prisión destinada a los eclesiásticos.

bir la sangre ferraresa, y cansado quedará el que quiera pesar onza a onza la que derramará tan cortés sacerdote por mostrarse hombre de partido, siendo por otra parte tales dones conformes a las costumbres de tal país. Allá arriba hay unos espejos, que vosotros llamáis Tronos, de donde se reflejan hasta nosotros los juicios de Dios; así es que tenemos por buenas y verídicas nuestras palabras.

Al llegar aquí, el alma guardó silencio, y habiéndose vuelto a colocar en la órbita como estaba anteriormente, me dio a conocer que no pensaba ya en mí. La otra alma dichosa, a quien ya conocía, se me presentó tan resplandeciente como una piedra preciosa herida por los rayos del Sol. Allá arriba la alegría produce un vivo esplendor, como entre nosotros produce la risa; pero en el Infierno la sombra de los condenados se obscurece cada vez más, a medida que se entristece su espíritu.

—Dios lo ve todo, y tu vista se identifica en Él —exclamé—, ¡oh feliz espíritu!, de suerte que ningún deseo puede ocultarse a ti. Así, pues, ¿por qué tu voz, que deleita siempre al Cielo con el canto de aquellas llamas piadosas que se forman una ancha vestidura con sus seis alas,[8] no satisface mis deseos? No esperaría yo por cierto tus preguntas, si viera en tu interior como tú ves en el mío.

Entonces contestó con estas palabras:

El mayor valle en que se vierten las aguas,[9] después de aquel mar que circunda la Tierra, se aleja tanto contra el curso del Sol entre las desacordes playas, que aquel círculo que antes era su horizonte se convierte en meridiano. Yo fui uno de los ribereños de aquel valle, entre el Ebro y el Macra, que por un corto trecho separa al genovés del toscano. Casi a la misma distancia a Oriente y Occidente se asienta Bugía y la tierra de

donde fui, en cuyo puesto se vertió un día la sangre de sus habitantes.[10] Folco me llamó aquella gente, que conocía mi nombre, y este cielo recibe mi luz, como recibí yo su influjo amoroso; pues en tanto que me lo permitió la edad, no ardieron cual yo en aquel fuego la hija de Belo,[11] causando enojos a Siqueo y a Creusa; ni aquella Rodopea[12] que fue abandonada por Demofón, ni Alcides cuando tuvo a Iole encerrada en su pecho.[13] Aquí empero no hay arrepentimiento, sino regocijo; no de las culpas, que jamás vuelven a la memoria, sino de la sabiduría que ordenó este cielo y provee sus influjos. Aquí se contempla el arte que adorna y embellece tantas cosas creadas, y se descubre el bien por el cual el mundo de arriba obra directamente sobre el de abajo. Mas a fin de que queden satisfechos todos los deseos que te han nacido en esta esfera, es preciso que lleve más adelante mis instrucciones. Tú quieres saber quién está en esa luz que centellea cerca de mí, como un rayo de Sol en el agua pura y cristalina. Sabe, pues, que en su interior es dichosa Ralab,[14] y unida a nuestro coro, brilla en él con el esplendor más eminente. Ascendió a este cielo, en el que termina la sombra que proyecta vuestro mundo, antes que ninguna otra alma se viese libre por el triunfo de Cristo. Era justo dejarla en algún cielo como trofeo de la alta victoria que Él alcanzó con ambas palmas; porque aquella mujer favoreció las primeras hazañas de Josué en la Tierra Santa, que tan poco excita la memoria del Papa. Tu ciudad, que debió su origen a aquel que fue

---

[8] Los serafines, que suelen representarse con seis alas.

[9] El Mediterráneo.

[10] Se refiere al sitio de Marsella por Julio César.

[11] Dido, causando enojos a su difunto esposo y a Creusa, la mujer de Eneas también muerta.

[12] Filix, así llamada porque habitaba cerca del monte Rodope. Se suicidó por amor a Demofón.

[13] Hércules, enamorado de Iole, que murió a causa de los celos de Deyanira.

[14] La meretriz de Jericó que tuvo escondidos en su casa a los espías enviados por Josué a explorar la ciudad. En recompensa se salvó de la matanza general después de su ocupación por los judíos.

el primero en volver las espaldas
a su Hacedor y cuya envidia ocasionó tantas lágrimas, produce y
esparce las malditas flores, que han
descarriado a las ovejas y los corderos, porque han convertido en lobo
al pastor. Por eso están abandona-
dos el Evangelio y los grandes docto-
tores, y tan sólo se estudian las De-
cretales, según lo indica lo usado de
sus márgenes. A eso se dedican el
Papa y los cardenales: sus pensamientos no llegan a Nazareth, allí
donde Gabriel abrió las alas; pero
el Vaticano y demás sitios elegidos de
Roma, que han sido el cementerio
de la milicia que siguió a Pedro,[15]
pronto se verán libres del adulterio.

[15] Los mártires de la Ciudad Eterna.

CANTO DECIMO

EL INEFABLE poder primero, juntamente con su hijo y con el amor que de uno y otro eternamente procede, hizo con tanto orden todo cuanto concibe la inteligencia y ven los ojos, que no es posible a nadie contemplarlo sin gustar de sus bellezas. Eleva, pues, lector, conmigo tus ojos hacia las altas esferas, por aquella parte en que un movimiento se encuentra con otro, y empieza a recrearte en la obra de aquel Maestro, que la ama tanto en su interior, que jamás separa de ella sus miradas. Observa cómo desde allí se desvía el círculo oblicuo, conductor de los planetas, para satisfacer al mundo que le llama. Y si el camino de aquéllos no fuese inclinado, más de una influencia en el cielo sería vana, y como muerta aquí abajo toda potencia. Y si al girar se alejaran más o menos de la línea recta, dejaría mucho que desear arriba y abajo el orden del mundo. Ahora, lector, permanece tranquilo en tu asiento, meditando acerca de estas cosas que aquí sólo se bosquejan, si quieres que te causen mayor deleite antes que tedio. Te he puesto delante el alimento; tómalo ya por ti mismo, porque el asunto de que escribo reclama para sí todos mis cuidados.

El mayor ministro de la naturaleza, que imprime en el mundo la virtud del Cielo y mide el tiempo con su luz, giraba, juntamente con aquella parte de que te he hablado antes, por las espirales en que cada día se nos presenta más temprano. Yo estaba en él, sin haber notado mi ascensión, sino como nota el hombre una idea después que se le ocurre. ¡Oh Beatriz! ¡Cuán esplendorosa no debía de estar por sí misma, ella que de tal modo me hacía pasar de bien a mejor tan súbitamente, que su acción no se sujetaba al transcurso del tiempo! Lo que por dentro era el Sol, donde yo entraba, y lo que aparecía, no por medio de colores, sino de luz, jamás pudiera imaginarse, aun cuando para explicarlo llamase en mi auxilio el ingenio, el arte y todos sus recursos; pero puede creérseme, y debe desearse verlo. Y si nuestra fantasía no alcanza a tanta altura, no es maravilla; pues nadie ha visto un resplandor que supere al del Sol. Como él era allí la cuarta familia [1] del Padre Supremo, que siempre sacia sus deseos, mostrandole cómo engendra al Hijo, y cómo procede el Espíritu. Y Beatriz exclamó:

—Da gracias, da gracias al Sol de los ángulos, que por su bondad te ha elevado a este Sol sensible.

Jamás ha habido un corazón humano tan dispuesto a la devoción y a entregarse a Dios tan vivamente con todo su agradecimiento, como el mío al oír aquellas palabras; y puse en Él de tal modo todo mi amor, que Beatriz se eclipsó en el olvido. No le desagradó; antes por lo contrario, se sonrió; y el esplendor de sus ojos sonrientes dividió en muchos mi pensamiento absorto en uno solo. Vi muchos espíritus vivos y triunfantes, más gratos aún por su voz que relucientes a la vista, los cuales, tomándonos por centro, nos formaron una corona de sí mismos. No de otro modo vemos a veces a la hija de Latona [2] rodeada de un cerco, cuando el aire, impregnado de

[1] Brillantes como el Sol eran los bienaventurados que allí estaban. Los llama *cuarta familia*, porque se le aparecen en el cuarto cielo. Estos son las almas de los doctores de la Iglesia.

[2] Cuando la bruma rodea de un halo a la Luna.

vapores, retiene las sustancias de que aquél se compone. En la corte del cielo, de donde vuelvo, se encuentran muchas joyas, tan raras y bellas, que no es posible hallarlas fuera de aquel reino; y una de estas joyas era el encanto de aquellos fulgores: el que no se provea de alas para volar hasta allí, espere tener noticias de aquel canto como si las preguntase a un mudo.

Después que, cantando de esta suerte, aquellos ardientes soles dieron tres vueltas en derredor nuestro, como las estrellas próximas a los fijos polos, me parecieron semejantes a las mujeres, que, sin dejar el baile, se detienen escuchando con atención, hasta que han conocido cuáles son las nuevas notas. Y oí que del interior de una de aquellas luces salían estas palabras:

—Ya que el rayo de la gracia, en que se enciende el verdadero amor, y que después crece amando, resplandece en ti tan multiplicado, que te conduce hacia arriba por aquella escala de donde nadie desciende sin volver a subir de nuevo, el que negase a tu sed el vino de su redoma se vería en el mismo estado de violencia en que está el agua impedida de correr hasta el mar. Tú quieres saber de qué flores se compone esta guirnalda, que acaricia en torno a la hermosa Dama que te da ánimo para subir al cielo. Yo fui uno de los corderos del santo rebaño[3] que condujo Domingo por el camino en que el alma se fortifica si no se extravía. Este, que está el más próximo a mi derecha, fue mi maestro y mi hermano; es Alberto de Colonia,[4] y yo Tomás de Aquino.[5] Si quieres saber

quiénes son los demas, sigue mis palabras con tus miradas, dando la vuelta a la bienaventurada corona. Aquel otro esplendor brota de la sonrisa de Graciano,[6] tan útil por sus escritos a uno y otro fuero, que mereció el Paraíso. El otro que le sigue fue Pedro,[7] que, como la pobre viuda, ofreció su tesoro a la Santa Iglesia. La quinta luz,[8] que es la más bella entre nosotros, se abrasa en tal amor, que todo el mundo tiene abajo sed de sus noticias. Dentro de ella está el alto espíritu donde se albergó tan profunda sabiduría, que si la verdad es verdad, ninguno otro ascendió a tanto saber. Después contempla la luz de aquel cirio, que ha sido el que en vida vio mejor la naturaleza y el ministerio de los ángeles.[9] En aquella diminuta luz sonríe el abogado de los tiempos cristianos, cuya doctrina aprovechó Agustín.[10] Si diriges ahora la mirada de tu entendimiento de luz, siguiendo mis elogios, debes ya tener sed de conocer la octava. Dentro de ella se recrea en la vista del soberano Bien el alma santa que pone de manifiesto las falacias del mundo a quien atentamente escucha sus doctrinas. El cuerpo de donde fue separada yace en Cieldauro,[11] y desde el martirio y el destierro ha venido a disfrutar de esta paz celestial. Ve más allá fulgurar el ardiente espíritu de Isidoro,[12] el de Beda[13] y

gica y en los Comentarios a Aristóteles, bebió Dante buena parte de su doctrina. Fue canonizado en 1323 y es conocido con el nombre de "Doctor Angelicus"

[6] Célebre canonista del siglo XIII, que trató de concordar las leyes eclesiásticas con las civiles.

[7] Pedro Lombardo, llamado el Maestro de las sentencias. En el proemio de su obra dice modestamente que con ella hacía un pequeño don a la Iglesia, como la viuda de que habla San Lucas, cap. XXI.

[8] El rey Salomón.

[9] Dionisio Areopagita, autor de un libro titulado: De caelesti hierarchia.

[10] El español Paulo Orosio, que escribió contra los idólatras siete libros de historia, y los dedicó a San Agustín.

[11] Boecio, a quien hizo morir Teodorico, rey de los godos, y que está sepultado en la iglesia de San Pedro llamada Cielo de oro, en Pavía.

[12] Isidoro de Sevilla (560-636), autor, entre otras obras, de una especie de enciclopedia titulada Etimologías u Orígenes, muy utilizada durante toda la Edad Media.

[13] Beda el Venerable (674-735), monje in-

[3] De Frailes Predicadores, fundado por Santo Domingo.

[4] Alberto Magno (1193-1280). Dominico que profesó en Colonia, donde tuvo de discípulo a Santo Tomás. Provincial de la Orden en 1254 y obispo de Regensburgo en 1260. Uno de los más doctos y profundos filósofos de su tiempo. Por sus vastos conocimientos fue denominado "Doctor universalis".

[5] Tomás de Aquino (1226-1274). Ingresó en los Dominicos en 1243 tras viva oposición de sus parientes, los condes de Aquino. Maestro de Teología en Colonia, París y Nápoles, escribió gran número de obras, en las cuales, particularmente en la Suma Teoló-

el de Ricardo,[14] que en sus contemplaciones fue mas que hombre. Esa, de quien se separa tu mirada para fijarse en mí, es la luz de un espíritu que, considerando tranquilamente la vanidad del mundo, deseó morir. Es la luz eterna de Siger,[15] que ejercien-

do el profesorado en la calle de la Paja, excitó la envidia por sus verdaderos silogismos.

En seguida, como el reloj que nos llama a la hora en que la Esposa de Dios principia a cantar maitines a su Esposo, a fin de que la ame, y cuyas ruedas mueven unas a otras, y apresuran a la que va delante hasta que se oye "tin tin" con notas tan dulces, que el espíritu felizmente dispuesto se inflama de amor; así vi yo en la gloriosa espera moverse y responder las voces a las voces con una armonía tan llena de dulzura, que sólo puede conocerse allá donde la dicha se eterniza.

glés, célebre por su piedad y doctrina. Entre sus obras figura una *Historia eclesiástica de Bretaña*.

[14] Ricardo de San Víctor, teólogo místico del siglo XII, prior del convento de San Víctor en París, autor de numerosas obras.

[15] Siger de Brabante, el principal representante del Averroísmo en la enseñanza cristiana del siglo XIII. Enseñó en París y, molestado por sus atrevidas doctrinas, se dirigió a Roma para justificarse. Murió en 1284, a manos de su secretario que se había vuelto loco.

CANTO UNDECIMO

¡Oh insensatos afanes de los mortales!, ¡cuán débiles son las razones que os inducen a bajar el vuelo y a rozar la Tierra con vuestras alas! Mientras unos se dedicaban al foro, y otros se entregaban a los aforismos de la medicina;[1] y éstos seguían el sacerdocio, y aquéllos se esforzaban en reinar por la fuerza de las armas, haciendo creer en su derecho por medio de sofismas; y algunos rodaban, y otros se consagraban a los negocios civiles; y muchos se enervaban en los placeres de la carne, y bastantes por fin se daban a la ociosidad, yo, libre de todas estas cosas, había subido con Beatriz hasta el cielo, donde tan gloriosamente fui acogido. Después que cada uno de aquellos espíritus hubo vuelto al punto del círculo en que antes estaba, tan inmóvil como la bujía de un candelero, la luz[2] que me había hablado anteriormente se hizo más esplendorosa y risueña, y dentro de ella oí una voz que comenzó a decir de esta manera:

—Así como yo me enciendo a los rayos de la luz eterna, del mismo modo, mirándola, conozco la causa de donde proceden tus pensamientos. Tú dudas, y quieres que mi boca emplee palabras tan claras y ostensibles, que pongan al alcance de tu inteligencia las que pronuncié antes cuando dije: "Camino en que el alma se fortifica;" y las otras: "Ningún otro ascendió." En cuanto a éstas, es preciso hacer una distinción. La Providencia, que gobierna al mundo con el consejo en que se abisma la mirada de todo ser creado antes de penetrar en el fondo, a fin de que la Esposa de Aquél, que con su bendita sangre se unió a ella en altas voces, corriese hacia su amado segura de sí misma y siéndole más fiel, envió en su ayuda dos príncipes,[3] que para entrambos objetos le sirvieran de guías. El uno fue todo seráfico en su ardor; el otro, por su sabiduría, resplandeció en la Tierra con la luz de los querubines.

Hablaré de uno solo; pues elogiando a cualquiera de ellos indistintamente, se habla de los dos, porque sus obras tendieron a un mismo fin. Entre el Tupino y el agua que desciende del collado elegido por el beato Ubaldo, baja un fértil declive de un alto monte, del cual Perusa siente venir el calor y el frío por la parte de Porta Sole, y tras de cuyo monte lloran oprimidas Nocera y Gualdo. En el sitio donde aquella pendiente es menos rápida, vino al mundo un Sol, resplandeciendo como éste a veces cuando asoma sobre las márgenes del Ganges. Quien hable de ese lugar, no le llame Asís, pues diría muy poco: si quiere hablar con propiedad, llámele Oriente. Aun no distaba mucho de su nacimiento, cuando aquel Sol comenzó a hacer que la Tierra sintiese algún consuelo con su gran virtud; pues siendo todavía muy joven, incurrió en la cólera de su padre por inclinarse a una dama,[4] a quien, como a la muerte, nadie acoge con gusto; y ante la corte espiritual "et coram patre" se unió a ella, amándola después más y más cada día. Ella, pri-

---

[1] A los *Aforismos* de Hipócrates, es decir, a la Medicina.
[2] Santo Tomás de Aquino.
[3] Los dos grandes jefes que debían guiar a la Iglesia, el uno hacia la caridad por el espíritu de pobreza, el otro a la mayor fidelidad por medio de la predicación, son, respectivamente, San Francisco de Asís, modelo de amor seráfico, y Santo Domingo, dotado de esplendor querúbico por su sabiduría.
[4] La Pobreza.

vada de su primer marido,[5] permaneció despreciada y obscura mil cien años y más, sin que nadie lo solicitase hasta que vino éste. De nada le valió que se oyera decir cómo aquel que hizo temer a todo el mundo la encontró alegre con Amiclates,[6] cuando llamó a su puerta: ni le valió haber sido cantante y animosa hasta el punto de ser crucificada con Cristo, mientras María estaba al pie de la Cruz. Mas, para no continuar en un estilo demasiado obscuro, reconoce en mis difusas palabras que estos dos amantes son Francisco y la Pobreza. Su concordia y sus placenteros semblantes, su amor maravilloso y sus dulces miradas inspiraban santos pensamientos a otros; de tal modo que el venerable Bernardo[7] fue el primero que se descalzó para correr en pos de tanta paz, y aun corriendo le parecía llegar tarde. ¡Oh riqueza ignorada! ¡Oh verdadero bien! Egidio se descalza, se descalza también Silvestre por seguir al Esposo;[8] tanto es lo que les agrada la Esposa. Desde allí partió aquel padre y maestro con su mujer y con aquella familia, ceñida ya del humilde cordón; y sin que una vil cobardía le hiciese bajar la frente por ser hijo de Pedro Bernardo, ni por su apariencia asombrosamente despreciable, manifestó con gran dignidad sus rígidas intenciones a Inocencio, de quien recibió la primera aprobación de su orden. Luego que fue aumentado en torno suyo la pobre gente, cuya admirable vida se cantaría mejor entre las glorias del cielo, el Eterno Espíritu, valiéndose de Honorio, coronó de nuevo el santo pro-

pósito de aquel archimandrita; y cuando éste, sediento del martirio, predicó en presencia del soberbio Soldán la doctrina de Cristo y de los que le siguieron, encontrando aquella gente poco dispuesta a la conversión, para no permanecer inactivo, volvió a recoger el fruto de las plantas de Italia. Sobre un áspero monte, entre el Tíber y el Arno, recibió de Cristo el último sello, que sus miembros llevaron durante dos años. Cuando plugo a Aquél que le había elegido para tan gran tarea elevarle a la recompensa que mereció por haberse humillado, recomendó a sus hermanos, como a herederos legítimos, el cuidado de su más querida Esposa, y que la amaran con fe: y en el seno de ella quiso el alma preclara desprenderse para volver a su reino, sin permitir que a su cuerpo se le diese otra sepultura. Piensa ahora cuál fue el digno colega de Francisco, encargado de mantener la barca de Pedro en alta mar y dirigirla hacia su objeto: ese fue, pues, nuestro patriarca,[9] por lo cual, el que le sigue, según él manda, puede decir que adquiere buena mercancía. Pero su rebaño se ha vuelto tan codicioso de nuevo alimento, que no puede menos de esparcirse por distintos prados; y cuanto más lejos de él van sus vagabundas ovejas, más exhaustas de leche vuelven al redil. Algunas de ellas, temiendo el peligro, se agrupan junto al pastor; pero son tan pocas, que no se necesita mucho paño para sus capas. Así pues, si mis palabras no son obscuras, si me has escuchado con atención, y si tu mente recuerda lo que te he dicho, tu deseo debe estar en parte satisfecho; porque habrás visto la causa de que la planta se desgaje, y comprenderás la distinción que hice al decir: "Donde el alma se fortifica, si no se extravía."

---

[5] Jesucristo.
[6] Pobre pescador, que se mantuvo imperturbable incluso cuando llegó a su cabaña Julio César, ante quien todos temblaban.
[7] Bernardo de Quintaval, rico y noble ciudadano de Asís, primer discípulo de San Francisco. Se despojó de todos sus bienes y buscó en el ejemplo del Maestro la paz del alma.
[8] Otros dos ciudadanos de Asís —el segundo era ya preste—, que figuran entre los primeros discípulos del Santo.

[9] Santo Domingo, cuyo elogio va a ser hecho por el franciscano San Buenaventura en el Canto siguiente.

CANTO DUODECIMO

EN CUANTO la bendita llama hubo dicho su última palabra, empezó a girar la santa rueda, y aún no había dado una vuelta entera, cuando otra la encerró en un círculo, uniendo movimiento a movimiento y canto a canto: y eran éstos tales que, articulados por los dulces órganos de aquellos espíritus, sobrepujaban a los de nuestras Musas y nuestras Sirenas, tanto como la luz directa supera a sus reflejos. Cual se ve a dos arcos paralelos y del mismo color encorvarse sobre una ligera nube, cuando Juno envía a su mensajera [1] (naciendo el de fuera del dentro, al modo de la voz de aquella ninfa [2] que consumió el amor, como el Sol consume los vapores), y cuyos arcos son un presagio para los hombres, a causa del pacto que Dios hizo con Noé, de que el mundo no volverá a sufrir otro diluvio, de igual suerte aquellas dos guirnaldas de sempiternas rosas daban vueltas en torno de nosotros, correspondiendo en todo la guirnalda exterior a la interior. Cuando cesaron simultánea y unánimemente las danzas y los fulgurantes y mutuos destellos de aquellas luces gozosas y placenteras, semejantes a los ojos que se abren y se cierran al mismo tiempo, dóciles a la voluntad del que los mueve, del seno de una de las nuevas luces salió una voz,[3] la cual hizo que me volviese hacia donde estaba, como la aguja hacia el polo: aquella voz empezó a decir:

—El amor que me embellece me obliga a tratar del otro jefe por quien se habla tan bien del mío.[4] Es justo que donde se hace mención del uno, se haga también del otro; pues habiendo militado ambos por una misma causa, debe brillar su gloria juntamente. El ejército de Cristo, al que tan caro costó armar de nuevo, seguía su enseña lento, receloso y escaso, cuando el Emperador que siempre reina acudió en ayuda de su milicia, que se hallaba en peligro, no porque ésta fuera digna de ello, sino por un efecto de su gracia; y según se ha dicho, socorrió a su Esposa con dos campeones, ante cuyas obras y palabras se reunió el descarriado pueblo. En aquella parte donde el dulce céfiro acude a hacer germinar las nuevas plantas de que se reviste Europa,[5] no muy lejos de los embates de las olas, tras de las cuales, por su larga extensión, el Sol se oculta a veces a todos los hombres, se asienta la afortunada Caleruega, bajo la protección del grande escudo, en que el león está subyugado y subyuga a su vez. En ella nació el apasionado amante de la fe cristiana, el santo atleta, benigno para los suyos, y cruel para sus enemigos. Apenas fue creada, su alma se llenó de virtud tan viva, que en el seno mismo de su madre inspiró a ésta el don de profecía. Cuando se celebraron los esponsales entre él y la

---

[1] Iris, hija de Tauramante, sirvienta y mensajera de los dioses, y en especial de Juno. Es la personificación del arco-iris.
[2] La ninfa Eco, que enamorada de Narciso, se consumió, quedando únicamente su voz. Entiéndase: naciendo el arco exterior de la reflexión de los rayos del arco menor concéntrico, lo mismo que el eco nace de la reflexión de la voz.
[3] La de San Buenaventura (1221-1274), Juan Fidanza, antes de ingresar en la Orden franciscana de la que fue Ministro General. Era cardenal y obispo de Albano cuando murió. Autor de numerosas obras teológicas que le han valido el título de "Doctor Seráfico".
[4] Me obliga a ocuparme de Santo Domingo, por quien Santo Tomás habló tan bien de mi jefe San Francisco.
[5] En España. Después circunscribe el lugar al pueblecito de la provincia de Burgos.

fe en la sagrada pila, donde se dotaron de mutua salud, la mujer que dió por él su asentimiento vió en sueños el admirable fruto que debía salir de él y de sus herederos; y para que fuese más visible lo que ya era, descendió del cielo un espíritu, y le dio el nombre de Aquél que le poseía por completo. Domingo se llamó; y habló de él como del labrador que Cristo escogió para que le ayudase a cultivar su huerto. Pareció en efecto enviado y familiar de Cristo; porque el primer deseo que se manifestó en él fue el de seguir el primer consejo de Cristo. Muchas veces su nodriza lo encontró despierto y arrodillado en el suelo, como diciendo: "He venido para esto." ¡Oh padre verdaderamente Feliz!, ¡oh. madre verdaderamente Juana!, si la interpretación de sus nombres es la que se les da.[6] En poco tiempo llegó a ser un gran doctor, no por esa vanidad mundana por la que se afanan hoy todos tras del Ostiense y de Tadeo,[7] sino por amor hacia el verdadero maná; entonces se puso a custodiar la viña que pierde en breve su verdura, si el viñador es malo; y habiendo acudido a la Sede, que en otro tiempo fue más benigna de lo que es ahora para los pobres justos, no por culpa suya, sino del que en ella se sienta y la mancilla, no pidió la facultad de dispensar dos o tres por seis; no pidió el primer beneficio vacante; "non decimas, quae sunt pauperum Dei;"[8] sino que pidió licencia para combatir los errores del mundo, y en defensa de la semilla de que nacieron las veinticuatro plantas que te rodean. Después, con su doctrina y su voluntad juntamente, corrió a desempeñar su misión apostólica, cual torrente que se desprende de un ele-

vado origen; y su ímpetu atacó con más vigor los retoños de la herejía allí donde era mayor la resistencia. De él salieron en breve varios arroyos,[9] con los que se regó el jardín católico, de modo que sus arbustos adquirieron más vida. Si tal fue una de las ruedas del carro en que se defendió la Santa Iglesia, venciendo en el campo las discordias civiles, bastante debes conocer ya la excelencia de la otra rueda de que te ha hablado Tomás con tantos elogios antes de mi llegada. Pero el carril trazado por la parte superior de la circunferencia de esta última rueda está abandonado, de suerte que ahora se halla el mal donde antes el bien. La familia que seguía fielmente las huellas de Francisco ha cambiado tanto su marcha, que pone la punta del pie donde él ponía los talones:[10] pero pronto verá la cosecha que ha producido tan mal cultivo, cuando la cizaña se queje de que no se la lleve al granero. Convengo en que quien examinase hoja por hoja nuestro libro aún encontraría una página donde se leería: "Yo soy el que acostumbro";[11] pero no procederá de Casale ni Acquasparta, de donde vienen algunos que, o huyen el rigor de la regla, o aumentan desmesuradamente su austeridad.[12] Yo soy el alma de Buenaventura de Bagnoregio, que en mis grandes cargos pospuse siempre los cuidados temporales a los espirituales. Iluminado y Agustín [13] están aquí: éstos fueron de los pri-

---

[9] Los Hermanos Predicadores, las Dominicas y la Orden Tercera.
[10] Alusión a las querellas intestinas que por tanto tiempo perjudicaron a la Orden Franciscana.
[11] El que examinase uno por uno a los frailes, porque el libro es la Orden, todavía encontraría a uno que dijese ser como el primitivo discípulo del Santo de Asís, que no se ha relajado.
[12] Se refiere a la división de los franciscanos en dos corrientes: los *espirituales*, demasiado apegados a la regla, de los que fuera jefe Hubertino de Casale, y los *conventuales*, que la relajaron un tanto; el cardenal Mateo Bentivenga de Aguasparta, era el que encabezaba esta tendencia.
[13] Iluminado de Rieti fue uno de los primeros seguidores de San Francisco y su compañero en Oriente. Otro fue Agustín, elegido Ministro de la Orden en 1216, que falleció en el mismo instante que el Santo Fundador.

---

[6] El nombre hebreo Juana se interpretaba como "gracia del Señor".
[7] Tras el Derecho, enseñado por Enrique de Susa, obispo de Ostia, o tras la Medicina, en cuya ciencia gozó de gran renombre Tadeo de Alderoto. A menos que éste último no sea el médico célebre sino Tadeo Pepoli, un jurisconsulto de Bolonia contemporáneo del poeta.
[8] "No los diezmos, que son de los pobres de Dios."

meros pobres descalzos que, llevando el cordón, se hicieron amigos de Dios. Con ellos están Hugo de San Víctor,[14] y Pedro Mangiadore,[15] y Pedro Hispano,[16] el cual brilló allá abajo por sus doce libros; el profeta Natán,[17] y el metropolitano Crisóstomo,[18] y Anselmo,[19] y aquel Donato [20] que se dignó poner su mano en la primera de las artes.[21] Aquí está también Rábano,[22] y a mi lado brilla Joaquín, abad de Calabria, que estuvo dotado de espíritu profético.[23] He debido alabar a aquel gran paladín de la Iglesia, por moverme a ello la ardiente simpatía y las discretas palabras de fray Tomás, que, como a mí, han conmovido a todas estas almas.

[14] Renombrado teólogo místico, canónigo regular en la abadía de San Víctor de París, donde murió en 1141.
[15] Petrus Comestor, decano de la catedral de Troyes y después canciller de la universidad de París. Falleció también en la Abadía de San Víctor en 1179.
[16] Pedro Hispano, de Lisboa, (1226-1277) fue primero médico y después teólogo, cardenal, arzobispo de Braga y por fin elegido papa un año antes de su muerte con el nombre de Juan XXI. Sus doce libros son los de las *Summulae logicales*, que le hicieron famoso en el mundo.
[17] El profeta hebreo que reprendió ásperamente al rey David por su pecado con la mujer de Urías.
[18] Juan de Antioquía, llamado Crisóstomo —boca de oro— por su elocuencia (347-407). Uno de los más famosos Padres de la Iglesia griega. Murió en el destierro siendo patriarca de Constantinopla.
[19] El arzobispo de Canterbury, autor del afamado *Cur Deus homo?* y de otras obras teológicas (1033-1109).

[20] Elio Donato, del siglo IV, enseñó en Roma, fue maestro de San Jerónimo y gramático insigne. Su *Ars grammatica* fue usada durante siglos en las escuelas. Comentó a Virgilio y a Terencio.
[21] La *Gramática*, primera de las siete "ciencias de Trivio y del cuadrivio: Gramática, Dialéctica, Retórica, Aritmética, Música, Geometría y Astrología." *Convivio* II, 13.
[22] Rábano Mauro (776-856), Monje y abad de Fulda, arzobispo de Maguncia. Escribió comentarios a la Biblia, sermones, poesía, etcétera.
[23] Joaquín de Célico, en Calabria o Joaquín de Fiore, por haber sido superior de la abadía de ese nombre (1130-1262). Cisterciense primero, fundó más tarde una nueva orden. Escribió numerosas obras bíblicas; una de las más famosas fue el *Comentario al Apocalipsis*. Propugnó una reforma de la Iglesia y lanzó varias profecías que causaron gran impacto.

CANTO DECIMOTERCIO

Quien deseare conocer bien lo que yo vi ahora, imagínese (y, mientras hablo, retenga la imagen como si fuese esculpida en fuerte roca) las quince estrellas, que en diversas regiones iluminan el cielo con tanta viveza, que vencen toda la densidad del aire: imagínese aquel Carro, al cual le basta el espacio de nuestro cielo para girar de noche y día, sin desaparecer nunca de aquella bocina, que comienza en la punta del eje en torno del cual se mueve la primera esfera; y pienso que estas estrellas forman juntas en el cielo dos signos semejantes al que formó la hija de Minos cuando sintió el frío de la muerte:[1] figúrese uno de ellos despidiendo sus resplandores dentro del otro, y ambos a dos girando de manera que vayan en sentido inverso; y así tendrá como una sombra de la verdadera constelación y de la doble danza que circulaba en el sitio donde yo me encontraba; pues lo que vi es tan superior a lo que acostumbramos a ver, como el lento curso del chiana es inferior al movimiento del más alto y veloz de los cielos. Allí se cantaba, no a Baco ni Peán,[2] sino a tres Personas en una Naturaleza Divina, y ésta y la humana en una sola Persona. Tan luego como en las danzas y los cantos invirtieron el debido tiempo, aquellas santas luces se fijaron en nosotros, felicitándose de pasar de uno a otro cuidado. Después rompió el silencio de los espíritus acordes la luz que me había

referido la admirable vida del Pobre de Dios, y dijo:

—Estando ya trillada una parte del trigo y guardado el grano, el dulce amor que te profeso me invita a trillar la otra parte. Tú crees que en el pecho de donde fue sacada la costilla para formar la hermosa boca cuyo paladar costó caro a todo el mundo, y en aquel otro que, atravesado de una lanzada, satisfizo tanto, que venció el peso de toda culpa cometida antes y después, el gran poder creador de uno y otro infundió cuanta ciencia es asequible a la naturaleza humana: por esto te admiras de lo que dije antes, al manifestar que el bienaventurado que está contenido en la quinta luz[3] fue sin segundo. Abre, pues, los ojos de la inteligencia a lo que voy a exponerte, y verás cómo tu creencia y mis palabras son con respecto a la verdad como el centro es respecto de todos los puntos del círculo. Lo que no muere, y lo que puede morir, no es más que un destello de la idea que nuestro Señor engendra por efecto de su bondad; porque aquella viva luz que sale del radiante Padre, y no se separa de él ni del Amor que se interpone entre ambos, por un efecto de su bondad, comunica su irradiación a nueve cielos, como transmitida de espejo en espejo, pero permaneciendo una eternamente. De allí desciende hasta las últimas potencias, disminuyendo de tal modo su fuerza por grados, que últimamente sólo produce breves contingencias. Por estas contingencias entiendo las cosas engendradas, que el Cielo en su movimiento produce con germen o sin él. La materia de éstas, y la

---

[1] Imagine que estas veinticuatro estrellas formen en el cielo dos constelaciones dispuestas en círculo, como aquella corona en que el morir Ariadna, hija de Minos, hizo que es convirtiera la guirnalda de flores que adornaba su cabeza.
[2] Himno en honor de Apolo.

[3] El rey, Salomón.

mano que le da forma, no causan siempre los mismos efectos; por lo cual dichas cosas, que llevan el sello de la idea divina, aparecen más o menos perfectas. De aquí se sigue que una misma especie de árboles dé frutos buenos o malos, y que vosotros nazcáis con diferente ingenio. Si la materia fuese enteramente perfecta, y el Cielo estuviese también en su virtud suprema, la luz de la idea divina se mostraría en todo su esplendor. Pero la naturaleza siempre una forma imperfecta, semejante en sus obras al artista que domina prácticamente su arte, y cuya mano tiembla. Si, pues, el ferviente amor dispone la materia, e imprime en ella la clara luz del ideal divino, entonces las cosas contingentes alcanzan la perfección. Así es como fue hecha la tierra digna de toda perfección animal, y así es cómo concibió la Virgen. Por lo tanto, apruebo tu opinión, porque la humana naturaleza no fue ni será jamás lo que ha sido en esas dos personas. Pero si yo no siguiese ahora adelante, empezarías por exclamar: "¿Cómo es, pues, que aquél no tuvo igual?" Para que aparezca bien lo que ahora no aparece; piensa quién era, y la razón que tuvo para pedir cuando se le dijo: "Pide."[4] No he hablado de modo que no hayas podido comprender que aquel fue un rey, que pidió la sabiduría a fin de ser un verdadero rey, y no por saber cuál es el número de los motores celestiales,[5] o si lo necesario con lo contingente produce lo necesario,[6] o bien "si est dare primum motum esse,"[7] ni si en un semicírculo puede colocarse un triángulo que no tenga un ángulo recto[8]

así pues, si has comprendido bien lo que he dicho y lo que digo, conocerás que la sabiduría real era la ciencia sin par en que se clavaba la flecha de mi intención. Si claramente miras, verás que la palabra "Ascendió" sólo hacía referencia a los reyes, que son muchos, pero pocos los buenos. Acoge mis palabras con esta distinción; y así podrás conservar tu creencia sobre el primer padre y nuestro Amado. Esto debe hacerte andar siempre con pies de plomo, para que, cual hombre cansado, los muevas lentamente hacia el sí y el no que no distingues con claridad; pues necio es entre los necios el que sin distinción afirma o niega, ya en uno, ya en otro caso; porque acontece a menudo que una opinión precipitada se extravía, y después el amor propio ofusca nuestro entendimiento. El que va en busca de la verdad, sin conocer el arte de encontrarla, hace el viaje peor que en vano, porque no vuelve tal como fue; de lo cual son en el mundo pruebas ostensibles Parménides, Meliso, Briso[9] y otros muchos que marchaban y no sabían adónde. Así hicieron Sabelio y Arrio,[10] y aquellos necios que fueron como espadas para las Escrituras, torciendo el recto sentido de sus palabras. Los hombres no deben aventurarse a juzgar, como hace el que aprecia las mieses en el campo sin estar granadas; porque he visto primero el zarzal áspero y punzante durante todo el invierno, y luego cubrirse de rosas en su cima; y he visto a la nave surcar el mar recta y veloz durante su viaje, y perecer a la entrada del puerto. No crean doña Ber-

---

[4] Una noche se apareció el Señor a Salomón y le dijo: "Pide lo que quieras, que te lo voy a conceder." Y el rey repuso: "Otorga a tu siervo un espíritu abierto para que pueda juzgar a tu pueblo y discernir el bien y el mal." Reyes III, 5, ss.

[5] ¿Cuál es el número de los ángeles?: cuestión teológica.

[6] De dos premisas, una necesaria y otra contingente ¿se puede concluir una consecuencia necesaria?: cuestión dialéctica.

[7] "¿Existe en el universo un primer motor que no sea efecto de otro?" Cuestión filosófica.

[8] Cuestión matemática.

[9] El filósofo griego Parménides de Elea, sostenía que toda generación venía del Sol, que era a la vez caliente y frío. Su discípulo Meliso defendía la incertidumbre de todas las cosas. Brison buscaba preocupado la cuadratura del círculo. Los dos primeros son traídos aquí por Dante porque Aristóteles había dicho de ellos que admitieron errores por no haber razonado con silogismos.

[10] Tras los filósofos los herejes. Sabelio, siglo III negaba el dogma de la Trinidad en el sentido admitido por la Iglesia. El fundador del arrianismo enseñaba en el siglo IV que el Verbo divino no puede ser eterno y consubstancial al Padre.

ta y seor Martino,[11] por haber visto a uno robando, y a otro haciendo ofrendas, verlos del mismo modo en la mente de Dios, porque aquél puede elevarse y éste caer.

[11] Nombres propios de personas usados antiguamente para ejemplificaciones genéricas.

CANTO DECIMOCUARTO

El agua contenida en un vaso redondo se mueve del centro a la circunferencia o de ésta al centro, según que la agiten por dentro o por fuera. Ocurrióseme de pronto esto que digo en cuanto calló el alma gloriosa de Santo Tomás, por la semejanza que nacía de sus palabras y de las de Beatriz, a quien plugo decir, después de aquél:

—Este necesita, aunque no os lo indique ni con la voz ni con el pensamiento, llegar a la raíz de otra verdad. Decidle si la luz con que se adorna vuestra substancia permanecerá con vosotros eternamente tal como es ahora; y si así es, decidle cómo podrá suceder que no os ofenda la vista cuando os rehagáis visiblemente.

Así como en un arranque de alegría los que dan vueltas danzando elevan la voz y manifiestan en sus gestos su regocijo, del mismo modo, ante aquel ruego piadoso y expresivo, los santos círculos demostraron nuevo gozo en su danza y en su admirable canto. El que se lamenta de que haya de morir aquí abajo para vivir después en el cielo, no ha visto el placer que la lluvia eterna de la sacrosanta luz produce en los bienaventurados. Aquel uno y dos y tres que vive siempre, y siempre reina en tres y dos y uno, no circunscrito y circunscribiéndolo todo,[1] era cantado tres veces por cada uno de aquellos espíritus con tal melodía, que oírlos sería justa recompensa para todo mérito. Yo oí en la luz más resplandeciente del menor círculo una voz modesta,[2] quizá como la del Angel al dirigirse a María que respondió:

—Mientras dure la fiesta del Paraíso, otro tanto tiempo irradiará nuestro amor en torno de nuestra vestidura. Su claridad corresponde al ardor que nos inflama; el ardor a nuestras celestiales visiones; y éstas son tanto más claras, cuanto mayor es la gracia que cada uno tiene según su valor. Cuando nos revistamos de la carne gloriosa y santa, nuestra persona será mucho más grata a Dios y a nosotros, porque estará completa: entonces se aumentará lo que de su gratuita luz nos da el Sumo Bien, luz que nos permite contemplarle; y entonces deberá aumentarse también nuestra santa visión, el ardor que ésta produce y el rayo que del ardor desciende; pero así como el carbón que origina la llama la sobrepuja en deslumbrante blancura, de tal modo que aparece en medio de ella, de igual suerte este fulgor que ya nos rodea, será vencido en apariencia por la carne, que todavía está cubierta por la tierra; y un esplendor tan grande no podrá ofendernos, porque los órganos del cuerpo serán bastante fuertes para todo lo que pueda deleitarnos.

Uno y otro coro me parecieron tan prontos y unánimes en decir "Amén", que manifestaron bien claramente el deseo de revestir sus cuerpos mortales; no por ellos quizá, sino por sus madres, por sus padres, y por los demás seres que les fueron queridos antes de convertirse en sempiternas llamas. Y he aquí que en derredor de tales claridades nació una nueva luz sobre la que allí había, semejante a un horizonte luminoso; y así como al anochecer empiezan a entreverse en el Cielo nuevas apariciones, que parecen ser y no ser, así me pareció empezar a ver allí nuevas

[1] La Santísima Trinidad.
[2] La voz de Salomón, modesta como lo es la verdadera sabiduría.

substancias. ¡Oh verdadero centelleo del Espíritu Santo! ¡Cuán brillante se presentó de improviso a mis
ojos que, vencidos, no pudieron so-
portarlo! Pero se me mostró Beatriz tan bella y sonriente, que a su
aspecto hubo de quedar esta visión
entre las demás que no he podido retener en la memoria: entonces mis
ojos recobraron fuerzas para alzarse
de nuevo, y me vi transportado a mayor gloria sólo con mi Dama. Por el
ígneo fulgor de la estrella,[3] que me
parecía más rojo que de costumbre,
eché de ver que había subido a un
punto más elevado; y con el lenguaje que es común a todos, de todo
corazón ofrecí a Dios el holocausto
debido por esta nueva gracia. No se
había extinguido aún en mi pecho
el ardor del sacrificio, cuando conocí
que éste había sido felizmente bien
aceptado; pues se me aparecieron
unos resplandores tan deslumbrantes
y rojos dentro de dos rayos luminosos, que exclamé: "¡Oh Elios,[4] cuánto los embelleces!"

Salpicados de grandes y pequeños
luminares, lo mismo que Galaxia,[5]
cuya blancura extendida entre los
polos del mundo hace dudar a los
más sabios, aquellos rayos formaban
en el fondo de Marte el venerable
signo que produce la intersección de
los cuadrantes en un círculo. Aquí
el ingenio es inferior a mi memoria;
en aquella cruz resplandecía Cristo
de suerte, que no puedo encontrar
una comparación digna; pero el que
toma su cruz y sigue a Cristo me

perdonará una vez más lo que omito,
cuando vea centellear a Cristo en
aquel albor. De uno a otro extremo
de los brazos de la cruz y de arriba
abajo se agitaban luces, que lanzaban vívidos destellos cada vez que
se unían o pasaban más allá, tal como se ven en la Tierra los átomos
agitándose en línea recta o curva,
ágiles o lentos, cambiando sin cesar
de aspecto, en el rayo de luz que
corta la sombra que el hombre, por
medio de su inteligencia y de su arte,
se procura contra el Sol; y así como
el laúd o el arpa forman con sus numerosas cuerdas una dulce armonía,
aun para el que no distingue cada
nota, del mismo modo aquellas luces
que allí se me aparecieron produ-
jeron alrededor de la cruz una melodía, que me arrebataba a pesar de
no comprender el himno. Bien conocí que encerraba altas alabanzas, porque llegaron hasta mí estas palabras:
"Resucita y vence", pero como el
que oye sin entender. Y aquella melodía me arrobaba tanto, que hasta
entonces no hubo cosa alguna que
me ligara con tan dulces vínculos.
Quizá parezcan demasiado atrevidas
mis palabras, creyendo que pospon-
go a otras delicias el placer de los
bellos ojos, en cuya contemplación
se calman todos mis deseos; pero
quien sepa que las vivas marcas de
toda belleza la imprimen mayor a
medida que están más elevadas, y
considere que allí no me había vuelto aún hacia ellos, podrá excusarme
de lo que me acuso para excusarme,
y conocerá que digo la verdad; pues
el santo placer de aquella mirada no
está excluido aquí, supuesto que se
hace más puro a medida que nos
elevamos.

[3] El planeta Marte.
[4] Elion = Excelso, Altísimo, es uno de
los nombres hebreos de Dios. *Helios* es una
palabra griega que significa *Sol.* ¿No habrá
sufrido Dante una confusión entre las dos
palabras?
[5] Nombre griego de la Vía Láctea.

CANTO DECIMOQUINTO

LA BENIGNA voluntad, en la que se manifiesta siempre el amor cuyas aspiraciones son rectas, como la codicia se manifiesta en la voluntad inicua, impuso silencio a aquella dulce armonía e hizo reposar las santas cuerdas que por la diestra de Dios están templadas. ¿Cómo se habían de hacer sordas a súplicas justas aquellas substancias, que, para infundirme el deseo de dirigirles alguna pregunta, estuvieron acordes en callarse? Justo es que se lamente sin tregua el que, por amor a' cosas que no pueden durar eternamente, se desprende de aquel amor. Como en noche serena discurre acá y allá por el cielo tranquilo y puro un repentino fuego, atrayendo las miradas hasta entonces indiferentes, y parecido a una estrella que cambia de sitio, sólo que ninguna desaparece de la parte donde aquél se enciende y dura poco, así desde el extremo del brazo derecho al pie de la cruz se corrió un astro de la constelación que aquí resplandece; pero el diamante no se separó de su ángulo, sino que siguió la faja luminosa, asemejándose a una luz que pasa por detrás del alabastro. No menos afectuosa que aquel espíritu se mostró la sombra de Anquises cuando reconoció a su hijo en los Campos Elíseos, si hemos de dar crédito a nuestro mayor Poeta.[1]

—¡Oh sangre mía!, ¡oh superabundante gracia de Dios! ¿Quién, como tú, ha visto abiertas dos veces ante sí las puertas del Cielo?

Así dijo aquella luz; por lo cual fijé en ella toda mi atención: después volví el rostro hacia mi Dama, y por una y otra parte quedé asombrado; pues en sus ojos brillaba tal sonrisa, que creí llegar con los míos al fondo de mi gracia y de mi Paraíso. Luego aquel espíritu, al que era tan grato ver y oír, añadió a sus primeras palabras cosas que no comprendí; tan profundos fueron sus conceptos: no porque fuese su' intento el ocultármelos, sino por necesidad a causa de ser éstos superiores a la inteligencia de los mortales. Cuando el arco de su ardiente afecto estuvo menos tirante para que sus palabras descendiesen hasta el límite concedido a nuestra inteligencia, la primera cosa que oí fue:

—Bendito seas Tú, trino y uno, que tan propicio eres a mi descendencia.

Y continuó diciendo:

—Hijo mío: gracias a ésa que te ha revestido de plumas para emprender tan alto vuelo, has satisfecho dentro de esta luz en que te hablo un plácido y largo deseo de verte, originando en mí de haber leído tu venida en el gran libro donde no se cambia jamás lo blanco en negro, ni lo negro en blanco. Tú crees que tu pensamiento ha llegado hasta mí por medio de aquel que es el primero, así como de la unidad, de todos conocida, se forman el cinco y el seis; y por eso ni me preguntas quién soy, ni por qué te parezco más gozoso que otro alguno de esta alegre cohorte. Crees la verdad; porque, en esta vida, los espíritus que disfrutan, así de mayor como de menor gloria, miran en el espejo en que aparece el pensamiento antes de nacer. Pero a fin de que el sagrado amor que observo con perpetua atención, y que excita en mí un dulce deseo, se satisfaga mejor, manifiesta con voz segura, franca y placentera,

[1] Virgilio, en la *Eneida*, VI, 648 ss.

cuál es tu voluntad, cuál tu deseo, pues mi respuesta está ya preparada.

Yo me volví hacia Beatriz; y ella, que me había oído antes de que yo hablara, se sonrió de un modo que hizo crecer las alas de mi deseo. Después empecé de este modo:

—Desde que se os patentizó la Igualdad primera, el afecto y la inteligencia tienen un peso igual en cada uno de vosotros; porque en ese Sol, que os ilumina y abrasa con su luz y su calor, son tan iguales ambas virtudes, que toda semejanza es poca. Pero el entendimiento y la voluntad de los mortales, por la razón que os es ya manifiesta, vuelan con diferentes alas. Así es que yo, que soy mortal, me veo en esta desigualdad, y únicamente puedo dar gracias con el corazón a tan paternal acogida. Te suplico, pues, encarecidamente, ¡oh vivo topacio, que enriqueces esa preciosa joya!, que me hagas sabedor de tu nombre.

—¡Oh vástago mío, en quien me complacía mientras te esperaba! Yo fui tu raíz.[2]

De esta suerte dio principio su respuesta. Después añadió:

—Aquel de quien ha tomado su nombre tu prosapia, y que por espacio de ciento y más años ha estado girando por el primer círculo del monte, fue mi hijo y tu bisabuelo: bien necesita que con tus obras disminuyas su prolongada fatiga. Florencia, dentro del antiguo recinto donde oye sonar aún la tercia y nona, estaba en paz, sobria y púdica. No tenía gargantillas, ni coronas, ni mujeres ostentosamente calzadas, ni cinturonas más llamativos a la vista que la persona que los lleva. Al nacer, no causaba miedo la hija al padre, porque la época del matrimonio y el dote no habían salido aún de los límites regulares. No estaban entonces las casas vacías de moradores; no había llegado aún Sardanápalo a enseñar lo que se puede hacer en una cámara.[3] Montemalo no era aún vencido por Uceellatoio, el cual, así como le excede en la subida, le excederá en la bajada.[4] Yo he visto a Bellincion Berti[5] con cinturón de cuero y hebilla de hueso, y a su mujer separarse del espejo sin colorete en el rostro: he visto a los de Nerli y a los del Vecchio[6] contentarse con ir cubiertos de una simple piel, y a sus mujeres dedicadas a la rueca y al huso. ¡Oh afortunadas! Cada una de ellas conocía el lugar donde había de ser sepultada, y ninguna se había visto abandonada en el lecho por causa de Francia.[7] La una velaba su cuna, y para consolar a su hijo usaba el idioma que constituye la primera alegría de los padres y las madres: la otra, tirando de la blanca cabellera de su rueca, charlaba con su familia de los troyanos, y de Fiésole y de Roma. En aquellos tiempos se habría mirado como una maravilla a una Cianghella y a un Lapo Salterello, como hoy causarían asombro un Cincinato y una Cornelia.[8] En medio de tanta calma, y de tan hermosa vida por parte de todos y entre tan fieles conciudadanos, me hizo nacer la Virgen María, llamada a grandes gritos, y en vuestro antiguo Baptisterio fui a un tiempo cristiano y Cacciaguida. Moron-

---

2 Por fin el alma declara quién es ella. Trátase de un antepasado de Dante, Cacciaguida, que resulta ser su tatarabuelo y del que no sabemos más que lo que el poeta pone en su propia boca: que se cruzó en 1147, que fue armado caballero por el emperador Conrado III y que pereció en combate luchando contra los sarracenos.

3 No habían entrado el lujo y la deshonestidad, semejantes a las del antiguo rey asirio Sardanápalo.

4 Dos montes; desde el primero se divisa la ciudad de Roma; desde el segundo Florencia. En aquel entonces Florencia todavía no vencía a Roma en magnificencia; ahora sí, pero también la supera en la decadencia.

5 Influyente ciudadano florentino del siglo XII, cabeza de la casa de los Ravignan, paradigma de virtudes aristocráticas. Fue el padre de la "buena Gualdrade", cfr. Infierno, XVI.

6 Antiguas y nobles familias del partido güelfo.

7 No había peligro de que las familias tuvieran que desterrarse, ni de que los florentinos abandonasen la casa para dirigirse a Francia como mercaderes.

8 Dos contemporáneos de Dante, prototipos la primera de la mujer deshonesta y el segundo del ciudadano corrompido y corruptor, en oposición a los virtuosos romanos antiguos.

to y Eliseo fueron mis herma-
nos;[9] mi esposa procedía del valle del
Po, y de ella viene tu apellido.[10] Después seguí al emperador Conrado,

[9] No se tiene noticias de estos dos hermanos de Cacciaguida.
[10] Unos dicen que procedía de Ferrara,
otros que de Parma; en ambos puntos existía el apellido Alighieri.

que me concedió el título de caballero; tanto fue lo que le agradé por
mis buenas acciones. Tras él fui contra la maldad de aquella ley, cuyo
pueblo usurpa vuestro dominio, por
culpa del Pastor. Allí aquella torpe
raza me libró del mundo falaz, cuyo
amor envilece tantas almas, y desde
el martirio llegué a esta paz.

CANTO DECIMOSEXTO

¡OH NOBLEZA de la sangre! Aunque seas muy poca cosa, nunca me admiraré de que hagas vanagloriarte de ti a la gente aquí abajo, donde nuestros afectos languidecen; pues yo mismo, allá donde el apetito no se tuerce, quiero decir, en el cielo, me vanaglorié de poseerte. A la verdad, eres como un manto que se acorta en breve, de modo que si cada día no se le añade algún pedazo, el tiempo lo va recortando en torno con sus tijeras. Con el "vos", al que Roma fue la primera en someterse[1] y en cuyo empleo no han perseverado tanto sus descendientes, empezaron esta vez mis palabras: por lo cual, Beatriz, que estaba algún tanto apartada, sonrióse, pareciéndose a la que tosió cuando Ginebra cometió la primera falta de que habla la crónica.[2] Yo empecé a decir:

—Vos sois mi padre; vos me infundís aliento para hablar; vos me enaltecéis de modo, que soy más que yo mismo. Por tantos arroyos se inunda de alegría mi mente, que se goza en sí misma al considerar que puede contener tanta sin que la abrume. Decidme, pues, ¡oh mi querido antepasado!, quiénes fueron vuestros predecesores, y cuáles los años en que comenzó vuestra infancia. Decidme lo que era entonces el rebaño de San Juan,[3] y cuáles las personas más dignas de elevados puestos.

Como se aviva la llama del carbón al soplo del viento, así vi yo resplandecer aquella luz ante mis afectuosas palabras; y si pareció más bella a mis ojos, más dulce y suave fue también su acento cuando me dijo, aunque no en nuestro moderno lenguaje:[4]

—Desde el día en que se dijo "Ave", hasta el parto en que mi madre, que hoy es santa, se libró de mi peso, este Planeta fue a inflamarse quinientas cincuenta y tres veces a los pies del León.[5] Mis antepasados y yo nacimos en aquel sitio donde primero encuentra el último distrito[6] el que corre en vuestros juegos anuales. Bástete saber esto con respecto a mis mayores; lo que fueron o de dónde vinieron, es más cuerdo callarlo que decirlo.[7] Todos los que se encontraban entonces en estado de llevar las armas, entre la estatua de Marte y el Baptisterio,[8] formaban la quinta parte de los que ahora viven allí; pero la población, que es al presente una mezcla de gente de Campi, de Certaldo y de Fighina,[9] se veía pura hasta en el último arte-

[1] Creíase comúnmente que el "vos" lo habían empleado por vez primera los romanos para dirigirse a Julio César cuando, vuelto victorioso a Roma, reunió en sí todos los poderes de la República. Tal creencia se fundaba en una errónea interpretación de Lucano, *Farsalia* V, 383 ss.

[2] En la novela francesa de *Lanzarote del Lago*, que fuera causa de la perdición de Paolo y Francesca (*Infierno*, V), encontramos que cuando la reina Ginebra, impaciente por la extremada discreción de Lanzarote, le hizo entender que ya sabía de su amor hacia ella, tosió la dama de la reina para que los dos estuvieran advertidos de su presencia.

[3] Florencia, que tenía por patrono a San Juan Bautista.

[4] Habló en latín o quizá en el antiguo dialecto florentino.

[5] Desde la Encarnación del Verbo hasta el nacimiento de Cacciaguida, habían transcurrido 1091 años, según los cálculos más probables.

[6] La ciudad de Florencia estaba dividida en seis distritos, el último de los cuales comenzaba en la Puerta de San Pedro: en el que era el centro de la ciudad nació Cacciaguida.

[7] En realidad Dante nada sabía de sus antepasados.

[8] Los límites de Florencia en tiempo de Cacciaguida.

[9] La población actual está muy mezclada con familias venidas de aldeas.

sano. ¡Oh!, ¡cuánto mejor fuera tener por vecinas a aquellas gentes, y vuestras fronteras en Galluzo y Trespiano,[10] que no tenerlas dentro de vuestros muros, y soportar la fetidez del villano de Aguglión y del de Signa, que tiene ya los ojos muy abiertos para traficar![11] Si la gente que está más degenerada en el mundo no hubiera sido una madrastra para César,[12] sino benigna como una madre para con su hijo, más de uno que se ha hecho florentino, y cambia y trafica, se habría vuelto a Semifonti, donde andaba su abuelo pordioseando: los Conti estarían aún en Montemurlo; los Cerchi en la jurisdicción de Ancona, y quizá aun en Valdigrieve los Buondelmonti.[13] La confusión de las personas fue siempre el principio de las desgracias de las ciudades, como la mescolanza de los alimentos lo es de las del cuerpo; pues un toro ciego cae más pronto que un cordero ciego; y muchas veces corta más y mejor una espada que cinco. Si consideras cómo han desaparecido Luni y Urbisaglia, y cómo siguen sus huellas Chiusi y Sinigaglia, no te parecerá una cosa difícil de creer el oír cómo se deshacen las familias, puesto que las ciudades mismas tienen un término. Todas vuestras cosas mueren como vosotros; pero se os oculta la muerte de algunas que duran mucho, porque vuestra vida es muy corta; y así como los giros del cielo de la Luna cubren y descubren sin tregua las orillas del mar, lo mismo hace con Florencia la Fortuna: por lo cual no debe asombrarte lo que voy a decir con respecto a los primeros florentinos, cuya fama está envuelta en la obscuridad de los tiempos. He visto ya en decadencia los

Ughi, los Catellini, Filippi, Greci, Ormanni y Alberichi, todos ilustres caballeros; he visto también con los de la Sannella a los del Arca y a los Soldanieri, los Ardinghi y los Bostichi, tan grandes como antiguos. Sobre la puerta, cargada al presente con una felonía de tan gran peso, que en breve hará zozobrar vuestra barca,[14] estaban los Ravignani, de quienes descienden el conde Guido, y los que han tomado después el nombre del gran Bellincion.[15] El primogénito de la familia de la Pressa conocía el arte de gobernar bien, y en casa de Galigaio se veían ya los distintivos de la nobleza, que consistían en usar dorados la guarnición y el pomo de la espada. Grande era ya la columna de la Comadreja, e ilustres los Cacchetti, Giuochi, Fifanti, Baruci y Galli, y los que se avergüenzan al recuerdo de la medida.[16] El tronco de que nacieron los Calfucci era ya grande, y ya habían sido promovidos a las sillas curules los Sizii y los Arrigucci. ¡Oh! ¡cuán fuertes he visto a aquéllos, que han sido destruidos por su soberbia![17] Y sin embargo, las bolas de oro[18] con sus altos hechos hacían florecer a Florencia; así como también los padres de aquellos que siempre que está vacante vuestra iglesia engordan mientras se hallan reunidos en consistorio.[19] La presuntuosa familia[20] que persigue como un dragón al que huye, y se humilla como un cordero ante el que le enseña los dientes o la bolsa, venía ya engrandeciéndose; pero su origen era bajo:

---

10 Aldeas situadas a dos o tres millas de la antigua Florencia.

11 Baldo de Aguglión, doctor en leyes contemporáneo de Dante, muy sagaz pero poco honesto. El de Signa es Tazio dei Morubaldini, otro abogado tan poco escrupuloso como el anterior.

12 Si la Iglesia hubiese reconocido los derechos del Imperio sobre Italia.

13 Alude a familias poderosas de entonces cuyos antepasados habían llegado a avecindarse en Florencia.

14 Sobre la Puerta de San Pedro, donde en 1300 tenían su casa los Cerchi, gente nueva, perteneciente a la facción de los Blancos, que hicieron zozobrar la barca del Estado, inconsútil es, la Comuna.

15 Sobre el conde Guido cfr. *Infierno* XVI y sobre Bellinción el *Canto* precedente.

16 Los claramonteses, uno de los cuales había falsificado las medidas públicas.

17 Los Uberti, que en un tiempo fueron llamados "padres de la patria".

18 Los Lamberti, que en sus armas tenían bolas de oro.

19 Los antepasados de los Visdomini y de los Tosinghi que en tiempo de Dante administraban, sede vacante, las rentas episcopales.

20 Los Adimari, uno de los cuales perjudicó mucho a Dante.

por esto no agradó a Ubertino Donato que su suegro le hiciera emparentar con ella.[21] Los Caponsacco habían descendido ya de Fiésole, y habitaban en el Mercado, y ya Giuda e Infangato eran buenos ciudadanos. Voy a decirte una cosa increíble y verdadera: en el pequeño círculo que formaba la ciudad, se entraba por una puerta que debía su nombre a la familia de la Pera.[22] Todos los que llevan las bellas insignias del gran Barón, cuyo nombre y cuya gloria se renuevan en la fiesta de Santo Tomás,[23] recibieron de él sus títulos de caballero y sus privilegios; si bien hoy se ha colocado en el partido del pueblo aquel que rodea sus insignias de un círculo de oro. Ya los Gualterotti y los Importuni vivían tranquilos en el Borgo, y más lo habrían estado sin nuevos vecinos.[24] La casa de que ha nacido vuestro

llanto,[25] por el justo rencor que os ha destruido y dado fin a vuestra agradable vida, era honrada con todos los suyos. ¡Oh Buondelmonte!, ¡cuán mal hiciste en no aliarte con ella por medio del matrimonio para consuelo de los demás! Muchos de los que hoy están tristes estarían alegres, si Dios te hubiese entregado al Ema[26] la primera vez que viniste a la ciudad. Pero era preciso que ante aquella piedra rota que guarda el puente[27] sacrificara Florencia una víctima en sus últimos días de paz. Con tales familias y con otras muchas he visto a Florencia en medio de tan gran reposo, que no tenía motivo para llorar. Con estas familias he visto a su pueblo tan glorioso y justo, que jamás el lirio fue llevado al revés en la lanza, ni se había vuelto aún rojo a causa de las discordias.[28]

---

[21] Ubertino Donato, yerno de Bellinción Berti, que había casado otra de sus hijas con un Adimari.

[22] Familia ya desaparecida cuando vivía Dante y cuya antigüedad parecía maravillosa.

[22] Hugo el Grande, marqués de Toscana a fines del siglo X, que confirió sus armas —siete bandas alternas de gules y plata— y la caballería a todas las familias que había ennoblecido. En su memoria se celebraban solemnes ceremonias el día de Santo Tomás en el templo de Badía, donde estaba sepultado.

[24] Los Buondelmonti que llegaron de Val de Greve a establecerse en aquella calle.

[25] La familia de los Amidei, que en 1215 asesinaron a Buondelmonte para vengar la injuria que les había inferido al no casarse con su hija. Fue ocasión de que Florencia se dividiera en güelfos y gibelinos.

[26] Si se hubiese ahogado en el Ema, río de Val de Greve.

[27] Buondelmonte fue asesinado en la mañana de Pascua de 1215, al pie de la estatua mutilada de Marte, antiguo patrono de Florencia, que se levantaba a la entrada del Puente Viejo.

[28] Las antiguas armas de Florencia eran un lirio blanco en campo rojo. Ese lirio todavía no había sido vuelto al revés por los enemigos vencedores ni alterado por los güelfos que colocaron un lirio rojo en campo blanco, al contrario de los gibelinos.

CANTO DECIMOSEPTIMO

ESTABA yo afanoso como aquel, cuyo ejemplo hace que los padres sean un poco condescendientes con sus hijos, cuando acudió a Climene para cerciorarse de lo que acerca de él había oído;[1] y bien lo conocían Beatriz y aquella luz que por mí había cambiado antes de sitio; por lo cual 'me dijo mi Dama:

—Exhala el ardor de tu deseo de tal modo que salga bien expresado con la fuerza que lo sientes; no para que nosotros lo conozcamos mejor por tus palabras, sino para que te atrevas a manifestar tu sed, a fin de que se te den de beber.

—¡Oh mi querida planta, que te elevas tanto, que mirando al punto a quien todos los tiempos son presentes, ves las cosas contingentes antes de que sean en sí, como ven las inteligencias terrestres que dos ángulos obtusos no pueden caber en un triángulo! Mientras acompañado de Virgilio subía yo por el monte donde se curan las almas, y cuando bajaba por el mundo de los muertos, se me dijeron palabras graves acerca de mi vida futura; y aunque me considere como un tetrágono ante los golpes de la desgracia, quisiera saber cuál es la suerte que me está reservada; pues el dardo previsto hiere con menos fuerza.

Así dije a la misma luz que me había hablado antes, manifestando mi deseo como lo quiso Beatriz. Aquel amoroso progenitor mío, encerrado y patente a un mismo tiempo en su esplendor risueño, me contestó, no en los términos ambiguos con que eran engañados los necios gentiles antes de que fuese inmolado el Cordero de Dios que redimió los pecados, sino con palabras claras y en latín correcto:

—Las contingencias a cuyo conocimiento no alcanzan los límites de vuestra materia, están todas presentes a la vista de Dios. De aquí no se infiere, sin embargo, su necesidad, sino como es preciso que se pinte en los ojos de quien la mira, la nave que desciende por una corriente. Desde la mente divina llega a mi vista, como a los oídos la dulce armonía del órgano, el tiempo que para ti se prepara. Del mismo modo que Hipólito partió de Atenas por la crueldad y perfidia de su madrastra,[2] tendrás que salir de Florencia. Esto es lo que se quiere, y lo que se busca y pronto será hecho por los que lo meditan allá donde diariamente se vende a Cristo.[3] Las culpas caerán sobre los vencidos, como es costumbre; pero el castigo dará testimonio de la verdad, que lo envía al que lo merece. Tú abandonarás todas las cosas que más entrañablemente amas, y este es el primer dardo que arroja el arco del destierro. Tú probarás cuán amargo es el pan ajeno, y cuán duro camino el que conduce a subir y bajar las escaleras de otros. Y lo que más gravará tus espaldas será la compañía estúpida y malvada con la cual caerás en este valle; porque ingrata, loca e impía, se revolverá contra ti; si bien poco después, ella y no tú, verá destrozada su frente. Su conducta probará su bestialidad, de suerte que para ti

---

[1] Como Faetón, a quien le habían entrado dudas de si sería hijo de Apolo, fue a preguntárselo a su madre Climene, así Dante pensó interrogar a Cacciaguida acerca de sus futuros destinos, de los que ya le habían hablado en el *Infierno* y en el *Purgatorio.*

[2] Hijo de Teseo, calumniado por Fedra y expulsado injustamente de Atenas.

[3] En la corte del papa Bonifacio VIII, que tramó, de acuerdo con los Negros, la ruina de los Blancos.

será más saludable haberte separado completamente de ella. Tu primer refugio y tu primer albergue serán la cortesía del Gran Lombardo, que sobre la escala lleva el ave santa,[4] el cual te mirará tan benignamente, que entre ambos el dar precederá al pedir, al contrario de lo que sucede entre los demás. Sí, verás a aquel que al nacer fue inspirado por esta fuerte estrella, que sus hechos serán siempre admirados.[5] Los pueblos no han reparado en él aún a causa de su corta edad, pues sólo hace nueve años que giran en derredor suyo estas esferas. Pero antes de que el Gascón engañe al gran Enrique,[6] aparecerán los destellos de su virtud en su desprecio al dinero y a las fatigas. Sus magnificencias serán tan conocidas, que ni aun sus mismos enemigos podrán dejar de referirlas. Espera en él y en sus beneficios; por él muchos hombres serán transformados, y los ricos y los pobres cambiarán de condición. Lleva grabado en tu mente cuanto te predigo acerca de él; pero no lo manifiestes a nadie.[7]

Y me refirió después cosas, que parecerán increíbles aun a aquellos que las presencien. Después añadió:

—Hijo mío, tales son las interpretaciones de lo que se te ha dicho; tales las asechanzas que se te ocultarán por pocos años. No quiero, sin embargo, que odies a tus conciudadanos; pues tu vida se prolongará más aún de lo que tarde el castigo de su perfidia.

[4] Bartolomé de la Scala (muerto en 1304) o su hermano Alboino que le sucedió en la señoría de Verona. A la escala de oro, que figuraba en las armas de sus antepasados, Bartolomé había añadido el águila imperial después de casarse con una resobrina del emperador Federico II.

[5] Cangrande, hermano menor de Bartolomé, asociado al gobierno en 1311 y después señor de Verona él solo desde 1312 hasta su muerte en 1329.—Nació bajo el influjo de Marte; amante, pues, de empresas belicosas.

[6] El papa Clemente V, de Gascuña, después de haber promovido al imperio a Enrique VII, favoreció a sus enemigos.

[7] De tan magníficas alabanzas a Cangrande han conjeturado algunos que en él veía Dante al Veltro, profetizado por Virgilio.

Cuando, por su silencio, demostró el alma santa que había concluido de poner la trama en la tela que le presenté urdida, empecé a decir, como el que en sus dudas desea el consejo de una persona entendida, recta y amante:

—Bien veo, padre mío, cómo corre el tiempo hacia mí para darme uno de esos golpes, tanto más graves, cuanto más desprevenido se vive; por lo cual es bueno que me arme de previsión, a fin de que, si se me priva del lugar que más quiero, no pierda los demás por causa de mis versos. Allá abajo, en el mundo eternamente amargo, y en el monte desde cuya hermosa cumbre me elevaron los ojos de mi Dama, y después en el cielo, de luz en luz, he oído cosas, que si las repitiera, serían para muchos de un sabor desagradable; y si soy cobarde amigo de la verdad, temo perder la fama entre los que llamarán a este tiempo el tiempo antiguo.

La luz en que sonreía el tesoro que yo había encontrado allí, empezó por brillar como un espejo de oro a los rayos del Sol, y después respondió:

—Sólo una conciencia manchada por su propia vergüenza o por la ajena encontrará aspereza en tus palabras: no obstante esto, aparta de ti toda mentira, manifiesta por completo tu visión, y deja que se rasque el que tenga sarna; pues si tu voz es desagradable al gustarla por primera vez, dejará un alimento vivificante cuando sea digerida. Tu grito hará lo que el viento, que azota más las más elevadas cumbres, lo cual no será una pequeña prueba de honor. Por eso tan sólo se te han mostrado en estas esferas, en el monte y en el doloroso valle las almas que han gozado de cierto renombre; porque el ánimo del que escucha no fija su atención ni presta fe a ejemplos sacados de una raíz oculta y desconocida, ni a otras cosas que no se manifiesten claramente.

CANTO DECIMOCTAVO

AQUEL espíritu bienaventurado se recreaba ya en sus reflexiones, y yo saboreaba las mías, atemperando lo amargo con lo dulce, cuando la Dama que me conducía hasta Dios me dijo:

—Cambia de ideas; piensa que yo estoy al lado de Aquél que alivia todas las contrariedades.

Yo me volví hacia la voz amorosa de mi consuelo, y desisto de expresar cuál fue el amor que vi entonces en sus santos ojos; no sólo porque desconfíe de mis palabras, sino porque la mente no puede repetir lo que es superior a ella, si otro poder respecto a este punto que, con respecto a este punto que, contemplándola, mi ánimo se vio libre de todo otro deseo; pues el placer eterno, que irradiaba directamente sobre Beatriz, me hacía dichoso al verlo reflejado en su hermoso rostro. Pero ella, desviándome de esta contemplación con la luz de una sonrisa, me dijo:

—Vuélvete y escucha; que no está solamente en mis ojos el paraíso.

Así como algunas veces se ve la pasión en la fisonomía, si aquélla es tanta que el alma entera le está sometida, del mismo modo en los destellos del fulgor santo, hacia el cual me volví,[1] conocí el deseo de continuar nuestra plática. Y en efecto, empezó diciendo:

—En esta quinta rama del árbol que recibe la vida por la copa,[2] y fructifica siempre y nunca pierde sus hojas, son bienaventurados los espíritus que allá abajo, antes de venir al cielo, alcanzaron tan gran renombre,

que toda musa se enriquecería con sus acciones: mira los brazos de la cruz, y los que te iré nombrando harán en ellos lo que el relámpago en la nube.

Apenas nombró a Josué, vi pasar un fulgor por la cruz, y el oír pronunciar aquel nombre y ver deslizarse su resplandor fue todo uno. Al nombre del Gran Macabeo, vi moverse otra luz dando vueltas a causa de su alegría. Del mismo modo, a los nombres de Carlomagno y de Orlando, mi atenta mirada siguió a dos luces, como sigue la vista el vuelo del halcón. Después pasaron ante mis ojos por aquella cruz Guillermo y Rainuardo;[3] el duque Godofredo y Roberto Guiscardo.[4] En seguida, el alma que me había hablado se movió del mismo modo y se reunió a los anteriores, demostrándome lo artista que era entre los cantores del cielo.

Volvíme hacia la derecha para conocer en Beatriz lo que debía hacer, bien por sus palabras o por sus ademanes: y vi sus ojos tan serenos, tan gozosos, que su rostro sobrepujaba a todos los otros, y hasta a su anterior aspecto. Y así como el hombre que obra bien, por el mayor placer que siente, advierte de día en día el aumento de su virtud, así yo, viendo más resplandeciente aquel milagro de belleza, reparé que se había hecho más extenso el círculo de mi rotación juntamente con el cielo; y en breve espacio de tiempo que muda de color el rostro de una donce-

---

[1] Cacciaguida.
[2] Compara el Paraíso a un árbol que tuviese sus raíces en el Paraíso Terrenal y su cima en el Empíreo, donde reside Dios.

[3] El Guillermo de Orange de la leyenda, héroe epónimo de la *Geste de Gillaume* y Rainuardo, el gigantesco sarraceno convertido, personaje de la misma Gesta.
[4] Godofredo de Bouillón, primer rey de Jerusalén y Roberto Guiscardo que expulsó de la Apulia a los musulmanes y fundó la dinastía normanda.

lla cuando depone el peso de la vergüenza, presentóse a mis ojos, al volverme, una transmutación semejante, por efecto de la blancura de la sexta y templada estrella, que me había recibido en su interior. Yo vi en aquella antorcha de Jove los destellos del amor que en ella existía, representando a mis ojos nuestro alfabeto; y así como las aves que se elevan sobre un río, regocijándose al llegar al sitio donde encuentran su alimento, forman a veces una hilera circular, y otras veces la prolongan, de igual suerte revoloteaban cantando las santas criaturas dentro de aquellas luces, y describiendo D, I o L con sus movimientos.[5] Primeramente ajustaban su baile al canto; después, representando uno de aquellos caracteres, se detenían un momento y guardaban silencio.

¡Oh divina Pegásea,[6] que glorificas y prolongas la vida de los ingenios, haciendo que perpetúen la memoria de las ciudades y de los reinos! Ilumíname a fin de que describa sus figuras tales cuales las he visto, y de que aparezca tu poder en estos cortos versos.

Las luces formaron, pues, cinco veces siete vocales y consonantes, y yo observé aquellas figuras conforme me fueron apareciendo. "Diligite justitiam" fue el primer verbo y el primer nombre que representaron; "qui judicatis terram" fueron las últimas palabras. Después, en la M del quinto vocablo se quedaron formadas de modo que la estrella de Júpiter en aquel punto parecía de plata moteada de oro. Entonces vi descender otras luces sobre la parte superior de la M y detenerse allí cantando, según creo, el bien que hacía sí las atrae. Después, así como del choque de dos tizones ardientes salen innumerables chispas, de donde los necios deducen augurios, parecióme que se elevaban más de mil luces, remontándose unas más y otras menos, según las distribuye el Sol que las enciende; y cuando cada cual quedó fijo en su puesto, vi que aquellas luces formaban distintamente la cabeza y el cuello de un águila. Aquel que pinta esto no tiene quien le guíe, antes bien él guía todas las cosas, y de él procede esa virtud que mueve a los animales a dar una forma apropiada a sus nidos. Los demás bienaventurados, que anteriormente parecían contentarse con formar sobre la M una corona de lises, por medio de un pequeño movimiento concluyeron la figura del águila.

—¡Oh dulce estrella!, ¡cuántas y qué resplandecientes almas me demostraron allí que nuestra justicia es un efecto del cielo que tú adornas! Por eso suplico a la Mente, principio de tu movimiento y de tu fuerza, que repare de dónde sale el humo que obscurece tus rayos, a fin de que se irrite otra vez contra los compradores y vendedores del templo que se fortificó con los milagros y la sangre de los mártires.[7] ¡Oh milicia celestial a quien contemplo![8] Ruega por los que existen en la Tierra extraviados por el mal ejemplo. Era ya antigua costumbre hacer la guerra con la espada; hoy se hace arrebatando por doquier el pan que a nadie niega nuestro piadoso Padre.[9] Pero tú, que escribes solamente para borrar, piensa que aún están vivos Pedro y Pablo, los cuales murieron por la viña que de tal modo echas a perder. Con razón puedes decir: "Tengo tan fijos mis deseos en aquel que quiso vivir solo, y que a consecuencia de un baile fue arrastrado al martirio,[10] que no conozco al Pescador ni a Pablo."

---

[5] Son las tres primeras letras de la palabra *Diligite* de la frase: *Diligite justitiam qui judicatis terram;* que se lee en la Sagrada Escritura.

[6] Todas las Musas llevan ese epíteto por habitar el Helicón donde mana una fuente que brotó a un golpe del caballo Pegaso.

[7] La Iglesia.

[8] Los elegidos del cielo de Júpiter.

[9] Con la excomunión y el entredicho.

[10] San Juan Bautista. Todo el párrafo es una alusión al papa Juan XXII, de Cahors, que tenía fama de levantar la excomunión por dinero. El florín, la moneda de Florencia, llevaba la efigie del Bautista, patrón de la ciudad.

CANTO DECIMONONO

ANTE mí aparecía, con las alas abiertas, la bella imagen que en su dulce fruición hacía dichosas a las almas reunidas. Cada una de éstas parecía un pequeño rubí, en el que brillaba tan encendido un rayo de Sol, que reflejaba a mis ojos la imagen del mismo Sol. Y lo que necesito describir ahora no lo anunció la voz jamás, ni lo escribió la tinta, ni lo concibió la imaginación. Porque vi, y aun oí hablar al pico del águila y decir con su voz "Yo" y "Mío", cuando su intención era decir: "Nos" y "Nuestro". Y empezó así:[1]

—Por haber sido justo y piadoso estoy aquí exaltado hasta esta gloria, que no se deja vencer por el deseo; y en la Tierra dejé tal memoria de mí, que los hombres más perversos la recomiendan, pero no siguen su ejemplo.

Así como de muchas brasas sale un solo calor, así también de aquella imagen, formada por muchos amores, salía una sola voz. Entonces respondí:

—¡Oh perpetuas flores de la dicha eterna, que como un solo perfume me hacéis sentir todos vuestros aromas! Poned fin con vuestras palabras al gran ayuno que me ha tenido hambriento durante largo tiempo, por no encontrar en la Tierra alimento alguno. Bien sé que, si la justicia divina se refleja en otras esferas como en un espejo, la vuestra no se ve a través de un velo.[2] Sabéis cuán atento me preparo a escucharos; sabéis también cuál es

aquella duda que para mí se convierte en tan antiguo ayuno.

Así como el halcón a quien quitan la caperuza mueve la cabeza, y bate las alas en señal de contento, demostrando sus deseos e irguiéndose con gallardía, lo mismo vi hacer al águila que estaba formada de alabanzas de la divina Gracia, las cuales cantaban como sabe cantar el que se deleita allá arriba. Después comenzó de esta suerte:

—Aquel que abarcó con su compás hasta las extremidades del mundo, y encerró en su abertura tantas cosas ocultas y manifiestas, no pudo dejar sobre todo el universo una huella tan profunda de su poder, que su entendimiento no fuese infinitamente superior al de todos los entendimientos creados, como lo prueba el que el primer soberbio, que era la criatura más excelente, por no esperar la luz de la gracia divina, cayó del Cielo antes de ser confirmado en ella. De aquí resulta que las criaturas menos perfectas que aquélla son pequeños receptáculos para contener aquel bien sin fin, único que puede medirse a sí mismo. Aun nuestra vista, que es casi un rayo de la mente divina de que están llenas todas las cosas, no puede, por su naturaleza, ser tan penetrante que discierna su principio sino bajo una apariencia muy lejana de la verdad. La vista que recibe vuestro mundo sólo penetra en la justicia sempiterna como el ojo se interna en el mar; que aunque vea el fondo cerca de la orilla, no lo ve en el inmenso piélago; y sin embargo, el fondo existe, pero su profundidad misma lo oculta. No existe luz si no procede del Ser tranquilo que no se turba nunca; fuera de él no hay más que tinieblas, o

[1] Durante todo este *Canto* va a hablar el águila emblema del Imperio romano, como símbolo vivo de la Justicia divina.

[2] La justicia divina se refleja como en un espejo en el reino angélico de los Tronos y se manifiesta sin velo también en vosotros, que practicasteis en la Tierra la justicia.

sombras de la carne o su veneno. Bastante he descorrido el velo que te ocultaba la viva justicia, sobre la que hacías tan frecuentes preguntas, pues tú decías: "Un hombre nace en la orilla del Indo, y allí no hay quien hable de Cristo, ni quien lea o escriba con respecto a él; todas sus acciones y deseos son buenos, y en cuanto puede ver la razón humana, no ha pecado ni en obras ni en palabras: si muere sin bautismo y sin fe, ¿dónde está la justicia que le condena? ¿Dónde su falta, si no cree? Ahora bien: ¿quién eres tú, que quieres tomar asiento en el tribunal para juzgar a mil millas de distancia con un palmo de vista? En verdad que quien hablando conmigo sutiliza por ver los rayos de la justicia divina, tendría razón para dudar de su rectitud, si no estuviese sobre vosotros la Escritura. ¡Oh animales terrestres!, ¡oh inteligencias burdas! La primera voluntad, que es buena por sí misma, que es el Sumo Bien, no se ha separado jamás de sí misma. Solamente es justo lo que a ella se conforma; ningún bien creado la atrae; pero ella produce este bien con sus rayos.

Cual cigüeña que se revuelve sobre el nido, después de haber alimentado a sus hijos, y así como uno de éstos, ya alimentado, la mira, del mismo modo empezó la bella imagen a agitarse sobre mí, e igualmente elevé mis ojos hacia ella, que movía sus alas, impedidas por tantos espíritus. Al dar vueltas, cantaba y decía: "Mis notas son tan incomprensibles para ti, como el juicio eterno para vosotros los mortales." Luego que aquellos refulgentes ardores del Espíritu Santo se detuvieron, sin dejar de formar el signo que hizo a los Romanos temibles en el mundo,[3] el mismo signo continuó diciendo:

—A este reino no ha subido jamás quien no creyó en Cristo, ni antes ni después de que éste fuera enclavado en el santo leño: pero mira; muchos que exclaman "Cristo, Cristo", estarán menos próximos a él en el día del juicio, que algunos de los que no han conocido a Cristo, y a tales cristianos causará vergüenza el etíope,[4] cuando se dividan los dos colegios, uno enteramente rico, y otro miserable. ¿Qué no podrán decir los persas a vuestros reyes, cuando vean abierto aquel volumen en el que se escriben todos sus desprecios? Allí se verá, entre las obras de Alberto, la que en breve agitará la pluma, y por la cual quedará desierto el reino de Praga.[5] Allí se verá el daño que ocasiona junto al Sena, falsificando la moneda, el que morirá herido por un jabalí.[6] Allí se verá la insaciable soberbia que enloquece de tal modo al escocés y al inglés, que no pueden sufrir el verse contenidos en los límites de sus Estados.[7] Se verá la lujuria y la molicie del de España, y del de Bohemia, que jamás conoció ni quiso conocer el valor.[8] Allí se verá también marcada con una I la bondad del Cojo de Jerusalén,[9] mientras que lo contrario a ella tendrá por marca una M. Se verá la avaricia y la vileza de aquel que guarda la isla del fuego, donde terminaron los prolongados días de Anquises;[10] y para demostrar su mezquindad, se emplearán muchas abreviaturas en su escrito, a fin de que en poco espacio se contengan muchas palabras. Y a la vista de todos aparecerán las vergonzosas obras del tío y del hermano,[11] que han envilecido tan egregia estirpe y dos coro-

---

[4] Está aquí por el infiel o idólatra, lo mismo que los persas.

[5] Alberto I de Austria invadió y devastó la Bohemia.

[6] Felipe el Hermoso.

[7] Los reyes Roberto de Escocia y Eduardo II de Inglaterra.

[8] Fernando IV, el Emplazado. Wenceslao, rey de Bohemia.

[9] La bondad de Carlos II el Cojo, rey de Nápoles y Jerusalén, estará marcada con una I (uno): es decir, que será igual a uno, mientras que sus maldades llevarán por marca una M (mil), serán iguales a mil.

[10] Fadrique, hijo de Pedro de Aragón, que gobierna la isla de Sicilia, donde está el fuego del Etna.—Dice la *vileza*, porque Fadrique, después de la muerte de Enrique VII, abandonó vilmente la causa de los gibelinos.

[11] Jaime, rey de Mallorca y Menorca, y Jaime II de Aragón. tío aquél y hermano éste de dicho Fadrique.

---

[3] El águila.

nas. Allí serán conocidos el de Portugal y el de Noruega,[12] y el de Rascia, que alteró los cuños de Venecia.[13] ¡Oh Hungría feliz, si no se deja guiar mal![14] ¡Oh dichosa Navarra, si se defendiese con el monte que la rodea![15] Todos deben creer que ya, en presagio de esto, Nicosia y Famagusta se lamentan y claman contra su bestia, que no discrepa de las otras.[16]

[12] Dionisio el Agrícola, rey de Portugal y Haacón VII.

[13] Rascia, Raugia, Ragusa, ciudad y territorio de la antigua Dalmacia, sobre el Adriático, cuyo rey falsificó los ducados de Venecia.

[14] Cuando Dante escribía el *Paraíso* era rey de Hungría Carlos Roberto de Anjou, hijo de Carlos Martel, su amigo.

[15] Ante la perspectiva de que pudiese caer bajo el dominio de los franceses, ya que el rey de Francia Luis X debía heredar de su madre Juana la corona de Navarra.

[16] Nicosia y Famagusta eran las dos principales ciudades de la isla de Chipre, donde reinaba entonces Enrique II de Lusiñán, príncipe disoluto y cruel.

CANTO VIGESIMO

Cuando Aquél que ilumina el mundo entero desciende de nuestro hemisferio, de tal modo que el día se extingue en todas partes, el cielo encendido antes por él solo, aparece súbitamente sembrado de luces, en las cuales se refleja una sola. Y aquel estado del cielo me vino a la imaginación, cuando la enseña del mundo y de sus jefes cerró su bendito pico; porque brillando mucho más todos aquellos vivos resplandores, entonaron suaves cantos, que han desaparecido de mi memoria. ¡Oh dulce amor, que bajo aquella riente luz te ocultas! ¡Cuán ardiente me parecías en medio de aquellos efluvios sonoros, que sólo respiran santos pensamientos!

Después que las preciosas y brillantes joyas de que vi adornada la sexta estrella cesaron en sus cantos angélicos, me pareció oír el murmullo de un río que límpido desciende de roca en roca, mostrando la fecundidad de su elevado manantial. Y así como el sonido adquiere su forma en el cuello de la cítara, y en los orificios de la zampoña el soplo del que la toca, así también subió de improviso aquel murmullo por el cuello del Águila, como si éste estuviese perforado. Prodújose allí una voz, que salió por su pico en forma de palabras, según las esperaba mi corazón, donde las escribí:

—Debes ahora mirar fijamente —empezó a decir— aquella parte de mí misma que en las águilas mortales contempla y soporta la luz del Sol; porque entre los fuegos que componen mi figura, los que hacen centellear el ojo de mi cabeza tienen un grado de luz mayor que todos los demás. Aquél que, haciendo las veces de pupila, luce en medio, fue el cantor del Espíritu Santo, que transportó el arca de ciudad en ciudad:[1] ahora conoce el mérito de su canto en la parte que fue obra de su propia voluntad, por la remuneración que proporcionalmente ha recibido. De los cinco que forman el arco de mi ceja, el que está más próximo al pico consoló a la viuda de la pérdida de su hijo;[2] ahora conoce cuán caro cuesta no seguir a Cristo, por la experiencia que tiene de esta dulce vida y de la opuesta. El que le sigue en la parte superior de la circunferencia de que hablo, dilató su muerte para hacer verdadera penitencia:[3] ahora conoce que los eternos juicios de Dios son invariables, aunque una ferviente oración consiga allá abajo que suceda mañana lo que debería suceder hoy. El otro que sigue se hizo griego conmigo y con las leyes para ceder su puesto al Pastor, guiado por una buena intención que produjo malos frutos:[4] ahora conoce que el mal resultado de su buena acción no le es nocivo, por más que haya sido causa de la destrucción del mundo. Aquel que ves en el declive del arco fue Guillermo, a quien llora la Tierra que se lamenta de Carlos y Federico vivos:[5] ahora conoce el amor del cielo, hacia un rey justo, y así lo manifiesta por el res-

[1] El rey David, a quien se atribuyen los Salmos.
[2] El emperador Trajano. (Véase el Canto X del *Purgatorio*.)
[3] Ezequías, rey de Judá, a quien Dios, escuchando sus ruegos, concedió quince años más de vida para arrepentirse de sus culpas.
[4] El emperador Constantino, que se hizo griego, esto es, trasladó de Roma a Bizancio la capital del Imperio romano, con las leyes romanas y con el Águila imperial, por ceder al Papa la ciudad eterna.
[5] Guillermo II, llamado el Bueno, de cuya pérdida se lamenta Sicilia, así como de ver vivos a Carlos II el Cojo y Fadrique de Aragón.

plandor de que está rodeado. ¿Quién creería en el mundo lleno de errores, que el troyano Rifeo [6] fuera en este arco la quinta de las luces santas? Aunque su vista no penetre hasta el fondo de la divina gracia, demasiado conoce ahora lo que en ella no puede ver el mundo.

Como la alondra que en el aire se cierne cantando, y después calla, contenta de la última melodía que la satisface, tal me pareció la imagen, satisfecha del eterno placer, por cuya voluntad todas las cosas son lo que son: y aun cuando yo hiciese allí visibles mis dudas como el vidrio manifiesta por su transparencia el color de que se ha revestido su superficie, esas mismas dudas no me permitieron esperar la respuesta callando, sino que con su fuerza hicieron salir de mi boca estas palabras: "¿Qué cosas son esas?": por lo cual conocí en los nuevos destellos que despedían aquellas almas dichosas la alegría que les causaba responder a mis preguntas. Después, con el ojo más inflamado, me respondió el bendito signo, para no tenerme por más tiempo entregado a mi asombro:

—Veo que crees estas cosas, porque yo las digo; pero no comprendes cómo pueden ser: de suerte que, aunque creídas, no por eso están menos ocultas. Tú haces como aquel que aprende a conocer las cosas por su nombre, pero que no puede ver su esencia, si otro no se la manifiesta. "Regnum caelorum"[7] cede a la violencia del ardiente deseo y de la viva esperanza, cuyos afectos vencen a la divina voluntad; pero no a la manera que el hombre prevalece sobre el hombre, sino que la vencen porque quiere ser vencida; y vencida, vence con su benignidad. Te causan asombro la primera y la quinta almas que forman el arco de la ceja,

porque ves adornada con ellas la región de los ángeles.[8] No salieron paganas de sus cuerpos, como crees, sino cristianas, teniendo fe viva, la una en los pies que debían ser crucificados, y la otra en los que ya lo habían sido. Una de ellas, saliendo del Infierno donde nadie se convierte a Dios con buen deseo, volvió a habitar su cuerpo en recompensa de una viva esperanza; de una viva esperanza, que rogó fervientemente a Dios para resucitarla, a fin de que su voluntad pudiera ser movida. El alma gloriosa de que se habla, vuelta a su carne en que permaneció poco tiempo, creyó en Aquél que podía ayudarla; y al creer, se abrasó de tal modo en el fuego de un verdadero amor, que después de su segunda muerte fue digna de venir a participar de estos goces. La otra, merced a una gracia que mana de una fuente tan profunda, que no ha habido criatura cuya mirada pudiera penetrar hasta su manantial, cifró allá abajo todo su amor en la justicia; por lo cual de gracia en gracia Dios abrió sus ojos a nuestra redención futura, y creyendo en ella, no soportó por más tiempo la fetidez del paganismo, reprendiendo por su causa a las gentes pervertidas. Aquellas tres mujeres [9] que viste junto a la rueda derecha del carro, le bautizaron más de mil años antes de que se instituyera el bautismo. ¡Oh predestinación!, ¡cuán remota está tu raíz de la vista de aquellos que no ven toda la causa primera! Y vosotros, mortales, sed circunspectos en vuestros juicios; pues nosotros, que vemos a Dios, no conocemos aún todos sus elegidos; y sin embargo, no es grata semejante ignorancia; porque nuestra beatitud se perfecciona con este bien, y queremos lo que Dios quiere.

Tal fue el suave remedio que me dio aquella imagen divina para aclarar mi vista. Y así como un buen tocador de cítara hace acompaña-

---

[6] Al decir de Virgilio (*Eneida*, II) "el único justo, el único amante verdadero de la justicia que hubo entre los troyanos".

[7] En la sentencia evangélica: *Regnum caelorum vim patitur et violenti rapiunt illud* (*Mateo*, XI, 12).

[8] Trajano y Rifeo.

[9] Las virtudes teologales, Cfr. *Purgatorio*, XXIX.

miento a un buen cantor con la vibración de las cuerdas, adquiriendo de este modo mayor atractivo el canto, así mientras hablaba, recuerdo que vi a los benditos resplandores agitar sus llamas al compás de las palabras, como los párpados que se mueven acordes y al mismo tiempo.

CANTO VIGESIMOPRIMERO

Mis ojos se habían fijado de nuevo en el rostro de mi Dama, y el ánimo con ellos se había separado de todo otro objeto. Ella no sonreía:

—Pero si yo riese —empezó a decirme—, te quedarías como Semele,[1] cuando fue reducida a cenizas; pues mi belleza, que, según has visto, brilla más cuanto más asciende por las gradas del eterno palacio, si no se moderase, resplandecería tanto, que tu fuerza mortal perecería ante su fulgor como la rama destrozada por el rayo. Nos hemos elevado al séptimo esplendor[2] que, colocado bajo el pecho del ardiente León, difunde ahora sobre la Tierra sus rayos mezclados con el fuerte influjo de aquél. Fija la mente en pos de tus miradas, y haz de tus ojos un espejo para la imagen que se te aparecerá en este espejo.

Quien supiese cuán dulcemente se recreaba mi vista en el semblante dichoso de Beatriz, cuando invitado por ella la dirigí hacia otro objeto, conocería lo grato que me sería obedecer a mi Guía celestial, considerando que el placer de obedecerla contrabalanceaba al que yo sentía contemplándola. Dentro del cristal que, rodeando al mundo, lleva el nombre de su querido señor, bajo cuyo imperio permaneció muerto todo mal, vi una escala del color del oro en que se refleja un rayo de Sol, y tan elevada, que mis ojos no podían seguirla. Vi además bajar por sus escalones tantos resplandores, que pensé que todas las luces que brillaban en el cielo estaban esparcidas allí. Y así, como, por una costumbre

natural, las cornejas se agitan reunidas al romper el día para dar calor a sus ateridas alas, y mientras se alejan algunas sin volver, otras regresan al punto de donde se remontaban, y otras revolotean sobre él, lo mismo me pareció que hacían aquellos fulgores que habían ido descendiendo hasta que se detuvieron en un escalón determinado. El que se quedó más cerca de nosotros empezó a resplandecer tanto, que yo decía entre mí: "Conozco el amor que me anuncias." Pero Aquella, de quien espero la orden para hablar o callas, permaneció inmóvil: así es que, a pesar mío, hice bien en no preguntar nada. Por lo cual, ella, que leía en la vista de Aquel que lo ve todo el deseo que yo ocultaba, me dijo:

—Puedes manifestar tu ardiente anhelo.

Entonces empecé de esta suerte:

—Mis méritos no me hacen digno de tu respuesta; pero en nombre de aquella que me permite interrogarte, alma bienaventurada, que te ocultas en tu alegría, dame a conocer la causa que tanto te aproxima a mí, y dime por qué no se oye en esta esfera la dulce sinfonía del Paraíso, que tan devotamente resuena en las de abajo.

—Tu oído es tan débil como tu vista —me contestó—; aquí no se canta por la misma razón que Beatriz no sonríe. He descendido tanto por las gradas de la escala santa, sólo para recrearte con mis palabras y con la luz de que estoy revestida. No es un mayor afecto lo que me ha hecho más solícita; pues en toda esta escala hay un amor tan ferviente y más que el mío, según te lo manifiestan los destellos de esas almas;

[1] La hija de Cadmo, que, engañada por Juno, quiso ver a Júpiter en todo el esplendor de su majestad divina y pereció abrasada.
[2] Al cielo de Saturno.

pero la alta caridad, que nos convierte en siervas atentas a la voluntad que rige al mundo, nos designa el sitio en que, según puedes ver, estamos colocadas.

—Bien veo —dije yo—, ¡oh sagrada lámpara!, que un amor libre basta en esta corte para hacer lo que quiere la eterna Providencia; mas lo que me parece sumamente difícil de comprender es por qué fuiste tú entre todas tus compañeras la destinada a este cargo.

Aún no había pronunciado la última palabra, cuando la luz, haciendo un eje de su centro, giró con la rapidez de una rueda. Después me respondió la amorosa alma que estaba dentro de ella:

—La luz divina se fija en mí penetrando en la que me envuelve, y su virtud, unida a mi vista, me eleva tanto sobre mí misma, que veo a suma esencia de que aquélla emana. De aquí proviene la alegría con que brillo; porque a la claridad de mi visión junto la de la luz que me rodea. Pero el alma que más brilla en el cielo, el serafín que tiene más fijos los ojos en Dios no podrá satisfacer tus preguntas; porque lo que deseas saber penetra tan profundamente en el abismo del decreto eterno, que está muy apartado de toda vista creada; y cuando vuelvas al mundo mortal, refiere lo que te digo, a fin de que nadie presuma llegar al fondo de tal arcano. La mente, que aquí es luz, en la Tierra es humo; considera, pues, cómo podrá comprender allá abajo lo que aquí no comprende, por más que el cielo la enaltezca.

Sus palabras me contuvieron de tal modo, que abandoné la cuestión, y me limité a rogarle humildemente que me dijese quién era.[3]

—Entre las dos costas de Italia, y no muy lejos de tu patria, se elevan unos peñascos, tanto que los truenos retumban a mucha menor altura. Aquellos peñascos forman una eminencia que se llama Catria, al pie de la cual hay un yermo consagrado únicamente al culto del verdadero Dios.

Así empezó a hablar por tercera vez; y continuando luego, añadió:

—De tal modo me dediqué allí al servicio de Dios, que sólo con legumbres y zumo de olivas pasaba fácilmente fríos y calores, satisfecho con mis ideas contemplativas. Aquel claustro producía fértilmente para esta parte de los cielos, y ahora está tan vacío, que será preciso que en breve lo sepa el mundo. En aquel sitio estuve yo, Pedro Damián; y Pedro el Pecador en la casa de Nuestra Señora, a orillas del Adriático. Escasa era ya mi vida mortal, cuando fui llamado y obligado a recibir aquel capelo que sólo se transmite de malo a peor. Vinieron en otro tiempo Cefas y el Vaso de elección del Espíritu Santo,[4] flacos y descalzos, aceptando su alimento de cualquier mano. Ahora los modernos pastores quieren que de uno y otro lado los apoyen, ¡tan pesados son!, y que les lleven en litera, y que vaya detrás quien les sostenga la cola. Cubren con sus mantos sus cabalgaduras, de suerte que van dos bestias bajo una sola piel. ¡Oh paciencia de Dios, que tanto soportas!

Al sonido de estas palabras, vi muchas llamas que bajaban girando de escalón en escalón, y a cada vuelta se hacían más bellas. Vinieron a detenerse alrededor de aquella luz, y prorrumpieron en un clamor tan alto, que nada en el mundo puede asemejársele: su estruendo me ensordeció de tal modo, que no comprendí lo que dijeron.

---

[3] Trátase de San Pedro Damiano, (1007-1072), doctor de la Iglesia. Nació de familia muy pobre en Ravena. Fue pastor en su juventud y su hermano mayor Damián se encargó de su educación. En agradecimiento quiso llamarse Pedro Damiano. Después de ser cardenal y obispo de Ostia regresó a su monasterio para llamarse Pedro el Pecador. Autor de numerosas obras religiosas.

[4] San Pedro y San Pablo.

CANTO VIGESIMOSEGUNDO

MUDO DE estupor me volví hacia mi Guía, como un niño que se acoge siempre a quien le inspira más confianza: y aquélla, como la madre que socorre prontamente al hijo azorado y pálido con su voz consoladora, me dijo:

—¿No sabes que estás en el cielo? ¿No sabes que todo el cielo es santo, y que lo que en él se hace procede de un buen celo? Si el grito que acabas de oír te ha conmovido tanto, ahora puedes pensar cómo te habría perturbado aquel suave cántico unido a mi sonrisa. Y si hubieras comprendido lo que se rogó al exhalar ese grito, conocerías la venganza que verás antes de tu muerte. La espada de aquí arriba no hiere nunca demasiado pronto, ni demasiado tarde, como suele parecerles a los que la esperan con temor o con deseo. Pero ahora vuélvete hacia otro lado, y verás muchos espíritus ilustres, si diriges tus miradas según te indico.

Volví los ojos como ella quiso, y vi cien pequeñas esferas, que se embellecían unas a otras con sus mutuos rayos. Yo estaba como aquel que reprime en sí el agudo estímulo del deseo, y no se aventura a preguntar, temiendo excederse, cuando la mayor y más brillante de aquellas perlas se adelantó para contentar mi curiosidad: después oí en su interior:

—Si vieses, como yo, la caridad que arde entre nosotros, habrías expresado ya tus deseos; pero a fin de que, por demasiado esperar, no tardes en llegar al alto fin de tu viaje, contestaré al pensamiento que no te atreves a proferir. La cumbre de aquel monte en cuya falda está Casino fue frecuentada en otro tiempo por gentes engañadas y mal dispuestas. Yo soy el que llevó allí el nombre de Aquél que enseñó en la Tierra la verdad que tanto nos enaltece;[1] y lució sobre mí tanta gracia, que aparté a las ciudades circunvecinas del impío culto que sedujo al mundo. Esos otros fuegos fueron todos hombres contemplativos, abrasados en aquel ardor que hace nacer las flores y los frutos santos. Aquí están Macario y Romualdo,[2] aquí están mis hermanos, que se encerraron en el claustro y conservaron un corazón perseverante.

Le contesté:

—El afecto que demuestras hablando conmigo, y la benevolencia que veo y observo en todas vuestras luces, me inspiran la misma confianza que inspira el Sol a la rosa cuando se abre tanto cuanto le es posible. Por eso te ruego, padre, que si soy digno de tal merced, me concedas la gracia de ver tu imagen descubierta.

—Hermano —me respondió—: tu elevado deseo se realizará en la última esfera, donde se realizan todos los otros y los míos, y donde todos son perfectos, maduros y enteros: en aquella sola esfera, todas sus partes permanecen inmóviles, porque no está en un sitio, ni gira entre dos polos, y nuestra escala llega hasta ella, lo que hace que la pierdas de vista. El patriarca Jacob la vio prolongarse hasta arriba, cuando se le apareció tan llena de ángeles; pero ahora no retira nadie sus pies de la tierra para

---

[1] **Es** San Benito (480-543), el padre de los monjes de Occidente. En 528 se retiró a Monte Cassino, convirtió al cristianismo a población todavía pagana y fundó la iglesia en torno a la cual se fue formando el que sería el más grande monasterio de Occidente y centro de la Orden benedictina.
[2] San Macario de Alejandría, discípulo de San Antonio, promotor del monaquismo en Oriente. Murió en el año 400. San Romualdo (956-1027) fue fundador de los Camaldulenses.

subirla, y mi regla sólo sirve abajo para gastar papel. Los muros que eran una abadía se han convertido en cavernas; y las cogullas en sacos de mala harina. La más sórdida usura no es tan contraria a la voluntad de Dios, como lo es el fruto de esas riquezas que tanto enloquecen el corazón de los monjes, porque todo lo que la Iglesia guarda pertenece a aquellos que piden por Dios, y no a los parientes o a otros más indignos. La carne de los mortales es tan flexible, que las buenas obras no duran el tiempo que transcurre desde el nacimiento de la encina hasta la formación de la bellota. Pedro empezó su fecunda tarea sin oro ni plata; yo con oraciones y con ayunos; Francisco basó su orden en la humildad: y si atiendes al principio de cada orden, y consideras después adonde han llegado, verás lo blanco cambiado en negro. Más admiración causó en verdad ver al Jordán retrocediendo y al mar huir cuando Dios quiso, que la causará ver remediados estos males.

Así me dijo, y después se reunió a sus demás compañeros, que a su vez se reconcentraron, y como un torbellino se elevaron a lo alto. La dulce Dama con un solo ademán me impulsó a subir tras ellos por aquella escala: tanto fue lo que su virtud venció mi grave naturaleza: y jamás aquí abajo, donde se sube y desciende naturalmente, hubo un movimiento tan rápido que pudiera igualar a mi vuelo. Así pueda volver, ¡oh lector!, a aquel piadoso reino triunfante, por el que lloro con frecuencia mis pecados golpeándome el pecho, como es cierto que vi el signo que sigue al Tauro,[3] y me encontré en él en menos tiempo del que necesitarías para meter y sacar un dedo del fuego. ¡Oh gloriosas estrellas!, ¡oh luz llena de gran virtud, en la que reconozco todo mi ingenio, cualquiera que ésta sea! Con vosotras nacía, y se ocultaba con vosotras aquel que es padre de toda vida mor-

tal,[4] cuando sentí por vez primera el aire toscano; y cuando más tarde se me concedió la gracia de entrar en la alta rueda que os hace girar, me fue también permitido pasar por la región en donde estáis. A vosotras dirige ahora devotamente mi alma sus suspiros, para alcanzar la virtud necesaria en la difícil empresa que la atrae.

—Estás tan cerca de la última salvación —empezó a decirme Beatriz—, que debes tener los ojos claros y penetrantes; así pues, antes de que llegues a ella, mira hacia abajo y contempla cuántos mundos he puesto bajo tus pies, a fin de que tu corazón se presente tan gozoso como pueda ante la triunfante multitud que alegre acude por esta bóveda etérea.[5]

Recorrí con la vista todas las siete esferas, y vi a nuestro globo tan pequeño, que me reí de su vil aspecto: así es que apruebo como mejor parecer el de quien le tiene en poca estima; pudiendo llamarse verdaderamente probo el que sólo piensa en el otro mundo.

Vi a la hija de Latona[6] inflamada, sin aquella sombra que fue causa de que yo la creyera enrarecida y densa. Allí, ¡oh Hiperión!,[7] pudieron soportar mis ojos la luz de tu hijo, y vi cómo se mueven próximas a él y en derredor suyo Maya y Dione.[8] Allí me apareció Júpiter atemperando a su padre y a su hijo;[9] allí distinguí con claridad sus frecuentes cambios de lugar, y todos los siete planetas me manifestaron su magnitud, su velocidad, y la distancia a que respectivamente se encuentran colocados. Aquel pequeño punto que nos hace tan orgullosos se me apareció por completo desde las montañas a los mares, mientras que yo giraba con los eternos Gemelos. Después fije mis ojos en los hermosos ojos.

---

[3] La constelación de Géminis. Dante había nacido bajo este signo que es la casa de Mercurio y a eso atribuía su talento de escritor.

[4] El Sol.
[5] A las legiones del triunfo de Cristo, que van a aparecer en el Canto siguiente.
[6] La Luna.
[7] Hijo del Cielo y de la Tierra y padre del Sol.
[8] Maya, madre de Mercurio y Dión de Venus.
[9] Saturno y Marte.

CANTO VIGESIMOTERCERO

COMO EL ave que, habiendo reposado entre la predilecta enramada junto al nido de sus dulces hijuelos, durante la noche ocultadora de las cosas, y deseando ver tan caros objetos y hallar el sustento para nutrirlos, cuyo penoso trabajo soporta placentera, se adelanta al día, y antes de rayar el alba sube a la cima del abierto follaje, y fijamente mira, esperando con ardoroso anhelo la salida del Sol, así estaba mi Dama, en pie y atenta, vuelto el rostro hacia la región del cielo bajo la cual se muestra el Sol menos presuroso,[1] y en tanto yo, viéndola suspensa y ansiosa, permanecí como el que anhelante quería otra cosa, pero se calma con la esperanza de obtenerla. Poco intervalo medió entre ambos momentos, es decir, entre el de mi expectativa y el de ver de un instante a otro iluminarse más el cielo. Y Beatriz dijo:

—He ahí la legión del triunfo de Cristo,[2] y todo el fruto recogido de la rotación de estas esferas.

Me pareció que ardía todo su semblante; y tenía los ojos tan llenos de alegría, que debo seguir adelante sin más explicación. Cual en los plenilunios serenos Trivia[3] ríe entre las ninfas eternas, que iluminan el cielo por todas partes, así vi yo sobre millares de luces un Sol,[4] que las encendía todas, como hace el nuestro con las que vemos sobre nosotros; y a través de su viva luz aparecía tan clara a mis ojos la divina substancia, que no podían soportarla.

—¡Oh Beatriz —exclamé—, Guía dulce y querida!

Ella me dijo:

—Lo que te abisma es una virtud a la que nada resiste. Allí están la Sabiduría y el Poder que abrieron entre el Cielo y la Tierra las vías por tanto tiempo deseadas.

Así como el fuego de la nube, dilatándose de modo que ésta no puede contenerlo, se escapa de ella, y, contra su naturaleza, se precipita hacia abajo, de igual suerte mi mente, engrandeciéndose más entre aquellas delicias, salió de sí misma, y no sabe recordar lo que fue de ella.

—Abre los ojos y mírame cual soy; has visto cosas que te han dado fuerza suficiente para sostener mi sonrisa.

Yo estaba como aquel que conserva cierta reminiscencia de una visión olvidada, y que se esfuerza en vano por renovarla en su imaginación, cuando oí proferir estas palabras tan dignas de gratitud, que no se borrarán jamás del libro donde se consigna lo pasado. Si ahora resonasen todas aquellas lenguas que Polimnia[5] y sus hermanas hicieron más pingües con su dulcísima leche para venir en mi ayuda, no expresarían la milésima parte de la verdad, al pretender cantar tan santa sonrisa, y el resplandor que comunicaba a aquel santo rostro: por lo mismo, al describir yo el Paraíso, es forzoso que mi sagrado poema salte como un hombre que encuentra cortado su camino.[6] Quien considere el peso del asunto y el hombro mortal que soporta la car-

---

[1] Hacia el meridiano, donde el Sol, a mediodía, parece caminar más lentamente.
[2] Los bienaventurados del Antiguo y del Nuevo Testamento, que han descendido del Empíreo bajo la forma de globos de fuego.
[3] Diana = la Luna.
[4] Jesucristo.

[5] La Musa "de muchos himnos" que preside la lírica.
[6] De la misma manera que yo no puedo cantar la sonrisa de Beatriz también mi Comedia debe omitir, por inefables, algunas de las cosas que he visto y gustado en el Cielo.

ga, no censurará el que éste tiemble bajo su gravedad. El derrotero que hiende mi atrevida proa no es a propósito para una pequeña embarcación, ni para el nauta que quiera ahorrarse la fatiga.

—¿Por qué te enamora mi faz de tal suerte, que no te vuelves hacia el hermoso jardín que florece bajo los rayos de Cristo? Allí está la Rosa [7] en que el Verbo divino encarnó; y allí están los lirios [8] por cuyo aroma se descubre el buen camino.

Así dijo Beatriz, y yo, que estaba siempre pronto a seguir sus consejos, me lancé nuevamente a la batalla de mis débiles párpados. Y así como mis ojos, al abrigo de la sombra, han visto alguna vez un prado de flores iluminado por un rayo de Sol que atravesaba por entre desgarrada nube, del mismo modo distinguí entonces una multitud de esplendores, iluminados desde arriba por ardientes rayos, sin ver el origen de donde estos fulgores procedían.

¡Oh benigna virtud que así los iluminas! Sin duda te elevaste por dejar campo libre a mis ojos, que eran demasiado débiles para contemplarte. El nombre de la hermosa flor que invoco siempre, por mañana y tarde, concentró todo mi espíritu en la contemplación del mayor fuego, [9] y cuando mis dos ojos me representaron la belleza y la extensión de la fulgente estrella que vence arriba, como venció abajo, desde el interior del cielo descendió una llamarada, que tenía la forma de un círculo como una corona, [10] y rodeó a la estrella girando en torno suyo. La melodía que más dulcemente se deje oír en la Tierra, y que más atraiga el ánimo, parecería una nube que desgarrada truena, comparada con el sonido de aquella lira de que estaba coronado el bello zafiro con que se engalana el más claro cielo.

—Yo soy el amor angélico, que giro difundiendo la sublime dicha, nacida del vientre que fue morada de nuestro deseo; y giraré, Señora del Cielo, mientras acompañas a tu Hijo, y hagas resplandeciente la suprema esfera en donde habitas.

Así se dejaba oír la circular melodía, y todas las demás luces hacían resonar el nombre de María. El manto real de todas las esferas del mundo, que más se inflama y anima bajo el hálito y las perfecciones de Dios, [11] tenía sobre nosotros tan distante la faz interna, que no me era posible distinguir su aspecto desde el sitio en que me encontraba; por lo cual no tuvieron mis ojos la fuerza necesaria para seguir a la llama coronada, que se elevó en pos de su divina primogenitura. Y semejantes al niño que tiende los brazos hacia su madre después de haberse alimentado con su leche, movido del afecto que aún exteriormente se inflama, cada uno de aquellos fulgores se prolongó hacia arriba, patentizándome así el amor que profesaban a María. Después permanecieron ante mi vista cantando "Regina caeli" [12] tan dulcemente, que jamás ha huido de mí el placer que me causaron.

¡Oh cuánta es la abundancia que se encierra en aquellas arcas riquísimas por haber esparcido en la Tierra buenas semillas! Allí viven y gozan del eterno tesoro que conquistaron en el destierro de Babilonia. donde hicieron dejación del oro. Allí triunfa de su victoria bajo el alto Hijo de Dios y de María, y juntamente con el antiguo y el nuevo concilio, el que tiene las llaves de tal gloria.

---

[7] La Virgen María, llamada por la Iglesia *Rosa Mística*.
[8] Los apóstoles cuyo ejemplo y doctrina han evangelizado el mundo.
[9] La Virgen, el más grande esplendor de este triunfo, después de Cristo.
[10] El arcángel San Gabriel.

[11] El noveno cielo material o Primer Móvil.
[12] Así comienza una antífona mariana que se canta durante el Tiempo Pascual.

CANTO VIGESIMOCUARTO

¡OH COMPAÑÍA escogida para la gran cena del cordero bendito, el cual os alimenta de tal modo, que vuestro apetito está siempre satisfecho! Ya que por la gracia de Dios éste prueba prematuramente lo que cae de vuestra mesa, antes de que la muerte ponga fin a sus días, pensad en su deseo inmenso, y refrescadlo algún tanto: vosotros bebéis siempre en la fuente de donde procede lo que él piensa.

Esto dijo Beatriz: y aquellas almas gozosas se convirtieron en esferas sobre polos fijos, resplandeciendo vivamente a guisa de cometas. Y como las ruedas en el mecanismo de un reloj se mueven de tal suerte, que a quien las observa le parece que la primera está quieta y la última vuela, así también aquellos glóbulos, danzando diferentemente, me hacían estimar su velocidad o lentitud por el grado de sus resplandores. De aquel conjunto de bellas luces vi salir un fulgor tan alegre y esplendente, que superaba a todos los demás. Tres veces giró en torno de Beatriz, cantando de un modo tan divino, que mi fantasía no ha podido retener su encanto; por lo cual mi pluma pasa adelante sin describirlo, pues para pintar tales pliegues carece de matices, no ya la lengua, sino la misma imaginación.

—¡Oh mi santa hermana, que tan devotamente ruegas, movida de tu ardiente afecto, que me separas de aquella hermosa esfera!

De este modo, luego que se detuvo aquel fuego bendito,[1] dirigió su aliento hacia mi Dama, y le habló como he dicho. Y ella contestó:

—¡Oh luz eterna del gran Barón a quien Nuestro Señor dejó las llaves que llevó abajo desde este goce maravilloso! Examina a éste como te plazca con respecto a los puntos fáciles y difíciles de la Fe, que te hizo andar sobre el mar.[2] A ti no se te oculta si él ama bien, y espera bien y cree; porque tienes la vista fija donde todo está patente; pero ya que este reino ha conseguido ciudadanos por medio de la Fe veraz, es bueno que para glorificarla le toque a él hablar de ella.

Así como el bachiller se prepara, y no habla hasta que el maestro propone la cuestión que debe aprobar, pero no resolver,[3] del mismo modo preparaba yo todas mis razones, mientras ella hablaba, para estar pronto a contestar a tal examinador y a tal profesión.

—Dí buen cristiano, explícate: ¿Qué es la Fe?

Al oír esto alcé la frente hacia aquella luz de donde salían tales palabras; después me volví hacia Beatriz, y ella me hizo un rápido ademán para que dejara brotar el agua de mi fuente interior.

La gracia divina que me permite confesarme con tan alto primipilo[4] —exclamé—, haga claros y expresivos mis conceptos.

Después continué:

—Según lo ha escrito, padre, la verídica pluma de tu querido hermano,[5] que contigo hizo entrar a Roma

[1] San Pedro, el mismo que vino recibir a Dante y a interrogarle sobre la Fe.

[2] Sobre el lago de Genesaret, como lo narra *San Mateo* XIV, 25 ss.

[3] Piensa aquí Dante en las disputaciones que tenían lugar en las escuelas de Teología. Bachiller (*baccalarius*) era el título del alumno que, terminado un cierto curso de estudios, podía aspirar a la dignidad académica superior del doctorado.

[4] Palabra sacada del léxico militar romano. "Primipilo" era el centurión que portaba el primer estandarte y el que primero lanzaba la jabalina en el combate.

[5] San Pablo, que en la *Epístola a los Hebreos*, XI, 1, ha formulado la respuesta de Dante.

por el buen camino, la Fe es la substancia de las cosas que se esperan, y el argumento de las que no aparecen a nuestra mente: tal me parece su esencia.

Entonces oí:

—Piensas rectamente, si comprendes bien por qué la coloca entre las substancias, y no entre los argumentos.

A lo cual contesté:

—Las profundas cosas que aquí se me manifiestan claras y patentes están tan ocultas a los ojos del mundo, que sólo existen en la creencia sobre que se funda la alta esperanza; por eso toma el nombre de substancia. Con respecto a esta creencia es preciso argumentar sin otra luz; por eso toma el nombre de argumento.

Entonces oí:

—Si todo lo que en la Tierra se aprende por vía de enseñanza, se entendiera de ese modo, la sutileza del sofisma sería en vano.

Tales fueron las palabras que exhaló aquel ardiente amor; y después añadió:

—Ha salido bien la prueba de la liga y el peso de esta moneda; pero dime si la tienes en tu bolsa.

Le respondí:

—Sí, la tengo tan brillante y tan redonda, que no cabe duda sobre su cuño.

En seguida salieron estas palabras de la profunda luz que allí resplandecía:

—Esa querida joya, en la que se funda toda otra virtud, ¿de dónde te proviene?

—La abundante lluvia del Espíritu Santo —le contesté—, que está esparcida sobre las antiguas y las nuevas páginas,[6] es el silogismo que me la ha demostrado tan sutilmente, que comparada con ella me parece obtusa toda otra demostración.

Después oí:

—¿Por qué tienes por palabra divina a la antigua y la nueva proposición, que así te han convencido?

Respondí:

—La prueba que me descubre la verdad consiste en las obras subsiguientes, para las cuales la naturaleza no calentó nunca el hierro ni dio golpes en el yunque.

Se me contestó:

—Di, ¿quién te asegura que aquellas obras hayan existido? ¿Acaso te lo asegura aquello mismo que se quiere probar con ellas? ¿No tienes otro testimonio?

—Si el mundo se convirtió al cristianismo sin necesidad de milagros —dije yo— esto sólo es un milagro tan grande, que los otros no son la centésima parte de él;[7] porque tú entraste pobre y famélico en el campo a sembrar la buena planta que en otro tiempo fue vid y ahora se ha convertido en zarza.

Terminadas estas palabras, resonó en las esferas de la sublime y elevada corte un "Alabemos a Dios" con la melodía que se canta allá arriba. Y aquel Barón que examinándome así me había llevado de rama en rama hasta acercarnos a las últimas hojas, volvió a empezar de esta manera:

—La gracia que enamora a tu mente hate abierto la boca hasta este punto, como abrirse debía: por tanto apruebo cuanto ha salido de ella; mas ahora es preciso que expliques lo que crees y el origen de tu creencia.

—¡Oh Santo Padre!, ¡oh Espíritu, que ves lo que creíste con tal firmeza, que dirigiéndote hacia el sepulcro venciste a pies más jóvenes![8] —empecé a decir—: quieres que te manifieste el orden de las cosas en que creo, y además me preguntas el motivo de mi creencia. Pues bien, yo te respondo: Creo en un solo y eterno Dios, que sin ser movido, mueve todo el Cielo con amor y con deseo; y en apoyo de tal creencia, no sólo tengo pruebas físicas y metafísicas, sino que también me las suministra

---

[6] El Antiguo y el Nuevo Testamento.

[7] La rápida difusión del Cristianismo sin necesidad de milagros ha sido considerada como una prueba para demostrar la realidad de los milagros del Evangelio.

[8] Entraste en el sepulcro vacío de Cristo y creíste en su resurrección antes que el más joven Juan. (*Juan XXII, 1-9.*)

la verdad que de aquí llueve por medio de Moisés, por los profetas, por los salmos, por el Evangelio y por lo que vosotros escribisteis después de haberos iluminado el ardiente Espíritu. Creo en tres Personas eternas, y las creo una esencia tan trina y una, que admiten a la vez "son" y "es". La profunda naturaleza divina de que ahora trato se ha grabado en mi mente muchas veces por la doctrina evangélica. Tal es el principio, tal la chispa que se dilata hasta convertirse en viva llama, y que brilla en mi interior como estrella en el cielo.

Cual señor que oye lo que le agrada, y por ello abraza a su siervo, congratulándose por la noticia en cuanto éste se calla, de igual suerte me bendijo cantando y giró tres veces en derredor de mi frente, luego que me callé, aquel apostólico fulgor, por cuyo mandato había yo hablado: tanto fue lo que mis palabras le agradaron.

CANTO VIGESIMOQUINTO

Si ALGUNA vez sucede que el poema sagrado en que han puesto sus manos el Cielo y la Tierra, y que me ha hecho enflaquecer por espacio de muchos años, triunfe de la crueldad que me tiene alejado del bello redil,[1] donde dormí corderillo enemigo de los lobos que le hacen la guerra; entonces volveré como poeta, con otra voz y con otros cabellos, y tomaré la corona de laurel sobre mis fuentes bautismales:[2] porque allí entré en la fe que hace las almas familiares a Dios, y por ella me rodeó Pedro de aquel modo la frente. Después se adelantó hacia nosotros un resplandor desde aquella legión de que salió el primero de los vicarios que Cristo dejó en la Tierra; y mi Dama, llena de alegría, me dijo:

—Mira, mira, he ahí el Barón por quien allá abajo visitan a Galicia.[3]

Cual dos palomas que, al reunirse, se demuestran su amor dando vueltas y arrullándose, así vi yo aquellos grandes y gloriosos príncipes acogerse mutuamente, alabando el alimento de que allá arriba se nutren. Más, cuando hubieron dado fin a sus gratulaciones, ambos se detuvieron silenciosos "coram me",[4] tan encendidos que humillaban mi rostro. Beatriz dijo entonces riendo:

—¡Oh alma ilustre, que has escrito acerca de la liberalidad de nuestra basílica! Haz resonar la Esperanza en esta altura. Tú sabes que la has simbolizado tantas veces cuantas Jesucristo os manifestó a los tres su predilección.[5]

—Levanta la cabeza, y tranquilízate; porque es preciso que lo que llega aquí arriba desde el mundo mortal se, madure a nuestros rayos.

Tan consoladoras palabras me fueron dirigidas por el segundo resplandor: entonces elevé los ojos hacia aquellos montes que antes los habían inclinado con su excesivo peso.

—Ya que nuestro Emperador te dispensa la merced de que te encuentres, antes de tu muerte, en la estancia más secreta de su palacio con sus condes, a fin de que habiendo visto la verdad de esta corte, os anime por eso a ti y a los otros la Esperanza que tanto enamora allá abajo, dime en qué consiste ésta; dime cómo florece en tu mente, y de dónde te proviene.

Así habló el segundo resplandor. Y aquella piadosa Dama que guió las plumas de mis alas hacia tan elevado vuelo, respondió antes que yo de esta suerte:

—La Iglesia militante no tiene entre sus hijos otro más provisto de esperanza, como está escrito en el Sol que irradia sobre nuestra multitud: por eso se le ha concedido que desde Egipto venga a ver a Jerusalén, antes de terminar sus combates. Los otros dos puntos sobre que han versado tus preguntas, no por deseo de saber, sino para que él refiera lo grata que te es esta virtud, los dejo a su cargo; que no le serán de difícil resolución, ni le servirán de jactancia: responda, pues, y que la gracia de Dios se lo conceda.

[1] De Florencia.
[2] La corona de laurel de poeta.
[3] El sepulcro de Santiago el Mayor en Compostela, Galicia, era uno de los lugares donde acudían en mayor número los peregrinos en la Edada Media.
[4] "Delante de mí."

[5] A Pedro, Juan y Santiago, llevándolos solos consigo en la Transfiguración sobre el monte Tabor, en la resurrección de la hija de Jairo y en el monte de los Olivos, cuando su agonía.

Cual discípulo que responde a su maestro con gusto y prontitud en aquello en que es experto, a fin de revelar su mérito, así respondí yo:

—La Esperanza es una expectación cierta de la vida futura, producida por la gracia divina y los méritos anteriores. Muchas son las estrellas que me comunican esta luz;[6] pero quien primero la derramó en mi corazón fue el supremo cantor [7] del Supremo Señor, "Que esperen en ti los que conocen tu nombre", dice en sus sublimes cánticos; y ¿quién no lo conoce teniendo mi fe? Tú me has inundado después con su oleada en tu Epístola; de modo que ya estoy lleno, y derramo sobre otros vuestra lluvia.

Mientras yo hablaba, en el seno de aquel incendio fulguraba una llama rápida y frecuente como un relámpago. Después me dijo:

—El amor en que me abraso todavía por la virtud que me siguió hasta la palma y hasta mi salida del campo,[8] quiero que te hable, a ti que con ella te deleitas; siéndome por lo mismo grato que me digas lo que la Esperanza te promete.

Yo le contesté:

—Las nuevas y las antiguas Escrituras prefijan el término a que deben aspirar las almas a quienes Dios ha concedido su amistad, y ese término lo veo ahora tal cual es. Isaías [9] dice que cada una de ellas vestirá en su patria un doble ropaje, y su patria es esta dulce vida. Y tu hermano,[10] nos manifiesta más claramente esta revelación, allí donde trata de las blancas vestiduras.

Inmediatamente después de pronunciadas estas palabras, se oyó primeramente sobre nosotros: "Sperent in te"; a lo cual respondieron todos los círculos de almas. Luego resplandeció entre ellas una luz tan viva, que si Cáncer tuviera semejante claridad, el invierno tendría un mes de un solo día. Y como la doncella placentera, que se levanta, y va y toma parte en la danza, sólo por festejar a la recién venida, y no por vanidad u otra flaqueza, así vi al esclarecido esplendor acercarse a los otros dos, que seguían dando vueltas cual era necesario a su ardiente amor. Púsose a cantar con ellos las mismas palabras con la misma melodía; y mi Dama fijó en él sus miradas como esposa inmóvil y silenciosa.

—Ese es aquél que descansó sobre el pecho de nuestro Pelícano; es el que fue elegido desde la cruz para el gran cargo.[11]

Así dijo mi Dama; y sus miradas no dejaron de estar más atentas después que antes de pronunciar estas palabras. Como a quien fija los ojos en el Sol esperando verlo eclipsarse un poco, que a fuerza de mirar, concluye por no ver, así me sucedió con aquel último fuego, hasta que me fue dicho:

—¿Por qué te deslumbras para ver una cosa que aquí no existe? Mi cuerpo es tierra en la Tierra, y allí permanecerá con los otros cuerpos hasta tanto que nuestro número se iguale con el eterno propósito.[12] Las dos luces que se elevaron [13] antes son las únicas que existen en este bienaventurado claustro con sus dos vestiduras; y así lo debes repetir en tu mundo.

Dichas estas palabras, cesó de girar el círculo inflamado juntamente con el dulce concierto que formaba la armonía del triple canto; así como, para descansar o huir de un

[6] Los autores de los Libros de la Biblia y los Padres de la Iglesia.
[7] David, que en mil lugares de sus Salmos celebra la esperanza. La cita siguiente pertenece al *Salmo IX*.
[8] Hasta el martirio y la muerte.
[9] *Isaías* LXI, 7. El doble ropaje es la bienaventuranza del alma y, después de la resurrección, también la del cuerpo.
[10] También San Juan en el *Apocalipsis*, VII, 9 y 13-17 habla de blancas vestiduras como signo de los elegidos.

[11] San Juan Evangelista, el discípulo amado del Señor, que en la noche de la última Cena reclinó su cabeza en el pecho del Maestro y fue escogido por El desde la Cruz para que fuese el hijo adoptivo de su Madre.
[12] Era opinión de Dante, como lo declara en el *Convivio*, II, 5, que los elegidos habían de ser iguales en número a los ángeles rebeldes, cuyos sitiales venían a ocupar.
[13] Cristo y la Virgen.

peligro, se detienen al sonido de un silbo los remos que venían azotando el agua.

—¡Ah! ¡Cuánta fue la turbación de mi mente cuando me volví para ver a Beatriz, y no pude lograrlo, a pesar de encontrarme cerca de ella y en el dichoso mundo!

CANTO VIGESIMOSEXTO

Mientras yo permanecía indeciso a causa de mi deslumbrada vista, salió la fúlgida llama que la deslumbró una voz, que llamó mi atención diciendo:

—En tanto que recobras la vista que has perdido mirándome, bueno es que hablando conmigo compenses su pérdida. Empieza, pues, y dime adónde se dirige tu alma, y persuádete de que tu vista sólo está ofuscada, pero no destruida; pues la Dama que te conduce por esta región luminosa tiene en su mirada la virtud que tuvo la mano de Ananías.[1]

Yo dije:

—Venga tarde o temprano, según su voluntad, el remedio a mis ojos, que fueron las puertas por donde ella entró con el fuego en que me abraso. El bien que esparce la alegría en esta corte es el "alfa" y el "omega" de cuanto el amor escribe en mí, y a ya sea leve o fuertemente.

Aquella misma voz que había desvanecido el miedo causado por mi súbito deslumbramiento, excitó nuevamente en mí el deseo de hablar, diciendo:

—Es preciso que te limpies en una criba más fina: es preciso que digas quién dirigió tu arco hacia tal blanco.

—Los a r g u m e n t o s filosóficos —contesté—, y la autoridad que desciende de aquí,[2] han debido infundirme tal amor; porque el bien, por sí mismo, apenas es conocido, enciende tanto más el amor, cuanta mayor bondad encierra. Así pues, la mente de todo el que conoce la verdad en que se funda esta prueba, debe inclinarse a amar con preferencia

a ninguna otra cosa aquella esencia,[3] en la cual hay tanta ventaja, que los demás bienes existentes fuera de ella no son más que un rayo de su luz. Esa verdad[4] la ha declarado a mi inteligencia aquél que me demuestra el primer amor de todas las substancias eternas.[5] Me la declaran también las palabras del veraz autor,[6] que dijo a Moisés hablando de sí mismo: "Yo te mostraré reunidas en mí todas las perfecciones." Tú también me la declaras en el principio de tu sublime anuncio, que publica en la Tierra el arcano de arriba más altamente que ningún otro.[7]

Y yo oí:

—Por cuanto te dice la inteligencia humana, de acuerdo con la autoridad divina, reserva para Dios el mayor de tus amores. Pero dime todavía si te sientes atraído hacia él por otras cuerdas, y dime con cuantos dientes te muerde este amor.

No se me ocultó la santa intención del águila de Cristo; pues comprendí hasta dónde quería llevar mi confesión: por eso empecé a decir:

—Todos los estímulos que pueden obligar al corazón a volverse hacia Dios concurren en mi caridad; porque la existencia del mundo y mi existencia, la muerte que **él sufrió** para que yo viva, y lo que espera to-

---

[1] Ananías de Damasco, uno de los primeros seguidores del Cristianismo que devolvió la vista a San Pablo imponiéndole las manos; *Hechos de los Apóstoles* IX, 10 ss.

[2] Del cielo, en los libros sagrados inspirados por Dios, en la revelación.

[3] Dios.

[4] Que Dios es el Sumo Bien.

[5] Unos entienden que se alude a Platón, quien, al comienzo de su *Banquete*, dice que el Amor, esto es, el Sumo Bien difundiéndose a sí mismo, es la primera de todas las sustancias eternas; otros que al Pseudo-Dionisio Areopagita, fundándose en su *De caelesti hierarchia* II, 3. Pero los más opinan que se refiere a Aristóteles que, sobre todo, en su tratado *De Causis*, pone a Dios como causa suprema —como Bien Sumo—, y enseña que las almas humanas desean naturalmente con su Causa primera. También en el *Convivio* encontramos expresados tales conceptos y citado el tratado aristotélico *De causis*.

[6] Dios mismo.

[7] San Juan en el *Apocalipsis* y también en el capítulo primero de su *Evangelio*.

do fiel como yo, juntamente con el conocimiento antedicho, me han sacado del piélago de los amores tortuosos, y me han puesto en la playa del recto amor. Amo las hojas que adornan todo el huerto del Hortelano eterno en la misma proporción del bien que aquél les comunica.

Apenas guardé silencio, resonó por el Cielo un dulcísimo canto; y mi Dama decía con los demás: "¡Santo, Santo, Santo!" Y así como la aparición de una luz penetrante desvanece el sueño, excitando el sentido de la vista, el cual acude a la claridad que atraviesa las membranas; y el despertado la rehúye, aturdido en su repentino desvelo, mientras no le ayuda la facultad estimativa, de igual suerte ahuyentó Beatriz todo entorpecimiento de mis ojos con el rayo de los suyos, que brillaba a más de mil millas: entonces vi mejor que antes, y casi estupefacto pregunté quién era un cuarto resplandor que distinguí con nosotros. Mi Dama me dijo:

—Dentro de esos rayos contempla amorosa a su Hacedor la primera alma creada por la Virtud primera.[8]

Como el follaje que doblega su copa al paso del viento, y después se levanta por la propia virtud que la endereza, tal hice yo, maravillado mientras ella hablaba, e irguiéndome después a impulsos del deseo de preguntar que me abrasaba; por lo que empecé de esta suerte:

—¡Oh fruto, que fuiste producido ya maduro! ¡Oh padre antiguo, de quien toda esposa es hija y nuera! Tan devotamente como puedo te suplico que me hables; tú ves mis deseos, los cuales no te manifiesto por oír más pronto tus palabras.

A veces un animal encubierto se agita de modo que manifiesta por los movimientos de su envoltura aquello que desea: del mismo modo la primer alma me daba a conocer por la luz de que estaba revestida la alegría que le causaba complacerme. Después dijo:

—Sin que me lo hayas expresado, conozco tu deseo mejor que tú aque-

llo de que estés más cierto; porque lo veo en el veraz espejo cuyo parhelio son las demás cosas, y que no es parhelio de ninguna. Quieres oír cuánto tiempo ha que Dios me colocó en el excelso jardín en donde ésa te preparó a subir tan larga escala; por cuánto tiempo deleitó mis ojos; la verdadera causa de la gran ira, y el idioma inventado por mí de que hice uso. Sabe, pues, hijo mío, que el haber probado la fruta del árbol no fue la causa de tan largo destierro, sino solamente el haber infringido la orden. En aquel lugar de donde tu Dama hizo partir a Virgilio, estuve deseando esta compañía por espacio de cuatro mil trescientas dos revoluciones del Sol; y mientras permanecí en la Tierra, le vi volver a todas las luces de su carrera novecientas treinta veces.[9] La lengua que hablé se extinguió completamente antes que las gentes de Nemrod se dedicaran a la obra interminable;[10] porque ningún efecto racional fue jamás duradero, a causa de la voluntad humana, que se renueva según la posición y la influencia de los astros. Es cosa muy natural que el hombre hable; pero la naturaleza deja a vuestra discreción que lo hagáis de este o del otro modo. Antes que yo descendiese a las angustias infernales, se daba en la Tierra el nombre de I[11] al Sumo Bien de quien procede la alegría que me circunda; ELI se le llamó después y así debía ser; porque el uso de los mortales es como la hoja de una rama, que desaparece para ceder su puesto a otra nueva. En el monte que se eleva más sobre las ondas[12] estuve yo, con vida pura y deshonesta, desde la primera hora hasta la que es segunda después de la hora sexta, cuando el Sol pasa de uno a otro cuadrante.

---

[8] Adán

[9] Estuve viviendo en la tierra 930 años y 4302 en el Limbo. De la creación de Adán a la muerte de Cristo transcurrieron, pues, 5232 años. Y como desde la muerte del Señor hasta la visión de Dante —1300—han transcurrido 1266, suman en total 6498.

[10] La torre de Babel.

[11] Resulta difícil la interpretación de este párrafo tan cargado de preocupaciones cabalísticas.

[12] En el Paraíso Terrenal

CANTO VIGESIMOSEPTIMO

"GLORIA AL PADRE, gloria al Hijo, gloria al Espíritu Santo", entonó todo el Paraíso con tan dulce canto, que me embriagaba. Lo que veía me parecía una sonrisa del Universo, pues mi embriaguez penetraba por el oído y por la vista. ¡Oh gozo!, ¡oh inefable alegría!, ¡oh vida entera de amor y de paz!, ¡oh riqueza segura y sin deseo! Ante mis ojos estaban encendidas las cuatro antorchas,[1] y aquella que había venido primero empezó a lanzar más vivos destellos, transformándose su aspecto cual aparecería el de Júpiter, si éste y Marte fueran aves y trocasen su plumaje.[2] La Providencia, que distribuye aquí a su placer los oficios de cada uno, había impuesto silencio a todo el coro de los bienaventurados, cuando oí estas palabras:

—No te admires al ver que mi semblante se demuda; pues verás demudarse el de todos éstos mientras hablo. Aquel que usurpa en la Tierra mi puesto,[3] mi puesto, mi puesto, que está vacante a los ojos del Hijo de Dios, ha hecho de mi cementerio una sentina de sangre y podredumbre, que al perverso caído desde aquí[4] sirve allá abajo de complacencia.

Entonces vi cubrirse todo el cielo de aquel color que comunica el Sol por mañana y tarde a las nubes opuestas a él; y cual mujer honesta que, segura de sí misma, se ruboriza tan sólo al escuchar las faltas ajenas, así vi yo a Beatriz cambiar de aspecto: un eclipse semejante creo que hubo en el cielo cuando la pasión del Poder Supremo. Después, con voz tan alterada, que no fue mayor la alteración de su semblante, continuó en estos términos:

—Mi sangre, así como la de Lino y la de Cleto,[5] no alimentó a la Esposa de Cristo para acostumbrarla a adquirir oro, sino para que adquiriese aquella vida virtuosa por la que Sixto y Pío, Calixto y Urbano derramaron su sangre después de muchas lágrimas.[6] No fue nuestra intención que una parte del pueblo cristiano estuviese sentada a la derecha y otra a la izquierda de nuestro sucesor, ni que las llaves que me fueron concedidas se convirtieran en una enseña de guerra para combatir contra los bautizados, ni que estuviese representada mi imagen en un sello para servir a privilegios vendidos y falsos, de que con frecuencia me avergüenzo e irrito. En todos los prados se ven allá abajo lobos rapaces disfrazados de pastores. ¡Oh justicia de Dios!, ¿por qué duermes? Los de Cahors y los de Gascuña se preparan a beber nuestra sangre.[7] ¡Oh buen principio, en que fin tan vil has de venir a parar! Pero la alta Providencia, que por medio de Escipión defendió en Roma la gloria del mundo, lo socorrerá en breve según imagino. Y tú, hijo, que todavía has de volver abajo, llevado por el peso de tu cuerpo mortal,

---

[1] Adán, San Juan, Santiago y San Pedro, que había venido primero.
[2] Tan alambicada comparación no quiere decir sino que la antorcha de San Pedro se volvió roja como lo sería la luz de Júpiter si este planeta blanco cambiase su color con el rojizo planeta Marte. Se quiere significar que San Pedro se enciende en ira.
[3] Bonifacio VIII.
[4] Lucifer.

[5] Papas y mártires, sucesores inmediatos de San Pedro.
[6] Papas de los primeros siglos que sufrieron el martirio después de sufrir fieras persecuciones.
[7] Los dos primeros papas de Aviñón fueron Clemente V de Gascuña (había sido obispo de Burdeos) y Juan XXII, originario de Cahors.

abre allí la boca y no ocultes lo que yo no oculto.

Así como nuestro aire despide hacia la Tierra copos de helados vapores, cuando el cuerno de la Cabra del cielo toca al Sol,[8] de igual modo vi elevarse aquel éter puro, y despedir hacia lo alto los vapores triunfantes que allí se habían detenido con nosotros. Mi vista seguía sus semblantes, y los siguió hasta que la mucha distancia me impidió ir más adelante: por lo cual mi Dama, reparando que había cesado de mirar hacia arriba, me dijo:

—Baja la vista y advierte cuánto has girado.

Entonces vi que, desde la hora en que miré por primera vez a la Tierra, había yo recorrido todo el arco formado por el primer clima desde la mitad hasta el fin; de modo que veía más allá de Cádiz el insensato paso de Ulises,[9] y a esta parte casi divisaba la playa donde Europa se convirtió en dulce carga:[10] y aun habría descubierto mayor espacio de este globulillo, a no ser porque el Sol me precedía bajo mis pies un signo y algo más. El amoroso espíritu con que adoro siempre a mi Dama ardía más que nunca en deseos de volver nuevamente hacia ella los ojos; y las bellezas que la naturaleza o el arte han producido para cautivar la vista y atraer los espíritus, ya en cuerpos humanos, ya en pinturas, todas juntas serían nada en comparación del placer divino que me iluminó cuando me volví hacia su faz riente: la fuerza que me infundió su mirada me apartó del bello nido de Leda,[11] y me transportó al cielo más veloz.[12] Sus partes vivísimas y excelsas tan uniformes, que no sabré decir cuál de ellas escogió Beatriz para mi entrada en él; pero ella, que veía mi

deseo, empezó a decirme, sonriéndose tan placentera, que parecía regocijarse en su semblante:

—En esta esfera empieza, como en su meta, el movimiento, que naturalmente cesa en el centro, mientras todo lo demás gira en torno suyo; y este cielo no tiene otro sitio donde adquirir movimiento más que la mente divina, en la cual se enciende el amor que le impulsa y la influencia que vierte sobre las demás cosas. La luz y el amor lo circundan, así como él circunda a los otros cielos inferiores; y ese círculo de luz y de amor lo dirige y lo comprende tan sólo Aquél que rodea con él a este cielo. Su movimiento no está determinado por otro alguno; pero los demás están medidos por éste, lo mismo que diez por la mitad y el quinto. Ahora puedes comprender cómo el tiempo tiene sus raíces en este tiesto, y en los otros las hojas. ¡Oh concupiscencia, que de tal modo sumerges en ti a los mortales, que a ninguno le es posible sacar los ojos fuera de tus ondas! Mucho florece la voluntad en los hombres; pero la continua lluvia convierte las verdaderas ciruelas en endrinas. La fe y la inocencia sólo se encuentran en los niños; y después cada una de ellas huye antes de que el vello cubra sus mejillas. Hay quien ayuna balbuceando todavía, y luego que tiene la lengua suelta, devora cualquier alimento en cualquier época; y también hay quien, balbuciente aún, ama y escucha a su madre, y cuando llega a hablar claramente, desea verla sepultada. No de otro modo la piel de la bella hija del que os trae la mañana y os deja la noche, siendo blanca al principio, se ennegrece después. Y a fin de que no te maravilles, sabe que en la Tierra no hay quien gobierne; por lo cual va tan descarriada la raza humana.[13] Pero antes de que el mes de enero deje de pertenecer al in-

[8] Cuando el Sol está en Capricornio, o sea en diciembre y enero.
[9] El viaje en que este héroe debía morir.
[10] Las playas fenicias, donde Júpiter, transformado en toro, robó a Europa.
[11] Del signo de los Gemelos, Cástor y Polux, hijos de Leda y de Júpiter.
[12] Al cielo cristiano o Primer Móvil, así amado porque es su movimiento el que da npulso al mundo entero.
[13] La falta de titular en la Silla de San Pedro a los ojos de Cristo, y la falta de titular en el Imperio a los ojos de Dante son las dos causas de la ruina de la humanidad y de la civilización.

vierno, a causa del centésimo de que allá abajo no hacen caso,[14] estos círculos superiores rugirán de tal

[14] Aquella mínima parte del año desatendida en el calendario reformado por Julio César que fijando el año en 365 días y 6 horas, venía a diferir cerca de 13 minutos (casi la centésima parte de un día) del año verdadero. El error fue corregido por Gregorio XIII en 1582.

suerte, que la fortuna, por tanto tiempo esperada, volverá las popas donde ahora están las proas, haciendo que la flota navegue directamente, y que el verdadero fruto venga en pos de la flor.[15]

[15] Alusión a la venida de Veltro, que pondrá orden en el mundo.

CANTO VIGESIMOCTAVO

Después que aquella que eleva mi alma al Paraíso me manifestó la verdad contrapuesta a la vida actual de los míseros mortales, recuerda mi memoria que, así como el que ve en un espejo la llama de una antorcha encendida detrás de él, antes de haberla visto o pensado en ella, se vuelve para cerciorarse de si el cristal le dice la verdad, y ve que los dos están acordes, como la nota musical con el compás, así hice yo al contemplar los hermosos ojos en donde tejió amor la cuerda que me sujetó: y cuando me volví, y se vieron heridos los míos por lo que aparece en aquel cielo toda vez que se observe con atención su movimiento, distinguí un punto [1] que despedía tan penetrante luz, que es preciso cerrar los ojos iluminados por ella, a causa de su aguda intensidad. La estrella que más pequeña parece desde la Tierra, colocada a su lado, como una estrella cerca de otra, parecería una luna. Casi tanto como el cerco de un astro parece distar de la luz que le traza, cuando el vapor que lo forma es más denso, distaba del centro de aquel punto un círculo de fuego, girando tan rápidamente, que hubiera vencido en celeridad al movimiento de aquel Cielo que más velozmente gira ciñendo al mundo. Este círculo estaba rodeado por otro, y éste por un tercero, y el tercero por el cuarto, por el quinto el cuarto, y después por el sexto él quinto; sobre éstos seguía el séptimo, de tan gran extensión, que la mensajera de Juno [2] se-

ría demasiado estrecha para contenerlo por completo. Lo mismo sucedía con el octavo y el noveno,[3] y cada cual de ellos se movía con más lentitud según su mayor distancia del Uno, teniendo la llama más clara el que menos distaba de la luz purísima; porque, según creo, participa más de su verdad. Mi Dama, que me veía presa de una viva curiosidad, me dijo:

—De aquel punto depende el Cielo y toda la naturaleza. Mira aquel círculo que está más próximo a él, y sabe que su movimiento es tan rápido a causa del ardiente amor que le impulsa.

Le contesté:

—Si el mundo estuviera dispuesto en el orden en que veo esas ruedas, tu explicación me hubiera satisfecho; pero en el mundo sensible se pueden ver las cosas tanto más rápidas cuanto más apartadas están de su centro: así es que, si mi deseo debe tener fin en este maravilloso y angélico templo, cuyos únicos confines son el amor y la luz, necesito todavía oír cómo es que el modelo y la copia no van del mismo modo; porque yo en vano reflexiono en ello.

—Si tus dedos no bastan para deshacer ese nudo, no es maravilla: ¡tan sólido se ha hecho por no haber sido tocado!

Así dijo mi Dama; después añadió:

—Medita lo que voy a decirte, si quieres quedar satisfecho, y aguza sobre ello el ingenio. Los círculos corpóreos son anchos y estrechos, según la mayor o menor virtud que se difunde por todas partes. Cuanto

---

[1] Dios está simbolizado en este punto, el punto matemático, que no tiene longitud ni anchura, ni profundidad, que excluye cualquier materialidad, pero que está dotado de una luminosidad tan viva que ninguna potencia visiva puede sostenerla.
[2] Iris.

[3] Estos nueve círculos luminosos son formados por los nueve órdenes angélicos, y su punto céntrico es Dios.

mayor es su bondad, más saludables son los efectos que produce; y el cuerpo mayor contiene mayor bondad, con tal que sean todas sus partes igualmente perfectas. Ahora bien, este círculo en que estamos, que arrastra consigo todo el alto universo, corresponde al que más ama y más sabe; por lo cual, si te fijas en la virtud y no en la extensión de las substancias que te aparecen dispuestas en círculos, verás una relación admirable y gradual entre cada Cielo y su inteligencia.

Puro y sereno, como queda el hemisferio del aire cuando Bóreas sopla con la menos impetuosa de sus mejillas, limpiando y disolviendo la niebla que antes lo obscurecía todo, y haciendo que el cielo ostente las bellezas de toda su comitiva, quedé yo cuando mi Dama me satisfizo con sus claras respuestas, viendo entonces la verdad tan brillante como las estrellas en el cielo. Cuando hubo terminado sus palabras, empezaron a chispear los círculos, como chispea el hierro candente; y aquel centelleo, que parecía un incendio, era imitado por cada chispa de por sí, siendo éstas tantas, que su número se multiplicaba mil veces más que el producido por la multiplicación de las casillas de un tablero de ajedrez.[4] Yo oía cantar "Hosanna", de coro en coro, en alabanza del punto fijo, que los tiene y siempre los tendrá en el lugar donde siempre han estado: y aquella que veía las dudas de mi mente dijo:[5]

—Los primeros círculos te han mostrado los Serafines y los Querubines. Siguen con tal velocidad su amorosa cadena para asemejarse al punto cuanto pueden, y pueden tanto más, cuanto más altos están para verle. Aquellos otros amores, que van en torno de ellos, se llaman Tronos de la presencia divina, en los cuales termina el primer ternario; y debes saber que es tanto mayor su gozo, cuanto más penetra su vista en la Verdad, en que se calma toda inteligencia. Aquí puede conocerse que la beatitud se funda en el acto de ver, y no en el de amar a Dios, lo cual viene después; y siendo las obras meritorias engendradas por la gracia y la buena voluntad, la medida de la contemplación procede así de grado en grado. El otro ternario, que germina en esta prima vera eterna de modo que no le despoja el Aries nocturno, canta perpetuamente "Hosanna" con tres melodías, que resuenan en los tres órdenes de alegría de que se compone. En esa jerarquía están las tres diosas: primera, Dominaciones; segunda, Virtudes, y el tercer orden es el de las Potestades. Después, en los dos penúltimos círculos giran los Principados y los Arcángeles; el último se compone todo de angélicos festejos. Todos estos órdenes tienen sus miradas fijas arriba, y ejercen abajo tal influencia, que así como ellos son atraídos por Dios, atraen lo que está debajo de ellos. Con tal ardor se puso Dionisio a contemplar esos órdenes, que los nombró y distinguió como yo. Pero Gregorio se separó de él después; así es que en cuanto abrió los ojos en este cielo,

[4] La multiplicación duplicada de las casillas del tablero de ajedrez produce una cantidad asombrosa, en esta forma: 1a. casilla, 1; 2a., 2; 3a., 4; 4a., 8; 5a., 16; 6a., 32; hasta la casilla 64, que arroja veinte cifras, o sean *decenas de trillón*. Cuéntase que el inventor del ajedrez fue un indiano, el cual presentó el nuevo juego a un rey de Persia; y habiéndole ofrecido éste darle lo que pidiese, pidió un cuartillo de grano, duplicado y tantas veces multiplicado cuantas eran las casillas del tablero. El rey se lo concedió riéndose; pero no pudo pagarle, porque no hubo en todo el reino bastante grano para ello.

[5] Va a hablar Beatriz de los ángeles distinguiéndolos por coros y oficios. En el *Antiguo Testamento* se mencionan los Serafines y Querubines. San Pablo menciona, en diversos lugares de sus *Epístolas*, Principados, Potestades, Virtudes, Dominaciones, Tronos, Angeles y Arcángeles. Los Santos Padres consideraron estos nueve nombres como correspondientes a nueve diferentes órdenes o coros, que reagruparon en tres jerarquías, de tres órdenes cada una. Acerca de este asunto fue celebradísima la obra *De caelesti hierarchia*, atribuida a Dionisio Areopagita. La sucesión de los órdenes fue diversamente concebida. San Gregorio Magno ofrece una en sus *Homilías sobre el Evangelio* y otra distinta en los *Morales*. Los escolásticos siguieron de ordinario al Pseudo-Dionisio. También Dante, pero en el *Convivio* II, 5, se había atenido —como antes Brunetto Latini en el *Tesoro*, probable fuente del florentino— a la segunda clasificación de San Gregorio.

se ha reído de sí mismo.[6] Y si un mortal ha revelado en la Tierra una verdad tan secreta, no quiero que te admires; porque el que la vio aquí arriba [7] se la descubrió, con otras muchas cosas referentes a las verdades de estos círculos.

[6] Como se puede afirmar que hace Dante, retractándose de la opinión expresada en el *Convivio*.

[7] San Pablo, que fue transportado al cielo, e instruyó a Dionisio.

CANTO VIGESIMONONO

SILENCIOSA y con el rostro risueño permaneció Beatriz, mirando fijamente al punto que me había deslumbrado, tanto espacio de tiempo como el que media desde el momento en que el cenit mantiene en equilibrio a los dos hijos de Latona, cuando éstos, cobijados respectivamente por Aries y Libra, se forman una misma zona del horizonte, hasta que uno y otro rompen aquel cinto cambiando de hemisferio.[1] Después empezó así:

—Yo te diré sin preguntar lo que deseas oír, porque lo he visto desde allí donde converge todo "ubi" y todo "quando". No con objeto de adquirir para sí ningún bien (que esto no puede ser, sino a fin de que su esplendor, reflejándose en las criaturas, pudiera decir: "Existo",[2] el Eterno Amor, en su eternidad, antes que el tiempo fuese, y de un modo incomprensible a toda otra inteligencia, se difundió según le plugo, creando nuevos amores. No es decir que antes permaneciera ocioso y como inerte; pues el proceder del espíritu de Dios sobre estas aguas no tuvo antes ni después. La forma y la materia pura salieron juntamente con una existencia sin defecto, como salen tres flechas de un arco de tres cuerdas; y así como la luz brilla en el vidrio, en el ámbar o en el cristal, de manera que entre el llegar y el ser toda no media intervalo alguno, así también aquel triforme efecto irradió a la vez de su Señor, sin distinción entre su principio y su existencia perfecta. Simultáneamente fue también creado y establecido el orden de las substancias; y aquellas en que se produjo el acto puro fueron colocadas en la cima del mundo. A la parte inferior fue destinada la potencia pura; y en el medio unió a la potencia y a la acción un vínculo que nunca se desata. Jerónimo[3] escribió que los ángeles fueron creados muchos siglos antes de que fuera hecho el otro mundo; pero esta verdad está escrita en varios pasajes de los escritores del Espíritu Santo, y la podrás observar si bien la examinas, como que hasta la misma razón la ve en parte; pues no podría comprender que los motores permanecieran tanto tiempo sin su perfección. Ahora sabes ya dónde, cómo y cuándo fueron creados estos amores; de modo que están extinguidos tres ardores de tu deseo. No contarías de uno a veinte con la prontitud con que una parte de los ángeles turbó el mundo de vuestros elementos. La otra parte quedó aquí, y empezó la obra que contemplas, con tanto placer que nunca cesa de girar. La causa de la caída fue el maldito orgullo de aquel que viste en el centro de la Tierra, pesando sobre él toda la gravedad del mundo. Esos que ves aquí fueron modestos, reconociendo la bondad que los había hecho dispuestos a tan altas miras; por lo cual sus inteligencias fue-

---

[1] Quiere decir que Beatriz guardó silencio, mirando fijamente a Dios sólo un instante. Los hijos de Latona son el Sol y la Luna: cuando ambos se hallan en el mismo horizonte, uno en frente de otro, en Aries y Libra, como tenidos en balanza por una mano invisible, inmediatamente rompen ese equilibrio aparente, ascendiendo el uno a nuestro hemisferio, y pasando el otro al hemisferio opuesto.

[2] "Yo soy"; la "subsistencia" es, en la terminología escolástica, el modo de existencia perfecta de los seres que existen por sí mismos y no dependen de ningún otro; es decir, el modo de existir de sólo Dios.

[3] San Jerónimo, uno de los Padres de la Iglesia Latina, escribió que la creación de los ángeles fue muy anterior a la de los demás seres; Dante, con Santo Tomás, refuta esa opinión.

ron de tal modo exaltadas por la gracia que ilumina y por su mérito, que poseen una plena y firme voluntad. Y no quiero que dudes, sino que tengas completa certidumbre de que es meritorio recibir la gracia en proporción del amor con que se la pide y acoge. En adelante, puedes contemplar a tu placer y sin otra ayuda este consistorio, si has entendido mis palabras: pero como en la Tierra y en vuestras escuelas se lee que la naturaleza angélica es tal que entiende, recuerda y quiere, te diré más todavía para que veas en toda su pureza la verdad que abajo se confunde, equivocando semejante doctrina. Estas substancias, después de haberse recreado en el rostro de Dios, no separaron su mirada de éste para quien nada hay oculto; así es que su vista no está interceptada por ningún nuevo objeto, y en consecuencia, no necesitan la memoria para recordar un concepto separado de su pensamiento. Allá abajo, pues, se sueña sin dormir, creyendo unos y no creyendo otros decir la verdad; pero en éstos hay más falta y más vergüenza. Los que allá abajo os dedicáis a filosofar, no vais por un mismo sendero; tanto es lo que os arrastra el afán de parecer sabios e ingeniosos: y aun esto se tolera aquí con menos rigor que el desprecio de la Sagrada Escritura o su torcida interpretación. No pensáis en la sangre que cuesta sembrarla por el mundo, y lo grato que es a Dios el que uniforma humildemente sus ideas a las de aquélla. Sólo por parecer docto, cada cual se ingenia y se esfuerza en invenciones, que sirven de texto a los predicadores, mientras que el Evangelio se calla. Uno dice que la Luna retrocedió cuando la pasión de Cristo, y se interpuso a fin de que la luz del Sol no pudiera bajar a la Tierra; otros que la luz se ocultó por sí misma, razón por la cual este eclipse fue tan sensible para los Españoles y los Indios, como para los Judíos.[4] No tiene Florencia tantos

Lapi y Bindi [5] como fábulas se pronuncian durante un año y por todas partes en el púlpito; así es que las ovejas ignorantes vuelven del pasto repletas de viento, sin que les sirva de excusa no haber visto el daño. Cristo no dijo a su primer convento: "Andad y predicad patrañas al mundo", sino que les dio por base la verdad: y ésta sonó en sus bocas de tal modo, que al combatir para encender la Fe, solamente se valieron del Evangelio como de escudo y lanza. Ahora, para predicar, se abusa de las argucias y bufonadas; con tal de excitar la hilaridad, la cogulla se hincha y no se desea otra cosa. Pero en la punta de esa cogulla anida tal pájaro,[6] que si el vulgo lo viese, no admitiría las indulgencias de aquellos en quienes confía; por las cuales ha crecido tanto la necesidad en la Tierra, que sin pedir pruebas de su autenticidad, se agolparía la gente a cualquier promesa de ellas. Con esto engorda el puerco de San Antonio,[7] y engordan otros muchos que son peores que puercos, pagando en moneda sin cuño. Mas, poniendo fin a esta larga digresión, vuelve ya tus ojos hacia la vía recta, de modo que el camino y el tiempo se abrevien. La naturaleza de los ángeles aumenta tanto su número de grado en grado, que no hay palabra ni inteligencia mortal que pueda llegar a significar ese número; y si examinas bien lo que reveló Daniel,[8] verás que en sus millares no se manifiesta un número determinado. La primera luz que ilumina toda la naturaleza an-

---

[4] Se discutía sobre la naturaleza del eclipse que tuvo lugar a la muerte de Cristo; para algunos fue producido por la interposición de la Luna entre la Tierra y el Sol; para otros fue causado por un milagro y fue, por lo tanto, universal.

[5] Diminutivos de dos nombres muy comunes en Florencia.

[6] El demonio.

[7] Alude al puerco, símbolo del diablo, que solía tentar bajo esa apariencia a San Antonio ermitaño por lo que suele representarse a este Santo con un puerco a sus pies; alude también a los puercos que alimentaban el monasterio de San Antonio de Florencia, a los que nadie se atrevía a tocar, no obstante sus depredaciones.

[8] Cuando el profeta Daniel (*Daniel* VII, 10) habla a propósito de los ángeles, de "*millia millium*" y de "*decies millies centene millia*", quiere significar un número indefinido, imposible de determinar.

gélica penetra en ella de tantos modos cuantos son los esplendores a que se une. Así pues, como el afecto es proporcionado a la intensidad de la visión beatífica, la dulzura del amor es en los ángeles diversamente fervorosa y tibia. Contempla en adelante la altura y la extensión del Poder Eterno; pues ha formado para sí tales espejos en los que se reparte, quedando siempre uno e indivisible como antes de haberlos creado.

CANTO TRIGESIMO

Acaso arde la hora sexta distante seis mil millas de nosotros, y este mundo inclina ya su sombra casi horizontalmente, cuando el centro del cielo que vemos más profundo empieza a ponerse de modo, que algunas estrellas van perdiéndose de vista desde la Tierra; y a medida que viene adelantando la clarísima sierva Sol, el cielo apaga de una en una sus luces hasta la más bella. No de otra suerte desapareció poco a poco a mi vista el triunfo de los coros angélicos, que siempre festeja en torno de aquel punto que me deslumbró, pareciéndome contenido en lo mismo que él contiene; por lo cual, no viendo ya nada, esto unido al amor me obligó a volver los ojos hacia Beatriz. Si todo cuanto hasta aquí se ha dicho acerca de ella estuviera reunido en una sola alabanza, sería poco para llenar el objeto. La belleza que en ella vi no sólo está fuera del alcance de nuestra inteligencia, sino que creo con certeza que su Hacedor es el único que la comprende toda. Me confieso vencido por este pasaje de mi poema más de lo que con respecto a otro punto lo fue jamás autor trágico o cómico; porque así como el Sol ofusca la vista más trémula, del mismo modo el recuerdo de la dulce sonrisa paraliza mi mente. Desde el primer día que vi su rostro en esta vida, hasta mi actual contemplación, no se ha interrumpido la continuación de mi canto; pero ahora es preciso que mi poema desista de seguir cantando la belleza de mi Dama, como hace todo artista que llega al último esfuerzo en su arte. Tal cual la dejo para que la anuncie una trompa de mayor sonido que la mía, que conduce al término su difícil tarea, Beatriz repuso con el gesto y la voz de una guía solícita:

—Hemos salido fuera del mayor de los cuerpos celestes, para subir al cielo que es pura luz;[1] luz intelectual, llena de amor, amor de verdadero bien, lleno de gozo; gozo superior a toda dulzura. Aquí verás una y otra milicia del Paraíso,[2] y una de ellas boja aquel aspecto con que la contemplarás el juicio final.

Como súbito relámpago que disipa las potencias visivas, privando al ojo de la facultad de distinguir los mayores objetos, así me circundó una luz resplandeciente, dejándome velado de tal suerte con su fulgor, que nada descubría.

—El Amor que tranquiliza este cielo,[3] acoge siempre con semejante saludo al que entra en él, a fin de disponer al cirio para recibir su llama.

No bien hube oído estas palabras, cuando me sentí elevar de un modo superior a mis fuerzas, y adquirí una nueva vista de tal vigor, que no hay luz alguna tan brillante que no pudieran soportarla mis ojos. Y en forma de río una luz áurea, que despedía espléndidos fulgores entre dos orillas adornadas de admirable primavera. De este río salían vivas centellas, que por todas partes llovían sobre las flores, pareciendo rubíes engastados en oro. Después, como embriagadas con aquellos aromas, volvían a sumergirse en el maravi-

---

[1] El mayor de los cuerpos es el Primer Móvil, que es el más vasto de los cielos materiales o, como les dice Dante, corporales. El cielo que es pura luz y, por tanto, inmaterial, es el Empíreo, así llamado de una palabra griega que quiere decir inflamado.

[2] El coro de ángeles y el de los elegidos.

[3] El amor divino mueve todos los cielos materiales porque Dios es el objeto de sus deseos; pero el Empíreo está en quietud porque ya está en posesión de Dios.

lloso raudal; pero si una entraba en él, otra salía.

—El alto deseo que ahora te inflama y estimula para comprender lo que estás viendo, me place tanto más cuanto es más vehemente; pero es preciso que bebas de esa agua antes que sacies tanta sed.

Así me dijo el Sol de mis ojos. Luego añadió:

—El río y los topacios, que entran y salen, y la sonrisa de las hierbas son nada más que sombras y prefacios de la verdad: no es decir que estas cosas sean en sí de difícil comprensión; pues el defecto está en ti, que no tienes aún la vista bastante elevada.

Ningún niño se tira de cabeza tan presuroso al pecho de su madre cuando despierta más tarde de lo acostumbrado, como yo, para mejorar los espejos de mis ojos, me incliné sobre la onda luminosa, que corre a fin de que se perfeccione la vista; y apenas se bañó en ella la extremidad de mis párpados, me pareció que la larga corriente se había vuelto redonda. Después, así como la gente enmascarada parece otra cosa muy distinta en cuanto se despoja de la falsa apariencia bajo la cual se ocultaba, así me pareció que adquirían mayor alegría las flores y las centellas; de modo que vi distintamente las dos cortes del cielo. !Oh esplendor de Dios, merced al cual vi el gran triunfo del reino de la verdad! Dame fuerzas para decir cómo lo vi.

Hay allá arriba una luz, que hace visible el Creador a toda criatura que sólo funda su paz en contemplarle; y se extiende en forma circular por tanto espacio, que su circunferencia sería para el Sol un cinturón demasiado anchuroso. Toda su apariencia procede de un rayo reflejado sobre la cumbre del Primer Móvil, que de él adquiere movimiento y potencia; y así como una colina se contempla en el agua que baña su base, cual si quisiera mirarse adornada cuando es más rica de verdor y flores, así, suspendidas en torno, en torno de la luz,

vi reflejarse en más de mil gradas todas las almas que desde nuestro mundo han vuelto allá arriba. Y si la última grada concentra en sí tanta luz, ¡cuál no será el esplendor de esta rosa en sus últimas hojas! Mi vista no se perdía en la anchura ni en la elevación de esta rosa, sino que abarcaba toda la cantidad y la calidad de aquella alegría. Allí, al estar cerca o lejos, no da ni quita; porque donde Dios gobierna sin interposición de causas secundarias, no ejerce ninguna acción la ley natural. Hacia el centro de la rosa sempiterna, que se dilata, se eleva gradualmente y exhala un perfume de alabanzas al Sol que allí produce una eterna primavera, me atrajo Beatriz como el que calla al mismo tiempo que quiere hablar, y dijo:

—¡Mira cuán grande es la reunión de blancas estolas! ¡Mira qué gran circuito tiene nuestra ciudad! ¡Mira nuestros escaños tan llenos, que ya son pocos los llamados a ocuparlos! En aquel gran asiento donde tienes los ojos fijos a causa de la corona que está colocada sobre él, antes que tú cenes en estas bodas se sentará el alma del gran Enrique, que será augusta en la Tierra,[4] el cual irá a reformar la Italia antes que se halle preparada para ello. La ciega codicia que os enferma, os ha hecho semejantes al niño que muere de hambre y rechaza a su nodriza. Entonces será prefecto en el foro divino un hombre,[5] que abierta y ocultamente no irá por el mismo camino que aquél; pero poco tiempo le tolerará Dios en su santo cargo; porque será arrojado donde está Simón Mago por sus merecimientos, y hará que el de Anagni[6] se hunda más.

[4] El emperador Enrique VII, en quien Dante había puesto todas sus esperanzas de hombre, de patriota y de cristiano. Elegido emperador en 1308, bajó a Italia para poner las cosas en orden; fue en vano porque la hostilidad de los güelfos y principalmente la del Papa y de Florencia hicieron fracasar sus buenos propósitos. Murió en 1313.
[5] Clemente V que procederá con doblez con Enrique VII: aparentemente le favorecerá y en lo oculto estará en su contra.
[6] El papa Bonifacio VIII. (Véase el Infierno, canto XIX.)

CANTO TRIGESIMOPRIMERO

EN FORMA, pues, de blanca rosa se ofrecía a mi vista la milicia santa que Cristo con su sangre hizo su esposa; pero la otra,[1] que volando ve y canta la gloria de aquél que la enamora y la bondad que tan excelsa la ha hecho, como un enjambre de abejas, que ora se posa sobre las flores, ora vuelve al sitio donde su trabajo se convierte en dulce miel, descendía a la gran flor que se adorna de tantas hojas, y desde allí se lanzaba de nuevo hacia el punto donde siempre permanece su Amor. Todas estas almas tenían el rostro de llama viva, las alas de oro, y lo restante de tal blancura, que no hay nieve que pueda comparársele. Cuando descendían por la flor de grada en grada, comunicaban a las otras almas la paz y el ardor que ellas adquirían volando; y por más que aquella familia alada se interpusiera entre lo alto y la flor, no impedía la vista ni el esplendor, porque la luz divina penetra en el universo según que éste es digno de ello, de manera que nada puede servirle de obstáculo.

Este reino tranquilo y gozoso, poblado de gente antigua y moderna, tenía todo él la vista y el amor dirigidos hacia un solo punto.[2] ¡Oh trina luz,[3] que centelleando en una sola estrella, regocijas de tal modo la vista de esos espíritus!, mira cuál es aquí abajo nuestra tormenta. Si los bárbaros, procedentes de la región que cubre Hélice diariamente girando con su hijo a quien mira con amor,[4] se quedaban estupefactos al ver a Roma y sus magníficos monumentos, cuando Letrán[5] superaba a todas las obras salidas de manos de los hombres, yo, que acababa de pasar de lo humano a lo divino, del tiempo limitado a lo eterno, y de Florencia a un pueblo justo y santo,[6] ¿de qué estupor no estaría lleno? En verdad que, entregado a tal estupor y a mi gozo, me complacía el no oír ni decir nada. Y como el peregrino que se recrea contemplando el templo que había hecho voto de visitar, y espera, al volver a su país, referir cómo estaba construido, así yo, contemplando la viva luz, paseaba mis miradas por todas las gradas, ya hacia arriba, ya hacia abajo, ya en derredor, y veía rostros que excitaban a la caridad, embellecidos por otras luces y por su sonrisa, y en actitudes adornadas de toda clase de gracia. Mi vista había abarcado por completo la forma general del Paraíso, pero no se había fijado en parte alguna: entonces, poseído de un nuevo deseo, me volví hacia mi Dama para preguntarle sobre algunos puntos que tenían en suspenso mi mente; pero cuando esperaba una cosa, me sucedió otra: creía ver a Beatriz, y vi un anciano[7] vestido como la familia gloriosa. En sus ojos y en sus mejillas estaba esparcida una benig-

---

[1] La primera milicia es la de los santos, la otra la de los ángeles.
[2] Hacia Dios.
[3] La Santísima Trinidad.
[4] Del Norte, sobre el cual gira constantemente la Osa Mayor; en esa constelación fue por venganza de Juno, cambiada Hélice, ninfa a quien Júpiter amaba, al paso que su hijo Arturo fue convertido en osezno y hoy es la Osa Menor. Las dos Osas están siempre sobre el horizonte.
[5] El palacio de Letrán, sede de los emperadores y más tarde de los pontífices, está aquí por Roma.
[6] De la Florencia corrompida al reino de los elegidos.
[7] Beatriz ha cumplido ya su misión, y desaparece del lado de Dante, sustituyéndola San Bernardo, símbolo de la contemplación y del amor a María, de quien impetra luego que alcance para el Poeta la gracia de ver a Dios; tal vez porque para esto no basta la ciencia teológica, y se necesita de la Gracia.

na alegría, y su aspecto era tan dulce como el de un tierno padre.

—Y ella ¿dónde está? —dije al momento.

A lo cual contestó él:

—Beatriz me ha enviado desde mi asiento para poner fin a tu deseo; y si miras el tercer círculo [8] a partir de la grada superior, la verás ocupar el trono en que la han colocado sus méritos.

Sin responder levanté los ojos, y la vi formándose una corona de los eternos rayos que de sí reflejaba. El ojo del que estuviese en lo profundo del mar no distaría tanto de la región, más elevada donde truena, como distaban de Beatriz los míos; pero nada importaba, porque su imagen descendía hasta mí sin interposición de otro cuerpo.

—¡Oh mujer, en quien vive mi esperanza, y que consentiste, por mi salvación, en dejar tus huellas en el Infierno! Si he visto tantas cosas, a tu bondad y a tu poder debo esta gracia y la fuerza que me ha sido necesaria. Tú, desde la esclavitud, me has conducido a la libertad por todas las vías y por todos los medios que para hacerlo han estado a tu alcance. Consérvame tus magníficos dones, a fin de que mi alma, que sanaste, se separe de su cuerpo siendo agradable a tus ojos.

Así oré; y aquella que tan lejana parecía, se sonrió y me miró, volviéndose después hacia la eterna fuente. [9] El santo Anciano me dijo:

—A fin de que lleves a feliz término tu viaje, para lo cual me han movido el ruego y el amor santo, [10] vuela con los ojos por este jardín; pues mirándolo se avivará más tu vista para subir hasta el rayo divino. Y la Reina del Cielo, por quien ardo enteramente en amor, nos concederá todas las gracias, porque yo soy su fiel Bernardo. [11]

Como aquel que acaso viene de Croacia para ver nuestra Verónica, [12] y no se cansa de contemplarla a causa de su antigua fama, antes bien dice para sí mientras se la enseñan: "Señor mío Jesucristo, Dios verdadero, ¿era tal vuestro rostro?," lo mismo estaba yo mirando la viva caridad de aquél, que entregado a la contemplación, gustó en el mundo las delicias de que ahora goza.

—Hijo de la gracia —empezó a decirme—, no podrás conocer esta existencia dichosa, mientras fijes los ojos solamente aquí abajo. Ve mirando los círculos hasta el más remoto, a fin de que veas el trono de la Reina a quien está sometido y consagrado este reino.

Levanté los ojos; y así como por la mañana la parte oriental del horizonte excede en claridad a aquella por donde el Sol se pone, del mismo modo, y dirigiendo la vista como el que va del fondo de un valle a la cumbre de un monte, ví en el más elevado círculo una parte del mismo que sobrepujaba en claridad a todas las otras; y así como allí donde se espera el carro que tan mal guió Faetón, [13] más se inflama el cielo y fue-

---

[8] En el primer círculo está María, en el segundo Eva, en el tercero Raquel y, cerca de ella y no por azar, Beatriz. En su *Vita Nova*, XXIX, ha aducido Dante alguna razón por la que el número nueve jugó un papel tan decisivo en la vida y en la muerte de Beatriz, para después concluir: "Pero pensando con más sutileza y según la infalible verdad el tal número fue ella misma. Hablando por similitud lo entiendo así: el número tres es raíz del nueve porque, sin ningún otro número, por sí mismo hace nueve, pues que claramente vemos, que tres por tres son nueve. Por tanto, si el tres es por sí mismo factor del nueve y el factor de todo milagro por sí mismo es tres, es decir Padre, Hijo y Espíritu Santo, los cuales son tres y uno, esta Dama vivió acompañada del número nueve para dar a entender que ella era un nueve, esto es, un milagro cuya raíz, es decir, la de del milagro, es solamente la admirable Trinidad".

[9] Dios, eterna fuente de bien.

[10] La plegaria y el amor santo de Beatriz.

[11] San Bernardo de Claraval (1091-1153), *"Doctor Mellifluus"*, fundador de la Orden del Císter. Promotor de la Segunda Cruzada, adversario decidido de Abelardo, consejero de obispos, príncipes y papas, escritor fecundo y elegante, San Bernardo fue un místico destacado, que se distinguió sobremanera por su acendrada devoción a Nuestra Señora.

[12] Llámase así el lienzo, que se conserva en la basílica de San Pedro en Roma, con el cual Cristo se enjugó la sangre del rostro cuando iba camino del Calvario y en el que dejó milagrosamente impresa su propia imagen. Croacia está aquí por cualquier país lejano en general.

[13] El carro del Sol.

ra de aquel punto va perdiendo la
luz·su viveza, de igual suerte aquella pacífica oriflama [14] brillaba más
en su centro, disminuyéndose gradualmente el resplandor en todas las
demás partes. En aquel centro vi
más de mil ángeles que la festejaban
con las alas desplegadas, diferente
cada cual en su esplendor y en su

actitud. Ante sus juegos y sus cantos vi sonreír una beldad, que infundía el contento en los ojos de los demás santos. Aun cuando tuviera tantos recursos para decir como para
imaginar, no me atrevería a expresar
la mínima parte de sus delicias.

Cuando Bernardo vio mis ojos
atentos y fijos en el objeto de su ferviente [15] amor, volvió los suyos hacia
él con tanto afecto, que infundió en
los míos más ardor para contemplarlo.

[14] La oriflama o estandarte púrpura con
llamas de oro de la abadía de San Dionisio,
que como pendón guerrero, usaban los antiguos reyes de Francia. Dante designa aquí
con este nombre la parte alta, especialmente
luminosa, del anfiteatro celeste, en medio de
la cual tiene su asiento María. Puntualiza:
oriflama pacífica por su diferencia con la
francesa que sólo se desplegaba en la guerra.

[15] María, objeto de su ardiente y amorosa
contemplación.

CANTO TRIGESIMOSEGUNDO

ATENTO a su dicha, aquel contemplador asumió espontáneamente en sí el cargo de maestro y empezó por estas santas palabras:

—La herida que María restañó y curó fue abierta y enconada por aquella mujer tan hermosa que está a sus pies.[1] Debajo de ésta,[2] en el orden que forman los terceros puestos, se sientan, como ves, Raquel y Beatriz. Sara, Rebeca, Judith, y la bisabuela del Cantor que en medio del dolor producido por su falta dijo "Miserere mei",[3] puedes verlas sucederse de grado en grado, descendiendo, a medida que en la rosa te las voy nombrando de hoja en hoja. Y desde la séptima grada para abajo, como desde la más alta a la misma grada, se suceden las Hebreas, dividiendo todas las hojas de la flor; porque aquéllas son como un recto muro, que comparte los sagrados escalones, según como se fijó en Cristo la mirada de la fe. En esa parte, en que la flor está provista de todas sus hojas, se sientan los que creyeron en la venida de Jesucristo; y en la otra, en que los semicírculos se ven interrumpidos por algunos huecos, se sientan los que creyeron en Él después de haber venido; y así como en esa parte el glorioso trono de la Señora del cielo y los otros escaños inferiores forman tan gran separación, así en la opuesta está el trono del gran Juan que, siempre santo, sufrió la soledad y el martirio, y el -Infierno después durante dos años;[4] y así también debajo de él, formando a propósito igual separación, está el de Francisco; bajo éste el de Benito, bajo Benito, Agustín y otros varios, descendiendo de igual modo hasta aquí de círculo en círculo. Admira, pues, la elevada Providencia divina; porque uno y otro aspecto de la Fe llenarán por igual este jardín.[5] Y sabe que desde la grada que corta por mitad ambas filas hasta abajo, nadie se sienta por su propio mérito, sino por el que contrajo otro, y con ciertas condiciones; porque todos ellos son espíritus desprendidos de la Tierra antes que estuviesen dotados de criterio para elegir la verdad.[6] Fácil te será cercio-

[1] Aquella mujer tan hermosa que está a sus pies es Eva criatura perfecta como formada por Dios mismo. Abrió la herida desobedeciendo el precepto divino seducida por la serpiente y la enconó arrastrando a Adán a la desobediencia y arruinando así al género humano. Transgredir el precepto de Dios y seducir a Adán fueron dos actos distintos.

[2] A los pies de María se sienta Eva y debajo, formando fila y descendiendo de peldaño en peldaño siguen Raquel, Sara, Rebeca, Rut y otras mujeres judías que forman una línea divisoria, entre los santos del Antiguo y del Nuevo Testamento. La mitad del anfiteatro destinada a los primeros tiene sus asientos ya todos ocupados, la otra mitad asignada a los segundos presenta algunos huecos que irán siendo llenados poco a poco hasta que se complete también el número de los elegidos del Nuevo Testamento.

[3] Raquel es la segunda mujer de Jacob, Sara, la esposa de Abraham, es la progenitora de los hebreos creyentes en el Cristo venidero, Rebeca casó con Isaac el hijo de Abraham y Judit es la que con la muerte de Holofernes liberó a los judíos. Rut es la-bisabuela de David, autor del Salterio: de Rut nació Obed, de éste Jesé y de Jesé David, que lloró su falta —su adulterio con Betsabé y el asesinato de Urías, su marido— en el salmo 50, que comienza: "Miserere mei, Deus." Beatriz se sienta al lado de Raquel porque ésta simboliza la vida contemplativa a la que conduce la Teología, representada por Beatriz.

[4] San Juan Bautista. Desde que decapitaron al Bautista hasta la muerte de Jesús pasaron cerca de dos años; es el tiempo que hubo de permanecer en el Limbo.

[5] La opinión de que el número de los que creyeron en Cristo después de su venida al mundo ha de ser igual al de los que creyeron en El antes de su Encarnación —o sea que los santos del Nuevo Testamento igualarán en número a los del Antiguo— es una opinión personal del poeta sin fundamento alguno teológico.

[6] Los dos hemiciclos de la Rosa se dividen, pues, a su vez en dos partes: la superior para los adultos y la inferior para los niños que murieron antes de poder elegir entre el bien y el mal.

17

rarte de ello por sus rostros y también por sus voces infantiles, si los miras y los escuchas bien. Ahora dudas,[7] y dudando guardas silencio; pero yo soltaré las fuertes ligaduras con que te estrechan tus sutiles pensamientos. En toda la extensión de este reino no puede tener cabida un asiento dado por casualidad, como tampoco caben la tristeza, la sed, ni el hambre; pues todo cuanto ves se halla establecido por eterna ley, de modo que aquí cada cosa viene justa como anillo al dedo. Por lo tanto, estas almas apresuradas a la verdadera vida no son aquí "sine causa" más o menos excelentes entre sí. El Rey por quien este reino reposa en tanto amor y deleite, que ninguna voluntad se atreve a desear más, creando todas las almas bajo su dichoso aspecto, las dota según quiere de más o menos gracia:[8] en cuanto a esto baste conocer el efecto; lo cual demuestra expresa y claramente por la Sagrada Escritura en aquellos gemelos a quienes agitó la ira en el vientre de su madre.[9] Por lo tanto, es preciso que la altísima luz corone de su gloria a los espíritus según sea el color de los cabellos de tal gracia.[10] Así pues, sin consideración al mérito de sus obras, se hallan ésos colocados en diferentes grados, distinguiéndose tan sólo por su penetración primitiva. En los primeros siglos bastaba ciertamente para salvarse tener, junto con la inocencia, la fe de los padres. Transcurridas las primeras edades, fue menester que los varones todavía inocentes adquiriesen la virtud por medio de la circuncisión; pero cuando llegó el tiempo de la Gracia, toda aquella inocencia debió permanecer

en el Limbo, si no había recibido el perfecto bautismo de Cristo,[11] Contempla ahora la faz que más se asemeja a la de Cristo,[12] pues sólo su resplandor podrá disponerte a ver a Cristo.

Vi llover sobre ella tanta alegría, llevada por los santos espíritus, creados para volar por aquella altura, que todo cuanto antes había visto no me había causado tal admiración, ni me había mostrado mayor semejanza con Dios. Y aquel amor [13] que fue el primero en descender cantando "Ave, María, gratia plena", extendió sus alas delante de ella. A tan divina cantinela respondió por todas partes la corte bienaventurada, de tal modo que cada espíritu pareció más radiante.

—¡Oh Santo Padre, que por mí te dignas estar aquí abajo, dejando el dulce sitio donde te sientas por toda una eternidad! ¿Qué ángel es ese, que con tanto gozo mira los ojos de nuestra Reina, y tan enamorado está que parece de fuego?

Con estas palabras recurrí nuevamente a la enseñanza de aquel que se embellecía con las bellezas de María, como a los rayos del Sol se embellece la estrella matutina. Y él me respondió:

—Toda la confianza y la gracia que pueden caber en un ángel y en un alma, se encuentran en él, y así queremos que sea; porque es el que llevó la palma a María,[14] cuando el Hijo de Dios quiso cargar con nuestro peso.[15] Pero sigue ahora con la vista según yo vaya hablando, y fija la atención en los grandes patricios [16] de este imperio justísimo y piadoso. Aquellos dos que ves sentados allá arriba, más felices por es-

---

[7] Si los niños se salvaron sin merecimientos propios ¿por qué están colocados en diversos grados? ¿Por qué tienen diferente gloria?

[8] Es el inexcrutable misterio de la predestinación.

[9] Esaú y Jacob, el primero de los cuales ya desde el vientre de su madre fue predestinado a servir al otro.

[10] Según la variedad, según el mayor o menor grado de la gracia divina; alude al color del pelo de los dos gemelos: según el relato bíblico Esaú lo tenía rojo y Jacob, negro.

[11] La circuncisión era como un bautismo imperfecto.

[12] La de María, su madre.

[13] El arcángel San Gabriel.

[14] Suponiendo que todas las mujeres hebreas deseaban ser la madre del Mesías esperado, San Gabriel llevó la palma a María, declarándola además "bendita entre todas las mujeres". El arcángel de la Anunciación ha sido pintado muchas veces con una palma en la mano.

[15] Con el cuerpo humano.

[16] Son llamados patricios al modo romano antiguo.

tar sumamente próximos a la Augusta [17] Señora, son casi dos raíces de esta rosa. [18] El que está a la izquierda es el padre, cuyo atrevido paladar fue causa de que la especie humana probara tanta amargura. [19] Contempla a la derecha al anciano padre de la santa Iglesia, a quien Cristo confió las llaves de esta encantadora flor: [20] a su lado se sienta aquel que vio, antes de morir, todos los tiempos calamitosos que debía atravesar la bella esposa que fue conquistada con la lanza y los clavos; [21] y próximo al otro, aquel Jefe bajo cuyas órdenes vivió de maná la nación ingrata, voluble y obstinada. [22] Mira sentada a Ana frente a Pedro, contemplando a su hija con tal arrobamiento, que ni aun al cantar "Hosanna" separa de ella los ojos: y frente al mayor Padre de familia [23] se sienta Lucía, que envió a tu Dama en tu socorro, cuando cerraste los párpados al borde del abismo. [24] Mas, puesto que huye el tiempo que te adormece, haremos punto aquí, como un buen sastre, que según el paño con que cuenta, así hace el traje y elevaremos los ojos hacia el primer Amor, de modo que, mirándole, penetres en su fulgor cuanto te sea posible. Sin embargo, a fin de que al mover tus alas no retrocedas acaso creyendo adelantar, es preciso pedir con ruegos la gracia que necesitas, e impetrarla de aquella que puede ayudarte: sígueme, pues, con el afecto, de modo que tu corazón acompañe a mis palabras.

Y comenzó a decir esta santa oración: [25]

[17] María, a quien Dante llama muchas veces "Reina" del cielo, es aquí, donde al cielo se le dice Imperio, denominada "Augusta", es decir "emperadora".

[18] Adán, el primero de los creyentes en el Mesías venidero, y San Pedro, el primero de los creyentes en Cristo hecho hombre; toda la Rosa está formado por creyentes.

[19] Adán, cabeza del Antiguo Testamento.

[20] San Pedro, cabeza del Nuevo Testamento.

[21] San Juan Evangelista.

[22] Moisés, que está cerca de Adán.

[23] Frente a Adán, padre de toda la familia humana.

[24] Santa Lucía, la mártir de Siracusa, hacia quien Dante sentía particular veneración, ya que le había curado los ojos y devuelto la salud.

[25] La hermosa plegaria que ocupa los primeros 39 versos del último Canto del Poema y que no es, en suma, más que una paráfrasis del célebre "Memorare", atribuido a San Bernardo.

CANTO TRIGESIMOTERCERO

VIRGEN madre, hija de tu hijo,[1] la más humilde al par que la más alta de todas las criaturas, término fijo de la voluntad eterna,[2] tú eres la que has ennoblecido de tal suerte la humana naturaleza, que su Hacedor no se desdeñó de convertirse en su propia obra.[3] En tu seno se inflamó el amor cuyo calor ha hecho germinar esta flor en la paz eterna. Eres aquí para nosotros meridiano Sol de caridad, y abajo para los mortales vivo manantial de esperanza. Eres tan grande, señora, y tanto vales, que todo el que desea alcanzar alguna gracia y no recurre a ti, quiere que su deseo vuele sin alas. Tu benignidad no sólo socorre al que te implora, sino que muchas veces se anticipa espontáneamente a la súplica. En ti se reúnen la misericordia, la piedad, la magnificencia, y todo cuanto bueno existe en la criatura. éste, pues, que desde la más profunda laguna del universo hasta aquí ha visto una a una todas las existencias espirituales, te suplica le concedas la gracia de adquirir tal virtud, que pueda elevarse con los ojos hasta la salud suprema. Y yo, que nunca he deseado ver más de lo que deseo que él vea, te dirijo todos mis ruegos, y te suplico que no sean vanos, a fin de que disipes con los tuyos todas las nieblas procedentes de su condición mortal, de suerte que pueda contemplar abiertamente el sumo placer. Te ruego además, ¡oh Reina, que puedes cuanto quieres!, que conserves puros sus afectos después de tanto ver; que tu custodia triunfe de los impulsos de las pasiones humanas: mira a Beatriz cómo junta sus manos con todos los bienaventurados para unir sus plegarias a las mías."

Los ojos que Dios ama y venera,[4] fijos en el que por mí oraba, me demostraron cuán gratos le son los devotos ruegos. Después se elevaron hacia la Luz eterna en la cual no es creíble que la mirada de criatura alguna pueda fijarse tan abiertamente. Y yo, que me acercaba al fin de todo anhelo, puse término en mí, como debía, al ardor del deseo. Bernardo sonriéndose me indicaba que mirase hacia arriba; pero yo había hecho ya por mí mismo lo que él quería: porque mi vista, adquiriendo más y más pureza y claridad, penetraba gradualmente en la alta luz que tiene en sí misma la verdad de su existencia. Desde aquel instante, lo que vi excede a todo humano lenguaje, que es impotente para expresar tal visión, y la memoria se rinde a tanta grandeza. Como el que ve soñando, y después del sueño conserva impresa la sensación que ha recibido, sin que le quede otra cosa en la mente, así estoy yo ahora; pues casi ha cesado del todo mi visión, y aun destila en mi pecho la dulzura que nació de ella. Del mismo modo ante el Sol pierde su forma la nieve, y así también se dispersaban al viento en las ligeras hojas las sentencias de la Sibila.

¡Oh luz suprema que te elevas tanto sobre los pensamientos de los mortales! Presta a mi mente algo de

[1] Este primer verso descubre la privilegiada condición de María: virgen y Madre al mismo tiempo, hija de Dios y madre suya.

[2] Un decreto eterno de Dios había determinado que el género humano sería redimido por el Verbo encarnado en María.

[3] El Hacedor de la humana naturaleza es el Verbo, según *San Juan* I, 3: *per ipsum* (Verbum) *omnia facta sunt;* y ese Verbo no se desdeñó de convertirse en obra de la humana naturaleza cuando se hizo carne en el seno de la Virgen.

[4] Los ojos de la Virgen María.

lo que parecías, y haz que mi lengua sea tan potente, que pueda dejar a lo menos un destello de tu gloria a las generaciones venideras; pues si se muestra algún tanto a mi memoria y resuena lo mínimo en mis versos, se podrá concebir más tu victoria.

Por la intensidad del vivo rayo que soporté sin cegar, creo que me habría perdido, si hubiera separado de él mis ojos; y recuerdo que por esto fui tan osado para sostenerlo, que uní mi mirada con el Poder infinito. ¡Oh gracia abundante, por la cual tuve atrevimiento para fijar mis ojos en la Luz eterna hasta tanto que consumí toda mi fuerza visiva! En su profundidad vi que se contiene ligado con vínculos de amor en un volumen todo cuanto hay esparcido por el universo: substancias, accidentes y sus cualidades, unido todo de tal manera, que cuanto digo no es más que una pálida luz. Creo que vi la forma universal de este nudo, porque, recordando estas cosas, me siento poseído de mayor alegría. Un solo punto me causa mayor olvido, que el que han causado veinticinco siglos transcurridos desde la empresa que hizo a Neptuno admirarse de la sombra de Argos.[5] Así es que mi mente en suspenso miraba fija, inmóvil y atenta, y continuaba mirando con ardor creciente. El efecto de esta luz es tal, que no es posible consentir jamás en separarse de ella para contemplar otra cosa; porque el bien, que es objeto de la voluntad, se encierra todo en ella, y fuera de ella es defectuoso lo que allí perfecto. Desde este punto, a causa de lo poco que recuerdo, mis palabras serán más breves que las de un niño cuya lengua se baña todavía en la leche materna. No porque hubiese más de un simple aspecto en la viva luz que yo miraba, pues siempre es tal como antes era, sino porque mi vista se

avaloraba contemplándola, su apariencia única se me representaba en otra forma según iba alternándose mi aptitud visiva. En la profunda y clara subsistencia [6] de la alta luz se me aparecieron tres círculos de tres colores y de una sola dimensión:[7] el uno parecía reflejado por otro como Iris por Iris, y el tercero parecía un fuego procedente de ambos por igual.[8] ¡Ah!, ¡cuán escasa y débil es la lengua para decir mi concepto! Y éste lo es tanto, comparado a lo que vi, que la palabra "poco" no basta para expresar su pequeñez.

¡Oh Luz eterna, que en ti solamente resides, que sola te comprendes, y que siendo por ti a la vez inteligente y entendida, te amas y te complaces en ti misma![9] Aquel de tus círculos, que parecía proceder de ti como el rayo reflejado procede del rayo directo, cuando mis ojos lo contemplaron en torno, parecióme que dentro de sí con su propio color representaba nuestra efigie,[10] por lo cual mi vista estaba fija atentamente en él. Como el geómetra que se dedica con todo empeño a medir el círculo,[11] y por más que piensa no encuentra el principio que necesita,[12] lo mismo estaba yo ante aquella nueva imagen. Yo quería ver cómo correspondía la efigie al círculo, y cómo a él estaba unida;[13] pero no alcanzaban a tanto mis propias

[5] El haber perdido aquella visión, aunque no durase más que un instante, produce en mí un olvido mayor que el que un espacio de veinticinco siglos lo ha producido en la empresa de los Argonautas. El dios del mar, Neptuno, se llenó de estupor cuando vio la sombra de Argos, la primera que se proyectaba en la superficie del mar.

[6] Llámase subsistencia, en la terminología escolástica, aquello que existe por sí mismo y no en otra cosa, es decir, el propio Dios.
[7] Las tres personas de la Santísima Trinidad.
[8] El arco-iris está siempre acompañado de un segundo arco concéntrico y semejante al primero. El primer círculo es el Padre, el segundo, el Hijo, y el tercero, un fuego procedente igualmente del Padre y del Hijo, es el Espíritu Santo.
[9] Tenemos en estos tres versos una perífrasis, una especie de definición de Dios uno y Trino.
[10] El segundo de los círculos antedichos reflejaba misteriosamente la imagen humana de Cristo.
[11] Es el problema de la cuadratura del círculo, cuya insolubilidad no había sido científicamente demostrada hasta nuestros tiempos.
[12] La relación exacta entre el diámetro y la circunferencia.
[13] Cómo la efigie humana se une al círculo y qué manera encuentra allí su lugar, esto es, cómo pueden formar un todo en Cristo, la naturaleza humana, finita, y la divina, infinita.

alas,[11] si no hubiera sido iluminada mi mente por un resplandor,[15] merced al cual fue satisfecho su deseo.

[14] Mis fuerzas intelectuales no bastaban a comprender tal misterio.
[15] Una ilustración repentina, don divino.

Aquí faltó la fuerza a mi elevada fantasía; pero ya eran movidos mi deseo y mi voluntad, como rueda cuyas partes giran todas igualmente, por el Amor que mueve el Sol y las demás estrellas.

FIN DE
"LA DIVINA COMEDIA"

LA VIDA NUEVA

LA VIDA NUEVA

I

En aquella parte del libro de mi memoria, antes de la cual poco podía leerse, hay un epígrafe que dice *Incipit vita nova.*[1] Bajo este epígrafe se hallan escritas las palabras que es mi propósito reunir en esta obrilla, ya que no en su integridad, al menos sustancialmente.

II

Luego de mi nacimiento, el luminoso cielo había vuelto ya nueve veces al mismo punto, en virtud de su movimiento giratorio, cuando apareció por vez primera ante mis ojos la gloriosa dama de mis pensamientos, a quien muchos llamaban Beatriz, en la ignorancia de cuál era su nombre. Había transcurrido de su vida el tiempo que tarda el estrellado cielo en recorrer hacia Oriente la duodécima parte de su grado y, por tanto, aparecióseme ella casi empezando su noveno año y yo la vi casi acabando mis nueve años. Llevaba indumento de nobilísimo, sencillo y recatado color bermejo, e iba ceñida y adornada de la guisa que cumplía a sus juveniles años. Y digo en verdad que a la sazón el espíritu vital, que en lo recóndito del corazón tiene su morada, comenzó a latir con tanta fuerza, que se mostraba horriblemente en las menores pulsaciones. Temblando, dije estas palabras: *Ecce deus fortior me, veniens dominabitur mihi.*[2]

En aquel punto, el espíritu animal, que mora en la elevada cámara adonde todos los espíritus sensitivos del hombre llevan sus percepciones, empezó a maravillarse en gran manera, y dirigiéndose especialmente a los espíritus de la vista, dijo estas palabras: *Apparuit jam beatitudo vestra.*[3] Y a su vez el espíritu natural, que reside donde se elabora nuestro alimento, comenzó a llorar, y, llorando, dijo estas palabras: *Heu miser! quia frequenter impeditus ero deinceps!*[4]

Y a la verdad que desde entonces enseñoreóse Amor de mi alma, que a él se unió incontinente, y comenzó a tener sobre mí tanto ascendiente y tal dominio, por la fuerza que le daría mi misma imaginación, que vime obligado a cumplir cuanto se le antojaba. Mandábame a menudo que procurase ver a aquella criatura angelical. Yo, pueril, andábame a buscarla y la veía con aparecer tan digno y tan noble que ciertamente podíansele aplicar aquellas palabras del poeta Homero: «No parecía hija de hombre mortal, sino de un dios.»

Y aunque su imagen, que continuamente me acompaña, se enseñorease de mí por voluntad de Amor, tenía tan nobilísima virtud, que nunca consintió que Amor me gobernase sin el consejo de la razón en aquellas cosas en que sea útil oír el citado consejo.

Pero como a alguno le parecerá ocasionado a fábulas hablar de pasiones y hechos en tan extremada juventud, me partiré de ello, y, pasando en silencio muchas cosas que pudiera extraer de donde nacen éstas, hablaré de lo que en mi memoria se halla escrito con caracteres más grandes.

[1] Comienza la vida nueva.
[2] He aquí un Dios más fuerte que yo, que viene a dominarme.

[3] Ya apareció vuestra felicidad.
[4] ¡Ay de mí, que de hoy más seré frecuentemente atormentado!

III

Transcurridos bastantes días para que se cumplieran nueve años tras la supradicha aparición de la gentilísima criatura, aconteció que la admirable mujer aparecióseme vestida con blanquísimo indumento, entre dos gentiles mujeres de mucha mayor edad. Y, al entrar en una calle, volvió los ojos hacia donde yo, temeroso, me encontraba, y con indecible amabilidad, que ya habrá recompensado el Cielo, me saludó tan expresivamente, que entonces creíame transportado a los últimos linderos de la felicidad.

La hora en que me llegó su dulcísimo saludo fue precisamente la nona de aquel día, y como se trataba de la primera vez en que sonaban sus palabras para llegar a mis oídos, embargóme tan dulce emoción, que apartéme, como embriagado, de las gentes, apelé a la soledad de mi estancia y púseme a pensar en aquella muy galana mujer.

Pensando en ella se apoderó de mí un suave sueño, en el que me sobrevino una visión maravillosa, pues parecíame ver en mi estancia una nubecilla de color de fuego, en cuyo interior percibía la figura de un varón que infundía terror a quien lo mirase, aunque mostrábase tan risueño, que era cosa extraña. Entre otras muchas palabras que no pude entender, díjome éstas, que entendí: *Ego dominum tuus.*[5] Entre sus brazos parecíame ver una persona dormida, casi desnuda, sólo cubierta por un rojizo cendal, y, mirando más atentamente, advertí que era la mujer que constituía mi bien, la que el día antes se había dignado saludarme. Y parecióme que el varón en una de sus manos, sostenía algo que intensamente ardía, así como que pronunciaba estas palabras: *Vide cor tuum.*[6] Al cabo de cierto tiempo me pareció que despertaba la durmiente y, no sin esfuerzo de ingenio, hacíale comer lo que en la mano ardía, cosa

5 Soy tu dueño.
6 Mira tu corazón.

que ella se comía con escrúpulo. A no tardar, la alegría del extraño personaje se trocaba en muy amargo llanto. Y así, llorando, sujetaba más á la mujer entre sus brazos, y diríase que se remontaba hacia el cielo. Tan gran angustia me aquejó por ello, que no pude mantener mi frágil sueño, el cual se interrumpió, quedando yo desvelado.

Y a la sazón, dándome a pensar, noté que la hora en que se me presentó la visión era la cuarta de la noche y, por ende, la primera de las nueve últimas horas de la noche. Y, meditando sobre la aparición, decidí comunicarlo a muchos renombrados trovadores de entonces. Comoquiera que yo me hubiese ejercitado en el arte de rimar, acordé componer un soneto, en el cual, tras saludar a todos los devotos de Amor, rogaríales que juzgasen mi visión, que yo les habría descrito.

Y seguidamente puse mano a este soneto, que comienza: «Almas y corazones con dolor.»

Almas y corazones con dolor,
a quienes llega mi decir presente
(y cada cual responda lo que siente),
salud en su señor, que es el Amor.

Las estrellas tenían resplandor
el más adamantino y más potente
cuando adivino el Amor súbitamente
en forma tal que me llenó de horror.

Parecíame alegre Amor llevando
mi corazón y el cuerpo de mi amada
cubierto con un lienzo y dormitando

La despertó mi corazón, sangrando,
dio como nutrición a mi adorada.
Después le vi marcharse sollozando.

Este soneto se divide en dos partes. En la primera aludo y pido respuesta; en la segunda, indico a qué debe contestarse. La segunda parte empieza en «Las estrellas».

A este soneto respondieron, con diversas sentencias, muchos, entre los cuales figuraba aquel a quien yo llamo el primero de mis amigos.[7] Es-

7 Guido de Cavalcanti.

cribió entonces un soneto que empieza así: «Viste a mi parecer todo valor.» Y puede decirse que éste fue el principio de nuestra amistad, al saber él que era yo quien le había hecho el envío. Por cierto que el verdadero sentido del sueño mencionado no fue percibido entonces por nadie, aunque ahora es clarísimo hasta para los más ignorantes.

IV

A partir de aquella visión, comenzó mi espíritu natural a verse perturbado en su desenvolvimiento, pues mi alma hallábase entregada por completo a pensar en aquella gentilísima mujer. Así es que en breve tiempo tornéme de tan flaca y débil condición, que muchos amigos se apesaraban con mi aspecto y otros muchos se esforzaban en saber de mí lo que yo quería a toda costa ocultar a los demás. Y yo, apercibido para sus maliciosas interrogaciones, gracias a la protección de Amor, que me gobernaba según el consejo de la razón, respondíales que Amor era quien me había reducido a semejante estado. Mentábales Amor porque mi rostro lo denotaba de tal guisa, que fuera imposible encubrirlo. Y cuando me preguntaban: «¿Por causa de quien te ha destruido Amor?», mirábalos yo sonriendo y no les contestaba nada.

V

Aconteció un día que la gentilísima mujer hallábase en sitio donde sonaban alabanzas a la Reina de los Cielos y que yo me encontraba en sitio donde podía ver a mi bien. En medio de la recta que nos unía estaba una hermosa dama de agradable continente, la cual me miraba con frecuencia, maravillada de mis miradas, que a ella parecían enderezarse. Fueron muchos los que se percataron, hasta el punto de que, al partirme de allí, oí que a mi vera decían: '«¿Ves cómo esa mujer atormenta a

este hombre?» Y como la nombraran, comprendí que se referían a la que había estado en medio de la recta que, partiendo de la gentilísima Beatriz, terminaba en mis ojos, lo cual me animó en extremo, asegurándome de que mis miradas no habían descubierto mi secreto.

Y a la sazón pensé escudarme con aquella hermosa dama para disimular la verdad. Tan lo conseguí en tiempo escaso, que las más de las personas que de mí hablaban creían saber mi secreto. Con aquella mujer escudéme por espacio de meses y hasta años. Y para fomentar la credulidad ajena, escribí ciertas rimas que no quiero transcribir aquí, aun cuando se referían a la gentilísima Beatriz; las omitiré, pues, a no ser que traslade alguna que más parezca en alabanza de ella.

VI

A tiempo que aquella dama servía para disimular el gran amor mío, sentí vehementes deseos de recordar el nombre de mi gentilísima señora, acompañándolo después de muchos nombres de mujeres más bellas de la ciudad —patria, por voluntad del Altísimo, de la mía—, compuse una epístola en forma de serventesio, que no transcribiré, y que ni tan sólo hubiera mencionado si no fuese para decir lo que, componiéndola, sucedió, por maravilla, o sea que no pude colocar el nombre de mi amada sino en el lugar noveno entre las demás mujeres.

VII

En tanto, he aquí que la mujer que por largo tiempo habíame servido para disimular mi pasión hubo de partirse de la susodicha ciudad y pasar a muy luengos países; por lo cual yo, al quedarme sin la excelente defensa, me desconsolé más de lo que hubiera podido creer al principio. Y pensando que si yo, de algún modo, no manifestaba dolor por su

partida, las gentes hubieran advertido pronto mi fingimiento, decidí exponer mis lamentos en un soneto,
que transcribiré, por cuanto mi amada fue causa inmediata de ciertas
palabras que en tal soneto figuran,
según advertirá quien lo conozca. Escribí, pues, este soneto, que empieza:
«Vosotros que de Amor seguís la
vía.»

Vosotros que de Amor seguís la vía,
mirad si hay lacería
que se compare con mi pena grave.
Escuchad mi clamor, por cortesía
y en vuestra fantasía
ved que soy del penar albergue y clave.

Diome el Amor por grácil hidalguía
—que no por virtud mía—,
una vida tan dulce y tan süave,
que a menudo la gente, nada pía,
detrás de mí decía:
"¿Por qué ese pecho de la dicha sabe?"

Pero he perdido ya el fácil acento
que el Amor me prestó con su tesoro;
y tanto lo deploro
que aun para hablar carezco de
                                    [ardimiento.

Mostraré, pues —cual quienes en
                                    [desdoro
ocultan por vergüenza su tormento—,
por de fuera, contento,
mientras por dentro me destrozo y
                                    [lloro.[8]

Este soneto consta de dos partes
principales. En la primera quiere llamar a los fieles de Amor con aquellas palabras del profeta Jeremías que
dicen: *O vos omnes qui transitis per
viam, attendite et videte si est dolor
sicut meus,*[9] y rogarles que tengan
la bondad de escucharme. En la segunda refiero en qué situación me
ha colocado Amor con otra intención
que no muestran las partes extremas
del soneto, y digo lo que he perdido.
La segunda parte empieza en «Diome el Amor».

8 Como se ve, trátase de un soneto *doppio*
o *rinterzato*.
9 ¡Oh vosotros los caminantes! Deteneos
y ved si hay dolor como el mío.

VIII

Poco después de partirse la hermosa dama plugo al Dios de los ángeles llamar a su gloria a una mujer
joven y de muy bello aspecto que en
la supradicha ciudad[10] era muy esti-
mada. Viendo yo su cuerpo yacente
sin el alma entre otras muchas mujeres que lloraban lastimeramente,
recordé que habíale visto en compañía de mi gentilísima amada, y no
pude contener algunas lágrimas. Así
llorando, decidí dedicar unas palabras a su muerte, en virtud de haberla visto alguna vez con la dama
de mis pensamientos. Algo de ello
apunté en las postreras palabras que
escribí, como verá claramente quien
las lea. Fue entonces cuando compuse estos dos sonetos, el primero de
los cuales comienza diciendo: «Puesto que llora Amor, llorad, amantes»,
y el segundo: «Muerte vil, de piedades enemiga.»

Puesto que llora Amor, llorad, aman-
al escuchar la causa del lamento.   [tes,
También las damas, con piadoso acento,
como el Amor se muestran sollozantes.

En mujer de bellezas relevantes
la muerte vil ha puesto su tormento,
ajando, no el honor, que es macilento,
sino tales bellezas, más brillantes.

Pero hízole el Amor gran reverencia,
pues yo le vi de veras, no apariencia,
gimiendo cabe el hecho tremebundo.

Y a menudo a los cielos se volvía
donde ya para siempre residía
la que no tuvo par en este mundo.

Este soneto se divide en tres partes. En la primera llamo e incito a
los fieles de Amor para que lloren,
les comunico que su señora llora y
les digo la causa de que llore, a fin
de que estén más dispuestos a escucharme; en la segunda refiero dicha
causa, y en la tercera hablo de los
honores que a dicha mujer hizo
Amor. La segunda parte empieza en

10 Obsérvese que el autor no cita nunca
concretamente la ciudad de que se trata.

«También las damas;» la tercera, en
«Pero hízole el Amor.»

Muerte vil, de piedades enemiga,
de pesares amiga,
juicio que se resuelve pavoroso,
ya que heriste mi pecho doloroso,
acude presuroso
y en tu daño mi lengua se fatiga.
Si de merced te quiero hacer mendiga,
conviene que yo diga
tu proceder, que siempre es ominoso;
no permanece a gentes misterioso;
mas no hallaré reposo
hasta que el mundo amante te maldiga.

De la tierra arrancaste con falsía
cuanto a una dama embelleció galana:
su juventud lozana
tronchaste cuando amante florecía.
Su nombre no diré; sólo diría
su virtud y su gracia soberana.
Quien al bien no se afana,
jamás espere haber su compañía.

Este soneto se divide en cuatro
partes. En la primera llamo a la
muerte con algunos de los nombres
más apropiados; en la segunda, dirigiéndome a ella, expreso la causa
que me impele a vituperarla; en la
tercera la vitupero, y en la cuarta me
dirijo a una persona indefinida, aunque para mi entendimiento esté definida. La segunda parte comienza
en «Ya que heriste»; la tercera, en
«Si de merced», y la cuarta, en
«Quien al bien».

IX

Unos días después del fallecimien-
to de aquella dama aconteció que
hube de partirme de la antedicha
ciudad y encaminarme hacia donde
se hallaba la gentil mujer que había
sido mi defensa, si bien el término
de mi andar no estaba tan lejos como ella. Y aun cuando iba yo en nutrida compañía, me disgustaba el andar en tal manera, que los suspiros
no podían desahogar la angustia que
mi corazón sentía a medida que me
alejaba de mi bien.
Entonces, el dulcísimo sueño que
me tiranizaba gracias a mi gentilísima amada se me apareció en la ima-

ginación cual peregrino ligeramente
vestido con groseros harapos. Parecía afligido y miraba al suelo, salvo
cuando, al parecer, dirigía sus ojos
hacia un río de aguas corrientes y
cristalinas que se deslizaba cerca del
camino que yo seguía. Creí que me
llamaba para decirme estas palabras:
«Vengo de ver a la dama que por
tanto tiempo fue tu defensa, y sé que
no volverá; pero traigo conmigo el
corazón que yo te hice dedicarle y
lo llevaré a otra dama que te defien-
da como aquélla te defendía.» Y, como la nombrase, conocíala perfectamente. «Empero —añadió—, si por
ventura refirieses algo de lo que te
he comunicado, hazlo de suerte que
no se entrevea la simulación de amor
que practicaste con aquélla y que te
convendrá practicar con otras.»
Dijo, y desapareció súbitamente
la visión, no sin haber influido gran-
demente sobre mí. Aquel día cabal-
gué con aspecto demudado, muy pensativo y suspirando pródigamente. Al
día siguiente di principio a este soneto que empieza: «Cabalgando anteayer por un camino.»

Cabalgando anteayer por un camino,
rumbo que en modo alguno me placía,
di con Amor en medio de mi vía
con ligero sayal de peregrino.

Por su talante le juzgué mezquino,
cual si hubiera perdido jerarquía;
el trato de la gente rehuía,
entre suspiros, pálido y mohíno.

Mas diciendo mi nombre así me
                                    [hablaba:
"Vengo de lejos, donde se encontraba
tu pobre corazón en ministerio,

que te devuelvo para verte gayo."
Y entonces me ganó turbio desmayo
mientras Amor fundíase en misterio.

Este soneto se divide en tres partes. En la primera refiero cómo encontré a Amor y qué me pareció; en
la segunda refiero lo que me dijo,
aunque no enteramente, por miedo
a descubrir mi secreto; en la tercera
refiero cómo desapareció. La segun-

da parte empieza en «Mas diciendo mi nombre»; la tercera, en «Y entonces me ganó».

X

A mi regreso dediquéme a buscar a la dama que mi dueño habíame indicado en el camino de los suspiros. Para abreviar, diré que en corto tiempo le hice de tal modo mi defensa, que muchos hablaban de ello más de lo prudente, lo cual me apesadumbraba sobre manera. Y por causa de estas lamentables habladurías, que me inflamaban con el vicio, mi discretísima amada, que fue debeladora de todos los vicios y soberana de todas las virtudes, encontrándome al paso, negóme su dulcísimo saludo, en que yo cifraba toda mi felicidad. Por eso, aun cuando me salga de mi actual propósito, quiero dar a entender los benéficos efectos que su saludo obraba en mí.

XI

Cuando la encontraba, dondequiera que fuese, con la esperanza de su magnífico saludo, no sólo me olvidaba de todos mis enemigos, sino que una llama de caridad hacíame perdonar a todo el que me hubiese ofendido. Y si alguien me hubiera preguntado entonces algo, mi respuesta, con humilde apostura, hubiera sido: «Amor.» Cuando ella estaba próxima a saludarme, un espíritu amoroso, destruyendo todos los otros espíritus sensitivos, impulsaba hacia afuera a los apocados espíritus del rostro, diciéndoles: «Salid para honrar a vuestra señora», y se quedaba él en lugar de ellos. Así, quien hubiera querido conocer a Amor, hubiera podido hacerlo mirando la expresión de mis ojos. Y cuando saludaba mi gentilísimo bien, no solamente Amor era incapaz de ensombrecer mi inefable dicha, sino que con semejante dulzura reducíase a tal estado, que mi cuerpo, en un todo sometido a su poder, manifestábase a menudo cual cosa inerte e inanimada. De lo cual

se colige claramente que en su salud estaba mi felicidad, la cual muchas veces sobrepujaba y excedía a mis facultades.

XII

Mas, volviendo a mi propósito, debo decir que, al negarme tal felicidad, fue tanto mi dolor que, partiéndome de la gente, retiréme a solitario paraje donde bañar el suelo con muy amargas lágrimas. Y una vez hubo remitido este llanto, encerréme en mi estancia, donde podía lamentarme sin ser oído. Allí, implorando misericordia a la dama de las cortesías y exclamando: «Ayuda, Amor, a tu siervo», me dormí como un niño entrelloroso luego del castigo.

En medio de mi sueño parecióme ver en mi estancia, y sentado junto a mí, a un joven puesto de blanquísimo indumento, que, muy preocupado al parecer, me contemplaba en el lecho. Y, cuando me hubo mirado algún tiempo, parecióme que me llamaba suspirando para decirme estas palabras: *Fili mihi, tempus est ut proetermitantur simulacra nostra.*[11] Y entonces me pareció conocerle, pues llamábame cual muchas veces me había llamado ya en mis sueños. Mirándole, parecióme asimismo que lloraba lastimeramente y que esperaba de mí alguna palabra, por lo cual, convencido de ello, comencé a hablarle de esta manera: «¿Por qué lloras, noble señor?» A lo que respondióme: *Ego tanquan centrum, circuli cui simili modo se habent circunferentiae partes; tu autem non sic.*[12] Entonces, meditando sus palabras, hallé que me había hablado con gran oscuridad, por lo cual procuré decirle lo siguiente: «¿Por qué, señor, me hablas tan oscuramente?» Y me repuso, ya en lengua vulgar: «No preguntes sino cosas útiles.» Comencé, pues, a hablar con él del

---

11 Ya es tiempo, hijo mío, de que acaben nuestras quimeras.
12 Soy como el centro del círculo, del que equidistan los puntos de la circunferencia; no así tú.

saludo que se me negó y le pregunté la causa de esta negativa, a lo cual respondióme del siguiente modo: «Nuestra Beatriz oyó, hablando de ti con algunas personas, que la dama que te indiqué en el camino de los suspiros había sido enojada por ti, lo cual motivó que la gentilísima Beatriz, contraria a que se causen molestias de este linaje, no se dignara saludarte, creyendo que habías molestado. Por esto, aunque realmente ha tiempo que conoce tu secreto, quiero que le rimes unas palabras diciéndole el señorío que sobre ti ejerzo gracias a ella, y cómo a ella te consagraste desde tu más tierna infancia. Invoca por testimonio a quien lo sabe, y yo, que soy éste, gustosamente daré fe, con lo cual advertiré tus verdaderas intenciones y consiguientemente se percatará de que estaban engañados quienes le hablaron. Haz que tales versos sean indirectos para no hablarle directamente, como si no fueras digno de ello. Cuida, en fin, de mandárselos a donde yo me encuentre y pueda dárselos a entender, así como de revestirlos con suave armonía, en la que intervendré cuando fuere menester.»

Pronunciadas estas palabras, desvanecióse y se truncó mi sueño. Luego, rememorando, inferí que la visión había acaecido en la novena hora del día. Y antes de salir de mi estancia me propuse componer una balada en la que cumpliría lo que mi señor habíame impuesto. Así, escribí esta balada, que empieza: «Balada, corre, que al Amor te envío..»

Balada, corre, que al Amor te envío;
con él junto a mi dama te adelantas,
y de mi afecto, que en tus versos cantas,
hable después con ella el dueño mío.

Balada mía: irás tan cortésmente
que, aunque sin compañero,
podrías presentarte do quisieras;
mas si deseas ir seguramente
a Amor busca primero
porque no es bueno que sin él te fueras.

Pues la dama que manda en mi al-
[bedrío

contra mis ansias hállase enojada,
y si no vas de Amor acompañada
temo que te reciba con desvío.

Con dulce son, cuando estés junto a
[ella,
comienza de este modo,
si su permiso concederte quiere:
"El que me envía a vos, señora bella,
anhela que ante todo
sus disculpas oigáis si las tuviere...

Amor, el grato acompañante mío,
quizá le hizo mirar otras doncellas
pensando en vos; mas al mirar en ellas
no desertó de vuestro señorío."

Dile: "Su corazón, señora, tuvo
en vos fe tan entera
que a daros gloria fue siempre inclina-
[do.
Muy temprano fue vuestro y se mantu-
[vo."
Y si no te creyera,
pregúntelo al Amor, que está enterado.

Cuando te vayas, con acento pío,
suplicando perdón, por si la enojas,
di que morir me mande, y sin congojas
satisfará mi vida su albedrío.

Y a quien de toda compasión es cla-
[ve
le dices que argumente,
quedándose, en favor de mi persona.
Siquiera —dile— por mi tono suave
accede, complaciente,
y por tu siervo con favor razona.

Y si ella, por tu oficio, le perdona,
anúnciele por la paz gayo semblante."
Gentil balada mía, tú, constante,
haz que el triunfo te ciña su corona.

Esta balada se divide en tres partes. En la primera le digo dónde ha de ir, la animo para que vaya más tranquila y le aviso qué compañía ha de tomar si quiere ir con seguridad y sin peligro alguno; en la segunda le digo lo que le cumple dar a entender, y en la tercera le doy venia para partir cuando quiera y encomiendo su gestión en brazos de la fortuna. La segunda parte empieza en «Con dulce son», y la tercera, en «Gentil balada».

Alguien podría objetarme que no acierta a quién hablo en segunda persona, pues la balada no contiene más palabras que las citadas; pero creo que esta duda la resuelvo en parte todavía más dudosa de esta obrita;

entonces, pues, comprenderá quien aquí dudare y quisiere controvertirme.

XIII

Tras la susomentada visión, y una vez pronunciadas las palabras que Amor me obligó a decir, muchos y diversos pensamientos comenzaron a asaltarme y combatirme en forma tal, que contra algunos de ellos no podría defenderme. Cuatro consideraciones, sobre todo, inquietaban mi vida; una de ellas era ésta: bueno es el dominio de Amor, ya que aparta el entendimiento de sus siervos de todas las cosas viles. Otra era ésta: nada bueno es el dominio de Amor, pues cuanta más fe se tiene, más graves y dolorosos extremos hace pasar. Otra era ésta: tan dulce al oído es el nombre de Amor, que imposible me parece que su influencia no sea dulce en todo, comoquiera que los nombres respondan a las cosas denominadas: *Nomina sunt cosequientia rerum.* Y la cuarta era ésta: la mujer por quien Amor así te asedia no es como las demás mujeres, cuyo corazón fácilmente se puede ganar. Y cada una de tales consideraciones me acuciaba tanto, que estaba yo como quien quiere irse y no sabe por dónde. Si intentaba buscar un camino en el que todas las consideraciones coincidiesen, tal camino era también muy desfavorable para mí, pues tenía que invocar a la Piedad y arrojarme en brazos de ella. Y en tal situación viniéronme deseos de rimar y compuse este soneto, que empieza: «Hablan de Amor mis muchos pensamientos.»

Hablan de Amor mis muchos pen-
            [samientos,
pero con varia y múltiple tendencia,
pues mientras uno alega su potencia,
otro halla en la virtud sus argumentos;

ni oculta la esperanza sus contentos,
ni dejo de llorar con gran frecuencia.
Sólo al pedir piedad tienen tangencia
dentro del corazón tantos acentos.

Puesto en el trance de escoger, me
             [pierdo;
cuando pretendo hablar, no sé qué diga;
y con ello me encuentro siempre en
             [duda

Por eso, si deseo algún acuerdo,
conviéneme apelar a mi enemiga,
la Piedad, gran señora, por mi ayuda.

Este soneto puede dividirse en cuatro partes. En la primera digo y expongo que todos mis pensamientos son de amor; en la segunda afirmo que son diversos, y muestro diversidad; en la tercera digo en qué parece que anden todos los acordes, y en la cuarta digo que, deseando hablar de Amor, no sé por qué pensamiento decidirme, y si quiero abarcarlos todos necesito llamar a mi señora la Piedad, enemiga mía. Y digo «señora» casi irónicamente. La segunda parte empieza en «Pero con varia»; la tercera, en «Sólo al pedir», y la cuarta, en «Puesto en trance».

XIV

Tras esta porfía de tan diversos pensamientos, acaeció que mi gentilísima amada acudió a un lugar en que estaban reunidas muchas mujeres hermosas y adonde yo fui llevado por un amigo que creía hacerme un gran obsequio conduciéndome a sitio donde tantas mujeres mostraban su hermosura. Pero yo, ignorando a qué había sido conducido y confiándome a la persona que me había llevado a las postrimerías de la vida, le dije: «¿Para qué hemos venido junto a estas damas?» A lo que me contestó: «Para que sean más dignamente servidas.»

Lo cierto era que se habían congregado allí para acompañar a una bella señora que aquel día habíase desposado y a quien, con arreglo a usanza de la supradicha ciudad, habían de acompañar asimismo la primera vez que se sentara a la mesa en la morada de su esposo. Por complacer a mi amigo decidí permanecer con él al servicio de aquellas damas; pero, seguidamente, parecióme sentir un pasmoso temblor que, comenzando en el lado izquierdo de mi pecho, extendíase súbitamente por todo mi ser. Hube de apoyarme disimuladamente en un pintado friso que rodeaba toda la estancia. Entonces, temeroso de que los demás reparasen en mi temblor, alcé la vista y, mirando a las damas, vi entre ellas a la gentilísima Beatriz. Y fueron de tal modo aniquilados mis espíritus por la fuerza que Amor adquirió viéndome tan próximo a mi bellísima dama, que sólo quedaron con vida los de la vista, si bien parecían fuera de su sitio, como si Amor quisiera ocupar su lugar nobilísimo para ver a la admirable señora. Y aunque yo me hallaba demudado, mucho dolíanme estos traviesos espíritus de la vista, que, lamentándose fuertemente, decían: «Si Amor no nos lanzara fuera de nuestro sitio, podríamos estar mirando a esa maravillosa mujer como están mirándola los ojos de los demás.»

A todo esto, muchas de aquellas damas, advirtiendo mi transfiguración, dieron en asombrarse y empezaron a burlarse de mí, hablando con mi amada, por lo cual mi equivocado amigo cogióme de la mano, me sacó fuera de la presencia de dichas señoras y me preguntó qué me pasaba. Yo, más tranquilo ya, resucitados los espíritus muertos, repuestos los lanzados, respondí a mi amigo de este modo: «Puse los pies en esa parte de la vida más allá de la cual no se puede pasar con propósito de volver.»

Y, separándome de él, torné a la estancia de los llantos, en la cual, llorando avergonzado, me decía: «Si mi amada conociera mi estado, no creo que se mofara así de mi persona, sino que sentiría gran compasión.» Y, mientras lloraba, decidí escribir unas palabras en que, dirigiéndome a ella, significara la causa de mi transfiguración y le manifestara que yo sabía perfectamente que ella la ignoraba, así como que, de ha-

berla conocido, se hubiera compadecido de mí. Naturalmente, decidí escribirlas con el deseo de que por ventura llegasen a sus oídos. Y compuse, por ende, este soneto, que empieza: «¡Oh mujer que mil burlas aderezas!»

¡Oh mujer que mil burlas aderezas
con tus amigas viendo mi figura!
¿Sabes que vengo a ser nueva criatura
en la contemplación de tus bellezas?

Si lo supieras, toda gentilezas
fuese quizá la mofa que me apura,
que Amor, pues tu visión me transfi-
[gura,
cobra tantos arrestos y fierezas,

que ataca aciagamente mis sentidos
—ora parecen muertos, ora heridos—,
dejándome tan sólo que te vea.

Cariz, por consiguiente, muestro aje-
[no,
si bien en mi persona es donde peno
el mal que en mi dolor se regodea.

No divido en partes este soneto, porque la división se hace solamente para aclarar el sentido de la cosa dividida, y como es sobrado evidente por su motivada causa, no necesita división. No obstante, entre las palabras donde se manifiesta la materia de este soneto, hay las dudosas, como cuando digo que Amor mata todos mis espíritus, menos los de la vista, que permanecen con vida, si bien desplazados de sus funciones; pero esta duda, imposible de resolver por quien no sea tan devoto de Amor como yo, no lo es para quienes lo son, ya que éstos ven claramente lo que resolvería lo dudoso de esas palabras. Por lo demás, no me toca resolver dicha duda, ya que mi lenguaje resultaría entonces inútil o verdaderamente superfluo.

XV

Después de la reciente transfiguración, asaltóme un pensamiento tenaz que no me daba punto de reposo y me argüía de esta manera: «Si pasas en tan lamentable estado cuando te hallas cerca de tu amada, ¿por qué procuras verla? Si ella te preguntara algo, ¿qué le contestarías, suponiendo que para contestarle tuvieses libres tus facultades?» Pero un humilde pensamiento respondía así: «Si no me cohibieran mis facultades y tuviese desenvoltura para contestar, diríale que, en cuanto me pongo a considerar su admirable belleza, me acomete un deseo tan poderoso de verla, que destruye y aniquila cuanto en mi memoria se le pudiera oponer. Así es que los padecimientos pasados no son obstáculo para que procure verla.» Y movido por estos efectos decidí escribir unas palabras en que, al mismo tiempo que me excusara de semejante represión, hablase también de lo que me ocurre acerca de ella. Compuse, pues, el soneto que empieza: "Cuanto vive en. mi mente halla la muerte."

Cuanto vive en mi. mente halla la
[muerte
si me aproximo a vos, amada mía,
y Amor me dice en vuestra cercanía:
"Huya quien por morir se desconcierte."

El corazón exangüe y casi inerte,
en el color del rostro da su guía.
Y las piedras, mirando mi agonía,
"¡Que muera al punto!", claman con
[voz fuerte.

¡Cómo peca quien viéndome en tal
[guisa
mi alma desconsolada no conforta
mostrando que el penar mío le apena!

Y es que neutralizáis con vuestra risa
mi mirada, en sus pésames absorta,
y que, anhelando muerte, se envenena.

Este soneto se divide en dos partes. En la primera expreso la causa en virtud de la cual me abstengo de acercarme a mi amada; en la segunda refiero lo que me ocurre por acercarme a ella. Esta segunda parte comienza en «y Amor me dice». Y esta misma segunda parte se divide en otras cinco, según diversas materias. En la primera expreso lo que Amor, aconsejado por la razón, me

dice cuando estoy cerca de ella; en la segunda manifiesto el estado del corazón por el aspecto de mi rostro; en la tercera indico cómo pierdo toda tranquilidad; en la cuarta afirmo que peca quien no se apiada de mí, cosa que, en cierto modo, me consolaría, y en la última explico por qué debiera compadecérseme, que es por la expresión lastimera de mis ojos, expresión lastimera desvirtuada, ya que no se manifiesta a otros, por las mofas de ella, que mueve a imitación a quienes tal vez verían mi lamentable estado. La segunda parte comienza en «El corazón»; la tercera, en «Y las piedras»; la cuarta, en «¡Cómo peca!», y la quinta, en «Y es que neutralizáis».

XVI

Después de haber escrito este soneto, entráronme deseos de decir también algo referente a cuatro aspectos de mi estado, los cuales me parecía no haber manifestado nunca. El primero de ellos es que muchas veces condolíame porque la fantasía impulsaba a mi memoria para que considerase en qué estado me dejaba Amor. El segundo es que Amor, a menudo, me asaltaba de súbito tan fuertemente, que sólo vivía para pensar en mi amada. El tercero es que, cuando esta lucha de Amor se movía contra mí, yo, completamente pálido, andaba buscando a mi amada, creyendo que con verla estaría defendido en la batalla y olvidando lo que me ocurría al aproximarme a tan gran beldad. El cuarto es, que el hecho de verla, no solamente no me defendía, sino que acababa desbaratando lo poco que de vida me restaba. Así, pues, compuse este soneto que empieza: «Muchas veces revélase a mi mente.»

Muchas veces revélase a mi mente
el estado a que Amor me ha sometido,
y en fuerza de emoción pienso y me
[pido:
"¿Sufrirá más dolor algún viviente?"

Pues me acomete Amor tan diestra-
          [mente
que casi me derriba sin sentido,
no dejándome más que un desmedido
aliento que por vos razona y siente.

Buscando salvación, lucho a porfía,
hasta que en postración sin valentía,
busco en vos el remedio que apetezco.

Y cuando al contemplar alzo los ojos,
me ganan los temblores y sonrojos
mientras, yéndose el alma, desfallezco.

Este soneto se divide en cuatro
partes, correspondientes a los cuatro
aspectos a que se refiere; pero como
han sido enumerados más arriba, me
constreñiré a indicar cada parte por
su comienzo. La segunda empieza en
«Pues me acomete»; la tercera, en
«Buscando salvación», y la cuarta,
en «Y cuando al contemplar».

XVII

Escritos los tres sonetos últimos,
dirigidos a mi amada y en los que
le refería mi estado, creí oportuno
callar ya, pues me pareció haber hablado bastante de mí. Y comoquiera
que después dejé de dirigirme a ella,
convínome tratar materia nueva y
más noble que la pasada. Diré, con
la mayor brevedad posible, lo que
fue motivo de ella, ya que es agradable de oír.

XVIII

Muchas personas, por mi solo aspecto, habían comprendido el secreto de mi corazón. Y varias damas
que estaban congregadas para deleitarse con la mutua compañía eran
conocedoras de mis afectos, por
cuanto todas habían presenciado muchas de mis turbaciones. Pasando yo,
llevado por el azar, cerca de las gentiles señoras, llamóme una de ellas,
que por cierto era de gratísimo hablar. Cuando llegué a donde estaban
y vi que mi gentilísima dama no se
hallaba allí, me serené, las saludé y
pregunté les qué se les ofrecía.

Había muchas mujeres, algunas de
las cuales reían entre sí, mientras
otras me miraban esperando mis pa-

labras y otras mantenían coloquios.
Una de éstas, volviendo hacia mí
sus ojos y llamándome por mi nombre, hablóme así: «¿Con qué fin
amas a tu dama, que no puedes sostener su presencia? Dínoslo, porque
seguramente la finalidad de ese amor
será algo no visto jamás.» Pronunciadas estas palabras, no solamente
ella, sino todas las otras mujeres,
mostraron sus deseos de esperar mi
respuesta. Y entonces les hablé así:
«La finalidad de mi amor, ¡oh dama!, se cifra en saludar a la mujer
que sabéis, y en ello consiste mi felicidad, término de todos mis anhelos. Mas desde que le plugo negarme
su saludo, Amor, que es mi señor,
ha puesto mi felicidad entera en algo
que no puede fallirme.» Rompieron
entonces aquellas damas a hablar entre sí, de manera que yo creía oír
sus palabras entrecortadas de suspiros tal como a veces vemos caer la
lluvia mezclada con copos de nieve.
Y cuando hubieron hablado algún
tanto, la misma dama que antes me
habló, díjome lo siguiente: «Te ro-
gamos que nos digas dónde se halla
tu felicidad.» Y díjeles respondiendo:
«En las palabras de alabanza a mi
amada.» Y repuso mi interlocutora:
«De ser cierto cuanto dices, las palabras con que nos has referido tu situación las habrías pronunciado con
ese propósito.»

Y me partí de aquellas damas meditando lo oído, casi avergonzado,
diciendo para mí: «Ya que tanta
felicidad hallo en las palabras que
loan a mi dama, ¿por qué he hablado de otras cosas?» Y decidí tomar
siempre, en adelante, por motivo de
mis palabras, cuanto fuera elogio de
mi gentilísima amada. Reflexionando, pensé que me había lanzado a
grave empresa para mí, por lo que
no me atreví a empezar. Y así estuve algunos días, con ansia de hablar
y con temor de quebrar mi silencio.

XIX

Aconteció, pues, que andando por
un camino junto al cual se deslizaba

un río clarísimo, sentí tantos deseos de expresarme, que comencé a
pensar en qué modo lo haría. Y pensé que lo oportuno era hablar de ella
dirigiéndome a otras mujeres, pero
no a cualesquiera, sino a las que son
bellas y distinguidas. Entonces mi
lengua se movió como espontáneamente para decir: «¡Oh damas que
de amor tenéis idea!» Y con gran
alegría retuve tales palabras en mi
memoria para tomarlas por principio de lo que dijese. Ya vuelto a la
supradicha ciudad, tras varias jor-
nadas de meditación, comencé una
canción con aquellas palabras, dispuesta como se verá al tratar de su
división. La canción empieza, en
efecto: «¡Oh damas que de amor
tenéis idea!»

¡Oh damas que de amor tenéis idea!
Hablaros de mi dama yo pretendo.
Y no agotar su elogio es lo que entien-
[do,
sino tan sólo descargar mi mente.
Cada vez que la elogio cual presea,
Amor me hace sentir con tal dulzura,
que, de obrar con sutil desenvoltura,
enamorara de ella a toda gente.
Y no aspiro a loar sublimente
por si caigo —contraste— en la vileza;
me céñiré a tratar de su belleza,
para lo que merece, brevemente,
¡oh señoras amables!, con vosotras,
pues no dijera, cuanto os digo, a otras.

Llama un ángel al célico intelecto
y le dice: "En el mundo verse puede
un ser maravilloso, que procede
de un alma que hasta aquí su luz en-
[vía."
El cielo, que no tiene más defecto,
pide a Dios si tal guisa le concede
y el total de los santos intercede.
Tan sólo la Piedad abogacía
interpone por mí. Mas Dios decía:
"Sufrid, dilectos míos, con paciencia,
que no acuda tan presto a mi presencia,
pues hay quien en la Tierra la porfía,
y dirá en el infierno a los precitos:
"¡La esperanza yo vi de los malditos!"

Por mi dama suspiran en el cielo;
quiero, pues, referiros su nobleza.
La que mostrar pretenda gentileza
acompáñase de ella en la salida.
que en todo pecho vil infunde un hielo

con que mata los viles sentimientos,
y quien logra mirarla unos momentos
se queda ennoblecido o sin la vida,
y el digno de mirar a mi elegida
experimenta al punto su potencia
porque es su saludar beneficencia
que hasta la ofensa estólida liquida.
A más, Dios otra gracia le ha otorgado:
no puede mal morir el que le ha habla-
[do.

"Siendo mortal —Amor en sí repi-
[te—,
¿cómo tan bella puede ser y pura?"
La vuelve a contemplar y en sí murmu-
[ra
que hízola Dios sin norma de costum-
[bre.
Con la perla su fina tez compite;
color grato en mujeres, con mesura.
Compendia lo mejor de la Natura.
De todas las bellezas es la cumbre.
Al lanzar de sus ojos clara lumbre
surgen de amor espíritus radiosos
que hieren en la vista a los curiosos
y al corazón inflingen pesadumbre.
Su boca, donde Amor está presente,
nadie puede mirarla fijamente.
¡Oh canción mía! Sé que irás hablando
a muchas damas una vez lanzada.
Te ruego, ya que estás aleccionada
como hija del Amor, joven y pía,
que por doquier digas suplicando:
"¿Qué senda llevárame a la persona
cuya alabanza lírica me abona?"
Y si tu acción no quieres ver baldía,
esquiva a todo ser sin cortesía,
no fíes, de poder, tus intereses
sino a la dama y al varón corteses
que te señalarán la buena vía.
Y puesto que al Amor verás con ella,
recomienda al Amor mi gran querella.

Para que se entienda mejor esta
canción, la dividiré más cuidadosamente que las composiciones anteriores. Ante todo, haré tres partes:
la primera es proemio de las palabras siguientes; la segunda es el tema de que se trata, y la tercera viene a ser auxiliar de las precedentes.
La segunda empieza en «Llama un
ángel»; la tercera, en «¡Oh canción
mía!»

La primera parte se divide en cuatro. En la primera explico a quién y
por qué deseo hablar de mi amada;
en la segunda, lo que me parece
cuando pienso en sus merecimientos

y cómo hablaría de ella si me atreviera; en la tercera, cómo debo hablar de ella para no verme impelido por obstáculos, y en la cuarta, dirigiéndome de nuevo a quien quiero hablar, explico la causa de que me dirija a ellos. La segunda empieza en «Cada vez»; la tercera, en «Y no aspiro», y la cuarta, en «¡Oh señoras amables!»

Después, al decir: «Llama un ángel», empiezo a hablar de mi amada. Esta parte se divide en dos. En la primera explico cuánto la estiman en los cielos, y en la segunda, cuánto la estiman en la Tierra. Esta, que empieza en «Por mi dama», se divide en dos. En la primera explico lo referente a la nobleza de su alma, enumerando algunas de las poderosas virtudes que de su alma proceden; en la segunda explico lo referente a la nobleza de su cuerpo, enumerando algunas de sus bellezas. Esta, que empieza en «Siendo mortal», se divide en dos: en la primera trato de algunas bellezas, concernientes a toda persona; en la segunda trato de algunas bellezas que conciernen a determinadas partes de la persona. Esta segunda parte, que empieza en «Al lanzar de sus ojos», se divide en dos: en una hablo de su boca, que es término de amor. Y para que se disipe todo pensamiento impuro, recuerde el lector que más arriba queda escrito que el saludo de tal mujer, función de su boca, fue término de mis anhelos mientras lo pude recibir.

Luego, al decir: «¡Oh canción mía!» añado una estrofa a manera de auxiliar, en la cual manifiesto lo que de esta mi canción espero. Y comoquiera que esta última parte es fácil de entender, no me entretengo en más diversiones. No niego que, para hacer más inteligible esta canción, convendría establecer más subdivisiones; sin embargo, quien no tenga bastante ingenio para entenderla con las divisiones hechas, no me disgustará si la deja estar, pues, en verdad, temo, con las divisiones establecidas, haber facilitado a demasiados su inteligencia, si acaso la canción llega a oídos de muchos.

XX

Una vez divulgada, en cierto modo, esta canción, como la oyese cierto amigo mío, sintióse inclinado a rogarme que le dijera qué es Amor, pues quizá, por las palabras oídas, esperaba de mí más de lo que yo merecía. Y pensando yo que después de lo tratado era oportuno decir algo de Amor, así como en la conveniencia de atender a mi amigo, decidí escribir unas palabras en que de Amor tratase. Entonces compuse este soneto, que empieza: «Escribió el sabio: son la misma cosa.»

Escribió el sabio: son la misma cosa
el puro amor y el noble entendimiento.
Como alma racional y entendimiento,
sin uno nunca el otro vivir osa.

Hace Naturaleza, si amorosa,
de Amor, señor, que tiene su aposento
en el noble sentir, donde contento
por breve o largo término reposa.

Como discreta dama, la Belleza
se muestra, y tanto place a la mirada,
que los nobles sentires son deseo:

por su virtud, si dura con viveza,
la fuerza del amor es desvelada.
Igual procede en damas galanteo.

Este soneto se divide en dos partes. En la primera hablo de Amor en cuanto es en potencia; en la segunda hablo de él en cuanto de potencia se reduce en acto. Esta segunda parte empieza en «Como discreta dama». La primera parte se divide en dos: en la primera manifiesto en qué sujeto se encuentra esta potencia; en la segunda explico cómo han nacido este sujeto y esta potencia y cómo uno se halla en relación con otro igual que la materia con la forma. La segunda empieza en «Hace naturaleza». Luego, al decir: «Como discreta dama», explico cómo dicha potencia se reduce a acto; primero cómo se reduce en el hombre, y después —al decir; «Igual procede»— cómo se reduce en la mujer.

XXI

Una vez traté de Amor en los susodichos versos, sentí apetencia de escribir, también en alabanza de mi gentilísima amada, unas palabras mediante las cuales mostrara no solamente cómo por ella se despierta Amor en caso de que esté dormido, sino cómo ella le hace acudir allí donde no está en potencia. Y entonces compuse este soneto que empieza: «Mora Amor en los ojos de mi amada.»

Mora Amor en los ojos de mi amada
por lo cual cuanto mira se ennoblece.
Aquel a quien saluda se estremece:
todo mortal le lanza su mirada.

Si ella baja la faz, el todo es nada,
el ánimo en quejumbre desmerece,
muere soberbia, cólera perece.
¡Oh mujeres, le cumple ser loada!

Toda humildad y toda dulcedumbre
nace oyendo su voz pura y afable.
Dichoso el hombre que la vio primero.

Cuando sonríe —que su boca es lum-
                              [bre—
se magnifica y hácese inefable
porque es algo divino y hechicero.

Este soneto consta de tres partes. En la primera explico cómo dicha mujer reduce a acto la mencionada potencia con la nobleza que emana de sus ojos, y en la tercera explico lo mismo con referencia a su nobilísima boca; pero entre ambas partes hay otra cosa menor que, por decirlo así, se auxilia en la precedente y en la siguiente y que empieza en «¡Oh mujeres!», mientras la tercera empieza en «Toda humildad». La primera parte se divide a su vez en tres. En la primera digo cómo tiene la virtud de embellecer todo cuanto mira, lo cual equivale a decir que conduce a Amor en potencia allí donde no está; en la

segunda digo cómo reduce en acto a Amor en los corazones de todos aquellos a quienes ve, y en la tercera digo cómo reduce en acto a Amor en los corazones de todos aquellos a quienes mira. La segunda empieza en «Aquel a quien saludo»; la tercera, en «Todo mortal». Luego, al decir «¡Oh mujeres!», doy a entender a quién tengo intención de hablar, invitando a las mujeres para que ayuden a rendir pleitesía a mi amada. Después, al decir: «Toda humildad», repito lo ya dicho en la primera parte, pero con referencia a dos funciones de su boca, una de las cuales es su dulcísima voz y otra su admirable sonrisa, si bien no digo de ésta cómo actúa en otros corazones, pues la memoria no puede recordarla ni recordar sus efectos.

XXII

No muchos días después, por voluntad del Señor de los Cielos (que ni a sí mismo se privó de la muerte), abandonó esta vida, seguramente para ir a la eterna gloria, el que fue padre de la maravillosa y nobilísima Beatriz.

Y como semejante partida causa dolor en quienes, habiendo sido amigos de quien se va, se queda; como no hay amistad más íntima que la de un buen padre con un buen hijo y la de un buen hijo con un buen padre; como mi amada era extremadamente buena y su padre —según general y justificadamente se cree— extremadamente bueno, es natural que mi amada sintiese un amarguísimo dolor. Y como, según costumbre de la antes referida ciudad, las mujeres reúnense con las mujeres y los hombres con los hombres en ocasión de estos tristes acaecimientos, fueron muchas las mujeres que se congregaron donde Beatriz lastimeramente lloraba. Aconteció, pues, que encontré a varias mujeres que allí tornaban y les oí repetir palabras quejumbrosas de mi amada, entre ellas las siguientes: «Llora de tal suerte como para que muera de compasión quien la vea llorar.» Alejáronse después aquellas mujeres, y quedéme tan triste, que de vez en vez bañaba mis mejillas alguna lágrima, que yo disimulaba llevándome con frecuencia las manos a los ojos. Al punto hubiérame ocultado, de no hallarme por donde pasaban la mayor parte de las mujeres que de ella separábanse. Así es que permaneciendo en el mismo sitio, oí a otras mujeres que pasaron junto a mí y que iban diciendo: «¿Cuál de nosotras podrá tener alegría habiendo oído quejarse tan dolorosamente a esta mujer?» Luego pasaron otras que decían por mí: «Ese hombre llora igual que si la hubiera visto como la hemos visto nosotras.» Y otras, después, dijeron también por mí: «Se ha alterado tanto, que no parece el mismo.» Y al paso de otras mujeres oía yo palabras de este estilo referentes a ella y a mí.

Luego, meditando, decidí escribir unos versos, muy justificados, en los que resumiría cuanto de aquellas mujeres había oído. Y como gustosamente las hubiera interrogado, de no haber tenido reproches, escribí, cual si las hubiera interrogado y me hubieran respondido. Así es que compuse dos sonetos. En el primero, pregunto según sentía deseos de preguntar, y en el segundo expongo la respuesta utilizando lo que oí, como si me lo hubieran dicho contestando. El primero empieza: «Vosotras que traéis lacio semblante», y el segundo: «¿Eres tú quien loaba su hermosura?»

Vosotras que traéis lacio semblante,
bajos los ojos y el dolor marcado,
¿de dó venís con rostro tan ajado
que compasión inspirará al instante?

¿Tal vez tuvisteis a mi Amor delante
con el rostro por llantos anegado?
Damas: decidme ya lo sospechado
viendo vuestro dramático talante.

Y si venís de sitio tan piadoso,
tomaos junto a mi breve reposo
para comunicarme lo que sea.

Veo que vuestros ojos tienen llanto
y en vosotras observo tal quebranto
que por ende mi ser se tambalea.

Este soneto se divide en dos partes. En la primera, tras la invocación, pregunto a dichas mujeres si vienen de junto a ella, anticipándoles que lo creo así al ver que vuelven ennoblecidas; en la segunda ruégoles que me hablen de ella. La segunda parte empieza en «Y si venís».

He aquí el otro soneto tal como anteriormente se ha referido:

¿Eres tú quien loaba su hermosura
hablando con nosotras muy frecuente?
Nos lo pareces por tu voz doliente,
aunque se haya mudado tu apostura.

Mas ¿por qué en el llorar tu alma se
[apura
hasta dar compasión a extraña gente?
¿La viste tú llorando, y en tu mente
patética membranza se figura?

Deja, pues, que llorando caminemos
sin que livianamente nos calmemos,
ya que su llanto nuestro oído hería.

Tanto a la compasión mueve su cara,
que quien con atención la contemplara
llorando ante tu dama moriría.

Este soneto consta de cuatro partes, que corresponden a los cuatro modos de hablar entre sí que tuvieron las mujeres por quienes contesto. Pero como arriba están harto claras, no me entretengo en referir el contenido de cada parte, sino que me limito a separarlas. La segunda empieza en «Mas ¿por qué en el llorar»; la tercera, en «Deja, pues», y la cuarta, en «Tanto a la compasión».

XXIII

Pocos días después sucedió que en determinada parte de mi cuerpo me sobrevino una dolorosa afección, en virtud de la cual estuve sufriendo y penando nueve días de una manera muy amarga, lo cual me causó tanta debilidad, que hube de estar como los que no pueden moverse. Al noveno día, sintiendo unos dolores casi intolerables, me puse de pronto a pensar en mi amada, y, luego de haber pensado cierto tiempo en ella, volví mis pensamientos hacia mi debilitada vida, y viendo cuán breve sería su duración, aun estando sano el cuerpo, comencé a llorar internamente por tanta desgracia. Con fuertes suspiros decía para mí: «Alguna vez tendrá que morirse la gentilísima Beatriz.»

Entonces me ganó tal desfallecimiento, que cerré los ojos y comencé a delirar como persona fuera de sí. Y al principio de los desvaríos de mi fantasía se me aparecieron rostros de mujeres con las cabelleras sueltas, que decían: «Morirás, morirás.» Tras aquellas mujeres se me aparecieron unos rostros estrambóticos y horripilantes que decían: «Ya estás muerto.» Y como mi fantasía diera en divagar así, llegué a ignorar dónde me hallaba, y, además, parecíame ver por las calles a mujeres de sueltos cabellos que lloraban con tremenda tristeza; parecíame que el sol se oscurecía hasta el punto de que las estrellas se mostraban de un color tal como si llorasen; y parecíame que los pájaros caían del aire muertos, así como que se producían muy grandes terremotos. Maravillado, al mismo tiempo que espantado, con tal fantasía, imaginé que un amigo venía a decirme: «¿Acaso no sabes que tu amada ha abandonado ya este mundo?» A la sazón, comencé a llorar muy lastimeramente, no sólo con la imaginación sino con los ojos, bañados en verdaderas lágrimas. Figurándome que miraba hacia el cielo, creía ver muchedumbre de ángeles que volvían a él llevando delante una blanquísima nubecilla. Y parecióme que aquellos ángeles cantaban a gloria y que entre las palabras del cántico figuraban las de *Hosanna in excelsis!* Nada más oía. Y entonces me figuré que el corazón, donde tanto amor se albergaba, decíame: «Cierto es que ha muerto nuestra amada», con lo cual echaba yo a andar para ver el cuerpo donde

había residido aquella nobilísima y bienaventurada alma. Tan poderosa fue la errada fantasía, que me enseñó a mi amada muerta; diríase que unas mujeres le cubrían la cabeza con blanco velo, y su cara ofrecía un talante de humildad tal como si dijera: «Estoy viendo el principio de toda paz.» Con esto, sentíme tan anonadado que llamaba a la Muerte, diciendo: «¡Ven a mí, dulcísima Muerte! No me seas cruel, pues debes ser noble, a juzgar por donde has estado. ¡Ven a mí, que tanto te deseo! ¿No ves que ya tengo tu mismo color?»

Y cuando vi realizadas ya las dolorosas ceremonias que con los cuerpos de los difuntos es costumbre hacer, parecióme que volvía a mi estancia y que desde allí miraba al cielo. Y tan exaltada estaba mi imaginación, que, llorando, dije con voz verdadera: «¡Oh alma hermosísima! ¡Feliz quien te contempla!» Y cuando, con dolorosos extremos de llanto, pronunciaba estas palabras y llamaba a la Muerte para que se llegara hasta mí, una mujer joven y bella que se encontraba junto a mi lecho, creyendo que mi llanto y mis palabras obedecían sólo a los dolores de mi enfermedad, comenzó también a llorar con gran espanto, por donde otras mujeres que en la estancia se hallaban se percataron, por el llanto de ella, de que yo lloraba. Entonces la separaron de mí (me unían a ella lazos de muy próxima consanguineidad) y se me acercaron para despertarme, creyendo que soñaba. «No duermas más —decíanme—. No te desconsueles.» Estas palabras atajaron mi gran desvarío, cuando quería decir: «¡Oh Beatriz, bendita seas!» Ya había dicho: «¡Oh Beatriz!», cuando, reaccionando, abrí los ojos y vi que todo era un engaño. Y aunque había pronunciado dicho nombre, estaba mi voz tan entrecortada por los sollozos, que aquellas mujeres no pudieron entenderme, a lo que creí. Grave vergüenza sentía yo; mas, por una advertencia de Amor, volvíme hacia ellas. Y al verme comenzaron a decir por mí: «Semeja un muerto», y a musitar: «Procuremos reanimarlo.» Me **dirigieron**, pues, muchas palabras de consuelo, y me preguntaron por qué había tenido miedo. Yo, una vez estuve algo repuesto y me hube dado cuenta del falaz desvarío, respondíles: «Voy a explicaros lo que me ha pasado.» Y desde el principio al fin les conté lo que había visto, si bien callando el nombre de mi amada.

Después, sanado ya de la dolencia, decidí escribir unos versos en que narrase lo acontecido, por parecerme cosa agradable de oír. Y compuse esta canción, que empieza: «Una joven señora compasiva», ordenada según declara la división infrascrita:

Una joven señora compasiva,
de humanas gentilezas adornada,
oyó cómo llamaba yo a la Muerte.
Y al percibir mi vista en pena viva,
así como al oír mi voz dañada
se puso, temerosa, a llorar fuerte.
Otras damas, a quienes llanto advierte,
repararon en mí, desconsolado,
y, habiéndome apartado,
solícitas corrieron a mi vera,
diciendo: "¡No soñéis de esa manera!"
y "¿Qué le habrá turbado de tal suerte?"
Y de la pesadilla fui librado
diciendo al mismo tiempo el nombre
[amado.

Era mi débil voz tan lastimosa,
entrecortada por angustia y llanto,
que el nombre sólo oí de mi adorada.
Con la vista confusa y vergonzosa,
reminiscencia del pasado espanto,
me hizo lanzar Amor una mirada.
Se encontraba mi faz tan demacrada,
que exclamaba con fúnebre recelo:
"Hay que darle consuelo."
Tras consultarse con la voz doliente,
decía un son frecuente:
"¿Qué cosa ves que tanto te anonada?"
Y dije, al amainarse mis suspiros:
"¡Oh, damas! Lo que fue voy a deci-
[ros."

Mientras pensaba yo en mi frágil vi-
[da,
viendo que su durar es un instante,
Amor lloraba dentro de mi pecho.
Y se me puso el alma dolorida
para decir en tono suspirante:

"La muerte de mi amada será un he-
[cho."
Entonces me ganó tan gran despecho,
que los ojos cerré como si ciegos
quedaran, y andariegos
se fueron mis sentidos por el mundo.
Mas yo, meditabundo,
aunque con el espíritu desecho,
vi que a mí unas mujeres se acercaban
y que con saña "¡Morirás!" clamaban.

Después vi cosas nunca imaginadas
al discurrir febril mi fantasía,
pues me encontraba en fantasmal paraje
donde corrían hembras desgreñadas
con lloro y clamoreo que esparcía
tristeza corrosiva como ultraje.
Luego, con otro cuadro me distraje
viendo apagarse el sol, naciendo estre-
llorar el sol con ellas,   [llas,
cesar todos los pájaros su vuelo.
estremecerse el suelo
y presentarse un hombre sin coraje
diciéndome: "¿No sabes, dolorido,
que tu dama sin par ha fallecido?"

Mi vista lacrimosa levantaba
y como lluvia de maná, veía
que tornaban los ángeles al Cielo.
Nubecilla gentil, ruta indicaba,
y "¡Hosanna!" proclamaban a porfía.
Admitirlo podéis cual lo revelo.
Entonces dijo Amor: "Nada te celo.
Ven nuestra dama a ver, que muerta
Mi delirar falace   [yace.
llevóme al sitio donde unas mujeres,
en fúnebres deberes,
a mi amada cubrían con un velo.
Y en aspecto la vi tan humildoso
que decir parecía: "En paz reposo."

Por suerte me abatió melancolía
al contemplar tanta dulzura en ella.
"¡Oh Muerte! —dije—. En ti presiento
[bienes
y bellezas que antaño no advertía.
Pues moraste en el cuerpo de mi bella,
no es justo que por ti tenga desdenes.
Dirigiréme a ti, si tú no vienes.
Hermana en palidez, mísera dama,
¡mi corazón te llama!"
Luego partíme, terminado el duelo,
y solo con mi anhelo
dije alzando mi vista a los edenes:
"¡Quien te vea, alma hermosa, qué con-
[tento!"
Y me llamasteis en aquel momento.

Esta canción consta de dos partes. En la primera, hablando con persona no concreta, explico que ciertas personas me sustrajeron de un vano delirio y que prometí contárselo; en la segunda cuento lo que les dije. La segunda parte empieza en «Mientras pensaba.» La primera parte se divide en dos. En la primera refiero lo que una mujer y varias mujeres dijeron e hicieron cuando me vieron delirar, antes que volviese a mis cabales sentidos. En la segunda repito lo que aquellas mujeres dijéronme cuando cesé en el desvarío. Esta parte empieza en «Era mi débil voz». Luego, al decir «Mientras pensaba», refiero cómo les conté mi fantasía. Y hago de ello dos partes. En la primera refiero ordenadamente dicha fantasía; en la segunda, diciendo en qué momento me llamaron, les doy las gracias tácitamente. Esta parte empieza en «Y me llamasteis».

XXIV

Tras aquel vano delirio, aconteció un día que, hallándome sentado y meditabundo en un lugar, noté que el corazón me daba un vuelco cual si me encontrase ante mi amada. Entonces se me representó Amor y parecióme que venía de donde la dama de mis pensamientos estaba. También me pareció que alegremente decía a mi corazón: «No te olvides de bendecir el día en que me apoderé de ti, pues debes hacerlo.» Y en verdad sentíame el corazón tan jubiloso, que, dada su nueva condición, no me parecía el mío.

Poco después de estas palabras, que me dijo el corazón con la lengua de Amor, vi venir hacia mí a una gentil señora, famosa por su belleza, y que había sido largo tiempo amada de aquel mi primer amigo. Llamábase Juana, si bien por su belleza, según cree alguien, se le impuso el nombre de Primavera con que se la denominaba. Y mirando vi acercarse tras ella a la admirable Beatriz. Ambas pasaron junto a mí, una tras otra, y parecióme que Amor me hablaba con el corazón para decirme: «A la primera se la llama Primavera tan sólo porque hoy viene así, pues yo induje a quien le puso nombre a que la denominase Primavera, porque *prima verrá*,[13] el día en que Beatriz se muestre después de la visión de su devoto. Y si se considera su primer nombre, también equivale a decir *prima verrá*, pues el nombre de Juana procede de aquel Juan que precedió a la luz verdadera diciendo: *Ego vox clamantis in deserto; parate viam Domini*.[14] Y aún parecióme que a continuación me decía estas palabras: Quien quisiera pensar sutilmente, llamaría Amor a Beatriz por la gran semejanza que conmigo tiene.»

Volviendo después sobre todo esto, decidí escribir unos versos a mi primer amigo, callando, no obstante, ciertas palabras que me parecía indicado callar y creyendo que su corazón aún estaba inclinado hacia la belleza de tan gentil Primavera. Y compuse este soneto, que empieza: «Un ímpetu amoroso que dormía.»

Un ímpetu amoroso que dormía
tuvo en mi corazón renacimiento.
Y Amor vi que venía tan contento,
desde lejos, que no lo conocía.

Díjome con talante de alegría:
"Te cumple venerar mi **valimento.**"
Y apenas transcurrió corto momento,
mirando al sitio de que Amor venía,

vi a mis señoras Beatriz y Juana
—una maravillosa, otra hechicera—
seguir la ruta, hacia nosotros llana.

Y según mi memoria reverdece,
díjome Amor: "Si Juana es Primavera,
es la otra el amor, pues me parece."

Este soneto consta de muchas partes, la primera de las cuales dice cómo sentí desvelarse en mi corazón el acostumbrado temblor y cómo me pareció que Amor desde lejos alegraba mi corazón; la segunda dice cómo me pareció que Amor me ha-

---

[13] Literalmente, "vendrá la primavera". Juego de palabras aprovechando la similitud entre "Primavera" y *prima verrá.*
[14] Soy la voz del que grita en el desierto: "Preparad el camino del Señor."

blaba al corazón y cómo se me mostraba; y la tercera dice lo que vi y oí durante el tiempo en que Amor estuvo conmigo. La segunda parte empieza en «Díjome con talante», y la tercera, en «Y apenas transcurrió». La tercera parte se divide en dos: en la primera refiero lo que vi, y en la segunda refiero lo que oí. Esta segunda empieza en «Díjome amor».

XXV

Aquí cualquiera persona digna de que se le aclaren las dudas podría dudar de lo que digo acerca de Amor, tratándolo como si fuera una cosa en sí, y no sólo sustancia inteligente, sino como si fuese sustancia corpórea. Lo cual, a decir verdad, es falso, pues Amor no existe por sí mismo como sustancia, sino que es un accidente en la sustancia. Que yo hablo de él como si fuera cuerpo y, más aún, como si fuera hombre, despréndese de tres cosas que digo de él. Primeramente, digo que le vi venir de lejos; pero como venir implica movimiento local, y como, según el filósofo,[15] sólo el cuerpo es localmente móvil, se deduce que considero a Amor como cuerpo. También digo de él que reía y hasta que hablaba, lo cual —especialmente la risa— parece propio del hombre: por tanto, es evidente que lo considero personificado.

Para aclarar estas cosas, según creo oportuno, conviene considerar que antiguamente no había cantores de amor en lengua vulgar, sino que los cantores eran ciertos poetas de lengua latina; los asuntos amorosos no los trataban poetas vulgares, sino poetas cultos; y me refiero a entre nosotros, pues quizá en otras partes, como en Grecia, suceda aún lo que sucedía. No ha muchos años que surgieron los primeros poetas vulgares (hablar en rima en vulgar equivale a hablar en verso en latín, según cierta proporción). Y señal de que

hace poco tiempo es que si buscamos en lengua de *oc* o en lengua de *sí*,[16] no encontraremos escrito nada más allá de ciento cincuenta años a esta parte. Por cierto que la causa de que algunos burdos poetas lograsen nombradía de bien decir es que fueron los primeros que compusieron en lengua de *sí*. Y lo que movió al primero de todos ellos a versificar en lengua de *sí* fue el deseo de que entendiera sus decires una mujer a quien se le hacían de difícil entendimiento los versos latinos. Cito el detalle contra quienes riman sobre materia no amorosa, siendo así que tal guisa de expresarse fue inventada para decirles de Amor.

Por ende, como los poetas tienen más licencia en el lenguaje que los prosadores, y como quienes hablan en rima no son sino poetas vulgares, justo y razonable es que se les conceda mayor licencia en el lenguaje que a los demás que se expresan en vulgar; así es que toda figura o recurso retóricos que se concedan a los poetas deben concederse a los rimadores. Si, pues, vemos que los poetas han hablado de las cosas inanimadas como si tuvieran sentidos y razón y han hecho que hablaran entre sí (y ello no sólo con cosas verdaderas, sino con cosas falsas, pues de cosas que no existen han dicho que hablan del mismo modo que han dicho que hablan de muchos accidentes cual si fueran sustancias y hombres), justo es que el rimador haga lo mismo, pero no sin razón alguna, sino razonadamente, de manera que sea posible explicarlo en prosa.

Que los poetas han hablado como se ha dicho se demuestra con Virgilio, quien —en el primer canto de la *Eneida*— dice que Juno, diosa enemiga de los troyanos, habló así a Eeolo, señor de los vientos: *Aeole, namque tibo*, a la que Eolo repuso: *Tuus, o regina, quid optes explorare labor; mihi jussa capessere fas est.*

15 Aristóteles.

16 Lengua de *oc*: provenzal y afines; lengua de *sí*: toscana.

El mismo poeta, en el tercer acto de la *Eneida,* hace que la cosa inanimada hable con la cosa animada, donde dice: *Multum, Roma, tamen, debes civilibus armis.* Horacio hace que el hombre hable con su misma ciencia como con otra persona. Y no solamente son palabras de Horacio, sino que éste, casi repitiendo las del buen Homero, dice en su *Arte poética: Dic mihi. Musa virum.* Ovidio, al principio del libro llamado *Remedio de amor,* hace que Amor hable como un ser humano donde dice: *Bella mihi, video, bella parantur, ait.*

Todo esto pueden tenerlo en cuenta quienes duden en alguna parte de este mi opúsculo. Y para que no tergiverse las cosas ninguna persona obtusa, debo añadir que ni los poetas hablaron así sin sentido ni los rimadores deben hablar sin poner sentido en lo que digan, pues gran vergüenza sería para quien rimase con figuras y recursos retóricos que, al pedirle que desnudase sus palabras de tal vestidura, para que fueran entendidas rectamente, no supiese hacerlo. Mi primer amigo y yo conocemos a algunos de los que riman tan neciamente.

XXVI

La gentilísima mujer de quien anteriormente he hablado era tan admirada por las gentes, que cuando iba por las calles corrían todos a contemplarla, lo cual me alegraba sobre manera. Y cuando ella estaba cerca de alguien, tanta honestidad infundíale en el corazón, que no osaba levantar la cabeza ni responder a su saludo: muchos que experimentaron tal influencia podrían abonarme ante los incrédulos. Coronada y vestida de humildad pasaba ella, sin mostrar vanagloria de lo que veía y oía. Y cuando había pasado, decían muchos: «No es una mujer, sino un hermosísimo ángel del cielo.» Otros decían: «¡Qué maravilla! ¡Bendito sea el Señor, que tan admirables obras produce!» Mostrábase, en efecto, tan bella y colmada de hechizos, que

quienes la miraban sentíanse invadidos por una dulzura tan honesta y suave, que no podían expresarla, a más de que al principio se habían visto obligados a suspirar.

Estos efectos y otros más admirables producía mi amada, por lo cual yo, pensando en ello y queriendo volver al estilo de su alabanza, decidí escribir unos versos en los que diese a entender sus admirables y excelentes influencias, no tan sólo para dirigirlos a quienes podían verla en la realidad, sino para los demás, a fin de que procuren saber de ella lo que las palabras no pueden entender. Entonces compuse este soneto, que empieza: «Muéstrase tan hermosa y recatada.»

Muéstrase tan hermosa y recatada
la dama mía si un saludo ofrece
que toda lengua, trémula, enmudece
y los ojos se guardan la mirada.

Sigue su rumbo, de humildad nimba- [da
y al pasar ella su alabanza crece.
Desde los cielos descender parece
en virtud de un milagro presentada.

Tan amable resulta a quien la mira,
que por los ojos da un dulzor al seno
que no comprenderá quien no lo sienta.

Y hasta parece que su boca alienta
un hálito agradable, de amor lleno,
que va diciendo al corazón: "¡Suspira!"

Este soneto es tan fácilmente comprensible por lo ya referido, que no necesita división alguna. Así es que, dejándolo, insistiré en que mi amada causaba tanta admiración, que no solamente se le tributaban honores y alabanzas, sino que gracias a ella se les tributaban a otras damas. Yo, percibiendo esto y queriéndolo manifestar a quien no lo percibía, decidí escribir versos en que lo explicara. Y entonces decidí componer este otro soneto que empieza: «Ve toda perfección con gran fijeza.»

Ve toda perfección con gran fijeza
quien ve, entre otras mujeres, a la mía,
y deben, las que vanle en compañía,
rendir gracias a Dios por tal largueza.

Tan grande es el poder de su belleza,
que, lejos de inspirar envidia impía,
llevóme al sitio donde unas mujeres,
de amores, y de fe, y de gentileza.

Todo, a su sola aparición, se humilla;
pero no luce sola en hermosura,
sino que la refleja por su ambiente.

Y tal hechizo en sus acciones brilla,
que nadie recordara su figura
sin suspirar de amores dulcemente.

Este soneto consta de tres partes. En la primera digo entre qué personas parecía más admirable mi amada; en la segunda pondero cuán agradable era su compañía, y en la tercera hablo de lo que por su influencia se operaba en las demás. La segunda parte empieza en «Y deben»; la tercera, en «Tan grande». Esta última parte se divide en tres. En la primera digo cómo influía en las mujeres en cuanto a sí mismas; en la segunda, cómo influía en ellas respecto a los demás, y en la tercera afirmo que influía admirablemente, no sólo en las mujeres, sino en todas las personas, y no sólo cuando estaban en su presencia, sino cuando se acordaban de ella. La segunda parte empieza en «Todo, a su sola aparición», y la tercera en «Y tal hechizo».

XXVII

Luego de esto, di un día en pensar sobre lo que había dicho de mi amada en los dos anteriores sonetos; y percatándome de que no había hablado de lo que a la sazón me ocurría, parecióme haberme expresado defectuosamente. Decidí, por tanto, escribir unos versos en los que manifestara cuán sujeto me hallaba a la influencia de mi amada y cómo actuaba en mí dicha influencia. Y suponiendo que no podía referirlo todo en la brevedad de un soneto, comencé entonces esta canción que empieza:

Tanto tiempo me tiene dominado
Amor por su virtud de señoría,

que si al principio duro parecía,
hogaño me parece suavizado.

Y es que cuando me deja anonadado
porque el ánimo escapa y se extravía,
entonces, débil, siente el alma mía
tal goce, que me noto demudado.

Amor requiere luego tal potencia,
que me hace suspirar si estoy hablando
Y, mi dama invocando,

aumenta, con placer, mi complacen-
[cia.
Tal acontece si a mi vista acude,
aunque pueda haber gente que lo dude.

XXVIII

Quomodo sedet sola civitas plena populo! facta est quasi vidua domina gentium![17] Aún no había pasado del inicio de dicha canción, de la que sólo había terminado la anterior estrofa, cuando el Señor de los justos llamó a mi gentilísima amada para que goce de la gloria bajo la enseña de la bendita Reina y Virgen María, para cuyo nombre hubo siempre gran veneración en las palabras de la bienaventurada Beatriz. Y aunque tal vez fuera oportuno decir algo de su partida de este mundo, no es mi propósito tratar de ello, por tres razones: la primera es que no entra en el plan del opúsculo, como puede verse en el proemio; la segunda es que, aun cuando entrase en el plan, no podría yo hablar de ello como fuera menester; y la tercera es que, aun eliminando los dos obstáculos anteriores, no me conviene tratar de ello, por cuanto habría de convertirme en un apologista de mí mismo, cosa, en fin de cuentas, muy vituperable, por lo cual dejaré tal materia para otro glosador.

Empero, como el número nueve se ha mostrado muchas veces entre las precedentes palabras, no sin motivo al parecer, y comoquiera que en la partida de mi gentilísima amada diríase que también tuvo importan-

---

[17] ¡Qué desierta se halla la ciudad un día populosa! Está como viuda la señora de las gentes. (*Lamentaciones* de Jeremías.)

cia tal número, conviene decir aquí algo que creo pertinente. En primer término, diré cómo intervino dicho número en su partida, y luego explicaré con razones la causa de que tal número le fuera tan amigo.

XXIX

El alma nobilísima de Beatriz partióse, según la manera de computar el tiempo en Arabia, en la primera hora del noveno día del mes; según la manera de computarlo en Siria, en el noveno mes del año, pues allí el primer mes es Tisirin, que corresponde a nuestro octubre, y según la manera de computarlo nosotros, en el año de nuestra indicación, o sea, del Señor, cuyo número redondo había cumplido nueve veces en el siglo en que ella fue puesta en este mundo: vivió entre los cristianos de de la centuria decimotercera.[18]

Una de las razones en virtud de las cuales dicho número le fue tan amigo, podría ser la de que, según Tolomeo y la ciencia cristiana, son nueve los cielos que se mueven, y, según la general opinión de los astrólogos, dichos cielos nos transmiten las relaciones armoniosas a que se hallan sometidos, por lo cual la fidelidad de dicho número nueve daría a entender que, al ser ella engendrada, los nueve cielos móviles estaban en perfectísima armonía. Esto es, desde luego, una razón; pero, pensando más sutilmente y según la verdad infalible, dicho número fue ella misma. Me explicaré mediante una comparación. El número tres es la raíz de nueve, pues que sin otro número, multiplicado por sí mismo, da nueve, según vemos claramente que tres por tres son nueve. Ahora bien: si el tres es por sí mismo factor del nueve, y, por otra parte, el Factor o Hacedor por sí mismo de los milagros es también tres, o sea Padre, Hijo y Espíritu Santo, que son Tres y Uno, a mi amada le

[18] Se ha deducido que Beatriz falleció a la primera hora del 9 de junio de 1290.

acompañó el número nueve para dar a entender que era un nueve, es decir, un milagro, cuya raíz —la del milagro— es solamente la Santísima Trinidad. Quizá persona más sutil hallaría en esto razón todavía más sutil; pero la apuntada es la que yo veo y la que me place más.

XXX

Una vez ausente de este mundo mi gentilísima amada, quedó la ciudad antes aludida como viuda despojada, por lo que yo, llorando en medio de tanta desolación, escribí a los principales de la ciudad acerca de su condición, citando aquellas palabras iniciales de Jeremías que dicen: *Quomodo sedet sola civitas.* Y digo esto para que nadie se maraville de que las haya mencionado antes como introducción de la nueva materia que seguía. Y si alguien me reprochara no escribir las palabras que siguen a las citadas, me excusaría con que mi propósito, ya desde el principio, fue solamente escribir en lengua vulgar; por lo cual, comoquiera que las palabras que siguen a las citadas son todas latinas, saldríame de mi propósito transcribiéndolas. A más, idéntica intención —que yo escribiera solamente en vulgar— sé que tuvo aquel mi primer amigo a quien escribo.

XXXI

Cuando mis ojos hubieron llorado largo tiempo y tan fatigados estaban que ya no podían desahogar mi tristeza, propúseme aliviarla con palabras de dolor. Determiné, por ende, componer una canción en la cual, entre lágrimas, discurriese acerca de aquello por quien tanto dolor había destruido mi alma. Entonces compuse la canción, que empieza: «Mis ojos han vertido tanto llanto». Y para que esta canción termine más secamente, la dividiré antes de escribirla, como haré de ahora en adelante.

Esta misma canción consta, pues,

de tres partes. La primera es prefacio; en la segunda hablo de ella, y en la tercera me dirijo lastimeramente a la canción. La segunda parte empieza en «Beatriz ascendió»; la tercera, en «¡Oh mi canción!» La primera parte se divide en tres: en la primera explico qué me impulsa a hablar; en la segunda digo a quién quiero hablar, y en la tercera, de quién quiero hablar. La segunda empieza en «Comoquier que el recuerdo»; la tercera, en «Por ende». Luego, al decir: «Beatriz ascendió», hablo de ella y hago dos partes en el discurso: en la primera digo la causa de que fuese arrebatada, y en la segunda, cómo los demás lamentan su partida. Esta segunda parte empieza en «Se separó». Y se divide, a su vez, en tres partes. En la primera hablo de quien no la llora; en la segunda de quien la llora, y en la tercera, de mi situación. La segunda empieza en «Sin que le sobrecoja»; la tercera, en «Me causa angustia». Luego, al decir: «¡Oh mi canción!», me dirijo a la canción misma, indicándole a qué mujeres ha de ir y permanecer con ellas.

Mis ojos han vertido tanto llanto
por el pesar que el corazón henchía,
que parecen exhaustos totalmente.
Y si aliviar pretendo mi quebranto,
que a la muerte me lleva con falsía,
he de hablar con la voz languideciente.
Comoquier que el recuerdo se presente
de que, mientras mi dama subsistía,
hablaba de ella, ¡oh damas!, con voso-
no quiero hablar con otras   [tras,
que las que cobijáis la cortesía.
Por ende, como fue la amada mía
súbitamente al Cielo, en llanto digo
y cómo al triste Amor dejó conmigo.

Beatriz ascendió al reino de los cielos
y en la quietud del ángel permanece.
¡Oh damas, de vosotras se ha alejado!
Y no la arrebataron ni los hielos
ni el calor, según norma que acontece,
sino su corazón insuperado.
El resplandor por su virtud lanzado
a los cielos llegó con tal potencia,
que Dios, ante el magnífico portento,
llamó con dulce acento
a la dama gentil a su presencia.

Y provocó el maravilloso evento
a fin de evidenciar que el bajo mundo
era indigno de un ser tan sin segundo.

Se separó de su gentil persona
su espíritu gracioso y delicado,
que actualmente reside en lugar digno.
Quien no la llora cuando la menciona,
alberga un corazón duro y malvado
do no se encontrará sentir benigno.
No existe corazón, siquier maligno,
que pueda imaginar su puro encanto,
sin verse acometido de congoja,
sin que le sobrecoja
un ansia de morir fundido en llanto.
Y de confortación su alma despoja
quien en su mente ve lo que ella fuera
y cuál fue arrebatada considera.

Me causa angustia el suspirar muy
                                [fuerte
cuando me acude el pensamiento grave
de aquella que mi pecho desgarra.
Y pensando a las veces en la muerte
me gana un sentimiento tan suave,
que muda los colores de mi cara.
Cuando ese pensamiento se declara
me vencen los dolores tan potentes,
que me estremezco del dolor que siento,
y tal cariz presiento
que me aparta vergüenza de las gentes.
Solo, vertiendo lágrimas ardientes,
llamo a Beatriz. "¡Estás ya muerta!",
                                [exclamo,
y me consuelo en tanto que la llamo.

Lloros de penas y ansias de agonía
pártenme el corazón en dondequiera
hasta el punto de herir a quien me oye-
                                [se,
y cuál es mi vivir desde aquel día
en que subió mi dama a la alta esfera
no hay lengua que a decirlo se atreviese,
ni tan siquiera yo, cuando quisiese,
pues no sabría dar con tino el tono
que tanto amarga mi presente vida,
a tal grado abatida,
que todos me murmuran: "¡Te aban-
                                [dono!"
al percibir mi faz descolorida.
Pero mi ser presente ve el bien mío
y de hallar galardón no desconfío.

¡Oh mi canción de lágrimas y due-
                                [los!...
Vé en busca de señoras soberanas
a quienes tus hermanas
llevaban alegría y gentileza.
Y tú, nacida en gracia de tristeza,
queda con ellas triste y en desgana.

XXXII

Una vez compuesta semejante canción, llegóse a mí quien, según los grados de amistad, podía considerar yo como mi segundo amigo, el cual tenía tal parentesco de consanguinidad con la gloriosa Beatriz, que no podía haberlo mas estrecho.[19] Luego de conversar conmigo, suplicóme que le compusiera unos versos para dedicarlos a una mujer que había muerto, si bien disimuló sus palabras con objeto de parecer que se refería a otra que también había fallecido. Mas yo, advirtiendo que se refería solamente a la bienaventurada Beatriz, respondíle diciendo que haría lo que suplicaba. Y meditando sobre ello decidí escribir un soneto en que me lamentase largamente y entregarlo a mi amigo para que pareciese escrito por él. Y entonces compuse este soneto, que empieza: «Venid para escucharme los lamentos.» Se divide en dos partes. En la primera llamo a los devotos de Amor para que me escuchen; en la segunda hablo de mi lamentable estado. La segunda parte empieza en «Lo que morir.»

Venid para escucharme los lamentos,
almas piadosas, que piedad lo pide.
Lo que morir, por el penar, me impide
es que lanzo mis penas a los vientos.

Apelo al llanto en todos los momen-
[tos,
aunque el llanto a acudir no se decide.
Mi dolor no se pesa ni se mide
si lágrimas no bañan sus tormentos.

Venid para escucharme la llamada
a la dama que fuese a la morada
que su virtud celeste requería.

Venid para escucharme que abomino
de la presente vida y mi destino,
ya que me falta su presencia pía.

XXXIII

Una vez compuesto el soneto, considerando quién era aquel a quien

19 Manetto Portinari, según se cree.

pensaba entregarlo para que pasase por suyo, parecióme la merced pobre y mísera, tratándose de persona tan allegada a la gloriosa Beatriz. Por ende, antes de entregarle el susodicho soneto, compuse dos estrofas de una canción, la primera verdaderamente para él y la segunda para mí, si bien quien no las examine sutilmente las juzgará referentes a una misma persona; mas quien las examine sutilmente verá que hablan personas distintas, por cuanto una no la llama señora suya a Beatriz, y la otra, sí, como paladinamente aparece. Tanto esta canción como el soneto susomentado se los entregué, diciéndole que sólo para él los había compuesto. La canción empieza: «Cada vez que me acude el pensamiento.» Consta de dos partes. En una, es decir, en la primera estrofa, se lamenta el amigo mío y allegado de ella; en la segunda me lamento yo. Es en la estrofa que empieza: «Y tiene el suspirar.» Se ve, pues, que en esta canción laméntanse dos personas, una como hermano y otra como siervo.

Cada vez que me acude el pensamien-
de la dama hechicera,   [to
de la mujer por quien mi pecho siente,
pone en mi corazón triste contento
la dolorida mente
y exclamo: "¿Aun, alma mía, no te au-
[sentas?
Las torturas sin par que experimentas

"en este mundo, ya tan fastidioso,
me ponen pensativo en miedo inerte."
Y por eso a la muerte
llamo como un dulcísimo reposo
y le digo que venga, tan sincero,
que siento envidia porque yo no muero.

Y tiene el suspirar de mis desvelos
un tono quejumbroso
que a la muerte se aclama con porfía,
pues ella fue el confín de mis anhelos
cuando la dama mía
víctima fue de golpe abominoso.
Porque su ser, amable por lo hermoso,

desde que abandonó nuestra presen-
con belleza tan alta se confunde [cia,

que en los cielos difunde,
luz de amor que todo ángel reverencia.
Y su mentalidad, por sutil, brilla
de tal modo que causa maravilla.

XXXIV

El primer aniversario del día en que mi amada adquirió ciudadanía de vida eterna hallábame yo sentado mientras, recordándola, dibujaba un ángulo sobre unas tablillas. Al volver los ojos, vi cerca de mí a caballeros que me cumplía atender. Contemplaban lo que yo hacía y —según se me dijo después— ya estaban allí algún tiempo antes de que yo me percatase. Al verlos, me levanté y, saludándolos, dije: «Otra persona pensaba tener ahora por testigo.» Cuando se alejaron torné a mi tarea, a dibujar figuras de ángel. Y estando en ello vínome a las mientes escribir en conmemoración del aniversario, y dirigiéndome a quienes se me habían acercado. Entonces compuse el soneto que empieza: «Por ventura acudió a la mente mía.» Tiene dos principios y lo dividiré con arreglo a cada uno de ellos.

Con arreglo al primero, el soneto consta de tres partes. En la primera digo que aquella mujer estaba ya en mi memoria; en la segunda, lo que Amor me hacía; en la tercera, los efectos de Amor. La segunda empieza en «Amor, que en mi memoria»; la tercera, en «Llorando, sí». Esta parte se divide en dos: en la primera digo que todos mis suspiros salían hablando; en la segunda, cómo algunos hablaban de manera distinta a los otros. La segunda parte empieza en «Y el suspiro más fuerte». De la misma guisa se divide el soneto con arreglo al otro principio, salvo que en la primera parte digo cuándo aquella mujer se presentó en mi mente, cosa que no refiero en el otro.

PRIMER COMIENZO

Por ventura acudió a la mente mía
la señora gentil a quien pusiera

por sus méritos Dios en la alta esfera
de la humanidad, do está siempre Ma-
[ría.

SEGUNDO COMIENZO

Por ventura acudió a la mente mía
la que llora el Amor, dama radiosa
cuando por su virtud, tan poderosa,
llegasteis para ver lo que yo hacía.

Amor, que en mi memoria la veía,
despertóse en el alma, do reposa,
a suspiros mandó voz imperiosa
y brotaron con gran melancolía.

Llorando, sí, salían de mi pecho
con voz que determina la presencia
de lágrima fatal en cara triste.

Y el suspiro más fuerte y más des-
[hecho
exclamaba: "Oh sublime inteligencia;
al Cielo, hoy hace un año, que subiste."

XXXV

Algún tiempo después, hallándome dedicado a recordar pasados tiempos, estaba preocupado y con tan dolorosos pensamientos, que me daban aspecto de terrible decaimiento. Dándome cuenta de mi estado, levanté los ojos por ver si alguien me miraba. Y entonces vi a gentil mujer, joven y sobre manera hermosa, que desde un ventanal mirábame tan compasivamente, al parecer, que diríase reunida en ella toda compasión. Y como cuando los afligidos ven que se compadecen de ellos, más presto dan en el llanto, cual si tuvieran compasión de sí mismos, noté que se iniciaba en mis ojos prurito de lágrimas, por lo cual, temiendo descubrir las miserias de mi vida, apartéme de la vista de aquella hermosa. «Es imposible —decía en mi fuero interno— que en dama tan compasiva no exista un nobilísimo amor.» Entonces decidí escribir un soneto en que me dirigiese a ella y comprendiera cuanto he referido en este discurso. Y como por ello mismo resultará harto evidente, no lo dividiré. El soneto empieza en «Vieron mis ojos toda la clemencia».

Vieron mis ojos toda la clemencia
que clara apareció en vuestra figura
al percibir los actos y postura
que me inspira el dolor con gran fre-
[cuencia.

Noté que sabe vuestra inteligencia
la condición de mi existencia oscura,
tanto, que el corazón se me tortura
por mostrar, con el llanto, mi indigen-
[cia.

Por ende, me aparté de vuestros ojos
sabiendo que los lloros y sonrojos
saldrían de mi pecho emocionado.

Y dije para mí en pecho doliente:
"También anida en dama tan clemente
el amor que me puso en tal estado."

XXXVJ

Aconteció después que, dondequiera me viese esta mujer, tornábase su
semblante compasivo y palidecía como amorosamente, por lo cual a menudo recordábame a mi nobilísima
amada, que con semejante palidez
se me mostraba. Y en verdad digo
que muchas veces, no pudiendo llorar ni desahogar mi tristeza, procura-
ba ver a tan compasiva señora, la
cual diríase que con su presencia
hacía brotar lágrimas de mis ojos.
Por ello ganáronme deseos de escribir algunos versos dirigidos a ella.
Y entonces compuse este soneto, que
empieza. «Color de amor y de piedad talante.» No es menester dividirlo, por cuanto resulta claro con lo
antedicho.

Color de amor y de piedad talante,
nunca tornó tan admirablemente
un rostro de mujer por mí frecuente
llanto de devoción, mirar amante,

como vos los tomáis, señora, ante
la gravedad de mi decir doliente,
tanto, que al veros túrbase mi mente
y el corazón sospecho que no aguante.

Y están mis pobres ojos con recelo
de veros mucho y por diversos modos
por ansias de llorar que en ellos moran.

Pero, aunque tanto fomentéis su
[anhelo
que por las ansias se consumen todos,
es —llorar ante vos— cosa que ignoran.

XXXVII

Tanto me deleitaba ver a tal señora, que mis ojos comenzaron a deleitarse en demasía al verla, por lo
cual acusábame frecuentemente yo
mismo y teníame por vil. En ocasiones abominaba de la vanidad de mis
ojos y decíales en mis pensamientos:
«Antes solíais provocar el llanto de
quien veía vuestra dolorosa condición, y ahora diríase que pretendéis
olvidarlo por esta mujer que os mira.
Os mira, pero solamente por la pena
que le produce la bienaventurada
mujer a quien llorar solíais. Mas ha-
ced cuanto queráis, malditos ojos, ya
que os recordaré con tanta frecuencia, que nunca, sino tras la muerte,
cesarán vuestras lágrimas.» Y en
cuanto hube reprendido entre mí y
en tales términos a mis ojos, me asal-
taron grandes y angustiosos suspiros.
Y a fin de que la pugna desarrollada
en mí fuera conocida por alguien
más que por el desventurado que la
sufría, decidí escribir un soneto en
que describiese mi horrenda situación. Y compuse el soneto que empieza: «Lágrimas muy amargas derramando.» Consta de dos partes. En
la primera hablo a mis ojos como
hablaba mi corazón en mí mismo; en
la segunda aclaro alguna duda, manifestando quién es el que así habla. Y empieza esta parte en «Dice
mi corazón». Cabría hacer más divisiones, pero serían inútiles, una vez
expuesta claramente la materia.

"Lágrimas muy amargas derramando,
estuvisteis por tiempos, ojos míos.
Y la gente sentía escalofríos
de lástima que fuisteis observando.

"Más creo que lo iríais olvidando
si fuera yo inclinado a desvaríos
y no obstaculizara los desvíos
a la que hízoos llamar rememorando.

"Pero me hacen temer la petulancia
y la vanidad vuestra por la instancia
de un rostro de mujer que ahora os
[mira

"Recordad, mientras muerta no os
[apunta,

a la señora vuestra, ya difunta."
Dice mi corazón. Luego, suspira.

XXXVIII

La presencia de aquella dama poníame de tal guisa, que muchas veces pensaba en ella como en persona que harto me placía. «Es —llegaba a pensar— una gentil señora, bella, joven y discreta, que tal vez Amor me ha dado a conocer para consolar mi existencia.» Y a menudo pensaba aún más amorosamente, hasta el punto de que el corazón aceptaba tal argumento. Pero luego de la aceptación, pensaba yo lo contrario, como por la razón inducido, y decíame: «¿Qué pensamiento es éste, Dios mío, que de tan ruin manera quiere consolarme y no me deja lugar a pensar otra cosa?» Pero seguidamente surgía otro pensamiento para decirme: «Ya que te hallas tan atribulado, ¿por qué no quieres sustraerte a tal amargura? Bien advertirás que un hálito de Amor pone ante ti deseos amorosos, procedentes de tan noble origen como los ojos de la dama que tan compasiva se ha mostrado.» Yo, que albergaba una pugna vivaz en mí mismo, quería seguir hablando de ello; pero como en la lid de los pensamientos venían los que abogaban por ella, a ella creí conveniente dirigirme. Y compuse el soneto que empieza: «Un noble pensamiento que os presenta.» Y digo «noble», por cuanto a noble dama se refería, ya que por lo demás era un pensamiento muy vil.

En dicho soneto hago dos partes en mí, con arreglo a la división de mis pensamientos. A una parte llamo «corazón», o sea el deseo, y a la otra, «alma», o sea la razón. Y refiero cómo hablan entre sí. Que es propio llamar corazón al deseo y alma a la razón, resultará evidente para quien me place que me entienda. Bien, es verdad que en el soneto anterior tomo el partido del corazón contra el de los ojos, lo cual parece contrario a lo que digo en el inmediato siguiente; no obstante, también

allí tomé el corazón por el deseo, pues que mayor anhelo tenía yo de recordar a mi gentilísima amada que de ver a ésta, si bien tenía de ello cierta apetencia, ligera al parecer, con lo cual se demuestra que lo allí dicho no se opone a lo que aquí se dirá.

Este soneto consta de tres partes. En la primera comienza diciendo a esta señora cómo mi deseo se dirige hacia ella; en la segunda refiero cómo el alma, o sea la razón, habla con el corazón, o sea el deseo; en la tercera incluyo la respuesta. La segunda parte empieza en «¿Quién es?»; la tercera, en «Y el corazón».

Un noble pensamiento que os presen-
                                        [ta
viene a morar conmigo tan frecuente
y razona de amor tan dulcemente,
que hace que el corazón en él consienta.

"¿Quién es —demanda el alma— este
                             [que intenta
mitigar el dolor de nuestra mente
y el influjo del cual es tan potente
que cualquier otra idea nos ahuyenta?"

Y el corazón: ¡Ay alma cavilosa!
Es un novel espíritu amoroso
que ante mí ha desplegado sus delirios.

"Su vida, en lo que tenga de valiosa,
dimana del espíritu piadoso
que turbábase al ver nuestros marti-
                                       [rios."

XXXIX

Un día (a la hora de nona, aproximadamente) alzóse en mí, contra este adversario de la razón, un pensamiento pertinaz. Creí ver a la bienaventurada Beatriz con las bermejas vestiduras con que primero se mostró a mis ojos y tan juvenil como cuando por vez primera la vi. Entonces comencé a pensar en ella. Y según iba recordándola por el orden del tiempo que pasó, mi corazón empezaba a arrepentirse profundamente por el deseo de que cobardemente habíase dejado ganar algunos días, a pesar de la constante razón. Una vez ahuyentado tan maligno deseo, todos mis pensamientos se dirigieron a la gentilísima Beatriz. A partir de entonces pensaba en ella tan avergonzado, que lo denotaba con suspiros: suspiros que al salir decían lo que el corazón decía, o sea el nombre de mi nobilísima dama y cómo partió de este mundo. Con frecuencia pensaba tan dolorido, que olvidábame hasta del sitio donde me encontraba. Con este recrudecimiento de suspiros renovóse el amortiguado llanto, de manera que mis ojos parecía que solamente desearan llorar, y sucedía a menudo que, por el llanto continuo, se ponía en torno a los ojos ese purpurino color que suele asomar cuando se recibe alguna tortura. Tuvieron, pues, justo castigo a su ligereza, de modo que en adelante no mirarían a nadie que los pudiese mirar en forma que los redujera a tal situación. Y yo, con el propósito de que el deseo maligno y la vana tentación aparecieran aniquilados sin que los anteriores versos pudieran inducir a dudas, decidí escribir un soneto en el que compendiara lo dicho. Y compuse entonces el soneto que empieza: «Tanto, ¡ay de mí!, el espíritu suspira.» (Dije «¡ay de mí!» porque me avergonzaba de la ligereza de mis ojos.) No divido este soneto, porque su sentido tiene sobrada claridad.

Tanto, ¡ay de mí!, el espíritu suspira
—pensando en ella, nacen los enojos—,
que ya no pueden mis vencidos ojos
devolver la mirada a quien los mira.

Parecen hechos para un par de anto-
llorar y revolverse en una pira.   [jos:
Y Amor, viendo sus penas, no retira
corona del martirio con abrojos.

Los tales sentimientos suspirados
dan en el corazón una soflama
que el mismo Amor, con efusión, la
       [advierte.

Y es que llevan en sí los desdichados
el nombre prodigioso de mi dama
y acentos relativos a su muerte.

XL

Después de esta tribulación, en

esos días [20] en que la multitud acude a ver la bendita imagen que Jesucristo nos dejó para recuerdo de su hermosísima faz.[21] la cual contempla mi amada en la gloria, aconteció que algunos peregrinos pasaron por la calle mayor de la ciudad donde nació, vivió y murió aquella gentilísima mujer. Y estos peregrinos, a lo que me pareció, andaban meditabundos, por lo que yo, pensando en ellos, me dije: «Los tales peregrinos se me antojan de lueñes tierras y no creo que hayan oído hablar de aquella mujer ni sepan algo de ella; antes al contrario, pensarán en algo distinto, quizá en sus amigos ausentes, que nosotros no conocemos.» Luego seguí diciéndome: «Si los tales peregrinos fueran de cercano país, mostraríase la turbación en sus semblantes al atravesar la dolorida ciudad.» Y proseguía yo diciéndome: «De poderlos retener un tanto, haría que llorasen antes que sal'eran de esta ciudad, pues les diría palabras que arrancarían lágrimas en quienquiera que las oyese.»

En cuanto hube perdido de vista a los peregrinos decidí escribir un soneto en que manifestara lo que había dicho en mi fuero interno. Y para que pareciese más lastimero, me propuse escribirlo cual si a ella me dirigiese. Así, pues, compuse el soneto que empieza: «¡Oh peregrinos de faz cavilosa!» Escribí peregrinos en la amplia acepción del vocablo, que puede tomarse en dos sentidos: amplio y estrecho. En el amplio sentido, es peregrino quien se halla fuera de su patria; en el estrecho, sólo se llama peregrinos a quienes van a Santiago o de allí vuelven. A más, es de advertir que de tres modos se llama propiamente a quienes caminan para servir al Altísimo. Llámase «palmeros» a quienes van a Oriente, pues suelen traer muchas palmas de allí; «peregrinos» a los que van al templo de Galicia, pues la sepultura de Santiago está más lejos de su pa-

[20] Las de Semana Santa.
[21] La Verónica que se guarda en San Pedro, en Roma.

tria que la de cualquier otro apóstol,
y «romeros» a los que van a Roma,
que era adonde se dirigían mis peregrinos. No divido este soneto porque
harto manifiesto es su sentido.

¡Oh peregrinos de faz cavilosa
quizá por algo que no está presente!
¿Venís acaso, como se presiente,
de alguna tierra luenga y fabulosa,

ya que no vais con cara lacrimosa
atravesando la ciudad doliente
cual un enjambre ajeno, por nesciente,
a la fatal desgracia que la acosa?

Si queréis conocerla, deteneos
El corazón me dice con suspiros
que no proseguiréis sin afligiros.

La ciudad sin Beatriz hase quedado,
y hablando de mi amada es obligado
que de llorar os nazcan los deseos.

XLI

Dos nobles señoras me mandaron
a decir, en ruego, que les enviara
estos versos; pero yo, atento a su
nobleza, acordé enviárselos con más
algunos versos nuevos que haría y
que les enviaba con los otros para
corresponder más dignamente a sus
atenciones. Y entonces escribí un soneto refiriendo mi estado y se lo en-
vié acompañado del soneto anterior
y de otro que empieza: «Venid a
oír.»
El soneto que a la sazón compuse
empieza: «Sobre la esfera que más
alta gira.» Consta de cinco partes.
En la primera digo adónde va mi
pensamiento, dándole el nombre de
alguno de sus efectos. En la segunda
digo por qué asciende, es decir, qué
le impele. En la tercera digo lo que
ve, o sea una mujer a quien se honra
en las alturas, y le llamo «peregrino
espíritu» porque espiritualmente va
allí y reside allí cual peregrino fuera
de su patria. En la cuarta digo cómo
la ve que es de tal modo, que no la
puedo entender; pudiera decirse que
mi pensamiento penetra en la ciudad
de ella a tal punto que mi inteligen-

cia no lo puede comprender, pues
nuestra inteligencia se halla en relación a las almas bienaventuradas así
como nuestros débiles ojos ante él
sol, según dice el filósofo [22] en el
segundo libro de la *Metafísica*. Y en
la quinta digo que, aun cuando no
pueda comprender hasta dónde me
remonta el pensamiento, o sea lo
admirable de la condición de mi amada, al menos comprendo que semejante pensamiento se refiere a ella,
porque noto frecuentemente su nombre en mi pensamiento. Al fin de
esta quinta parte escribo «amigas»
para dar a entender que me dirijo a
mujeres. La segunda parte empieza
en «Pero una vez allí»; la tercera, en
«Y al llegar al lugar»; la cuarta, en
«Y la ve tal», y la quinta, en «Más
sé que». Cabría dividirlo más minu-
ciosamente y hacerlo más útilmente
comprensible; pero puede bastar esta
división, por lo que no me entretengo
en subdivisiones.

Sobre la esfera que más alta gira
llega el suspiro que mi pecho lanza.
Pero una vez allí, de nuevo avanza
por más potencia que el Amor inspira.

Y al llegar al lugar de donde aspira
ve a una dama ceñida de alabanza
y, por el vivo resplandor que alcanza,
el peregrino espíritu la mira.

Y la ve tal que no le entiendo cuando
háblame de ella —rara y sutilmente—
obedeciendo al corazón abierto.

Mas sé que de mi dama me está ha-
[blando,
pues recuerda a Beatriz frecuentemente,
lo cual, amigas, tengo por muy cierto.

XLII

Terminado este soneto, me sobrevino una extraña visión en que con-
templé cosas tales que me determinaron a no hablar de aquella alma bienaventurada hasta tanto que pudiera
hablar de ella más dignamente. Para
lograrlo estudio cuanto puedo, como

[22] Aristóteles.

a ella le consta. Así es que, si el Sumo Hacedor quiere que mi vida dure algunos años, espero decir de ella lo que jamás se ha dicho de ninguna. Después ¡quiera el Señor de toda bondad que mi alma pueda ir a contemplar la gloria de mi amada, de la bienaventurada Beatriz, que gloriosamente admira la faz de Aquel *qui est per omnia saecula benedictus!*

FIN DE

«LA VIDA NUEVA»

INDICE

PARAÍSO

La impresión de este libro fué terminada el 3 de Enero de 1989, en los talleres de E. Penagos, S. A., Lago Wetter 152, la edición consta de 30,000 ejemplares más sobrantes para reposición.

COLECCIÓN "SEPAN CUANTOS..." *

---

* Los números que aparecen a la izquierda corresponden a la numeración de la Colección.

ENCUADERNADOS EN TELA

PRECIOS SUJETOS A VARIACIÓN SIN PREVIO AVISO.

EDITORIAL PORRÚA, S. A.